LE GUIDE DU VIN PHANEUF

VIN

LES GRAPPES D'OR

Design graphique : Josée Amyotte
Mise en page et infographie : Josée Amyotte et Johanne Lemay
Soutien technique : Mario Paquin

DISTRIBUTEUR EXCLUSIF :

- Pour le Canada
  et les États-Unis :
  MESSAGERIES ADP*
  2315, rue de la Province
  Longueuil, Québec J4G 1G4
  Téléphone : 450-640-1237
  Télécopieur : 450-674-6237
  Internet : www.messageries-adp.com
  * filiale du Groupe Sogides inc.,
  filiale de Québecor Média inc.

Suivez-nous sur le Web
Consultez nos sites Internet et inscrivez-vous à l'infolettre pour rester informé en tout temps de nos publications et de nos concours en ligne. Et croisez aussi vos auteurs préférés et notre équipe sur nos blogues !

EDITIONS-HOMME.COM
EDITIONS-JOUR.COM
EDITIONS-PETITHOMME.COM
EDITIONS-LAGRIFFE.COM

Gouvernement du Québec – Programme de crédit d'impôt pour l'édition de livres – Gestion SODEC – www.sodec.gouv.qc.ca

L'Éditeur bénéficie du soutien de la Société de développement des entreprises culturelles du Québec pour son programme d'édition.

Conseil des Arts du Canada **Canada Council for the Arts**

Nous remercions le Conseil des Arts du Canada de l'aide accordée à notre programme de publication.

Financé par le gouvernement du Canada
Funded by the Government of Canada
Canada

Nous reconnaissons l'aide financière du gouvernement du Canada par l'entremise du Fonds du livre du Canada pour nos activités d'édition.

Imprimé au Canada

11-16

Dépôt légal : 2016
Bibliothèque et Archives nationales du Québec

ISBN 978-2-7619-4653-7

NADIA FOURNIER

LE GUIDE DU VIN PHANEUF

VIN

LES GRAPPES D'OR

2017

LES ÉDITIONS DE L'HOMME
Une société de Québecor Média

LE VIN ET LES MOTS EN HÉRITAGE

Cette 36e édition porte une attention toute particulière aux mots du vin. Ceux qui forment le jargon des vignerons, des chroniqueurs et des buveurs éclairés. Ceux également qui nous permettent de communiquer nos impressions et de partager l'émotion ressentie. J'avais décidé d'y consacrer l'introduction du guide, mais voilà, il y a quelque temps, la vie s'est chargée de me rappeler que les mots, aussi importants soient-ils, ne sont qu'accessoires que derrière chaque bouteille, il y a une histoire humaine et que l'expérience du vin est avant tout un plaisir social, un moment de rencontre avec l'autre.

De fait, le vaste monde du vin n'aura pas échappé au caractère funeste de l'année 2016. Comme tant de légendes de la musique, du cinéma et de la littérature, beaucoup de monuments de la scène vinicole sont disparus au cours des derniers mois. Au nom de tous les orphelins parmi les amoureux du vin, j'ai pensé leur rendre un dernier hommage.

En février, Peter Mondavi s'est éteint à l'âge vénérable de 101 ans, près de 8 ans après son frère aîné, le célébrissime Robert Mondavi. Peter a passé plus d'un demi-siècle à la barre de Charles Krug Winery, un domaine historique de la vallée de Napa. Vigneron bien avant la ruée vers l'or rouge des années 1970, à une époque où la Napa était réputée pour ses prunes plus que pour son cabernet, il a cédé les rênes du domaine à ses fils, mais il n'a pris sa retraite que l'an dernier, une fois centenaire.

Le 28 mars, Paul Pontallier, l'un des plus brillants œnologues de sa génération, nous quittait lui aussi moins d'un mois avant son soixantième anniversaire. Bordelais de naissance, il n'avait que 27 ans lorsqu'il avait été embauché par Corinne Mentzelopoulos, propriétaire de Château Margaux. Grand passionné d'histoire, Paul Pontallier était aussi élégant que les vins qu'il a signés tout au long des 30 dernières années, à Château Margaux, mais également au Chili, où il avait acquis un vignoble en 1984. Je garde de lui le souvenir d'un homme remarquable, immensément sage, d'une gentillesse et d'une humilité désarmantes.

Moins de deux semaines plus tard, l'Alsace perdait le plus enthousiaste de ses ambassadeurs en la personne d'Étienne Hugel. Excellent communicateur, grand amoureux du riesling, il arborait toujours un large sourire et semblait animé d'une énergie inépuisable, parcourant le monde pour faire connaître les vins du domaine familial de Riquewihr.

Au mois de mai, alors que la vigne se préparait à fleurir, Aimé Guibert est parti paisiblement à l'âge de 91 ans, entouré des siens, dans son mas de Daumas Gassac, au cœur de l'Hérault. Personnage plus grand que nature, il aura été l'un des acteurs les plus marquants de l'histoire moderne du vignoble languedocien en créant, avec son épouse Véronique, le premier «grand cru» de la région. À ce jour, les vins rouges et blancs du Mas de Daumas Gassac demeurent des emblèmes du Languedoc-Roussillon.

En juillet, Bordeaux a vu s'éteindre un autre de ses plus grands œnologues: Denis Dubourdieu. À la fois viticulteur, professeur d'œnologie à l'Université de Bordeaux et consultant pour nombre de domaines prestigieux, Denis Dubourdieu a été l'un des piliers de la révolution du vin blanc sec à Bordeaux, leur permettant d'entrer dans l'ère moderne, au meilleur sens du terme. Formidable communicateur, il manquait parfois de mots pour qualifier les grands vins, lesquels avaient toujours, selon lui, «quelque chose d'indicible».

Puis, en septembre, alors que je terminais la rédaction de la présente édition, la mort est venue chercher un collègue, un ami précieux, David Pelletier, mieux connu sous le pseudonyme du Sommelier Fou de la part des nombreux fidèles qui se régalaient des chroniques publiées sur son blogue, chaque samedi matin.

C'est l'amour des mots qui avait amené David Pelletier à se pencher sur le vin de façon plus sérieuse. Il caressait depuis un certain temps l'idée d'écrire un roman et souhaitait développer une routine d'écriture, au moyen d'un blogue, qu'il alimenterait sur une base régulière. Le vin s'était vite imposé comme le sujet idéal, celui qui le motiverait à s'astreindre à une telle discipline. Nous n'aurons jamais eu la chance d'en parler, mais je crois qu'il s'est un peu laissé prendre au jeu.

David a plongé dans l'univers du vin avec autant d'ardeur et de sérieux qu'il l'avait fait pour la chanson, une dizaine d'années plus tôt. De son passé d'auteur-compositeur-interprète, il avait conservé ce don pour le rythme, cette aptitude à faire valser les mots. De son métier d'enseignant, il avait gardé le souci d'informer. Le récit de ses expériences n'avait jamais pour but de le mettre en valeur, mais traduisait son désir sincère d'apprendre quelque chose à ses lecteurs, tout en les divertissant. Et il le faisait de manière admirable. Les fidèles du samedi matin avaient vite saisi son immense talent et la sincérité de sa démarche.

C'était également un homme profondément curieux, animé d'un désir insatiable d'apprendre, doté d'une vaste culture générale et d'un sens de la répartie à faire pâlir quiconque s'y frottait sur les réseaux sociaux. Cela dit, aussi volubile fût-il sur son clavier, David n'avait rien d'une «grande gueule» en personne, sorti du virtuel. Posé, courtois, charmant. Un cœur tendre sous ses airs d'ours mal léché. Un cœur d'or.

David était sensible aux mots tout autant qu'au vin. Il maniait la plume avec une aisance que j'ai vite admirée. Il projetait aussi de publier un guide du vin l'an prochain. J'avais hâte de le lire. Avec la rigueur que je lui connais, il ne pouvait qu'être excellent.

Cette 36e édition consacrée aux mots, cher David, elle t'est dédiée.

NADIA FOURNIER

LES MOTS DU VIN

L'un des plus grands défis pour l'amateur de vin est souvent de verbaliser ses impressions et ses perceptions au moment de la dégustation. Commander une bouteille au restaurant ou poser une question à un conseiller en vin de la SAQ est pour vous une source d'angoisse? Voici un petit lexique des mots les plus fréquemment utilisés pour parler du vin. Vous verrez, ce n'est pas si compliqué.

PERCEPTIONS

Acidité: composante essentielle à la structure du vin. Elle lui confère son équilibre, sa fraîcheur et son potentiel de vieillissement. Plusieurs types d'acides jouent un rôle dans la qualité du vin. L'acide malique est vif et s'apparente à l'acidité d'une pomme verte. L'acide lactique est plus tendre et ses parfums rappellent la crème et le beurre. Mais le plus important demeure l'acide tartrique, qui contribue à la structure du vin. On dira d'un vin qui se tient bien en bouche et qui comporte une juste dose d'acidité qu'il est nerveux, vif, fringant ou tendu.

Alcooleux, capiteux: désigne un vin dont la teneur alcoolique, parfois parce qu'elle est trop élevée, n'est pas en harmonie avec ses autres composantes.

Amertume: élément essentiel à la longueur d'un vin. La sensation amère est souvent laissée en arrière-goût par des vins jeunes encore forts en tanins et même par certains vins blancs. Saveur négligée et méprisée des Nord-Américains, mais qui fait partie de l'univers gustatif des Italiens.

Âpre: se dit d'un vin qui râpe la langue et assèche les muqueuses. Défaut dû à des tanins de mauvaise qualité ou qui se fondent mal à l'ensemble.

Arôme: composé volatile perçu par l'odorat, soit au nez de manière directe, soit en bouche par rétro-olfaction.

Astringence: sensation d'asséchement des muqueuses de la bouche, provoquée par une réaction des protéines salivaires à la présence de tanins, entraînant un resserrement des tissus et une diminution des sécrétions. Elle est caractéristique de certains vins comme ceux du Piémont (barolo, barbaresco et autres nebbiolo) ou des vins rouges de Naoussa, entre autres.

Attaque : première impression gustative en bouche. Viennent ensuite le milieu de bouche et la finale ou « fin de bouche ».

Austère : se dit quelquefois d'un vin rouge tannique encore trop jeune pour être apprécié à sa pleine valeur (parfums timides, structure un peu dure), mais dont on devine le potentiel.

Boisé : se dit d'un vin qui présente une odeur de bois de chêne, perçue essentiellement dans les vins qui ont séjourné quelque temps en fût. Les parfums caractéristiques varient selon la provenance du chêne et le type de chauffe et peuvent tantôt rappeler la vanille, la noix de coco, le bourbon, les notes fumées ou grillées, le caramel, les épices (clou de girofle, cannelle), le café, le chocolat, le cèdre, etc.

Bouquet : ensemble des odeurs qui composent la palette aromatique plus ou moins complexe d'un vin acquise après son vieillissement en bouteille. La pureté et la richesse du bouquet en disent déjà long sur la qualité d'un vin.

Les mots et expressions à proscrire

Parce que désuets

Caudalie : unité équivalent à une seconde, utilisée pour quantifier la longueur d'un vin. Mais comme le disait à juste titre David Pelletier, « si une caudalie égale une seconde, alors pourquoi (merde) ne pas dire qu'un vin dure tant de secondes plutôt que tant de caudalies ? ».

Jésus en culotte de velours : cette expression aussi vieillotte qu'elle est imagée est supposée décrire un vin suave et velouté, qui est agréable à boire.

Parce que grammaticalement incorrects

L'usage abusif de la préposition « sur » : Entendu au cours des dernières années : un vin est « sur le fruit », « sur le millésime 2010 », servi « sur une pièce de viande braisée », etc. La langue française est vaste et riche. Pourquoi se limiter à ces tics de langage ?

#Parcequonesten2016

Les termes genrés : parler d'un vin féminin, d'un vin masculin, d'un vrai vin de gars ou d'un vin de femme, c'était déjà douteux dans les années 1980, alors en 2016… Et je connais autant de femmes qui préfèrent les vins corsés, tanniques et puissants que d'hommes qui se régalent de vins légers du Beaujolais.

La jambe, la cuisse : ne serait-ce que pour des raisons purement techniques, ces termes qui décrivent les traînées visqueuses coulant sur les parois du verre après l'agitation du vin devraient être mis à l'index. Contrairement à la croyance populaire, ces jambes ne sont pas vraiment un indice de qualité. Elles sont dues essentiellement au glycerol, un sous-produit de la fermentation alcoolique, et sont souvent un bon indicateur de la teneur en alcool d'un vin.

Buvabilité: employé dans le même ordre d'idée que les qualificatifs «digeste» et «gouleyant», ce néologisme de plus en plus populaire dans le jargon des dégustateurs qualifie un vin qui se boit facilement, souvent en raison de son caractère désaltérant. Les vins rouges du Beaujolais, par exemple, font preuve d'une grande buvabilité.

Charpenté: vin particulièrement bien constitué et contenant beaucoup d'extraits tanniques.

Compact, serré: qualité d'un vin dont la matière est concentrée et la structure tannique dense. Un vin serré et compact n'est pas synonyme de vin robuste. Le grain tannique des meilleures syrahs du nord du Rhône, à Côte-Rôtie par exemple, est souvent très serré, mais n'affiche aucune dureté.

Corsé: vin aux saveurs et à la texture affirmés.

Court: vin le plus souvent léger, sans persistance gustative. Les saveurs disparaissent aussitôt le vin avalé.

Dense, plein, charnu: vin rouge agréablement corsé, dont on va dire qu'il est bien en chair, qu'il a de la mâche; comme si on pouvait le mâcher. Exprime la densité des éléments texturaux; le contraire d'un vin osseux.

Digeste: par ce qualificatif qui peut faire sourciller, on ne sous-entend en rien que tel vin facilitera votre digestion. On l'utilise surtout pour signifier une opposition au caractère indigeste qu'ont certains vins modernes, hyper costauds, avec une forte teneur en alcool et parfois sucrés.

Doux: rarement applicable au rouge, il désigne les vins blancs arrondis par un reste considérable de sucre, comme les vendanges tardives, les demi-secs, etc. Selon le degré de concentration en sucre, on parlera de vin moelleux (entre 10 g/l et 45 g/l) ou de liquoreux (plus de 45 g/l).

Dur: vin sans onctuosité ni moelleux et généralement acide; un aspect fréquent chez les vins jeunes. Synonyme de vert, pointu, raide, ferme.

Équilibré: il n'est pas question ici de zénitude ni de régime alimentaire. Juste d'un bon vin dont les éléments (l'alcool, l'acidité, le fruit et les tanins pour les rouges) se présentent dans des proportions harmonieuses.

Ferme: vin à la structure affirmée, qui a de l'autorité en bouche. Souvent il s'agit d'un vin tannique qui doit vieillir pour se révéler pleinement.

Fruité: vin empreint d'arômes et de saveurs de fruits. Contrairement à la pensée populaire, fruité ne signifie en aucun cas que le vin est sucré.

Gras: vin offrant beaucoup de rondeur, empreint d'onctuosité, mais sans être moelleux. Le contraire d'un vin maigre.

Léger: vin peu alcoolisé et peu corsé, souvent peu coloré, mais très agréable malgré tout. Habituellement pas un vin de garde.

Longueur: c'est le propre d'un grand vin d'avoir une grande persistance gustative. On décrit ici la finale.

Lourd: vin corsé, voire puissant, mais dépourvu de finesse, de nuances et de buvabilité!

Minéralité, salinité: se dit d'un vin dont les composants font saliver, comme certaines solutions salines, ou dont les descripteurs organoleptiques s'apparentent aux minéraux. Ce concept un peu flou et difficilement quantifiable ne fait pas l'unanimité au sein des professionnels.

Moderne: terme souvent utilisé pour définir les vins européens élaborés dans le même style que les vins du «Nouveau Monde». La plupart des vins qualifiés de «modernes» mettent à contribution des procédés œnologiques qui visent à assouplir les tanins et à donner une sensation flatteuse au vin, afin de plaire à un vaste public. Ils sont un peu au vin ce que la musique pop est à la chanson.

Moelleux: désigne des vins blancs dont la teneur en sucre les place entre les vins secs et les vins liquoreux.

Mou, plat: absence de tenue ou de structure, le plus souvent à cause d'un manque de tanins ou d'acidité.

Musclé, puissant: vin corsé, concentré, souvent riche en tanins et en alcool.

Perlant: vin renfermant un léger reste de gaz carbonique, qui peut être laissé volontairement dans le vin pour accentuer la sensation de fraîcheur en bouche et rehausser les saveurs. C'est le cas de plusieurs vins blancs ou de vins rouges légers à tendance «nature». Pour que ce gaz se dissipe, il suffit de laisser le vin au contact de l'air.

Racé: vin non seulement représentatif de son appellation, mais aussi doté de beaucoup de classe et de caractère.

Rond: vin dont les saveurs et les éléments sont bien liés ensemble. Qualifie aussi un vin souple, velouté, sans excès de tanins ou d'acidité.

Sec: techniquement, se dit d'un vin qui contient moins de 4 g/l de sucre ou d'un vin donnant l'impression de ne pas contenir de sucre résiduel. La sensation sucrée est en relation étroite avec l'impression acide; un vin peu acide paraît moins sec qu'un vin plus acide.

Souple: un vin peu tannique. Synonyme de coulant, leste, gouleyant.

Soyeux: qualifie un vin élégant, dont le grain tannique est empreint de finesse.

Tanins (ou tannins): parmi les principaux composants du vin, ils proviennent des pépins et de la peau des raisins et donnent au vin sa texture, sa charpente. Ils peuvent être tendres, souples, soyeux, fondus, déliés ou tissés serrés. On dira d'un vin costaud et structuré qu'il est tannique.

Tendre: vin dont la structure est souple et les tanins ronds, enrobés, gommeux et soulignés d'une acidité agréable. Impression d'onctuosité.

Terroir: se rapproche de la notion de minéralité, en termes de polémique. Expression fourre-tout, supposée désigner des vins dont le profil gustatif est intimement lié à leur lieu d'origine, mais qui a été malmenée jusqu'à devenir aujourd'hui un principe de marketing. Dans ces cas précis, il serait plus approprié de parler de «terroir-caisse».

Velouté: l'une des nombreuses analogies en lien avec le textile, qui qualifie un vin dont la texture s'apparente à celle du velours.

ÉLÉMENTS TECHNIQUES ET DÉFAUTS

Acétone: arôme chimique qui rappelle le parfum d'un dissolvant à vernis à ongles. Les composants responsables de cette odeur sont produits par le métabolisme des levures ou des bactéries. Cette odeur peut disparaître à l'aération du vin.

Acidité volatile: comme le sel dans la cuisine, cet acide agit comme une caisse de résonance en magnifiant les saveurs de certains grands vins, à condition de jouer en sourdine. Contenue en dose trop importante, l'acidité volatile peut aussi affecter négativement les arômes, en leur donnant des airs de vinaigre, et durcir la sensation en fin de bouche. Certains amateurs de vin sont «allergiques» à cette odeur, d'autres en raffolent. Tout dépend des goûts, on ne le répétera jamais assez.

Bouchonné: désigne un vin qui présente une odeur désagréable (moisissure, liège pourri, cave humide, huîtres) communiquée le plus souvent par un bouchon défectueux. Même une bouteille de grand vin peut être bouchonnée. Le fait de sentir le bouchon en lui-même ou le goulot de la bouteille n'est souvent pas suffisant pour identifier le problème. Le défaut se dévoile au nez, une fois le vin servi dans le verre, et se confirme généralement en bouche.

Brett: les brettanomyces relèvent d'une contamination par des levures du même nom. En jeunesse, les effets de «la brett» se perçoivent surtout au nez (odeurs de basse-cour, d'écurie, d'excréments de souris, d'arachide rance), mais avec le temps, les levures s'attaquent à la structure même du vin, rendant les tanins osseux, décharnés.

Réduction: dans la plupart des cas, une simple aération en carafe permet de remédier à ce gentil défaut, qui est attribuable à un manque de contact avec l'oxygène. On la décèle au nez par son odeur désagréable qui s'apparente à celle du pop-corn brûlé, du maïs en crème, d'un gaz nauséabond, des œufs pourris, etc.

Soufre: lors du processus de vinification et surtout au moment de la mise en bouteille, le soufre est utilisé comme antiseptique et comme antioxydant. Un usage inconsidéré affecte les qualités olfactives du vin, masque l'expression du fruit et laisse parfois une odeur agressante d'allumettes. Certains vins jeunes perdent cette odeur après un certain temps au contact de l'air. Les vins nature sont vinifiés sans ajouts de soufre.

Transformation malolactique: aussi appelée, à tort, fermentation malolactique; elle se déclenche sous l'action de bactéries qui transforment l'acide malique (dur) en acide lactique (plus tendre). On lui doit notamment les parfums lactiques (beurre, crème fraîche) dans les vins blancs, comme le chardonnay.

AGRICULTURE, PHILOSOPHIE ET AUTRES TENDANCES

Biodynamie: philosophie et système de production agricole qui se distinguent essentiellement de l'agriculture biologique par la prise en considération des rythmes lunaires. Cela consiste, en gros, à enrichir la vie microbienne des sols au moyen de préparations de silice, afin de renforcer les mécanismes de défense naturels de la plante. Les doses de soufre et de cuivre admises par les certifications biodynamiques sont inférieures à celles du bio. Tous les adeptes de la biodynamie n'en font pas mention sur l'étiquette, même s'ils sont certifiés.

Biologique: mode d'agriculture qui interdit l'usage d'herbicides et de pesticides de synthèse. Le soufre et le cuivre sont les principaux ingrédients utilisés pour lutter contre les maladies. Contrairement à l'idée de plus en plus véhiculée, les vins issus de l'agriculture biologique peuvent contenir des sulfites ajoutés lors de la vinification. Tout comme pour les vins biodynamiques, la certification n'apparaît pas toujours sur l'étiquette.

Vin naturel ou vin nature: désigne des vins issus, pour la plupart, de l'agriculture biologique, et dont aucun intrant (y compris les sulfites) n'a été utilisé au cours du processus de vinification. Les vins sont conséquemment un peu plus fragiles (sensibles) aux conditions d'entreposage que les vins issus d'un processus de vinification industriel. Contrairement aux vins biologiques et biodynamiques, les vins dits naturels ne sont soumis à aucune règle ni cahier des charges officiels. Il s'agit d'une catégorie encore très hétérogène où on retrouve, certes, quelques vins défectueux, parfois abominables, mais aussi des vins d'une grande pureté, absolument délicieux.

COMMENT UTILISER CE GUIDE

LA GRAPPE D'OR

Qu'ils soient chers ou bon marché, grands ou modestes, qu'il s'agisse de classiques ou de créations récentes, certains vins ont le don de vous accrocher un sourire. Une Grappe d'or est accordée à ces vins particulièrement remarquables, dans leur catégorie.

Ce sont mes «bonheurs» de l'année qui, je l'espère, feront le vôtre. Pour éviter des frustrations aux lecteurs, seuls les vins présents en quantités suffisantes en octobre 2016 ont été retenus.

Le guide du vin s'articule depuis maintenant trois ans autour de ces Grappes d'or. Et pour faciliter le repérage, vous trouverez, aux côtés de chaque grappe, une sélection de vins qui proviennent de la même région.

Vous remarquerez aussi que les listes de fin de chapitre, où étaient énumérés les vins de qualité moyenne et passable, ont été abolies pour laisser davantage d'espace aux vins qui se distinguent par leur qualité et par leur singularité.

La liste complète des Grappes d'or 2017 se trouve à la page19.

LES NOMS DES VINS

Les vins sont répertoriés par ordre alphabétique des marques ou des noms des producteurs. Les noms de château ou de domaine sont considérés comme des marques. Ainsi, le Château Mont-Redon 2009, Châteauneuf-du-Pape apparaît dans les «C» de la section des vins de la vallée du Rhône, et le Côte Rôtie 2012 de Pierre Gaillard est inscrit sous la rubrique Gaillard, Pierre.

LES CODES-BARRES

3 760018 783124

Pour faciliter le repérage des produits dans vos succursales, la plupart des vins présentés sont accompagnés d'un code-barres. Téléchargez gratuitement l'application SAQ pour les téléphones intelligents (Android ou iPhone). Vous pourrez l'utiliser pour «lire» les codes-barres et vous aurez ainsi accès aux inventaires de la succursale la plus près de vous.

LES SYMBOLES ET LA NOTATION DANS LA CATÉGORIE

Dès la première édition du *Guide du vin*, Michel Phaneuf a adopté une simple séquence de zéro à cinq **étoiles** pour noter les vins. En réalité, ces étoiles ne constituent pas un score, mais un moyen abrégé d'indiquer au lecteur si un vin est moyen, excellent ou remarquable dans sa catégorie.

Surtout – et on ne le dira jamais assez –, rappelez-vous que ce ne sont pas les étoiles qui décrivent le vin, mais plutôt les mots.

Il est aussi important de retenir que chaque vin est noté **dans sa catégorie** et non pas dans l'absolu. Ce faisant, un simple vin de pays d'Oc a autant de chances qu'un grand cru de la Côte de Nuits de mériter une note de quatre étoiles.

L'idée derrière cette façon de procéder est de permettre au consommateur de faire un choix avisé dans chacune des catégories.

Par exemple, vous pourrez trouver dans la section traitant des vins de la Bourgogne un bourgogne générique ayant obtenu la même note (★★★★) qu'un corton. Cela ne signifie pas que le vin générique soit aussi complexe que le gevrey; seulement que chacun s'avère un excellent vin dans sa catégorie.

La combinaison ★★★→★ indique que le vin, déjà très bon, sera encore meilleur dans quelques années. Dans la plupart des cas, la maturité du vin est indiquée par un chiffre allant de ① à ④. Si un vin laisse planer des doutes sur ses possibilités d'évolution en bouteille, j'ai alors recours à la séquence suivante: ★★→**?**

LA COULEUR

☆ Vin blanc
★ Vin rouge

LA QUALITÉ

5 étoiles Exceptionnel
4 étoiles Excellent
3 étoiles Très bon
2 étoiles Correct
1 étoile Passable
★★→★ Se bonifiera avec les années
★★→? Évolution incertaine

L'ÉVOLUTION

① À boire maintenant, il n'y a guère d'intérêt à le conserver.
② Prêt à boire, mais pouvant se conserver.
③ On peut commencer à le boire, mais il continuera de se bonifier.
④ Encore jeune, le laisser mûrir encore quelques années.

LA CARAFE

♁ Il est indiqué de passer le vin en carafe environ une heure avant de le servir.

L’AUBAINE

♥ Indique que le vin offre un bon rapport qualité-prix.

OÙ TROUVER LES VINS?

La SAQ change son modèle de distribution depuis une dizaine d’années. L’éventail de produits s’est élargi et les quantités pour chaque vin sont plus limitées. Pour éviter les frustrations et les déplacements inutiles, il est toujours conseillé de vérifier qu’un produit est bien disponible à votre succursale avant de vous y rendre. Pour faciliter la consultation du site saq.com, vous pouvez utiliser les codes-produits qui accompagnent chaque description de vin.

Ⓢ Vendu exclusivement dans les magasins SAQ Signature.

▼ Stocks en voie d’épuisement, mais le produit apparaît dans le répertoire de la SAQ. Il peut être encore disponible dans certaines succursales.

Disponible à la propriété — Ces vins sont disponibles exclusivement chez les producteurs de vins du Québec.

En primeur — Ces vins ont été dégustés avant leur arrivée sur le marché québécois.

DES QUESTIONS À PROPOS DU *GUIDE DU VIN*

Les vins sont-ils tous dégustés par l’auteur?
Oui. Chaque année, je déguste tous les vins répertoriés dans *Le guide du vin*.

L’auteur est-il payé par la Société des alcools ou par des agences de vins?
Non. Indépendance et impartialité constituent la règle d’or. De plus, l’auteur n’a aucun intérêt financier dans un vignoble ni dans une agence de vins.

Les vins vendus à la Société des alcools sont-ils tous répertoriés dans *Le guide du vin*?
Non. La tâche serait impossible, voire inutile, car plusieurs vins sont offerts à raison de quelques bouteilles seulement. Sans compter les produits qui arrivent sur les étagères dès la parution du livre ou après. À ceux qui veulent mettre à jour leur *Guide du vin* tout au long de l’année, je leur suggère de s’abonner au site *Chacun son vin*. En plus d’une foule de renseignements, les abonnés peuvent y lire régulièrement mes commentaires sur les nouveaux vins offerts sur le marché.

LES GRAPPES D'OR

FRANCE

BORDEAUX

DOMAINE DE L'ÎLE MARGAUX **Bordeaux Supérieur 2013** (22,95$ – p. 32)
CHÂTEAU LE PUY **Émilien 2011, Francs – Côtes de Bordeaux** (29,55$ – p. 34)
CHÂTEAU LAROQUE **Saint-Émilion Grand cru classé 2010** (64,50$ – p. 36)
CHÂTEAU MAUVESIN-BARTON **Moulis-en-Médoc 2012** (39$ – p. 38)
CHÂTEAU BEAU-SITE **Saint-Estèphe 2010** (45,50$ – p. 40)

BOURGOGNE

LA CHABLISIENNE **Chablis Premier cru 2013, Grande Cuvée** (29,85$ – p. 48)
BROCARD, JEAN-MARC **Chablis 2014, Les Vieilles vignes de Sainte-Claire** (25,85$ – p. 50)
FOURNIER, JEAN **Marsannay 2013, Cuvée Saint-Urbain** (35,75$ – p. 52)
PAQUET, AGNÈS **Chassagne-Montrachet 2014, Les Battaudes** (58$ – p. 54)
CHENU, LOUIS & FILLES **Savigny-lès-Beaune Premier cru Aux Clous 2013** (44$ – p. 56)
FAIVELEY **Mercurey 2013, La Framboisière** (35,50$ – p. 58)
MAILLET, NICOLAS **Mâcon Verzé 2014** (29,45$ – p. 60)
DOMAINE DE LA CADETTE **La Piécette 2014, Bourgogne Vézelay** (31,25$ – p. 62)
BOUVIER, RENÉ **Bourgogne Pinot noir 2014, Le Chapitre Suivant** (23,50$ – p. 64)

BEAUJOLAIS

FOILLARD, JEAN **Morgon 2014, Corcelette** (38,75$ – p. 66)
BRUN, JEAN-PAUL **Fleurie 2014, Terres Dorées** (27,40$ – p. 68)
DOMAINE DU VISSOUX **Beaujolais 2015, Les Griottes** (19,15 $ – p. 70)

JURA

DOMAINE DE MONTBOURGEAU **L'Étoile 2012** (24$ – p. 72)

ALSACE

JOSMEYER **Riesling 2013, Kottabe, Alsace** (30,55-$ p. 76)
HUGEL & FILS **Riesling 2014, Alsace** (19,25$ – p. 78)
OSTERTAG **Pinot gris 2014, Fronholz, Alsace** (45$ – p. 80)
DEISS, MARCEL **Engelgarten 2012, Alsace Grand Cru** (47,50$ – p. 82)

VAL DE LOIRE

DOMAINE LANDRON **Muscadet- Sèvre et Maine 2015, Amphibolite** (22,25$ - p. 87)
DOMAINE FOUASSIER **Sancerre 2014, Les Grands Groux** (25,25$ - p. 88)
DOMAINE PELLÉ **Menetou-Salon 2015, Morogues** (24,80$ - p. 90)
DOMAINE GUIBERTEAU **Saumur blanc 2015** (24,50$ - p. 92)
BAUDRY, BERNARD **Chinon 2014, Les Grézeaux** (29,90$ - p. 94)
DOMAINE DE SAINT-JUST **Saumur-Champigny 2015, Les Terres Rouges** (21,20$ - p. 97)
GILBERT, PHILIPPE **Menetou-Salon 2013** (29,65$ - p. 98)

VALLÉE DU RHÔNE

VILLARD, FRANÇOIS **Saint-Péray 2014, Version** (33,50$ - p. 104)
DOMAINE COMBIER **Crozes-Hermitage 2015** (32,50$ - p. 106)
GAILLARD, PIERRE **Côte Rôtie 2014** (73$ - p. 108)
GASSIER, MICHEL **Nostre Païs blanc 2014, Costières de Nîmes** (24$ - p. 110)
LE CLOS DU CAILLOU **Côtes du Rhône 2014, Le Bouquet des Garrigues** (26,60$ - p. 112)
VIGNERONS D'ESTÉZARGUES (LES) **La Montagnette 2015, Côtes du Rhône-Villages Signargues** (18,15$ - p. 114)
DOMAINE DE LA VIEILLE JULIENNE **Côtes du Rhône 2014, Lieu-dit Clavin** (30,75$ - p. 116)
CHÂTEAU PESQUIÉ **Terrasses 2014, Ventoux** (18,60$ - p. 118)

SUD DE LA FRANCE

CAVE DE ROQUEBRUN **Saint-Chinian 2015, La Grange des Combes blanc** (19$ - p. 122)
BERGERIE DE L'HORTUS **Classique 2015, Coteaux du Languedoc – Pic-Saint-Loup** (21,70$ - p. 124)
CHÂTEAU SAINTE-EULALIE **Minervois 2015, Plaisir d'Eulalie** (17,80$ - p. 126)
DOMAINE COTTEBRUNE **Transhumance 2012, Faugères** (22,20$ - p. 128)
DOMAINE GAUBY **Calcinaires 2015, Côtes Catalanes** (27,90$ - p. 130)
DOMAINE D'AUPILHAC **Lou Maset 2014, Languedoc** (17$ - p. 132)
DOMAINE LES BÉATINES **Coteaux d'Aix-en-Provence 2014, Les Béatines** (20,85$ - p. 134)

SUD-OUEST

CHÂTEAU TOUR DES GENDRES **La Gloire de mon Père 2014, Côtes de Bergerac** (24,50$ - p. 139)
HOURS, CHARLES **Jurançon sec 2013, Cuvée Marie** (23,50$ - p. 140)
VIGNERONS DE BRULHOIS (LES) **Carrelot des Amants 2015, Côtes de Gascogne** (11,45$ - p. 142)
CAUSSE MARINES **Gaillac 2015, Peyrouzelles** (21,65$ - p. 144)
COSSE ET MAISONNEUVE **Cahors 2014, Les Laquets** (42$ - p. 146)
COMBEL-LA-SERRE **Cahors 2014, Le Pur Fruit du Causse** (19,45$ - p. 148)
BRUMONT, ALAIN **Madiran 2009, Château Montus, Cuvée Prestige** (50,25$ - p. 150)

ITALIE

PRODUTTORI DEL BARBARESCO **Barbaresco 2012** (39,75$ - p. 159)
PODERI COLLA **Barolo Bussia 2010, Dardi Le Rose** (53,50$ - p. 160)
PODERI COLLA **Bricco del Drago 2010, Langhe** (29,80$ - p. 162)
CHIONETTI **Dogliani 2014, San Luigi** (21,80$ - p. 164)
LAGEDER (TENUTÆ) **Chardonnay 2014, Gaun, Alto Adige** (25,95$ - p. 166)
LAGEDER, ALOIS **Cabernet 2012, Riserva, Alto Adige** (24,30$ - p. 168)
ZYMĒ **Valpolicella 2015, Rêverie** (21,95$ - p. 171)

ESPAGNE

PORTUGAL

GRÈCE

ALLEMAGNE

DR. BÜRKLIN-WOLF **Riesling Trocken 2014, Wachenheimer Rechbächel, Pfalz** (38$ - p. 254)
PRÜM, JOH. JOS. **Riesling Kabinett 2014, Wehlener Sonnenuhr, Mosel** (43,75$ - p. 256)

AUTRICHE

GEYERHOF **Grüner Veltliner 2015, Rosensteig, Niederösterreich** (23,95$ - p. 258)
HEINRICH **Blaufränkisch 2014, Burgenland** (24,85$ - p. 260)

MAROC

DOMAINE DES OULEB THALEB **Syrocco 2012, Zenata, Maroc** (24,50$ - p. 263)

LIBAN

MASSAYA **Terrasses de Baalbeck 2013, Vallée de la Bekaa** (23$ - p. 264)

ISRAËL

GOLAN HEIGHTS **Syrah 2012, Yarden, Galilée** (38,75$ - p. 266)

CANADA

DOMAINE ST-JACQUES **Pinot gris 2015** (22,75$ - p. 271)
L'ORPAILLEUR **Vin blanc 2015** (16,35$ - p. 272)
NÉGONDOS **Saint-Vincent 2014** (17,30$ - p. 274)
COTEAU ROUGEMONT **Vidal 2014, Réserve** (24,10$ - p. 276)
COURVILLE, LÉON **Cuvée Julien 2015** (16,80$ - p. 278)
DOMAINE DE LAVOIE **Vin de Glace 2013** (42,50$ - p. 280)
HIDDEN BENCH **Chardonnay 2013, Tête de Cuvée, Beamsville Bench** (49$ - p. 282)
TANTALUS **Riesling 2015, Okanagan Valley** (31,50$ - p. 284)
BACHELDER **Pinot noir 2013, Lowrey Vineyard, St. David's Bench** (42,75$ - p. 286)
STRATUS **Stratus Red 2012, Niagara-on-the-Lake** (45$ - p. 288)

ÉTATS-UNIS

ARROWOOD **Chardonnay 2014, Sonoma Coast** (32,25$ - p. 294)
AU BON CLIMAT **Pinot gris - Pinot blanc 2015, Santa Barbara** (32,75$ - p. 296)
DOMINUS ESTATE **Dominus 2012, Napa Valley** (317$ - p. 298)
CALERA **Pinot noir 2013, Central Coast** (43,50$ - p. 300)
RIDGE VINEYARDS **Zinfandel 2014, East Bench** (43,25$ - p. 302)
TERRE ROUGE **Syrah 2012, Les Côtes de l'Ouest, California** (29,45$ - p. 304)
BIRICHINO **Grenache 2014, Besson Vineyard, Vigne Centenaire, Central Coast** (26,10$ - p. 306)
BONNY DOON **A Proper Claret 2014, California** (19,95$ - p. 308)

CHILI

DE MARTINO **Cabernet sauvignon 2013, Legado, Reserva, Valle de Maipo** (18,15$ - p. 312)
DE MARTINO **Chardonnay 2014, Legado, Reserve, Valle de Limari** (18,55$ - p. 314)
MONTSECANO **Pinot noir 2015, Refugio, Casablanca** (26,05$ - p. 316)
MONTGRAS **Ninquén 2013, Mountain Vineyard, Valle de Colchagua** (29$ - p. 318)
ERRAZURIZ **Fumé blanc 2015, Valle de Aconcagua** (14,95$ - p. 320)

ARGENTINE

CATENA **Malbec 2014, Mendoza** (21,95$ - p. 322)

AUSTRALIE

ANGOVE **Fiano 2015, Alternatus, Fleurieu** (25$ - p. 326)
YALUMBA **Grenache 2014, Old Bush Vine, Barossa** (20,25$ - p. 328)
D'ARENBERG **Shiraz 2012, Love Grass, McLaren Vale** (23,95 - p. 330)

NOUVELLE-ZÉLANDE

SERESIN **Pinot gris 2014, Marlborough** (29$ - p. 334)
SERESIN **Pinot noir 2014, Momo, Marlborough, Nouvelle-Zélande** (22,60$ - p. 336)

AFRIQUE DU SUD

MULLINEUX **Chenin blanc 2015, Kloof Street, Swartland** (23,95$ - p. 340)
NEWTON-JOHNSON **Chardonnay 2015, Félicité, Western Cape** (17,80$ - p. 342)
GLENELLY **Syrah 2011, The Glass Collection, Stellenbosch** (18,50$ - p. 344)

CHAMPAGNE

DOQUET, PASCAL **Premier cru Blanc de blancs, Arpège, Brut Nature** (64,25$ - p. 349)
LAHERTE FRÈRES **Ultra tradition Brut** (48,25$ - p. 350)
GIMONNET, PIERRE **Spécial Club 2009, Premier cru Chardonnay, Brut** (90$ - p. 352)
FLEURY **Rosé De Saignée, Brut** (67,75$ - p. 354)

AUTRES EFFERVESCENTS

BENJAMIN BRIDGE **Méthode classique rosé 2011, Caspereau Valley** (45$ - p. 357)
BERNHARD & REIBEL **Crémant d'Alsace** (24,95$ - p. 358)
RECAREDO **Brut Nature 2008, Gran Reserva** (36,50$ - p. 360)
NÉGONDOS **Préambulle** (30$ - p. 362)
VIGNALTA **Fior d'Arancio 2013, Spumante, Colli Euganei, Italie** (20,15$ - p. 364)

VIN ROSÉ

LA MOUSSIÈRE **Sancerre 2014, Alphonse Mellot** (25,60$ - p. 366)

VINS FORTIFIÉS

BADENHORST, ADI **Caperitif** (28,75$ - p. 371)
RAMOS PINTO **Late Bottled Vintage 2011** (29,05$ - p. 372)
LUSTAU **Manzanilla, Papirusa** (12,60$ - p. 374)
BARBEITO **Boal, Madeira** (17,25$ - p. 376)

FRANCE

Le monde du vin poursuit son expansion, mais la France demeure souveraine. Aucun pays n'est encore en mesure d'offrir un registre aussi diversifié de saveurs et de styles que cet immense jardin où la vigne s'exprime de mille et une façons.

Difficile de manquer de choix entre la force tranquille d'un vin de Bourgogne, la franchise tannique des crus bordelais, la vigueur d'un chinon ou d'un vouvray de la Loire, l'originalité des vins du Sud-Ouest, le caractère cristallin des blancs d'Alsace, sans oublier l'exubérance des vins du Midi et l'effervescence sublime du champagne.

Le jardin français est aussi de plus en plus sain, de plus en plus vert, puisque la superficie du vignoble cultivée en agriculture biologique a été multipliée par 12 depuis le tournant du millénaire. Cela dit, la France a encore beaucoup de travail à faire pour rétablir l'équilibre de ses sols, malmenés par des décennies de viticulture intensive.

Autre ombre au tableau : les Français ne boivent plus. La consommation per capita (42 litres par an en 2015) a chuté de plus de moitié depuis 1960 et continue de baisser. Le pays doit donc désormais jouer du coude avec le reste du monde sur les marchés d'exportation. Ces enjeux économiques ont enfin poussé quelques retardataires à se remettre en question et à évoluer. Hormis certaines déroutes œnologiques, les changements ont été heureux.

La plupart des vignerons français semblent avoir compris que la solution à ce marasme se résume à un mot : qualité. Et qualité il y a. Souvent à bon prix, même. Les pages suivantes foisonnent de vins originaux et authentiques, souvent biologiques, et parfaitement adaptés aux plaisirs de la table.

ROYAUME-UNI
PAYS-BAS
BELGIQUE
ALLEMAGNE
CHAMPAGNE
Paris
ALSACE
VAL DE LOIRE
BOURGOGNE
SUISSE
JURA
BEAUJOLAIS
ITALIE
SUD-OUEST
BORDEAUX
VALLÉE DU RHÔNE
PROVENCE
LANGUEDOC-
ROUSSILLON
CORSE
ESPAGNE

BORDEAUX

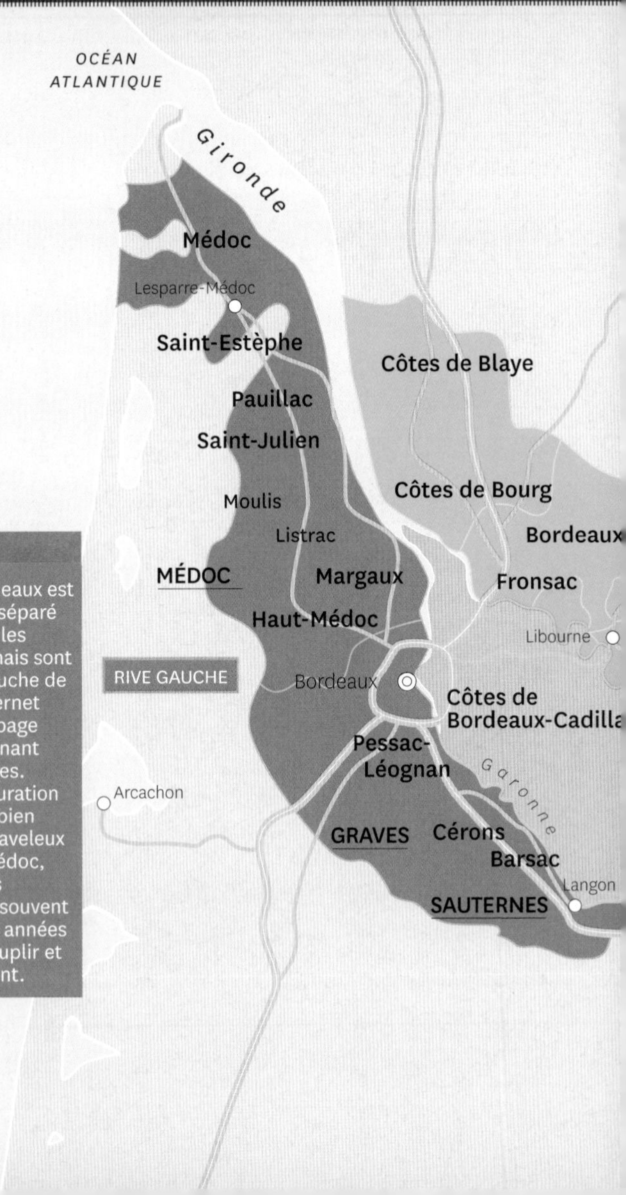

RIVE GAUCHE

Le vignoble de Bordeaux est traditionnellement séparé en deux : le Médoc, les Graves et le Sauternais sont situés sur la rive gauche de la Garonne. Le cabernet sauvignon est le cépage généralement dominant dans les assemblages. Cette variété à maturation tardive s'est plutôt bien adaptée aux sols graveleux des Graves et du Médoc, où il donne des vins charpentés qui ont souvent besoin de plusieurs années en cave pour s'assouplir et se révéler pleinement.

Depuis une dizaine d'années, plusieurs consommateurs, particulièrement ceux de la nouvelle génération, ont tourné le dos à Bordeaux. J'ai moi-même un peu boudé les vins de la Gironde – en tant que consommatrice, s'entend – peut-être en réaction à la flambée des prix des années 2000 ou par désir d'explorer d'autres régions du monde, mais depuis un an ou deux, sans trop savoir pourquoi, je me surprends à regarnir ma cave en crus (modestes) bordelais ou à en commander au verre, dans les rares restaurants qui en proposent encore.

J'ai toujours un intérêt très modéré pour les bordeaux modernes, mais je ne me lasserai jamais de savourer un bon vin élaboré sans trop d'artifices et fidèle à ses origines. Avec leur caractère un peu austère et empreint de fraîcheur, les clarets et autres vins rouges des Graves, de Fronsac, de Pomerol et même d'appellations secondaires semblent conçus pour la table. Les prochaines pages font état d'une foule de bonnes bouteilles, la plupart à des prix on ne peut plus accessibles.

RIVE DROITE

Le Libournais (Saint-Émilion, Pomerol, Fronsac), les Côtes de Blaye, de Bourg et de Castillon sont situés sur la rive droite de la Dordogne. Sauf exceptions, ces vins sont essentiellement constitués de merlot. Qu'il puise sa sève dans les sols calcaires du plateau de Saint-Émilion, dans les molasses de Fronsac ou dans les argiles et les graves de Pomerol, il donne des vins généralement plus suaves et dodus, aptes au vieillissement, mais pouvant être appréciés plus jeunes que ceux du Médoc.

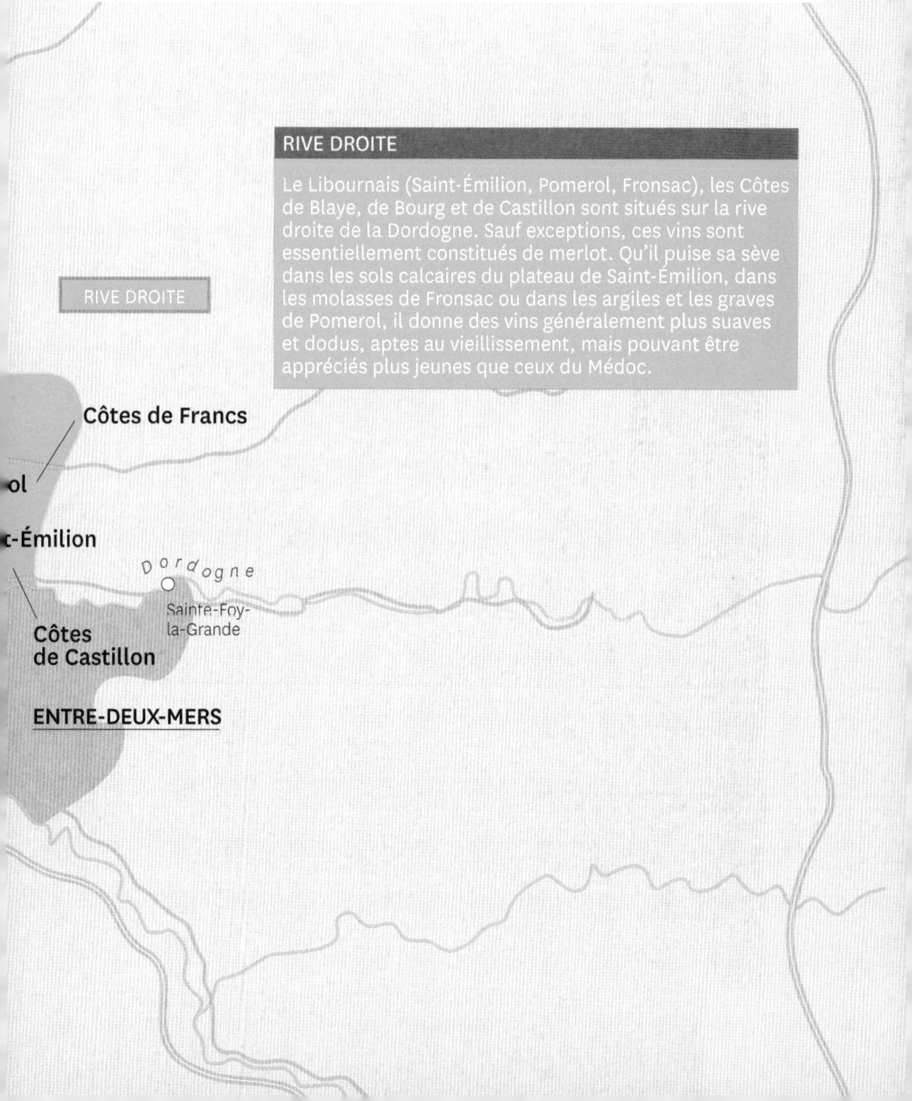

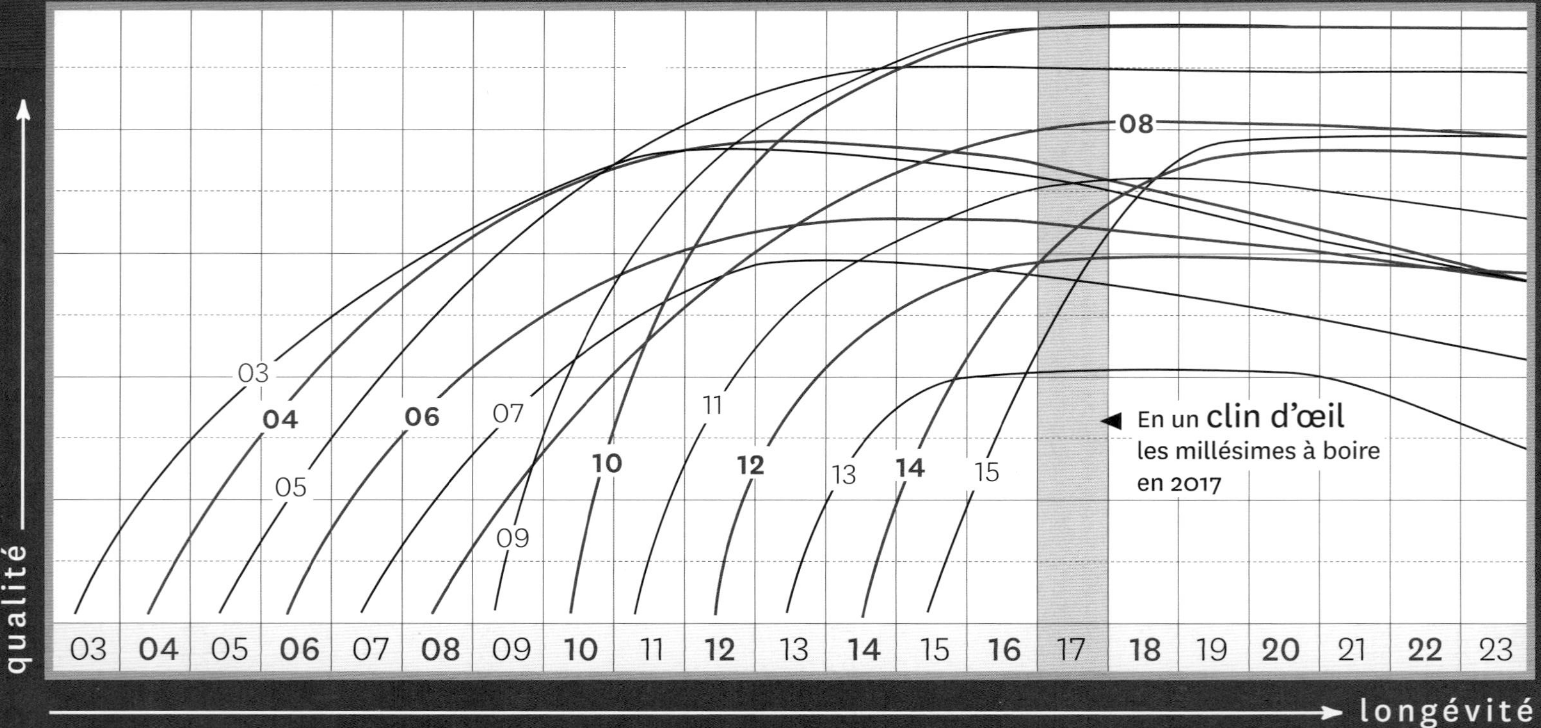

Médoc-Graves
qualité
longévité
03
04
05
06
07
08
09
10
11
12
13
14
15
03 04 05 06 07 08 09 10 11 12 13 14 15 16 17 18 19 20 21 22 23
En un clin d'œil
les millésimes à boire
en 2017

LES DERNIERS MILLÉSIMES

2015

Floraison précoce et uniforme dans toute la Gironde. Des épisodes de chaleur et de sécheresse en juin et en juillet ont fait craindre le pire, mais les pluies du mois d'août ont permis de sauver la mise et la fin de saison a été remarquable. Les quelques échantillons goûtés lors de l'événement Primeur à Montréal m'ont laissé une impression très favorable. Plus de finesse que de muscle; du fruit, un bel équilibre. Très bon millésime entre classicisme et générosité.

2014

Une autre récolte «miraculeusement» sauvée par l'été indien. Dans le Médoc, on peut espérer de bons cabernets de facture classique. La rive droite a été davantage touchée par la pluie. Les résultats s'annoncent plus satisfaisants et homogènes pour le cabernet franc que pour le merlot.

2013

Jamais deux sans trois, dit-on. Le médoc a connu sa pire récolte depuis 1992! Même les crus classés sont à acheter avec prudence. Résultats un peu moins désastreux sur la rive droite; rendements très faibles et qualité moyenne.

2012

Deuxième année difficile dans la Gironde. Le climat a fait des siennes et le cabernet a peiné à mûrir. Le merlot étant un cépage plus précoce, les vignobles de la rive droite ont eu un peu plus de chance, mais il ne faudra pas fonder de grandes espérances quant à leur potentiel de garde. L'Yquem n'a pas été produit, signe éloquent d'une qualité médiocre à Sauternes.

2011

Retour à la réalité après deux millésimes de rêve. Dans le Médoc comme sur la rive droite, un mois de juillet relativement chaud et humide a causé des problèmes de pourriture; épisode de grêle à Saint-Estèphe. Pomerol est l'appellation qui a le mieux tiré son épingle du jeu. De manière générale, les taux d'alcool sont plus faibles, heureusement! Comme dans tout millésime hétérogène, la réputation du producteur est la meilleure garantie.

2010

Après la sensationnelle récolte 2009, dame Nature s'est de nouveau montrée généreuse envers les Bordelais. Un été exceptionnellement sec et une récolte moins abondante que la moyenne – avec des raisins petits et très nourris – ont donné naissance à des vins rouges tanniques, solides et charpentés. Succès généralisé, autant dans le Libournais que sur la rive gauche. Millésime tout aussi prometteur à Sauternes, où les vendanges se sont étalées jusqu'à la fin d'octobre.

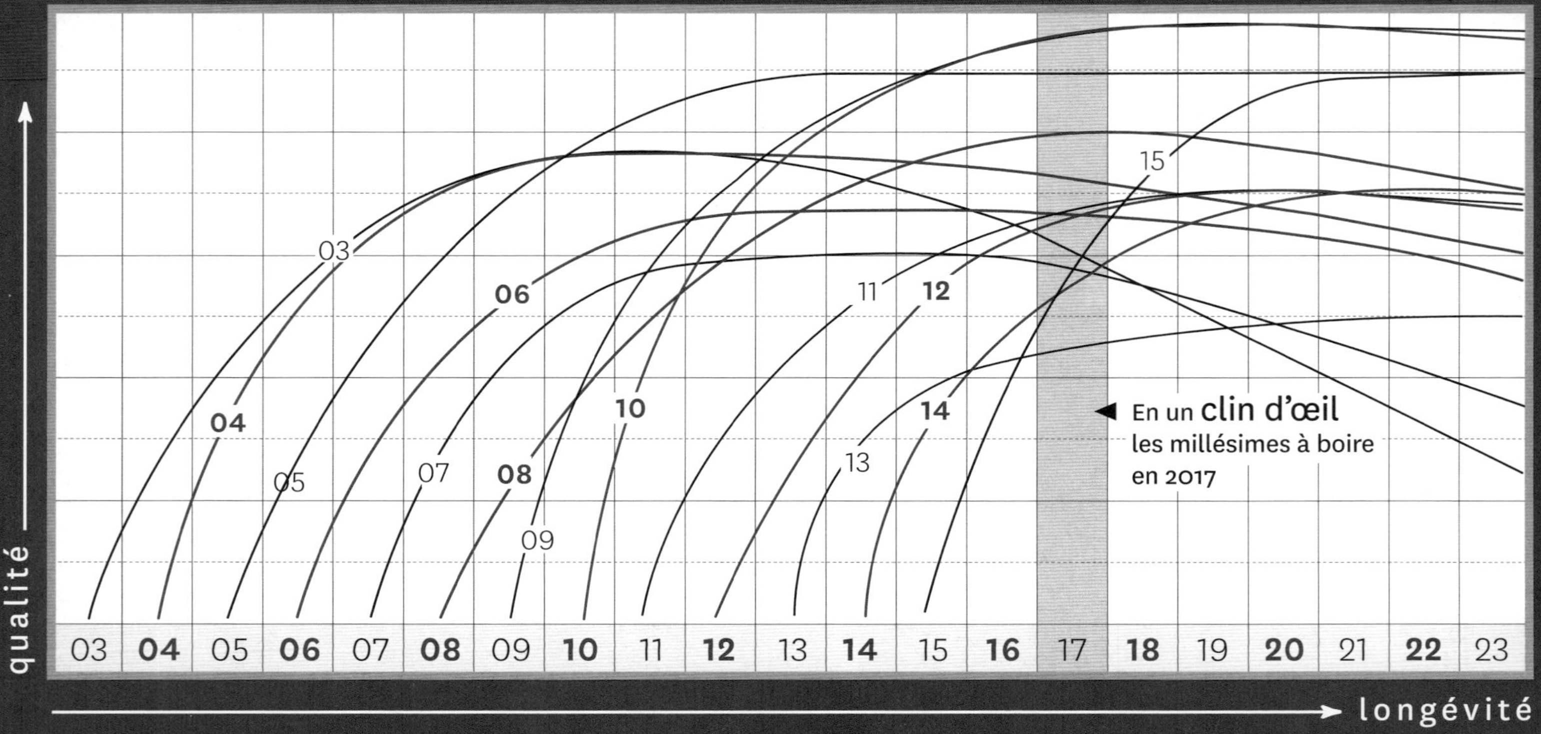
Saint-Émilion-Pomerol
qualité
longévité
03
04
05
06
07
08
09
10
11
12
13
14
15
16
17
18
19
20
21
22
23
En un clin d'œil
les millésimes à boire
en 2017

2009
De l'avis de plusieurs, probablement le meilleur millésime de la décennie. Après un été idéal, chaud, sec et ensoleillé, les vignes ont profité d'un mois de septembre de rêve pendant lequel les journées chaudes et les nuits fraîches ont alterné. Des conditions idéales pour produire le Bordeaux parfait. Bon millésime en perspective à Sauternes.

2008
La longue saison végétative qui s'est achevée par temps sec et sans excès de chaleur explique le style fin et classique des meilleurs vins du millésime. Mais tous les 2008 ne sont pas nés égaux, et la qualité reste variable. Seuls les meilleurs terroirs exploités avec rigueur et discernement ont donné des vins fins de style très classique.

2007
Après un été de misère, le beau temps de septembre a permis d'éviter le pire. La qualité est hétérogène. Les producteurs les plus habiles ont obtenu des vins rouges de bonne facture, fins et équilibrés, mais sans la profondeur des grandes années. De bons vins blancs secs et des Sauternes très réussis.

2006
De la pluie aux vendanges et de fréquents problèmes de pourriture ont causé bien des maux de tête aux viticulteurs, surtout dans le Médoc où le cabernet sauvignon a eu peine à mûrir. Sur la rive droite, le merlot a donné des résultats plus satisfaisants, en particulier à Pomerol. Bon millésime pour les vins blancs secs. Bon nombre de Sauternes riches et plantureux.

2005
Excellent millésime. Sur les deux rives, les vins rouges combinent à la fois une structure solide, la richesse tannique et la fraîcheur. Une belle année pour les vins blancs secs. Grand millésime à Sauternes, où des conditions idéales ont été favorables au développement du botrytis.

2004
Retour à une production plus classique après l'excentrique millésime 2003. Dans l'ensemble, la qualité est hétérogène, avec un léger avantage pour Pomerol et Saint-Émilion où, plus précoces, le merlot et le cabernet franc ont été ramassés avant la période pluvieuse qui a commencé le 10 octobre. Beau millésime de vins blancs secs. Année irrégulière à Sauternes, mais quelques vins sont néanmoins très satisfaisants.

DOMAINE DE L'ÎLE MARGAUX

Bordeaux Supérieur 2011

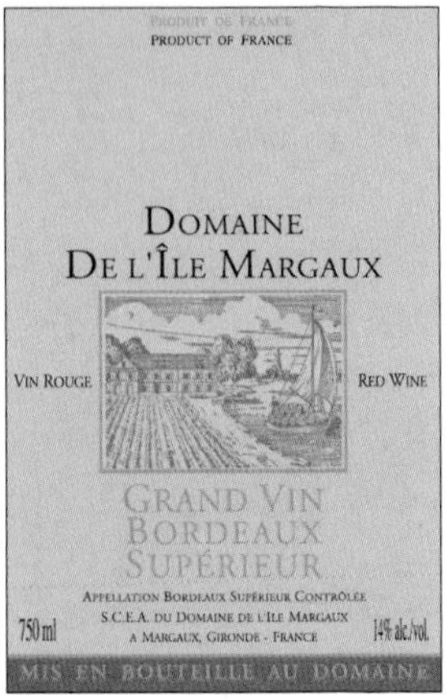

Au milieu de la Gironde, face au Château Margaux, ce domaine fait bon usage des cinq cépages bordelais classiques – y compris le malbec et le petit verdot – et produit des vins solides, d'une mouture très médocaine.

Les années passent et ce vin continue de s'imposer comme l'un des meilleurs Bordeaux Supérieur vendus à la SAQ. Il vous plaira si vous aimez la droiture classique bordelaise, plutôt que les infusions boisées. Le 2011 est encore étonnamment jeune pour un bordeaux courant déjà âgé de 5 ans: beaucoup de fruit noir, une charpente tannique solide, sans dureté ni rudesse, et une longueur digne de mention pour le prix. Très belle bouteille, à boire sans se presser jusqu'en 2021.

3 441590 000082

43125 22,95$ ★★★★ ② ♥

CHÂTEAU DE SÉGUIN

Bordeaux Supérieur 2014, Cuvée Prestige

Déjà étonnamment ouvert pour un bordeaux si jeune; des tanins tendres, des saveurs de fruits secs et de vanille. Dans le contexte du millésime 2014, je crois qu'on a bien fait de miser sur la souplesse. Cela dit, il manque peut-être d'un brin de chair et de consistance pour valoir pleinement son prix.

3 569190 001152

10258486 24,10$ ★★★ ②

CHÂTEAU DES SEIGNEURS DE POMMYERS

Bordeaux 2011

Ce bordeaux issu de l'agriculture biologique me laisse une impression plus favorable en 2011. Rien de bien profond, mais un vin tendre qui affiche la souplesse et le fruité caractéristiques du merlot. Une bonne note aussi pour un degré d'alcool modéré (12,5%). À une époque où trop de bordeaux misent sur la concentration, ça fait du bien!

3 576711 012214

892695 22,55$ ★★★ ②

CHÂTEAU LA MOTHE DU BARRY

Bordeaux Supérieur 2015

Un bon 2015 aux senteurs de fruits noirs et de cannelle; épicé, frais en bouche, droit et équilibré. Dans un esprit classique, un bon vin de tous les jours, parfaitement recommandable.

3 760027 482117

10865307 15,50$ ★★★ ① ♥

CHÂTEAU PEY LA TOUR

Bordeaux Supérieur 2011, Réserve du Château

Rien de complexe, mais un bon bordeaux de facture moderne composé essentiellement de merlot. Ample, assez charnu et taillé pour plaire, avec un boisé soutenu, mais qui ne masque pas le fruit. Une seule gorgée et on comprend vite sa popularité.

442392 22,95$ ★★★ ②

3 258691 544038

CHÂTEAU TAYET

Bordeaux Supérieur 2010, Cuvée Prestige

Le bois domine pour l'instant, mais la bouche est charnue et généreuse. De la tenue, une agréable rondeur fruitée et une consistance très satisfaisante pour un bordeaux supérieur. Surtout à ce prix.

3 491871 010286

11106062 19,65$ ★★★ ½ ②

CROIX SAINT-MARTIN

Bordeaux 2014

Un produit commercial simple, mais bien fait. Charnu, net, vigoureux et bien fruité. Un bon bordeaux moderne et élaboré pour plaire, sans être racoleur.

292904 15,15$ ★★★ ①

3 258691 243115

SICHEL

Sirius 2012, Bordeaux

Bon bordeaux de négociant: du fruit et de la vigueur, mais aucun excès boisé. Très bonne qualité à prix d'aubaine.

223537 14,55$ ★★★ ② ♥

3 394150 008717

CHÂTEAU LE PUY

Émilien 2011, Francs – Côtes de Bordeaux

Le vignoble de la famille Amoreau est l'un des rares de Gironde à être cultivé en biodynamie. Le vin courant de la propriété est vinifié avec les seules levures naturelles, sans chaptalisation ni filtration et avec un minimum de soufre.

Cette année encore, je ne peux qu'être charmée par la qualité impeccable de ce 2011. Beaucoup d'éclat aromatique au nez; du fruit rouge et des notes animales qui rappellent le cuir. Bouche tout aussi vibrante, gorgée de délicieuses saveurs fruitées et anisées, mais aussi de notes de terre humide et d'épices. Jamais le plus concentré des vins des côtes, mais il a beaucoup plus de relief et de caractère que la moyenne de l'appellation. Déjà ouvert et bon au moins jusqu'en 2020.

3 760088 890777

709469 29,55$ ★★★★ ② ♥

CHÂTEAU BUJAN

Côtes de Bourg 2014

Le vignoble de Pascal Méli ne semble pas avoir trop souffert des conditions pluvieuses de l'été 2014 sur la rive droite. Le vin n'a peut-être pas l'étoffe des meilleures années, mais il s'avère très rassasiant; aucune verdeur, des tanins denses et d'agréables accents de fruits noirs, sur un fond de café et de vanille. Déjà agréable, il sera sans doute plus expressif vers 2018-2020.

3 358251 220003

862086 22,95$ ★★★ ½ ② ♥

CHÂTEAU CAILLETEAU BERGERON

Blaye – Côtes de Bordeaux 2012

Ce vin à dominante de merlot se signale par son caractère boisé – nez de café et de chocolat noir – passablement marqué, attribuable à un élevage de 13 mois en fût de chêne. Le 2012 n'accuse aucune faiblesse, malgré les aléas d'un printemps et d'un été froids. La bouche est compacte tout en conservant une forme sphérique très flatteuse. À boire entre 2016 et 2020.

3 760035 962113

919373 20,05$ ★★★ ②

CHÂTEAU LA RAZ CAMAN

Blaye – Côtes de Bordeaux 2010

Après le bon 2009 vendu l'an dernier, ce vin composé essentiellement de merlot semble avoir aussi profité de la générosité du millésime 2010. Coloré, riche en tanins dodus et en saveurs de fruits mûrs, mais pas surmûris, mis en valeur par un bon usage du bois. Très rassasiant pour le prix.

888578 21,40$ ★★★ ½ ② ♥

3 760066 210030

CHÂTEAU NÉNINE

Côtes de Bordeaux 2011

Une forte proportion de merlot dans l'assemblage (40%) explique sans doute la rondeur et le nez de confiture de ce 2011. Modérément corsé, bien proportionné et presque sucré tant le grain est mûr. À boire jeune pour son fruit.

640177 19,95$ ★★ ½ ②

3 549920 000297

CHÂTEAU PELAN BELLEVUE

Francs – Côtes de Bordeaux 2010

Très bon bordeaux secondaire aux accents caractéristiques de prune et de cuir; des tanins souples, une ampleur moyenne, mais une belle harmonie d'ensemble. Finale parfumée qui évoque la cannelle. Déjà très ouvert.

10771407 18$ ★★★ ②

3 760086 380034

CHÂTEAU PUY LANDRY

Castillon – Côtes de Bordeaux 2014

Encore jeune, mais un peu plus souple et ouvert que l'été dernier, le 2014 déploie au nez des senteurs de cannelle et de fruits noirs. La bouche est mûre, coulante, sans trop d'aspérités tanniques, mais assez charnue et offrant une bonne tenue pour le prix.

852129 15,60$ ★★★ ② ♥

3 760086 380027

DOMAINE DE L'A

Castillon – Côtes de Bordeaux 2012

Christine et Stéphane Derenoncourt signent un vin ambitieux dans leur propriété de Castillon. Nourri, charnu et riche en extraits secs. Très ample en bouche grâce à des tanins mûrs et à une texture serrée; une belle finale parfumée et persistante qui égrène les épices, le tabac, le cèdre et les petits fruits noirs. Déjà imposant, quelques années de repos l'aideront à gagner en finesse.

12755304 50$ ★★★→★ ③

4 000127 553041

CHÂTEAU LAROQUE

Saint-Émilion Grand cru classé 2010

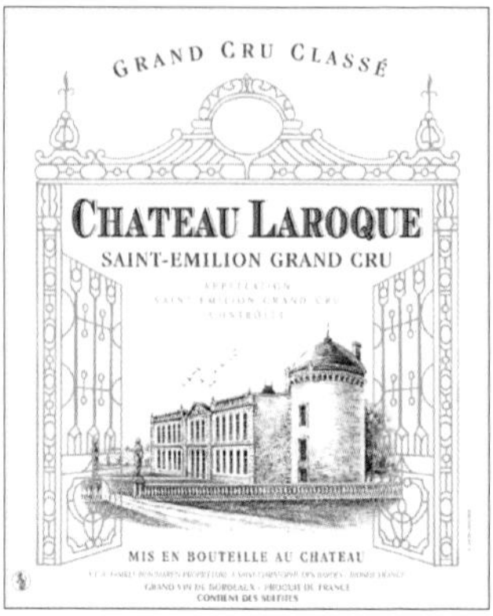

À l'abri des courants de mode qui ont soufflé sur la Gironde depuis une vingtaine d'années, la famille Beaumartin continue de produire un bon vin authentique, dans cette vaste propriété de Saint-Christophe-des-Bardes, à l'est de Saint-Émilion.

Tout aussi complet que le 2009 commenté l'an dernier, avec un supplément de vigueur tannique et de fraîcheur. Du grain, du fruit, des tanins très enveloppants et une allure générale passablement raffinée; complexe, et aussi large que long en bouche. Nul doute, il ira loin. À revoir vers 2020-2022.

3 500610 046391

875781 64,50$ ★★★★ ③

CHARTIER – CRÉATEUR D'HARMONIES

Fronsac 2012

Un 2012 tout à fait typé de son appellation: généreux, avec la rondeur propre au merlot, du fruit et une concentration digne de mention dans le contexte du millésime. Une petite proportion de cabernets (franc et sauvignon à parts égales) apporte une structure tannique et une pointe austère en finale, ajoutant à sa dimension. Très bon achat à ce prix.

0 814299 000043

12068070 19,45$ ★★★ ½ ② ♥

CHÂTEAU DE LA RIVIÈRE

Fronsac 2008

Ce vaste vignoble de Fronsac compte aussi un château imposant du 17e siècle. Le 2008 est une belle occasion de redécouvrir ce millésime trop souvent oublié et sous-estimé à Bordeaux. Pas le plus profond des crus de Fronsac, mais un bon vin honnête, porté par des tanins tendres et ne manquant vraiment pas de chair. Ouvert et prêt à boire, il restera à son apogée jusqu'en 2020.

3 523150 120086

11588348 35,75$ ★★★ ②

CHÂTEAU MADGELAINE

Saint-Émilion Grand cru 2010, Songes de Magdelaine (Les)

Propriété des Établissements Jean-Pierre Moueix, le vignoble de Château Magdelaine a été annexé à celui de Bélair-Monange en 2012. Ce 2010 résume à lui seul l'esprit Moueix. Quelle sensualité dans ce tissu tannique qui coule en bouche comme du velours liquide ! Registre aromatique tout en nuances, en complexité, en profondeur. Long et délicieux. Si vous aimez le classicisme proverbial des vins de la famille Moueix, vous pouvez acheter les yeux fermés.

12955728 71,75$ ★★★★ ② Ⓢ

3 328150 024538

CHÂTEAU MONTAIGUILLON

Montagne Saint-Émilion 2013

Dans les conditions difficiles du millésime 2013, la famille Amart a produit un bon vin misant davantage sur la netteté du fruit et l'équilibre que sur l'extraction tannique. Charmeur, net et vendu à prix honnête.

864249 25,30$ ★★★ ②

3 760070 900040

CHÂTEAU TREYTINS

Lalande de Pomerol 2012

Belle réussite pour le millésime. On dénote en bouche une certaine verdeur aromatique, avec des notions de paprika et de bourgeon de cassis, mais le grain tannique est mûr et soutenu par une saine fraîcheur. Bon équilibre d'ensemble.

892406 22,20$ ★★★ ②

3 391263 012013

CHÂTEAU VIRAMIÈRE

Saint-Émilion Grand cru 2011

Pourtant issu d'un millésime moyen, ce 2011 surprend par son attaque en bouche généreuse, presque sucrée tant le fruit est mûr. Cela dit, le vin ne manque ni de corps ni de vitalité. Fin de bouche serrée, de longueur moyenne.

972422 29,40$ ★★★ ②

3 192040 487891

MOUEIX, JEAN-PIERRE

Pomerol 2012

Une réussite digne de mention dans un millésime moyen pour le pomerol de négoce des Établissements Jean-Pierre Moueix. On a misé sur la fraîcheur plutôt que de chercher à extraire et c'est tant mieux. Abstraction faite de légers accents végétaux, un bon vin coulant, doté d'une agréable vigueur tannique. À boire d'ici 2019.

739623 31,50$ ★★★ ②

3 328150 018278

CHÂTEAU MAUVESIN-BARTON

Moulis-en-Médoc 2012

Cette propriété de Moulis a été acquise en 2011 par Mme Lilian Barton-Sartorius, également propriétaire des illustres châteaux Léoville-Barton et Langoa-Barton, à Saint Julien. Un domaine à surveiller de très près, si j'en juge par l'excellente qualité de ce 2012.

Pas le plus puissant des vins du Médoc, mais il offre en échange un équilibre et une tenue dignes de mention, avec pour trame de fond la rondeur caractéristique du merlot (42 %). Jolie finale aux accents de cerise noire et de mine de crayon. Assez ouvert pour être apprécié dès aujourd'hui, mais il n'atteindra son apogée qu'en 2020.

12526851 39 $ ★★★★ ③

3 660327 871218

CHÂTEAU BEL ORME TRONQUOY DE LALANDE

Haut-Médoc 2009

Un nez compact aux parfums de fruits confits annonce un haut-médoc chaleureux, manifestement nourri par la nature généreuse de l'été 2009. Corsé, plein en bouche mais taillé d'un seul bloc et brossé à gros traits, du moins, pour le moment. Vieillira-t-il en beauté?

126219 31,25 $ ★★ ½→? ③

3 419466 201352

CHÂTEAU CHASSE-SPLEEN

Moulis-en-Médoc 2012, L'Oratoire de Chasse-Spleen

Même dans un millésime plutôt moyen dans le Médoc, Céline Villars a réussi à produire un très bon vin de facture classique, aux tanins droits et compacts. Des notes végétales – dues aux 75 % de cabernet sauvignon – n'enlèvent rien à son charme et lui confèrent une fraîcheur aromatique et une allure un peu «rétro», d'avant la course à la maturité phénolique des années 2000. Rien pour s'imposer dans les concours et les dégustations à l'aveugle, mais tout pour procurer du plaisir à table.

737924 33 $ ★★★→? ③ ▼

3 251091 102266

CHÂTEAU DE LA GARDE

Pessac-Léognan 2012

Propriété du groupe CVBG – les vignobles Dourthe –, ce vaste domaine d'une cinquantaine d'hectares a bénéficié d'investissements importants au cours des années 1990. Très bon vin sphérique et éminemment séduisant par ses tanins gommeux et ses nuances grillées attribuables au fût neuf. Tendre et flatteur, mais avec une fin de bouche un peu austère qui ajoute à son caractère. Ouvert et agréable dès maintenant, il pourrait encore se bonifier d'ici 2020.

12941078 40,75$ ★★★→? ③

3 258691 462042

CHÂTEAU HAUT-SELVE

Graves 2011

Cette propriété des Graves appartenant aux propriétaires du Château Peyros à Madiran a donné un bon 2011, plus fin que puissant, qui repose sur un assemblage de merlot et de cabernet sauvignon à parts égales. Le grain tannique est poli, soyeux et le vin est tout à fait séduisant dans un style classique. À ce prix, on achète sans crainte. Arrivée prévue à la mi-décembre 2016.

11095068 23,60$ ★★★ ½ ②

0 659651 077444

COMMANDERIE DU BONTEMPS

Cuvée de la Commanderie du Bontemps, Médoc 2011, Ulysse Cazabonne

Bon médoc de négoce, ferme et tannique; net et suffisamment fruité. Simple, mais il laisse en bouche une sensation plutôt rassasiante pour le prix. Une finale florale et épicée ajoute à son charme.

491506 21,65$ ★★★ ②

3 412951 300424

CHÂTEAU BEAU-SITE

Saint-Estèphe 2010

Longtemps endormi, ce domaine de Saint-Estèphe appartenant à la famille Castéja (Batailley et Lynch Moussa à Pauillac, Trotte Vieille à Saint-Émilion et Domaine de l'Église à Pomerol) a retrouvé son lustre il y a une dizaine d'années et offre souvent un très bon rapport qualité-prix.

Un excellent cru bourgeois, tout à fait à la hauteur des attentes que commande le grand millésime 2010. Pas le plus puissant, mais très droit, bien marqué par la sève du cabernet sauvignon et de bonne longueur; son équilibre et sa chair fruitée le rendent vraiment très agréable. À moins de 50$, on en fait provision, sans hésiter. À boire idéalement entre 2020 et 2025.

3 249990 000622

10696021 45,50$ ★★★★ ③

CHÂTEAU BELGRAVE

Haut-Médoc 2012

Le 2012 de ce domaine appartenant au groupe CVBG ne passera évidemment pas à l'histoire, millésime oblige, mais on peut déjà apprécier sa trame ronde et veloutée, riche en notes de fruits noirs et d'épices. Bien proportionné et flatteur; bon vin à boire d'ici 2021.

3 258691 420769

11571546 48,50$ ★★★ ②

CHÂTEAU FERRIÈRE

Margaux 2011, Les Remparts de Ferrière

Le charme discret d'un margaux à la forme dépouillée et au taux d'alcool (12,5%) d'une autre époque. Saveurs pures de fruits noirs, à peine ponctuées de notes boisées, tanins souples en attaque, serrés en finale. Bon vin leste et harmonieux, auquel il manque toutefois un peu de chair, de volume et de complexité pour valoir pleinement son prix.

3 251091 208913

12194463 40,75$ ★★★ ② ▼

CHÂTEAU HAUT-BAGES LIBÉRAL

La Fleur de Haut-Bages 2012, Pauillac

Le 2012 ne fait pas preuve d'une grande envergure, mais se signale par une droiture médocaine classique, avec des tanins droits, des saveurs franches de fruits noirs, sur un fond de cèdre et de tabac. Le grain tannique se resserre en finale, et le vin présente une bonne longueur. Assez complet compte tenu du millésime. Le prix donne cependant à réfléchir.

3 453521 230185

11454526 44$ ★★★ ½ ③

CHÂTEAU HAUT-BAGES MONPELOU

Pauillac 2012

Ce domaine de Pauillac fait partie du giron de la famille Castéja, qui a aussi pris les rênes de la grande maison de négoce Mähler-Besse en juillet 2014. Ce 2012 ne battra pas de records de longévité, mais dans le contexte du millésime, il faut saluer la très belle qualité d'ensemble de ce cru bourgeois. 13 % d'alcool et aucune verdeur, des tanins ronds et une trame tannique suave et distinguée, mise en valeur par un bel usage du bois de chêne. Bonne longueur. À boire entre 2020 et 2025.

3 249990 013769

12918370 53,50$ ★★★→? ③

CHÂTEAU LA CROIX SAINT-ESTÈPHE

Saint-Estèphe 2011

Ce vin de Saint-Estèphe fait preuve d'une concentration digne de mention pour un 2011. Ni puissant ni très corsé, mais une chair fruitée généreuse, encadrée de tanins mûrs et fermes. Déjà agréable à condition de l'aérer en carafe. Il sera à son meilleur vers 2019-2022.

3 700091 800158

48561 38$ ★★★ ②

BOURGOGNE

Longtemps hétérogène, la qualité des vins de la Bourgogne a beaucoup progressé depuis une dizaine d'années. Grâce à l'arrivée de nombreux jeunes producteurs, soucieux de tirer le meilleur de terroirs secondaires, il est désormais possible de boire de très bons vins bourguignons, sans faire les frais des grands crus. Pour les « aubaines », cherchez du côté des appellations moins connues comme Marsannay, Auxey-Duresses, Savigny-lès-Beaune.

Plusieurs grandes maisons de négoce empruntent aussi la voie de la qualité. Les pages suivantes foisonnent de recommandations de bonnes bouteilles pour explorer le charme et la profondeur quasi énigmatique des vins de cette grande région viticole.

CHABLIS

De l'avis de plusieurs, le chablis est la quintessence du cépage chardonnay. Grâce à leur acidité naturelle et à leur équilibre, les meilleurs peuvent être conservés plusieurs années.

CÔTE DE NUITS

Le morcellement du vignoble bourguignon a commencé dès la Révolution française et s'est poursuivi au fil des siècles et des successions familiales. Deux siècles plus tard, il n'y a toujours qu'un seul Clos de Vougeot, mais il est partagé entre 70 vignerons qui produisent autant de vins différents selon leur savoir-faire et leur rigueur.

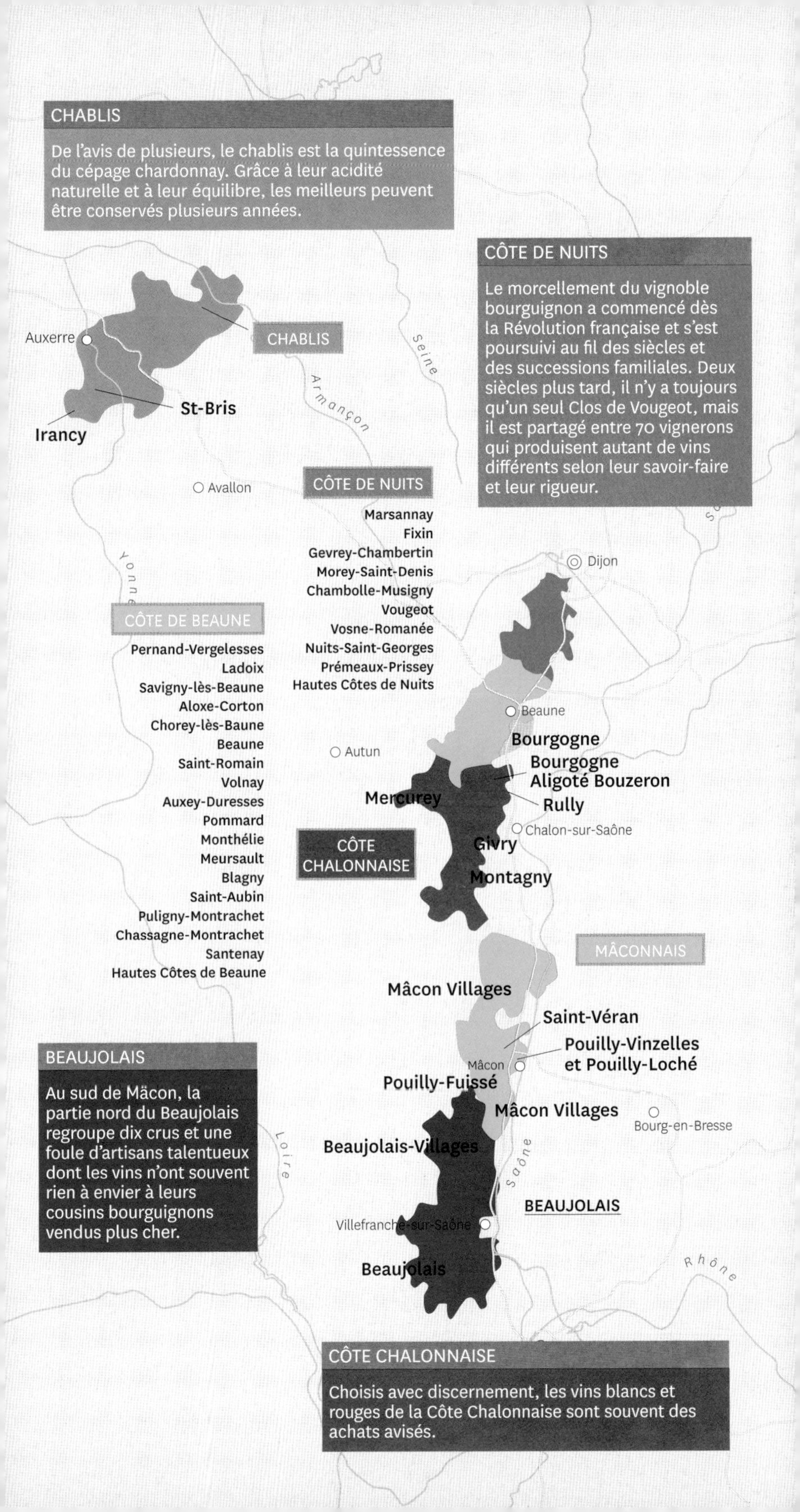

BEAUJOLAIS

Au sud de Mâcon, la partie nord du Beaujolais regroupe dix crus et une foule d'artisans talentueux dont les vins n'ont souvent rien à envier à leurs cousins bourguignons vendus plus cher.

CÔTE CHALONNAISE

Choisis avec discernement, les vins blancs et rouges de la Côte Chalonnaise sont souvent des achats avisés.

Bourgogne rouges Côte d'Or

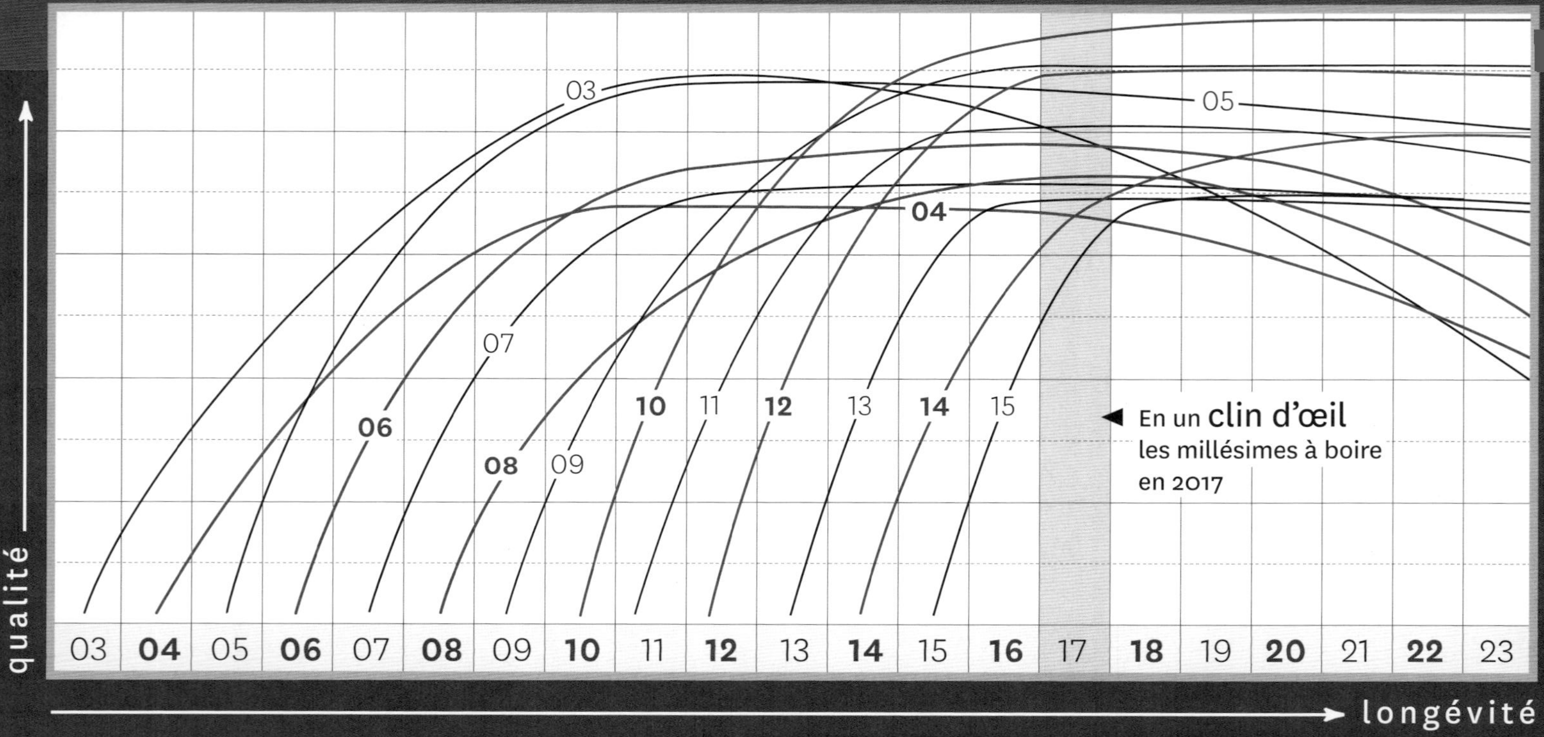

◄ En un clin d'œil les millésimes à boire en 2017

France

LES DERNIERS MILLÉSIMES

2015

En Côte d'Or, des vins rouges très concentrés, semblables, dit-on, à ceux de 2005. Plusieurs vins blancs présentent une richesse atypique, frôlant parfois la lourdeur. Même ceux de Chablis. Les meilleurs producteurs du Beaujolais ont produit des vins gourmands et joufflus, mais on trouve aussi beaucoup de vins capiteux.

2014

Récolte un peu plus abondante, après trois années déficitaires. Vins rouges de densité moyenne, mais sans verdeur; des vins blancs d'envergure, à la fois élégants et concentrés. Récolte hâtive et excellent potentiel à Chablis; idem pour le Beaujolais qui a connu sa meilleure récolte depuis 2011.

2013

Moins concentré que 2012. Pluie abondante au moment des vendanges. La date de la récolte et le tri de la vendange ont été des facteurs qualitatifs déterminants. Malgré tout, on trouve des vins rouges très fins et élégants qui plairont à l'amateur de bourgognes classiques.

2012

Des mauvaises conditions météorologiques au printemps ont nui à la floraison et donné une très petite récolte. Les vins rouges sont pour la plupart très concentrés et auront encore besoin de quelques années de repos.

2011

Autre année de faibles rendements et de vendange hâtive. La peau des raisins de pinot noir était relativement épaisse, ce qui pourrait donner des vins un peu plus structurés. Récolte plus abondante en blanc. Troisième millésime d'excellente qualité dans le Beaujolais.

2010

Dans les meilleurs domaines, les vins rouges s'annoncent charnus et riches en tanins. Souvent dotés d'une acidité notable, les vins blancs semblent de qualité variable. Conditions plus favorables à Chablis ainsi que dans le Beaujolais.

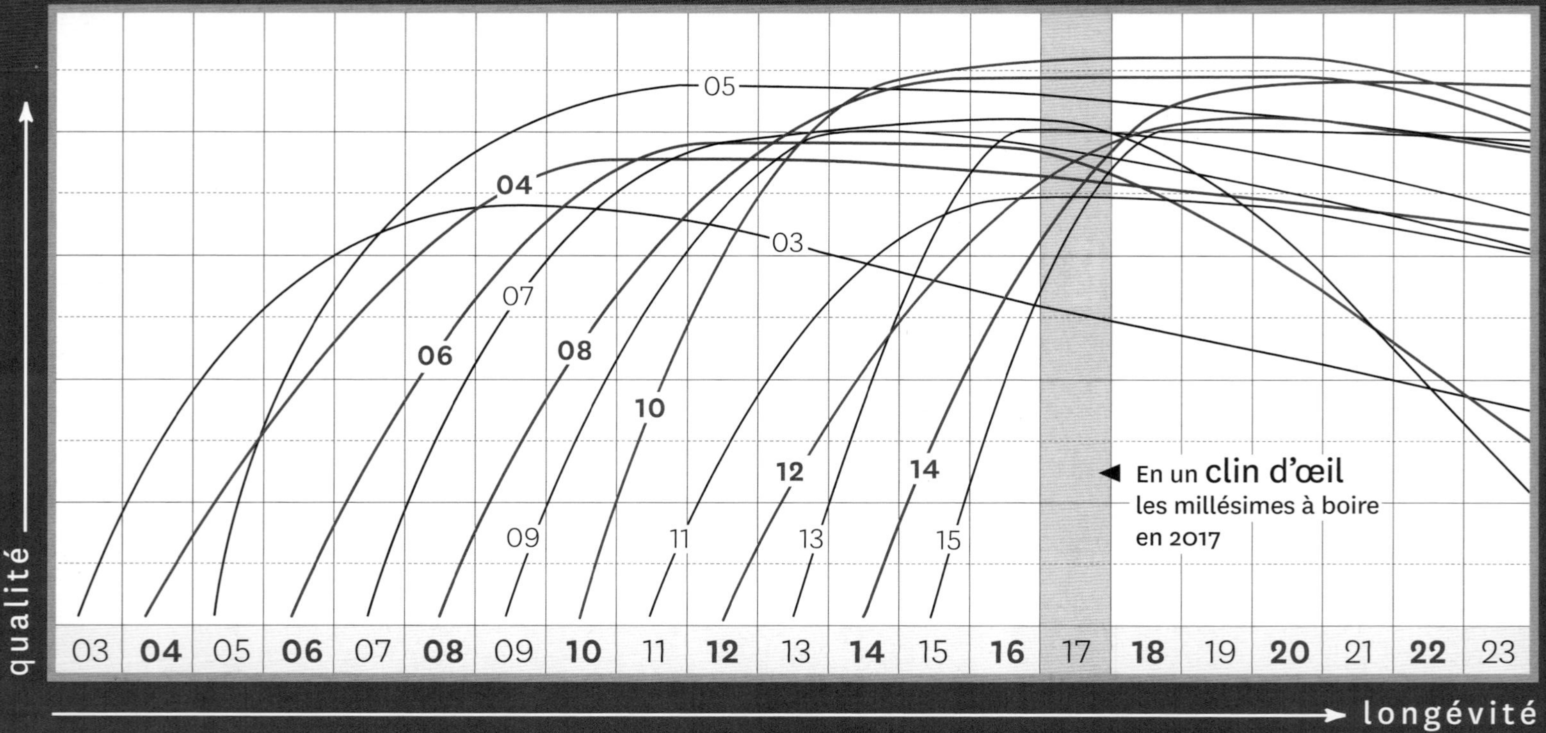
Bourgogne blancs Côte d'Or
05
04
03
07
06
08
10
12
14
09
11
13
15
◄ En un clin d'œil
les millésimes à boire
en 2017
03
04
05
06
07
08
09
10
11
12
13
14
15
16
17
18
19
20
21
22
23
qualité
longévité

2009
Très bon millésime favorisé par un mois d'août chaud, ensoleillé et sec. Des vins rouges de nature assez souple, et destinés à s'ouvrir plus rapidement que les 2005. Nourris et charmeurs, mais parfois faibles en acidité, les vins blancs devraient évoluer rapidement. Excellent millésime dans le Beaujolais; des vins colorés, riches et savoureux.

2008
Quantité réduite de vins blancs apparemment de qualité plus homogène, autant en Côte d'Or qu'à Chablis. Millésime difficile et irrégulier dans le Beaujolais.

2007
Une faible récolte de vins rouges, souples et à boire jeunes.

2006
Un bon millésime, en particulier en Côte de Nuits où les pluies ont été moins pénalisantes. Qualité hétérogène des vins rouges. Des vins blancs généralement plus satisfaisants. Bons vins charmeurs, mais parfois atypiques à Chablis.

2005
Sur toute la Côte d'Or et en Côte Chalonnaise, des vins classiques, à la fois riches et bien équilibrés. Excellent millésime à Chablis.

2004
Plusieurs réussites en Côte de Nuits malgré des conditions hostiles; succès plus aléatoires en Côte de Beaune. Qualité irrégulière des vins blancs, souvent handicapés par des rendements excessifs. Bon millésime à Chablis, mais certains vins sont dilués.

2003
Le millésime de la canicule. En Côte d'Or – et surtout en Côte de Nuits –, beaucoup de vins rouges nourris et solidement construits, quoique souvent atypiques. Les vins blancs sont puissants, mais parfois un peu mous et à court d'acidité. Même chose à Chablis, où les vins n'ont pas leur vigueur caractéristique.

2002
Récolte abondante de bons vins rouges purs et bien équilibrés. Splendide année de vins blancs, riches et soutenus par une acidité idéale. Millésime de rêve à Chablis.

2001
Météo froide et chagrine; le temps frais et pluvieux de septembre a causé des problèmes de pourriture. Des vins rouges de qualité disparate; à défaut de puissance, les meilleurs ont une finesse appréciable. De bons vins blancs en Côte de Beaune. Qualité moyenne à Chablis.

LA CHABLISIENNE

Chablis Premier cru 2013, Grande Cuvée

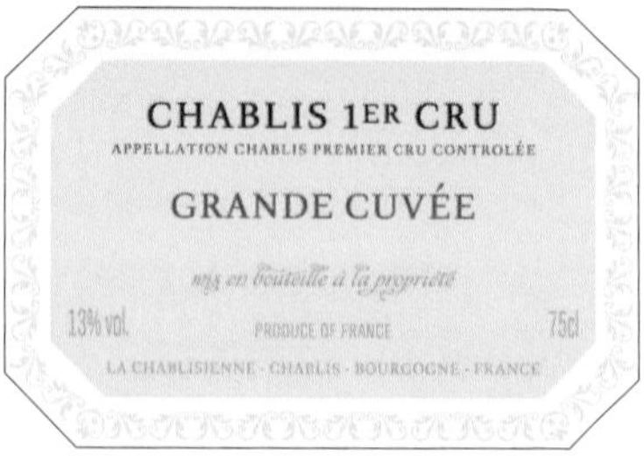

La cave coopérative de Chablis représente environ le quart de la production annuelle de l'appellation, avec 2,5 millions de caisses, et se classe parmi les caves coopératives les plus qualitatives de France.

À vue de nez, impossible de s'y méprendre, c'est du chablis! Le 2013 est très sec, mais enrobé d'une texture bien mûre et agrémenté de goûts de fleurs blanches, de cire d'abeille et de parfums singuliers de champignons, qui me font soupçonner la présence d'un peu de botrytis. Celui-ci nourrit la texture et le registre de saveurs, sans trop dépouiller le vin de sa proverbiale minéralité. Belle bouteille vendue à prix doux.

12794178 29,85$ ☆☆☆☆ ② ♥ 3 332418 002626

BROCARD, JEAN-MARC

Chablis Premier cru Montmains 2014

Les vignes de la famille Brocard dans le cru Montmains profitent d'une exposition idéale sud-sud-est et ont donné un superbe vin, qui témoigne autant de la qualité du terroir que de celle du millésime 2014. Plus riche que la moyenne certes, il ne plaira peut-être pas à l'amateur de chablis ciselé et tranchant, mais la richesse est soutenue par un fil d'acidité et une minéralité qui donnent au vin une droiture et une structure enviables. Bonne longueur.

12178818 30,75$ ☆☆☆☆ ② ♥ 3 436802 100414

BROCARD, JEAN-MARC

Chablis Premier cru Vau de Vey 2014

Ce vin élevé en cuve d'acier inoxydable et vinifié avec les levures indigènes est tout aussi atypique que le Montmains par sa richesse et ses parfums de beurre et de caramel. En bouche cependant, il affiche une droiture très chablisienne, avec la tension minérale habituelle et une amertume fine qui ajoute à sa longueur.

11589666 32$ ☆☆☆ ½ ② 3 436802 170417

France

CHÂTEAU DE MALIGNY

Chablis Premier cru Fourchaume 2014

Plutôt timide au nez; on perçoit des notes discrètes d'ananas et de cire d'abeille. La bouche est tout aussi stricte, presque austère, marquée d'une amertume végétale. Les raisins auraient-ils manqué de maturité? Le travail au chai a toutefois permis d'obtenir un vin assez enrobé, suffisamment gras pour faire oublier la verdeur. Équilibré, mais plutôt court et dépourvu de profondeur. À ce prix et venant d'un Premier cru, on est en droit d'espérer mieux.

480145 36,25$ ☆☆ ½ ②

3 379681 000140

CHÂTEAU DE MALIGNY

Chablis Premier cru Homme Mort 2014

Parfois décevant, à mon sens, au cours des dernières années, l'Homme Mort de Maligny est passablement complet en 2014. Servi plutôt frais que froid, on apprécie à sa juste valeur la texture de ce vin, qui porte la minéralité caractéristique de Chablis et qui s'avère, par ailleurs, très élégant. Bonne tenue et bon équilibre, à défaut de longueur.

872986 36$ ☆☆☆ ②

3 379681 010187

CHÂTEAU DE MALIGNY

Chablis Premier cru Montée de Tonnerre 2015

Jean-Paul Durup exploite le plus important domaine privé de l'appellation Chablis, avec un vignoble de près de 200 hectares. Je me suis demandé si une coccinelle était tombée dans mon verre... Nez vif et végétal, bourré de soufre; bouche diffuse, étriquée. Plus mûr que les 2014, plus de gras, mais ridiculement simple et court.

895110 36,50$ ☆☆ ½ ②

3 379681 000164

MOREAU, LOUIS

Chablis Premier cru Vaulignot 2014

Louis Moreau produit d'excellents vins authentiquement chablisiens, vinifiés sans apport boisé. Beaucoup plus «chablisien», que le 2013, il me semble. Franc, net, droit au but, ce qui n'exclut pas une certaine profondeur. Le fruit se dessine en bouche avec beaucoup de pureté et il reste en finale une délicieuse salinité qui appelle un second verre. Un peu plus de longueur et c'était quatre étoiles.

480285 27,35$ ☆☆☆ ½ ② ♥

3 452460 002242

BROCARD, JEAN-MARC

Chablis 2014, Les Vieilles vignes de Sainte-Claire

Cette importante maison familiale de Chablis est aujourd'hui menée par Jean-Marc Brocard et son fils Julien, qui a introduit l'agriculture biologique et biodynamique sur une partie (60 hectares) des vignobles de la propriété.

Cette cuvée issue de vignes âgées de 70 ans, en moyenne, est tout à fait à la hauteur des attentes que commande la réputation du millésime. Puissant et vineux en attaque, le vin se resserre en bouche et étonne par sa densité et sa concentration en extraits secs. Plein de vie et riche d'une foule de détails aromatiques, avec cette minéralité unique à Chablis. Excellent!

11589658 25,85$ ☆☆☆☆ ② ♥

CHABLISIENNE, LA

La Sereine 2013, Chablis

Un vin au nez attrayant de menthe et de cire d'abeille, sobre et modeste, mais faisant tout de même preuve d'une assez bonne longueur pour un chablis générique; les saveurs délicates de miel et de safran persistent en bouche.

565598 21,10$ ☆☆☆ ②

DOMAINE D'ELISE

Petit Chablis 2015

La nature généreuse de 2015 a été favorable à ce vin qui a pris du volume en bouche, tout en conservant sa vigueur et sa minéralité. Très net, délicatement citronné et rassasiant à ce prix. Superbe vin blanc pour accompagner les huîtres. Dans la catégorie des petits chablis, il mérite bien quatre étoiles.

11094735 22,05$ ☆☆☆☆ ② ♥

DROUHIN, JOSEPH
Chablis 2014, Réserve de Vaudon

Dans les années 1960, avant que le vignoble de Chablis ne connaisse son rayonnement actuel, Robert Drouhin a acquis cette propriété en bordure du Serein, où on a produit un excellent vin sec, franc, minéral et très salin, fidèle à l'excellente réputation du millésime 2014.

10524609 30$ ☆☆☆ ½ ②

0 012086 488726

DROUHIN, JOSEPH
Chablis 2015

Au répertoire général de la SAQ, un très bon vin frais et minéral, avec cette légèreté sans laquelle le Chablis ne serait pas le Chablis. Très sec, parfaitement équilibré et un peu plus vineux cette année. Bouteille coiffée d'une capsule à vis pour préserver la fraîcheur du fruit.

199141 25,20$ ☆☆☆ ②

0 012086 322310

LAROCHE
Chablis 2015, Saint Martin

Cuvée emblématique de Laroche et l'un des bons Chablis inscrit au répertoire général de la SAQ. Rien de bien complexe, mais on reconnaît le caractère de l'appellation, le vin a tout le fruit et la vigueur souhaités, avec une bonne tenue en bouche.

114223 25,90$ ☆☆☆ ②

3 292060 010045

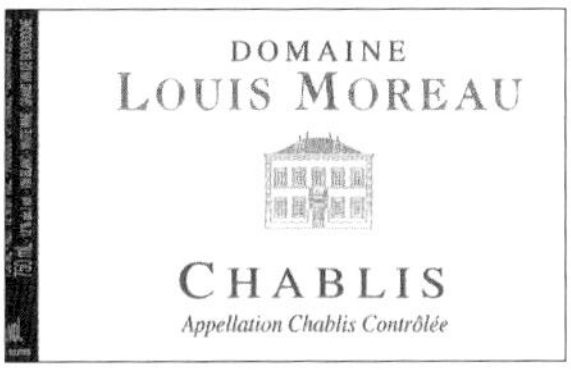

MOREAU, LOUIS
Chablis 2015

Lorsqu'elle a vendu la maison de négoce J. Moreau à Jean-Claude Boisset en 1985, une partie de la famille Moreau a conservé ses parcelles de vignes. La plupart de ses cuvées sont vinifiées en cuve d'acier inoxydable, pour laisser s'exprimer pleinement le terroir. Bon vin particulièrement fruité cette année ; sec et gras, avec de délicats accents de menthe en finale.

11094727 25,25$ ☆☆☆ ½ ②

3 452460 002518

MOREAU, LOUIS
Petit Chablis 2015

Encore très jeune et fruité, avec les accents minéraux propres aux bons vins de l'appellation. Très sec, pur et d'une longueur tout à fait satisfaisante.

11035479 21,35$ ☆☆☆ ½ ②

3 452460 002501

FOURNIER, JEAN

Marsannay 2013, Cuvée Saint-Urbain

Depuis 2003, Laurent Fournier est à la barre du domaine familial, qu'il a converti à l'agriculture biologique dès 2004. Cette cuvée est issue, entre autres, de vignes âgées de moins de 50 ans, situées sur les parcelles Longeroies et Clos du Roy.

La vinification partielle (30 %) en grappes entières donne ici un vin au nez très pur et à la texture éminemment soyeuse. Aucun maquillage, juste l'expression inaltérée du terroir de Marsannay, qui est avec Savigny, l'une de mes appellations de prédilection en Bourgogne. Et pas seulement parce que ce sont les seules que j'arrive encore à m'offrir. Ouvert, prêt à boire et déjà si séduisant. La Bourgogne dans toute son authenticité.

11853412 35,75$ ★★★★ ② ♥ 3 595337 503104

BOISSET, JEAN-CLAUDE

Côtes de Nuits-Village 2013, Au Clou

Quoique encore marqué par l'élevage, comme en témoignent ses parfums de cèdre et d'épices, ce 2013 est déjà passablement ouvert et accessible. Rien de complexe, mais un bon vin d'appellation communale, tout en fraîcheur et assez charnu pour accompagner un plat de viande rouge. À boire d'ici 2019.

12771806 38,25$ ★★★ ② 3 260980 030191

BOISSET, JEAN-CLAUDE

Fixin 2014

Grégory Patriat tire du terroir de Fixin, une appellation située juste au sud de Marsannay, un bon 2014, dans lequel le bois joue son rôle de faire-valoir. Les tanins sont suaves et les saveurs fruitées se déploient en bouche avec élégance. Rien de très profond, mais une expression fine et polie du terroir de Fixin. Déjà agréable, mais il serait avisé de l'attendre jusqu'en 2020.

12987421 46,75$ ★★★→? ③ 3 260980 011138

FOUGERAY DE BEAUCLAIR
Côtes de Nuits-Villages 2014

Patrice Ollivier signe un bon 2014 au nez classique de cassis. La bouche suit, serrée, portée par des tanins fermes et granuleux qui auront besoin d'encore quelques années pour se fondre. Bon équilibre d'ensemble. Arrivée prévue en janvier 2017.

10865294 35,50$ ★★★ ②

3 527941 120613

FOUGERAY DE BEAUCLAIR
Fixin 2014, Clos Marion

Fondé en 1978 par Jean-Louis Fougeray, ce domaine réputé de la Côte de Nuits est aujourd'hui dirigé par son gendre, Patrice Ollivier. Très joli 2014 tout en fruit et en souplesse; pas très corsé, mais bien équilibré, tissé de tanins fins et savoureux, quoique un peu austère en finale. Arrivée en succursale en février 2017.

872952 46,25 $ ★★★→? ③

3 527941 110812

FOUGERAY DE BEAUCLAIR
Marsannay 2012, Les Favières

Beaucoup de matière et une consistance digne de mention pour Les Favières, cette année. La nature de 2012 y est sans doute pour beaucoup. Le fruit joue encore en sourdine, mais il se dégage de ce vin une fraîcheur qui fait défaut à tant d'autres crus de ce millésime. Les saveurs de cassis sont rehaussées d'une pointe d'acidité volatile. Bon bourgogne authentique à prix convenable qu'on devrait laisser reposer jusqu'en 2019. Arrivée prévue vers la fin de l'année.

736314 31,50$ ★★★→★ ③

3 527941 111710

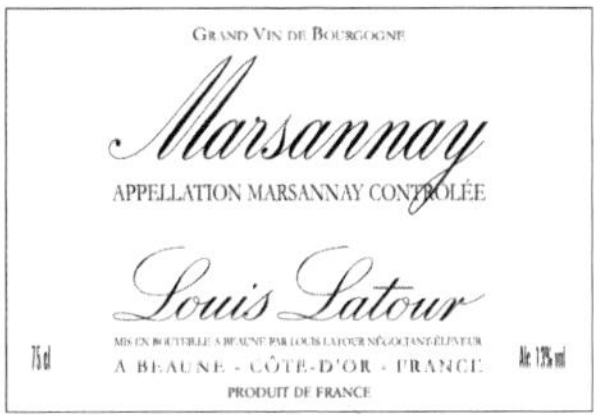

LATOUR, LOUIS
Marsannay 2014

Sans être le plus complexe des vins de Marsannay, ce 2014 a un joli fruit et la souplesse habituelle de l'appellation et du millésime. Pas spécialement riche en extraits, mais des saveurs nettes et toute la chair fruitée voulue. À boire au cours des quatre à cinq prochaines années.

12575012 35,50$ ★★★ ②

3 566921 142191

PAQUET, AGNÈS

Chassagne-Montrachet 2014, Les Battaudes

Alors destinée à une carrière en commerce, Agnès Paquet a fait le saut dans le métier de vigneronne il y a une quinzaine d'années, lorsque son père lui a annoncé son désir de vendre les vignes familiales d'Auxey-Duresses. Ses vins rouges et blancs ont en commun une finesse exemplaire.

Elle réussit à produire sur les terroirs argileux de Chassagne, un vin blanc d'une remarquable fraîcheur, empreint de fines notes de réduction qui ne nuisent en rien à sa pureté et à son élégance. Une expression gracieuse du chardonnay, bien servi par l'élevage sous bois et par un travail minutieux des lies. Longue finale racée aux goûts de poire et de pain grillé. On gagnera à le laisser reposer jusqu'en 2020.

3 760203 570133

12467290 58$ ☆☆☆☆ ③

LATOUR, LOUIS

Bâtard-Montrachet 2010

Bien que satisfaisants et techniquement impeccables, les vins de la maison Latour me semblent souvent exprimer davantage la technologie que le terroir. Dans ce cas-ci, aucune plainte à formuler. Le nez est discret, contenu, mais le vin est somptueux. Des saveurs riches de poire pochée enrobent la bouche, rehaussées par une acidité et une minéralité sous-jacentes qui apportent de la structure et forment un vin sérieux, plus en finesse qu'en puissance. Ouvert, à point, à boire entre 2017 et 2020. Vaut-il vraiment son prix? Les inconditionnels de la Bourgogne diront sans doute «quand on aime, on ne compte pas». Je leur laisse le dernier mot.

3 566921 100191

11483036 327,25$ ☆☆☆☆ ②

LATOUR, LOUIS

Meursault-Blagny Premier cru 2012

Plus complet et plus intense que le 2010 dégusté l'an dernier. Les conditions météo de l'année 2012, qui ont engendré de très faibles rendements naturels y sont peut-être pour quelque chose. Sans avoir l'envergure des meilleurs premiers crus de Meursault, un bon vin blanc nourri et suffisamment gras, qui a par ailleurs beaucoup de vitalité et de tonus. Finale saline, accentuée d'une agréable amertume. À boire entre 2018 et 2022.

3 566921 092397

10971863 99,75$ ☆☆☆→? ③

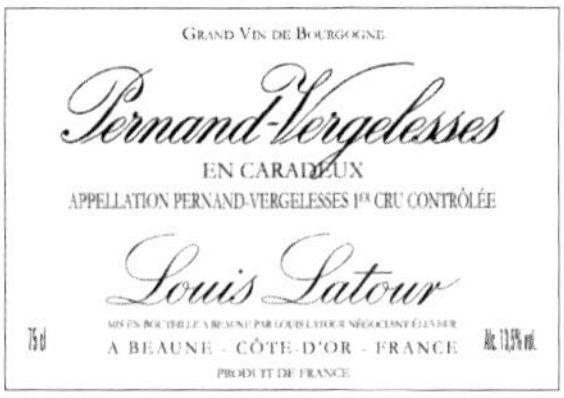

LATOUR, LOUIS

Pernand-Vergelesses Premier cru En Caradeux 2013

Cette importante maison de négoce établie à Beaune commercialise des vins de la plupart des appellations de la Côte d'Or, mais aussi du Mâconnais et de l'Ardèche. Fidèle au style de Latour, ce bon vin blanc ample et gras, produit dans le joli petit village de Pernand-Vergelesses, à l'ombre des grands crus de la colline de Corton, est nourri par un élevage bien maîtrisé en fûts de chêne, dont 25 % neufs. Très bel équilibre entre l'acidité, le gras et la structure, et mariage harmonieux de goûts fruités, boisés et minéraux. Pas donné, mais une très belle réussite dans un millésime délicat. Ne lui manquait juste un peu de profondeur et c'était quatre étoiles.

3 566921 122940

12760040 55,25$ ☆☆☆ ½ ②

Transformation malolactique

Souvent appelée, à tort, fermentation malolactique, elle se déclenche sous l'action de bactéries qui transforment l'acide malique (dur) en acide lactique (plus tendre). On lui doit notamment les parfums lactiques (beurre, crème fraîche) dans certains vins blancs, comme la plupart des chardonnays, sauf à Chablis, où elle est plus rare.

CHENU, LOUIS & FILLES

Savigny-lès-Beaune Premier cru Aux Clous 2013

Avec la hausse faramineuse des prix depuis quelques années, plusieurs amateurs de vins de Bourgogne, dont je suis, trouvent une forme de salut dans des appellations comme Savigny-lès-Beaune qui proposent une foule de vins authentiquement bourguignons, à des prix « abordables ».

Ce savigny vendu pour la première fois à la SAQ en est un exemple parfait. La philosophie non interventionniste des sœurs Chenu est d'autant plus manifeste en 2013, millésime reconnu pour ses vins rouges délicats. On ne peut qu'être séduit par la finesse du grain tannique et la pureté des saveurs qui vont crescendo en bouche. Beaucoup de relief et de vie dans ce vin encore jeune, qui pourra être apprécié au cours des cinq ou six prochaines années.

3 762541 000235

12876106 44$ ★★★★ ②

BOISSET, JEAN-CLAUDE

Chorey-lès-Beaune 2014, Les Beaumonts

On goûte bien la signature de Grégory Patriat dans ce chorey. Bon boisé, nez fumé et floral; l'attaque en bouche est plus dense que la moyenne des 2014, sans être trop extraite et le fruit forme un bel équilibre avec la charpente tannique. À boire idéalement entre 2020 et 2024.

3 260980 016676

12987367 40$ ★★★ ½ ③

DROUHIN, JOSEPH

Côte de Beaune-Villages 2014

Le nez très expressif, très marqué par l'empreinte du pinot noir, annonce un 2014 mûr et généreux. La chair fruitée enrobe une trame tannique tendre et veloutée et une amertume fine tire les saveurs de fraises compotées et de poivre en fin de bouche. À boire d'ici 2020 pour profiter de la jeunesse du fruit.

12875779 29,95$ ★★★ ½ ②

0 012086 487996

GAY, FRANÇOIS

Chorey-lès-Beaune 2012

Les amateurs de vins corpulents et tanniques s'ennuieront avec ce vin clair et léger. Personnellement, et surtout dans le contexte du millésime 2012 qui a donné beaucoup de vins rouges massifs et dessinés à gros traits, j'ai bien aimé sa légèreté et la finesse de son grain, d'autant plus que le vin ne manque pas de poigne. Encore un peu timide pour le moment, il mériterait de reposer en cave jusqu'en 2020, au moins. Un nouvel arrivage est prévu en février 2017.

917138 35,75$ ★★★→★ ③

3 760087 220018

GAY, FRANÇOIS

Savigny-lès-Beaune 2011

Un très bon 2011, parfaitement ouvert et prêt à boire. Rien de très concentré ni d'exubérant, mais si vous êtes sensible au charme discret de la Bourgogne dans sa forme pure et dépouillée d'artifices, alors vous adorerez ce vin de Savigny. Il ne lui manquait qu'un peu de longueur pour mériter quatre étoiles. À boire d'ici 2019.

12582773 39,75$ ★★★ ½ ②

3 760087 220070

LATOUR, LOUIS

Corton-Grancey 2012

Ce vin de Corton a manifestement bénéficié des largesses du millésime 2012. Plus complet que dans mes souvenirs, avec une chair fruitée mûre, dense, rassasiante. De la mâche, des saveurs persistantes et un bon équilibre d'ensemble. On peut le boire dès maintenant, mais il n'atteindra son apogée que vers 2019-2020.

11726510 149$ ★★★→★ ③

0 026861 101588

PAQUET, AGNÈS

Auxey-Duresses 2013

Quel excellent vin! Une vinification partielle (25%) avec les grappes entières n'est certainement pas étrangère à la fraîcheur et à la vitalité de cet auxey-duresses. Les saveurs de poivre, de terre humide et de fruits rouges se déclinent sur un tissu tannique d'une grande finesse, délicat et à la fois charnu, plein en milieu de bouche et très rassasiant. Pureté, salinité et élégance, à prix abordable. Faites-en provision!

11510292 31,50$ ★★★★ ② ♥

3 760203 570010

FAIVELEY

Mercurey 2013, La Framboisière

Après plusieurs années dans les limbes, Faiveley semble en voie de rédemption. Depuis son arrivée en poste en 2008, Julien Bordet a remis les vignobles de Mercurey en ordre et il a arrêté les pompages, afin de respecter plus le fruit. La famille Faiveley a aussi investi 3 millions d'euros pour la rénovation du cuvier. Autant de détails qui se traduisent par une nette progression qualitative.

Déjà commenté l'an dernier et goûté de nouveau à deux reprises au courant de l'été 2016, le vin issu du cru La Framboisière – monopole emblématique du domaine Faiveley – est vraiment d'une qualité remarquable dans sa version 2013. Le nez est très pur, avec des parfums nets de cerise et de fleurs, mais son charme repose surtout par la finesse de son grain tannique. Soyeux, délicat et laissant pourtant en bouche une sensation de plénitude. Une Grappe d'or bien méritée!

3 351001 441215

10521029 35,50$ ★★★★ ②

CHÂTEAU DE CHAMIREY

Mercurey 2013

Ce domaine phare de l'appellation Mercurey appartient à la famille Devillard, du Domaine des Perdrix, à Nuits-Saint-Georges. Une couleur franche; un nez fruité, compact, délicatement vanillé. Les tanins sont assez fins, nourris par un élevage de 10 mois en fût partiellement neuf. Le fruit est mûr, charnu, et le grain tannique est poli. Bon bourgogne secondaire. Poli, un peu convenu.

0 011373 002799

962589 28,60$ ★★★ ②

Doux

Ne dites jamais à un vigneron français que son pinot noir est doux. Ja-mais! Le terme « doux » implique obligatoirement que le vin est... sucré. Pour désigner un vin qui coule bien et qui caresse le palais, on emploiera plutôt les qualificatifs souple, tendre, suave, soyeux, velouté, coulant, gouleyant.

CHÂTEAU DE CHAMIREY

Mercurey blanc 2013

Le 2013 est tout à fait à la hauteur des attentes et met d'emblée en «appétit» avec un nez mûr et complexe, signe d'un vin élaboré avec des raisins parfaitement à maturité. Bon équilibre entre le fruit, la structure et l'acidité. Impression générale très élégante. Un peu plus long et il méritait quatre étoiles.

179556 30,50$ ☆☆☆ ½ ②

ERKER, DIDIER

Givry Premier cru Les Bois Chevaux 2014

Didier Erker a repris la petite propriété viticole de sa belle-famille en 1996. J'ignore s'il s'agit de l'effet du millésime ou d'un changement de style, mais ce givry me laisse un peu perplexe dans sa version 2014. Nez pas tout à fait net, bouche un peu sèche, marquée par des notes animales et des goûts de fraises cuites. Mauvais lot?

880492 26,25$ ★★→? ③

FAIVELEY

Mercurey 2014, Les Mauvarennes

La côte Chalonnaise est d'ailleurs un véritable rayon à aubaines au sein de la Bourgogne. Cette cuvée vendue en exclusivité dans les succursales SAQ Dépôt en est un très bel exemple. Le fruit pur du pinot est bien présent, rond et animé d'un léger reste de gaz. Équilibré et net en bouche; qualité impeccable. Bon à boire dès maintenant.

864629 26,05$ ★★★ ½ ② ♥

MAILLET, NICOLAS

Mâcon Verzé 2014

À mi-chemin de Beaune et de Lyon, le Mâconnais a longtemps été considéré comme le parent pauvre de la Bourgogne, mais depuis une quinzaine d'années, une poignée de vignerons ont insufflé une énergie nouvelle et contribué au dynamisme et à la notoriété de la région.

Dans la commune de Verzé, les vignes de Nicolas Maillet sont certifiées Écocert et donnent un vin pur et cristallin, dont la minéralité pourrait faire pâlir bien des blancs de la Côte de Beaune. Les saveurs nettes de fruits blancs sont portées en fin de bouche par une fine amertume, doublée d'une salinité qui le rend particulièrement désaltérant. Amateur de bourgogne blanc classique peu ou pas boisé, vous adorerez.

11634691 29,45$ ☆☆☆☆ ② ♥

3 760215 990011

BICHOT, ALBERT

Pouilly-Fuissé 2013

Les vins courants des grandes maisons de négoce ne sont pas à retenir pour leur profondeur, mais pour leur constance. Celui-ci en est un bel exemple: pas très ample ni complexe, il offre en revanche des saveurs nettes de fruits blancs et un minimum de tenue en bouche. À boire d'ici 2018.

22871 26,25$ ☆☆☆ ②

0 087113 114305

BOISSET, JEAN-CLAUDE

Pouilly-Fuissé 2015

Sans égaler l'excellent 2014 vendu l'an dernier, ce 2015 est assez bien réussi sur le mode solaire qui caractérise ce millésime. Des saveurs de fruits tropicaux, beaucoup de gras et un léger reste de gaz pour pallier un léger manque d'acidité. Offert dans l'ensemble du réseau.

11675708 24,75$ ☆☆☆ ½ ②

3 260980 001573

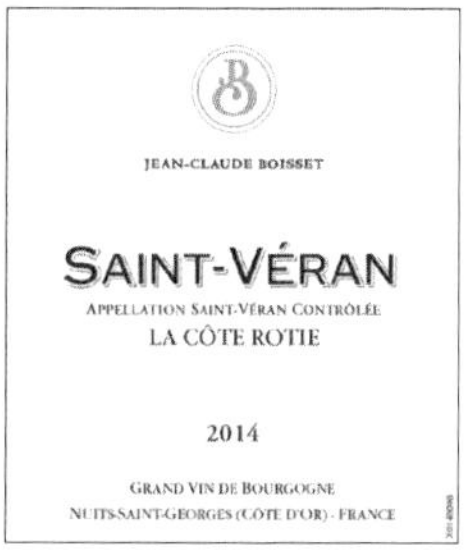

BOISSET, JEAN-CLAUDE

Saint-Véran 2014, La Côte Rôtie

Grégory Patriat signe un excellent saint-véran en 2014, grand millésime de blancs en Bourgogne. Vineux, ample et de très bonne tenue; le fruit blanc fait corps avec les parfums boisés de l'élevage et le vin termine sur une note saline, hautement désaltérante. Équilibre et plénitude. Belle bouteille!

3 260980 030979

12987332 35,50$ ☆☆☆☆ ② ▼

BRUN, JEAN-PAUL

Chardonnay 2015, Beaujolais

Même s'il est un peu moins complet et satisfaisant que le 2014 goûté plus tôt cet été, ce vin exerce un certain charme par son opulence et ses saveurs de fruits tropicaux. Gras sans être surdimensionné, sa structure lui permet de conserver un bon équilibre.

713495 26,90$ ☆☆☆ ½ ②

3 424560 010007

LATOUR, LOUIS

Pouilly-Vinzelles 2013, En Paradis

Dans le contexte défavorable du millésime 2013, un bon pouilly-fuissé aux goûts prononcés de caramel au beurre. Une certaine verdeur aromatique laisse croire qu'une partie des raisins a été récoltée tôt, peut-être avant les épisodes de pluie. Quoique en bouche le vin ne manque pas de gras. Correct, sans être une aubaine.

10864689 25,25$ ☆☆☆ ②

3 566921 133199

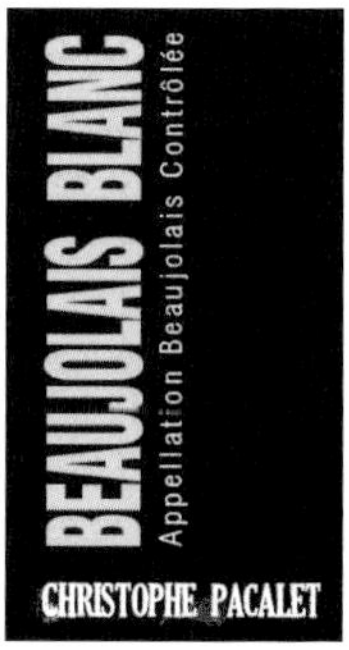

PACALET, CHRISTOPHE

Beaujolais blanc 2015

Arrivée prévue en décembre pour ce très bon 2015 particulièrement ample, gras et savoureux, gorgé de saveurs très mûres qui évoquent le beurre de poire et la crème anglaise. Sec et heureusement animé d'un léger reste de gaz et d'une finale saline qui accentuent sa vitalité et son caractère digeste.

En primeur

13112870 28,50$ ☆☆☆ ½ ②

DOMAINE DE LA CADETTE

La Piécette 2014, Bourgogne Vézelay

Jean Montanet est un pilier de cette appellation de l'Yonne, au sud de Chablis, où il pratique avec son épouse Catherine une agriculture biologique depuis une dizaine d'années. La qualité est d'une constance exemplaire.

Sans surprise, le 2014 est impeccable. Excellent vin blanc pur et expressif, élaboré dans les règles de l'art, fermenté avec les levures indigènes en cuve d'acier inoxydable et en fût de chêne. Un pur chardonnay de climat frais, aux senteurs délicates mêlant les notions minérales et les accents de beurre, soutenu par une bonne acidité. Beaucoup de relief en bouche; fraîcheur et persistance remarquables. Ah! Si tous les chardonnays étaient aussi distingués...

11589691 31,25$ ☆☆☆☆ ②

0 895958 000079

BACHELDER

Chardonnay 2013, Bourgogne

Spécialiste incontesté des cépages bourguignons, le Montréalais Thomas Bachelder gère une activité de négoce qui s'étend de la Bourgogne à l'Oregon, en passant par la péninsule de Niagara. En 2013, il produit un excellent chardonnay, dont la tenue de bouche et l'équilibre sont exemplaires. Les raisins ont sans doute été récoltés avant les épisodes de pluie de septembre, car le vin est vif, franc, net et souligné d'une acidité fine. Quoique bien présents, les parfums de crème et de beurre des malos se mêlent au fruit de manière harmonieuse et le vin termine sur une longue finale aux accents crayeux. Un bourgogne générique hors norme.

0 185729 000224

11856040 28,20$ ☆☆☆☆ ② ♥

BICHOT, ALBERT

Chardonnay 2012, Secret de Famille, Bourgogne

Un bon vin blanc maintenant à point et prêt à boire. Modeste, mais gras et agrémenté de notes de craie et de champignons frais en finale. La belle bouteille pour accompagner un plateau de fromages à la fin du repas. Tout à fait honnête à ce prix.

12848279 24,95$ ☆☆☆ ② 0 087113 111342

BICHOT, ALBERT

Chardonnay 2014, Vieilles vignes, Bourgogne

Bon blanc de négoce offrant fraîcheur et vivacité. Rien de spécial, mais un bon bourgogne générique, franc de goût et offrant suffisamment de fruit et de nerf, à un prix abordable.

10845357 18,55$ ☆☆☆ ② 0 087113 111359

BROCARD, JEAN-MARC

Chardonnay 2014, Jurassique, Bourgogne

En plus d'une vaste gamme de vins de Chablis, la famille Brocard signe ce très bon chardonnay générique, dont les accents de menthe et la vigueur minérale évoquent les petits chablis. Sec, vif, facile à boire; l'acidité caractéristique d'un vin de climat frais est enrobée par une juste dose de gras. Très bon vin.

11459087 21,25$ ☆☆☆ ½ ② 3 436806 200318

CHAMPY

Bourgogne Chardonnay 2014, Signature

Depuis son rachat en 1990, cette maison beaunoise n'a cessé de progresser. L'œnologue Dimitri Bazas y élabore une vaste gamme de vins très bien ficelés, dont ce très bon générique de facture classique. Du gras, un élevage bien maîtrisé qui ne masque pas le fruit mais apporte du volume en bouche. À boire dans les deux ou trois prochaines années.

11293742 26$ ☆☆☆ ½ ② 3 322719 006683

BOUVIER, RENÉ

Bourgogne Pinot noir 2014, Le Chapitre Suivant

Bernard Bouvier a pris les rênes du domaine familial en 1992 et converti les vignobles de la propriété à l'agriculture biologique en 2009. Lorsque la nature collabore, Bouvier favorise une récolte à pleine maturité, ce qui lui permet de minimiser l'extraction au chai.

Quelle belle réussite! Après un 2012 massif et un peu plus linéaire commenté l'an dernier, le bourgogne générique de ce domaine de Gevrey-Chambertin renoue avec la vitalité et le caractère gouleyant qui ont fait son succès. Tout à fait dans l'esprit du millésime 2014: pas très concentré, mais soyeux, fringant et très joliment parfumé. Belle bouteille, bon prix.

11153264 23,50$ ★★★★ ② ♥

8 026080 001425

BOISSET, JEAN-CLAUDE

Pinot noir 2014, Nature d'Ursulines, Bourgogne

Bon bourgogne rouge générique, élaboré dans les règles de l'art, sans filtration. Les parfums boisés de l'élevage dominent encore, mais l'équilibre en bouche permet de croire que le vin vieillira bien. Charpente assez solide, bel enrobage fruité; très rassasiant à sa manière. Pour la finesse et le caractère aérien propres aux 2014, il faudra cependant chercher ailleurs.

12666619 29,80$ ★★★→? ③

3 260980 029904

BOISSET, JEAN-CLAUDE

Pinot noir 2014, Les Ursulines, Bourgogne

Le millésime 2014 ne devrait pas décevoir les fidèles de cette cuvée, qui y retrouveront le bon parfum fruité du pinot qui s'articule autour de tanins soyeux, soutenus par une agréable vigueur en bouche. Un très bon bourgogne générique.

11008121 23,70$ ★★★ ②

3 260980 023643

DROUHIN, JOSEPH

Pinot noir 2014, Bourgogne

Je n'avais pas goûté le pinot noir de Drouhin depuis quelques années et je dois avouer être agréablement surprise par la qualité du fruit et des tanins de ce 2014. Coulant, juteux et élégant. Un très bon achat à 25$.

12157451 25$ ★★★ ½ ②

0 012086 494963

FOUGERAY DE BEAUCLAIR

Bourgogne rouge 2014

Un peu austère et sur la réserve en septembre 2016, le bourgogne rouge de ce domaine de Marsannay n'était pas spécialement fruité, mais se faisait valoir par son équilibre et sa tenue en bouche. Laissons-lui quelques mois de repos.

12526413 23,20$ ★★★ ③

3 527941 130414

JADOT, LOUIS

Bourgogne Pinot noir 2013, Couvent des Jacobins

L'une des valeurs sûres au rayon des bourgognes génériques. À cet égard, Louis Jadot est d'ailleurs parmi les maisons de négoce les plus fiables de la région. Bon 2013 leste, léger, suffisamment fruité et dont le grain tannique laisse en bouche une sensation fraîche et élégante. Belle réussite!

966804 23,55$ ★★★ ②

3 535923 060000

PAQUET, AGNÈS

Pinot noir 2015, Bourgogne

Issu de raisins de la commune de Meloisey, à une dizaine de kilomètres à l'ouest de Beaune, ce bourgogne générique autrefois élevé exclusivement en cuve d'acier inoxydable profite maintenant d'un passage partiel (10%) en fût de chêne neuf. Agnès Paquet souhaitait ainsi «aller chercher du volume en milieu de bouche». Le pari est réussi et le 2015 s'avère très rassasiant, avec une trame charnue et veloutée, des saveurs nettes et un équilibre impeccable.

11510268 22,90$ ★★★★ ② ♥

3 760203 570065

POTEL, NICOLAS

Pinot noir 2014, Vieilles vignes, Bourgogne

Au cours des cinq dernières années, j'ai souvent émis des réserves envers les vins de cette maison de négoce appartenant à Labouré-Roi, mais je dois admettre que la cuvée Vieilles vignes est tout à fait recommandable en 2014. Un vin d'envergure moyenne, fruité sur un fond animal, attribuable à une légère réduction. Des aspérités tanniques lui donnent un fini un peu rustique, mais l'ensemble est harmonieux.

719104 24,50$ ★★★ ②

3 760041 970751

FOILLARD, JEAN

Morgon 2014, Corcelette

Comme nombre de vignerons de la région, Jean Foillard, acteur majeur de l'appellation Morgon, s'est inspiré des travaux de Jules Chauvet sur les vinifications « sans soufre ». Ses vins sont raffinés, élégants et généralement dotés d'un excellent potentiel de garde.

Toujours savoureux, cette cuvée atteint un nouveau sommet de complexité en 2014. Le nez est pur et compact, très attrayant. La bouche vibre et déborde de vitalité, structurée et aérienne tout à la fois, reposant sur une trame tannique soyeuse. Un vin délicat et pourtant éminemment profond, qui déploie en bouche un large spectre de saveurs. Et quelle longueur! Même ouvert depuis trois jours, le vin avait encore une fraîcheur et une netteté admirables. Grand!

3 762994 151010

12201643 38,75$ ★★★★ ½ ②

DESCOMBES, GEORGES

Morgon 2013

« Hallucinamment» poivré au nez. Poivre noir, poivre long aussi, piment jamaïcain. Bouche charnue, concentrée, riche en fruit. Parfois un peu intense sur les grands millésimes, le morgon de Georges Descombes est impeccable en 2013. Du poids, du volume, mais aucune lourdeur. Beaucoup de relief en bouche, une trame tannique veloutée, et compacte. Légère astringence en finale qui accentue sa « buvabilité ».

En primeur

13112933 35,50$ ★★★★ ② ♥

DOMAINE DU VISSOUX

Moulin-à-Vent 2014, Les Trois Roches

Plus exubérant que la moyenne de l'appellation Moulin-à-Vent, cette cuvée se signale davantage par la générosité de son fruit et sa texture ample et sphérique, que par sa structure ou sa complexité. Les saveurs de cerise et de cassis sont soutenues par une saine acidité et le vin s'avère assez charmant, dans un registre toutefois un peu convenu. Gagnera-t-il en nuances d'ici quelques années?

8 026080 001395

11154427 28,55$ ★★★→? ③

FOILLARD, JEAN

Morgon 2014

Un autre excellent 2014 provenant d'un des meilleurs domaines de Morgon. Coloré à souhait, avec des senteurs intenses de fruits rouges et de poivre. Sa chair fruitée mûre et pleine lui donne déjà beaucoup de consistance et procure un plaisir rassasiant, mais il mériterait de mûrir en cave quelques années. Joli mélange de force et d'élégance.

3 765210 040006

11964788 27,55$ ★★★→★ ③

LAPIERRE, MARCEL

Morgon 2015

Camille et Mathieu Lapierre assurent avec brio la relève de leur père, Marcel, qui a tracé la voie pour de nombreux vignerons de la région quant à l'élaboration de cuvées naturelles, sans ajout de soufre. Le 2015 offre un nez concentré en parfums de fruits frais, avec de légers accents de réduction; la bouche est bien mûre, ronde et pourtant pleine de vitalité, grâce à un reste de gaz et à une trame minérale qui tire les saveurs en finale. Équilibre particulièrement exemplaire, dans le contexte du millésime.

3 760196 820017

11305344 31,25$ ★★★ ½ ②

LOUIS-TÊTE

Morgon 2014, Les Charmes

Bon vin de Morgon, vif, fringant et assez charnu, avec de bons goûts de cerise acidulée. Bien tourné dans un style conventionnel et plus complet que d'habitude, il me semble. La qualité du millésime y est sans doute pour beaucoup. Prix convenable.

3 454100 262412

961185 19,35$ ★★★ ②

Vin de soif, sur le fruit, glou-glou

Un « vin de soif » est un vin qui se boit tout seul, sans trop réfléchir. On dira souvent qu'il est « sur le fruit », ce qu'il ne faut pas prendre au sens littéral du terme ! Une amie me racontait que chaque fois qu'elle entend cette expression de la bouche d'un sommelier, elle s'imagine une bouteille qui *surfe* sur une fraise. En fait, on définit le vin ainsi par opposition aux vins costauds, tanniques et boisés. Au hasard des bars à vins, vous risquez aussi entendre dire d'un vin qu'il est « glou-glou », qu'il descend bien. Autant d'expressions populaires pour décrire des vins rouges souples, légers et « gouleyants », qu'on sert autour de 14-15 °C, à l'apéro, en toute saison.

BRUN, JEAN-PAUL

Fleurie 2014, Terres Dorées

Vigneron autodidacte, Jean-Paul Brun s'inspire à la fois des méthodes traditionnelles du Beaujolais et de l'école bourguignonne pour produire des vins blancs et des vins rouges très achevés, sincères, qui témoignent du caractère distinct de leurs appellations d'origine.

De mémoire, son 2014 est encore plus complet que le délicieux 2013, décoré d'une Grappe d'or dans la dernière édition du *Guide du vin*. Charnu, il déroule en bouche une matière nourrie et juteuse, riche d'une foule de détails aromatiques. Les tanins, l'acidité et l'enrobage fruité sont réunis dans des proportions harmonieuses et le vin procure un plaisir immédiat. Cela dit, je serais curieuse de le revoir dans quatre ou cinq ans. Excellent!

12184353 27,40$ ★★★★ ② ♥

3 424560 020006

CHÂTEAU DE PIERREUX

Brouilly 2014

Au pied du mont Brouilly, cette propriété historique – dont certains vestiges remontent au 13e siècle – appartient à la maison Mommessin, elle-même acquise par le géant Boisset en 1997. Un 2014 ample et gorgé de fruit mûr, dont la chair dodue et gourmande s'avère déjà très rassasiante. Rond, frais, équilibré et de bonne longueur.

10754421 21,10$ ★★★ ½ ②

3 264380 065418

DESCOMBES, GEORGES

Brouilly 2014

Georges Descombes applique la même philosophie peu interventionniste dans l'élaboration de ses vins du Beaujolais. Plus riche et nourri que la moyenne de l'appellation, ce qui est souvent le cas chez ce vigneron, le 2014 fait à la fois preuve d'étoffe et d'une vivacité digne de mention. Peut-être pas le plus exubérant ni le plus flatteur des vins de Brouilly, mais il ne manque pas de poigne ni de caractère.

12494028 24,80$ ★★★★ ② ♥

3 765551 980009

France

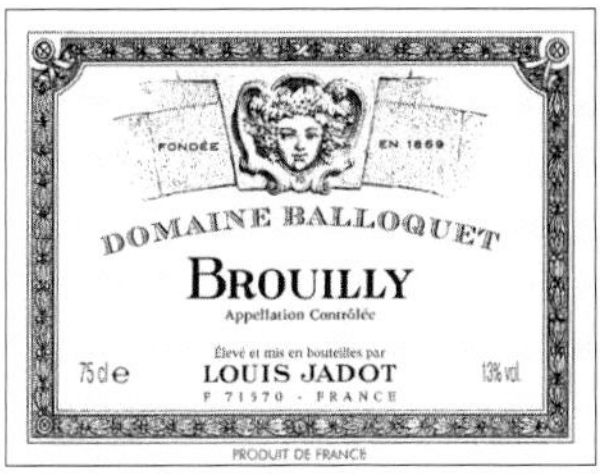

JADOT, LOUIS

Sous les Balloquets 2013, Brouilly

Cette grande maison bourguignonne apporte aussi un soin particulier à ses vins du Beaujolais. Après avoir racheté le Château des Jacques en 1996, la famille Gagey a fait appel à Guillaume de Castelnau pour assurer la gestion de son antenne beaujolaise. Beaucoup de fruit et tout ce qu'il faut de corps dans ce 2013. L'attaque en bouche est ample, la finale un peu évasive. Tout de même un très bon vin.

3 535923 010005

515841 23,15$ ★★★ ②

PACALET, CHRISTOPHE

Chiroubles 2015

Dès le premier nez, ce vin vous accroche un sourire aux lèvres, avec ses parfums affriolants de fruits et de poivre. La bouche étonne cependant par sa richesse et son poids. Sans dire qu'il verse dans la lourdeur, il faut souligner le caractère atypique de ce 2015, plein, capiteux et nettement plus costaud que la moyenne régionale. Un gamay en mode solaire, qu'on gagnera à servir frais, autour de 14 °C.

3 767476 190006

12847831 27,95$ ★★★ ½ ②

PIRON, DOMINIQUE

Chiroubles 2014

Cette entreprise de Villié-Morgon exploite une cinquantaine d'hectares de vignes, situées dans la plupart des crus du Beaujolais, dont Chiroubles, au nord de Morgon et à l'ouest de Fleurie. Le 2014 est souple, coulant et parfaitement ouvert, avec des saveurs affriolantes de fruits noirs et de fleurs qui persistent assez longtemps en bouche. Nerveux et très agréable à boire.

3 493399 240916

11299183 21,65$ ★★★ ½ ② ♥

Macération semi-carbonique (vinification beaujolaise)

Les grappes sont mises à vinifier entières dans la cuve ; il en résulte une fermentation intracellulaire, c'est-à-dire que la pulpe des raisins fermente à l'intérieur de la baie, ce qui donne des vins moins acides et moins tanniques. Et on l'appelle semi-carbonique puisque ce sont seulement les raisins situés dans la partie supérieure de la cuve qui subissent une fermentation intracellulaire.

DOMAINE DU VISSOUX

Beaujolais 2015, Les Griottes

Même si elle se résume encore au beaujolais nouveau dans l'esprit de bien des amateurs de vin, cette région située au sud de la Bourgogne peut produire des vins sérieux. Ce beaujolais « tout court » conçu par Martine et Pierre-Marie Chermette est même très sérieux.

Très coloré et chargé de parfums de cassis, ce 2015 produit tout au sud du Beaujolais déploie la générosité caractéristique du millésime, mais repose sur des tanins assez fermes et vigoureux pour encadrer la matière fruitée ronde et mûre. Fin de bouche florale et poivrée, imposant et un peu massif, mais il offre plus de nuances que la moyenne des 2015 sur le marché.

11259940 19,15 $ ★★★★ ② ♥

8 026080 001449

BRUN, JEAN-PAUL (TERRES DORÉES)

Beaujolais 2015, L'Ancien

Jean-Paul Brun a manifestement su tirer le meilleur du millésime 2015, qui a donné quelques vins puissants et alcooleux. L'Ancien est copieusement fruité, plus près des saveurs confites que du fruit frais, un peu plus capiteux aussi – 13 % d'alcool plutôt que 12 % –, sans être brûlant ni déséquilibré. Servir frais autour de 14 °C, sans faute.

10368221 20,40$ ★★★ ½ ② ♥

3 424560 040004

CHÂTEAU CAMBON

Beaujolais 2015

Racheté en 1995, par Marie Lapierre (Domaine Marcel Lapierre) et Jean-Claude Chanudet (Domaine Chamonard), le vignoble de Cambon est situé entre les crus de Morgon et de Fleurie, au cœur de la zone des crus. Élaboré en macération semi-carbonique à la Beaujolaise, sans ajout de levures sélectionnées et avec très peu de soufre. Résultat : un vin joufflu et gorgé de fruit, qui coule en bouche comme une eau de source (à 13 % d'alcool par contre). Une expression pure, rassasiante et désaltérante de raisins de gamay fermentés. C'est tout. Simple et délicieux. Encore meilleur si vous le servez frais, autour de 15 °C.

12454991 23,15$ ★★★★ ② ♥

3 767143 350115

COQUELET, DAMIEN

Beaujolais-Villages 2015, Fou du Beaujo

Le beau-fils de Georges Descombes est encore tout jeune et il a vite compris comment faire du bon vin qu'on a soif de boire. Sa cuvée Fou du Beaujo est le vin de soif par excellence. Ce qui n'exclut pas une certaine profondeur et une bonne longueur, même. Gourmand et plein de fruit, mais aussi doté d'une amertume fine qui tire les saveurs en finale et contribue à sa grande «buvabilité».

12604080 21,30$ ★★★★ ② ♥

3 683080 083476

FOILLARD, JEAN

Beaujolais 2014, Collection réZin

Dans le même esprit que les vins de Morgon, la profondeur et la complexité en moins, Jean Foillard signe ce très bon beaujolais «tout court», gourmand, fruité, net et savoureux, dont les parfums et la trame tannique me rappellent certains frappato de Sicile. Équilibre exemplaire et grande sapidité.

12454958 23,35$ ★★★★ ② ♥

3 765682 220029

LAPIERRE, MARCEL

Raisins gaulois 2015, Vin de France

Bien nourri par les largesses de l'été 2015, lui aussi, ce qui ne le dépouille en rien de son caractère désaltérant. Au contraire, il m'a semblé plus complet que jamais. La chair fruitée est riche, dodue, gourmande, mais une salinité doublée d'une amertume fine se dessinent en finale, laissant en bouche une sensation tonique et digeste. Le vin tout indiqué pour les apéros d'automne.

3 760196 820031

11459976 22,25$ ★★★ ½ ① ♥

ROBERT-DENOGENT

Beaujolais 2014, Cuvée Jules Chauvet

Beaujolais hors norme, élevé pendant 18 mois en fût neutre et provenant des vignes qui appartenaient jadis à Jules Chauvet, dont les travaux ont inspiré le mouvement des vins natures, vers la fin des années 1970. Guère beaucoup plus complexe ni profond qu'un vin courant du Beaujolais – lorsque goûté en septembre 2016, du moins –, mais porté par une texture très soyeuse. Bien que à près de 30$, la proposition ne soit pas spécialement avantageuse.

13005556 28,80$ ★★★ ②

3 767774 021569

DOMAINE DE MONTBOURGEAU

L'Étoile 2012

Les origines du nom de la commune de L'Étoile sont nébuleuses. Certains affirment qu'il s'agit d'une référence aux cinq collines qui l'entourent, d'autres disent qu'il serait plutôt attribuable aux fossiles étoilés que l'on trouve dans les sols du village. Nicole Deriaux y élabore un vin blanc pur et délicieux.

Aussi bon soit-il, il importe toutefois de noter que cette curiosité jurassienne est l'antithèse du vin blanc «grand public». Avec son nez de levure et de noix, il n'est d'ailleurs pas sans rappeler certains jérez de type manzanilla. Le registre aromatique s'éloigne du fruit pour *flirter avec* des saveurs plus salées, presque viandeuses, fait assez rare pour un vin blanc. Pour le reste, de délicates notes de beurre. Une bonne tenue et une finale désaltérante. Superbe exemple d'un vin blanc de gastronomie – à servir avec un poulet aux morilles – vendu à un prix accessible. Allez, soyez fou, faites découvrir de nouveaux horizons à vos papilles!

11557541 24$ ☆☆☆☆ ② ♥

4 000115 575413

BERTHET-BONDET

Côtes du Jura 2012, Tradition

La moitié du vignoble de Jean Berthet-Bondet est située dans l'appellation Château-Chalon, source de l'un des vins les plus originaux de France. Issue de chardonnay et de savagnin élevés sous voile pendant deux ans (voir encadré, page suivante), la cuvée Tradition est à retenir parmi les vins du Jura les plus singuliers offerts à la SAQ. Sorte de modèle réduit du célèbre vin jaune, le vin arbore le même profil aromatique sans en avoir toute l'intensité ni la complexité. Le 2012 offre une explosion de saveurs en bouche; une bouteille parfaite pour illustrer la notion de «umami» dans le vin. Les saveurs sont presque salées, rappelant la noix, mais aussi le miso, le tamari, l'eau de mer. L'ensemble est porté par une matière dense, riche en extraits et très structurée. Oxydatif, comme le sont la plupart des vins du Jura portant la mention «tradition» et apte à une longue garde. Somptueux dans un style hautement singulier.

11794694 32,50$ ☆☆☆☆ ② ♥

3 760018 783124

DOMAINE ROLET

Pinot noir 2009, Arbois

Cette cave familiale créée il y a plus de 60 ans élabore une gamme très complète de vins du Jura, dont ce pinot noir à la couleur pâle et aux nez discret d'accents fumés. La bouche suit, déjà passablement évoluée. Recommandable, mais à boire sans tarder: le vin commence à manquer de chair autour de l'os.

10884760 23,55$ ★★★ ②

3 361121 350021

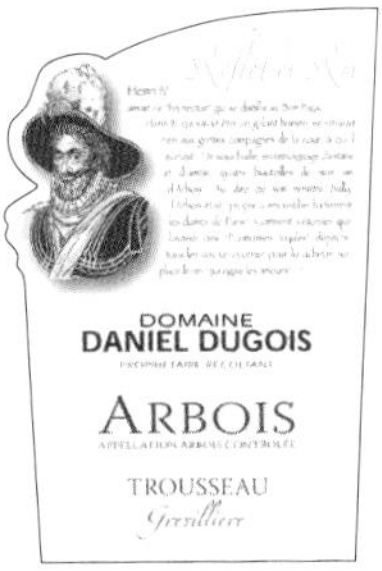

DUGOIS, DANIEL

Arbois 2012, Trousseau, Grévillère

Pour vous initier aux vins de cette région montagneuse – le massif du Jura culmine à 1720 m d'altitude –, voici un très bon vin rouge produit par la famille Dugois, dans la commune d'Arbois. Après un délicieux 2011, le millésime 2012 se présente sous un jour dense et poivré, mais aussi moins fruité et floral. Du moins, lorsque goûté en septembre 2016. Une matière fine, une bonne texture, mais un peu moins de relief et d'éclat aromatique. Malgré tout, un bon vin authentique qui se montrera peut-être plus volubile dans quelques mois.

12210419 24,55$ ★★★→? ③

3 760228 960018

GANEVAT, ANNE ET JEAN-FRANÇOIS

Chardonnay 2014, Les Compères

Le vigneron de renom Jean-François Ganevat s'est associé à son ami Philippe Bouvret, caviste à Poligny, pour produire ce Côtes du Jura, issu d'achat de raisins. Le 2014 offre beaucoup de texture en bouche et repose sur un grain serré, au point où sa structure s'apparente presque à celle d'un vin rouge léger. Les parfums sont toutefois très caractéristiques d'un blanc du Jura, avec des accents noisettés sur un fond de fruits blancs, le tout rehaussé d'une pointe d'acidité volatile. Longueur, complexité aromatique et beaucoup de caractère.

11544003 29,05$ ☆☆☆☆ ② ♥

3 770000 076011

Le voile

Plusieurs vins blancs du Jura méritent une mise en contexte. Suivant la tradition locale, certaines cuvées – surtout celles issues du cépage savagnin, comme le vin jaune – sont mises à vieillir en fûts, sans que l'on « ouille » la barrique, c'est-à-dire sans remplir régulièrement le fût, dont le contenu s'évapore à travers le bois. Tout autre vin s'oxyderait, mais pas le vin jaune, car la région est peuplée de levures particulières qui forment une mince couche (le voile) à la surface. Celle-ci protège le vin et lui confère des parfums très particuliers (noix, cari), que l'on appelle le « goût de jaune ».

ALSACE

Le SAVIEZ-VOUS?

Certains producteurs laissent une dose perceptible de sucre résiduel dans leurs vins. Quelques maisons ont commencé à donner des informations relatives aux taux de sucre et d'acidité sur la contre-étiquette, mais cette pratique demeure assez marginale. Pour acheter des vins secs, retenez les noms de Beyer, Hugel, Ostertag et Trimbach.

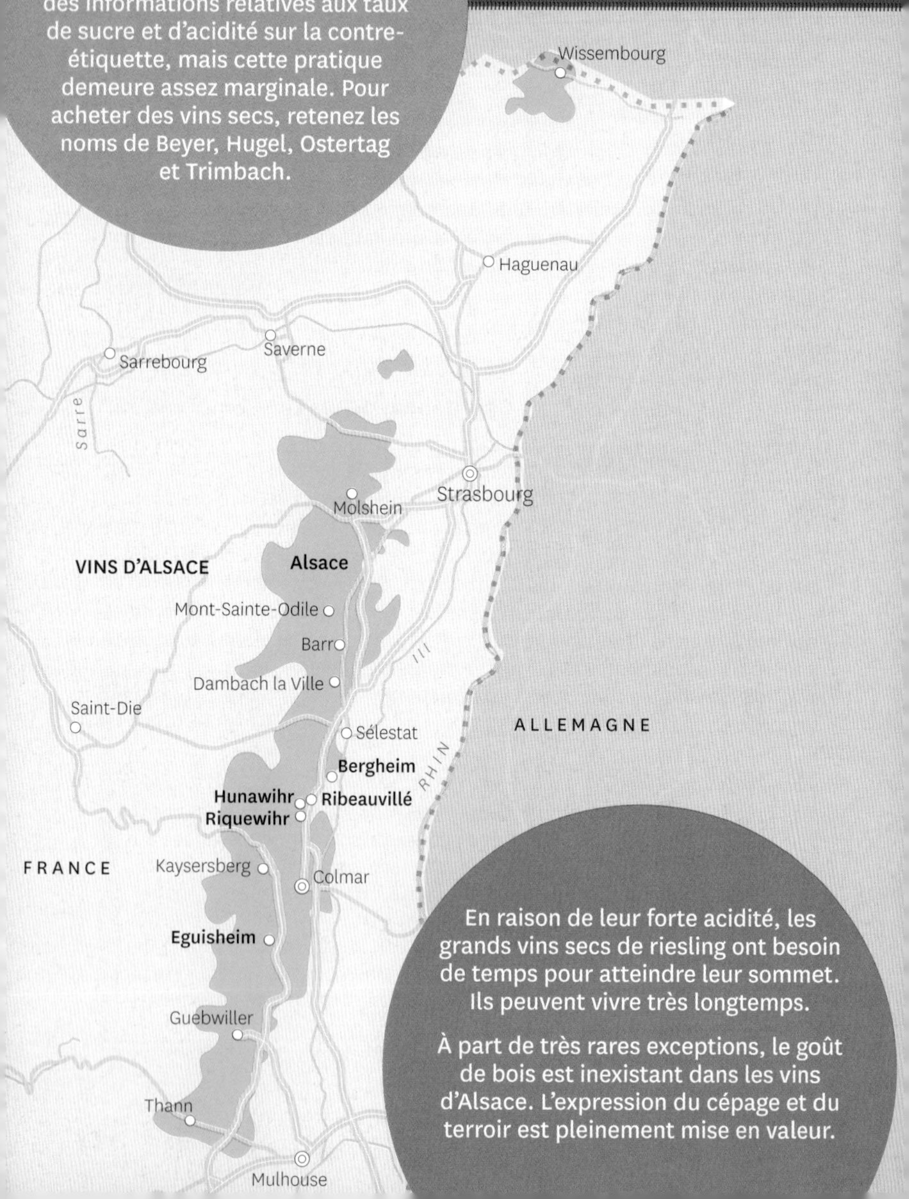

En raison de leur forte acidité, les grands vins secs de riesling ont besoin de temps pour atteindre leur sommet. Ils peuvent vivre très longtemps.

À part de très rares exceptions, le goût de bois est inexistant dans les vins d'Alsace. L'expression du cépage et du terroir est pleinement mise en valeur.

Première source française de vins blancs d'appellation, cette région frontalière longtemps partagée entre l'Allemagne et la France mise sur une poignée de cépages et sur une multitude de sols. Chaque sol a son cépage et chacun contribue à exprimer, de manière différente, la complexité du terroir alsacien.

Le système agricole alsacien met de plus en plus l'accent non seulement sur la croissance de meilleurs raisins, mais aussi sur la protection de l'équilibre des sols. Ce n'est donc pas un hasard si les vignerons locaux ont adopté, plus que dans toute autre région de France, la culture biodynamique.

LES DERNIERS MILLÉSIMES

2015

Un été de grande chaleur. On peut espérer d'excellents vins secs de riesling et de pinot gris, surtout dans les vignobles situés en haut de coteaux. Qualité plus hétérogène pour les gewürztraminer et muscat. Peu ou pas de vins liquoreux.

2014

Un été en dents de scie a donné des résultats hétérogènes. Le mois d'août a été passablement pluvieux, mais la chaleur en septembre aura permis de récolter une vendange saine.

2013

Excellente année pour le riesling. Millésime alsacien classique. De manière générale, des vins blancs très fins, élégants, dotés d'une saine acidité et d'une franche minéralité.

2012

Quelques parallèles à faire avec 2010 en ce qui a trait au style de vins, qui s'annoncent plutôt concentrés. Rendements limités. L'été a tardé à venir, mais de superbes conditions météorologiques en août et en septembre ont permis une récolte de qualité.

2011

Un été chaud, avec des précipitations abondantes en juillet et en août. L'arrière-saison s'est prolongée jusqu'en octobre et a permis une longue maturation des fruits à ceux qui ont eu la patience d'attendre pour vendanger.

2010

Des rendements naturellement limités ont donné des vins assez concentrés, mais très digestes. Les meilleurs vins ont un excellent potentiel de garde.

2009

Bel été chaud et sec. Des vendanges dès la mi-septembre sous une météo favorable ont donné des vins généreux et aromatiques.

JOSMEYER

Riesling 2013, Kottabe, Alsace

Jean Meyer s'est éteint le 3 janvier 2016. Au cours des 40 dernières années, il a propulsé le domaine familial de Wintzenheim au sein de l'élite alsacienne, notamment en convertissant l'ensemble du vignoble à la culture biologique, puis biodynamique dès 2000. Ses filles Céline et Isabelle assurent maintenant la relève et signent un riesling d'une grande authenticité.

La biodynamie, couplée à de faibles rendements, permet de tirer des sols graveleux du Herrenweg une juste dose d'extraits secs et une minéralité qui assure la tenue en bouche de ce riesling. Éminemment rassasiant, bien qu'il ne titre pas plus de 11,5 % d'alcool, ce vin sec et aérien est une leçon de minimalisme. Tout y est, mais rien n'est en trop. Pur, précis, délicieux. Une Grappe d'or bien méritée!

12713032 30,55$ ☆☆☆☆ ③ ♥ 3 760087 573510

BARMÈS BUECHER

Riesling 2014, Rosenberg, Alsace

En 2014, ce domaine familial de Wettolsheim a produit un bon riesling sec, dont les parfums et la texture témoignent de raisins cueillis à parfaite maturité. Passablement de volume, des odeurs minérales qui se mêlent aux notes de soufre et fin de bouche élégante, quoiqu'un peu anguleuse. À boire sans se presser jusqu'en 2022.

11896121 32$ ☆☆☆ ½ ③ 3 760161 040624

DIRLER-CADÉ

Riesling 2012, Lieu-dit Belzbrunnen, Alsace

Dans leur domaine de Bergholtz, la famille Dirler pratique la biodynamie et élabore un très bon vin blanc au nez épicé, avec des notions d'ananas séché. Une belle tenue en bouche et de jolies saveurs de miel qui font penser à un sémillon; par ailleurs onctueux, sans lourdeur ni mollesse. On pourra le conserver sans crainte pendant quatre ou cinq ans.
Goûté pour la dernière fois en août 2015.

11820629 26,10$ ☆☆☆ ½ ② 3 760119 382455

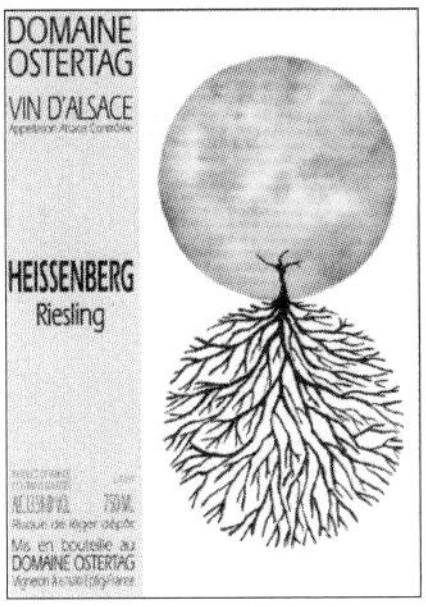

OSTERTAG

Riesling 2014, Heissenberg, Alsace

Ce riesling provient du village de Nothalten et du cru Heissenberg, qui signifie «montagne chaude», en raison de son exposition plein sud, ainsi que de la faible circulation d'air. Le 2014 s'impose en bouche avec autorité, tout en conservant un caractère vibrant, débordant de vie et riche de détails aromatiques, avec des nuances fruitées, florales, épicées et minérales qui montent en bouche. Grand vin de structure, marqué d'une fine salinité qui tire les arômes en finale. À boire sans se presser jusqu'en 2022. Certifié biodynamique.

739813 39,75$ ☆☆☆☆ ½ ③

3 760047 090682

OSTERTAG

Riesling 2014, Muenchberg Grand cru, Alsace

Chaque année, plus que tout autre riesling alsacien, le Muenchberg d'André Ostertag me donne l'impression d'une grande puissance contenue. Le 2014 n'y fait pas exception. Immense et pourtant si sobre, presque austère. Beaucoup de volume en bouche, un léger reste de gaz, une solide structure et un spectre aromatique qui se dessine avec une grande complexité en finale, comme si le vin s'ouvrait en bouche peu à peu, avec retenue, plutôt que d'un seul coup. Un vin d'anthologie qu'on aurait envie de boire dès maintenant. Certifié biodynamique.

739821 57,50$ ☆☆☆→☆ ③

3 760047 090729

TRIMBACH

Riesling 2007, Frédéric Émile, Alsace

Manifestement issu de raisins bien mûrs, ce vin est ample, arrondi par un léger reste de sucre et encore soutenu par une bonne dose d'acidité. Finale persistante aux accents de cire d'abeille, de safran, de fruits jaunes et de champignons. Un vin à maturité, à boire idéalement d'ici 2019. Au moment d'écrire ces lignes, plus d'une centaine de bouteilles étaient disponibles, mais dans une seule succursale, située à Saint-Lambert. Habitants de la rive sud de Montréal, c'est votre chance!

713461 51,50$ ☆☆☆ ½ ① ▼

0 087000 301382

HUGEL & FILS

Riesling 2014, Alsace

Disparu prématurément en avril 2016, à l'âge de 57 ans, Étienne Hugel a joué un immense rôle d'ambassadeur pour ce domaine familial enclavé au cœur de Riquewihr depuis 1639, mais aussi pour l'Alsace tout entière.

Cette grande maison alsacienne demeure une référence et élabore un bon riesling d'entrée de gamme. Parfaitement sec, comme toujours, citronné, avec une trame minérale en toile de fond. Un peu plus floral et épicé en 2014, il me semble, mais toujours aussi fringant et digeste. Une mention spéciale pour un riesling courant d'une constance exemplaire.

42101 19,25$ ☆☆☆ ½ ② ♥

3 300370 190033

BEYER, LÉON

Riesling 2014, Réserve, Alsace

À Eguisheim, la tradition familiale des Beyer se transmet depuis 1580. Aujourd'hui sous-menée par Marc Beyer et son fils, Yann-Léon, la maison reste fidèle à l'idée du vin alsacien pur et tranchant. Pas le plus ample des derniers millésimes, mais un bon riesling sec et sans détour, à retenir pour sa droiture et sa vigueur.

81471 19,65$ ☆☆☆ ② ♥

3 499057 541005

CAVE VINICOLE DE HUNAWIHR

Riesling 2014, Rosacker, Alsace

La qualité générale des vins produits par cette cave coopérative a progressé depuis une dizaine d'années. Ce riesling est arrondi par un reste considérable de sucre (15 g/l), ce qui permet d'enrober l'acidité peut-être un peu plus vive en 2014. Agréable, quoiqu'un peu moins réussi que le 2013 commenté l'an dernier.

642553 27,25$ ☆☆ ½ ③ 3 306994 500708

ENGEL, FERNAND

Riesling 2013, Réserve, Alsace

À bon prix, un riesling mûr et plus ample que la moyenne. Les puristes déploreront peut-être la présence de notes de caramel au beurre qui résultent des malolactiques, mais dans l'ensemble, il s'agit d'un bon vin blanc tout à fait recommandable. Certifié biologique.

10518591 18,80$ ☆☆☆ ② 3 760073 340041

PFAFFENHEIM

Riesling 2015, Cuvée Jupiter, Alsace

Cette cave coopérative en constante progression est aussi propriétaire de la maison Dopff & Irion. Quoiqu'un peu plus mûr en 2015, l'effet millésime sans doute, ce riesling est parfaitement sec et me semble avoir gagné en précision aromatique depuis quelques années. La bouteille est coiffée d'une capsule vissée, ce qui permet de préserver la fraîcheur du fruit.

914424 19,95$ ☆☆☆ ½ ② ♥ 3 185130 055964

OSTERTAG

Pinot gris 2014, Fronholz, Alsace

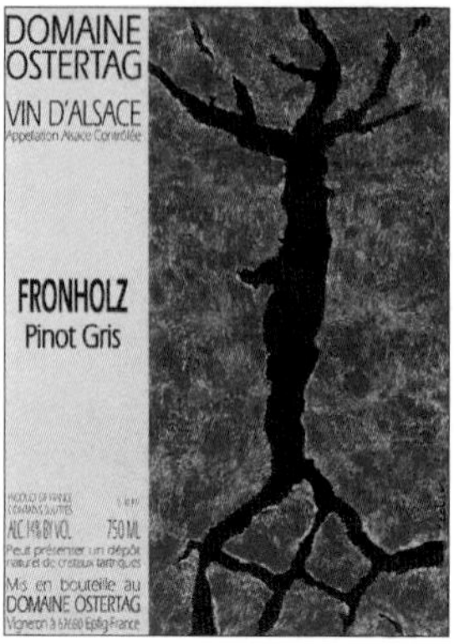

Il semble y avoir une extraordinaire symbiose entre le pinot gris, cultivé en biodynamie, et le terroir de Fronholz, où la vigne est exposée sud-ouest, un fait rare en Alsace. Chaque année dans le verre, l'onctuosité et l'acidité fine rencontrent une matière ronde, pleine et d'une exquise légèreté.

Le 2014 se faufile en bouche, tout guilleret et nerveux, mais termine son parcours comme une force tranquille, laissant en finale une sensation de plénitude. Structuré, gras, distingué et très complexe. On peut le boire dès maintenant en prenant soin de le laisser s'ouvrir en carafe pendant quelques heures, mais il n'atteindra son apogée que dans six ou sept ans, au moins.

3 760047 090910

924977 45$ ☆☆☆☆ ③ ♨

BEYER, LÉON

Pinot gris 2014, Alsace

Très sec, comme toujours chez la famille Beyer. Parfums délicats de miel et de citron dans ce vin enrobé d'une texture assez grasse et animé d'un léger reste de gaz carbonique, qui lui donne un petit côté nerveux et piquant.

3 499057 550007

968214 22,60$ ☆☆☆ ①

JOSMEYER

Pinot blanc 2015, Mise du Printemps

Un an après sa mise en marché, cet excellent vin de pinot blanc cultivé en biodynamie fait déjà partie de mes habitudes. Le 2015 porte la marque d'un été chaud : plus ample et vineux que le 2014, décoré d'une Grappe d'or l'an dernier, mais non moins agréable par ses saveurs délicates de fruits blancs compotés, ponctuées d'une amertume fine. À boire avec grand plaisir à l'apéritif avec des huîtres ou à table, avec des sashimis.

3 760087 573824

12604063 23,70$ ☆☆☆☆ ② ♥

MANN, ALBERT

Pinot gris 2012, Grand cru Hengst, Alsace Grand cru

Produit par la famille Barthelmé, ce pinot gris révèle toute la puissance du grand cru Hengst et toute la richesse et la concentration du millésime 2012. Demi-sec, mais de bonne tenue et animé d'un léger reste de gaz, ce qui accentue le caractère épicé et les goûts de fruits jaunes compotés. Déjà séduisant si vous avez le bec sucré, mais ce genre de vin de terroir ne se révèle vraiment qu'après une dizaine d'années. Il devient alors plus sec, en apparence, et forme un mariage presque parfait avec des fromages puissants comme le munster.

12887235 42,50 $ ☆☆☆→☆ ③

OSTERTAG

Pinot gris 2013, Barriques, Alsace

André Ostertag a bousculé la tradition alsacienne en introduisant les vinifications en barrique de chêne pour ses pinots gris, une méthode empruntée à la Bourgogne, où il a fait ses études d'œnologie. Sans doute en raison de la nature fraîche du millésime, le 2013 m'a semblé davantage marqué par les parfums des malolactiques, avec des accents de caramel au beurre. Gras, juste assez enrobé, mais pas trop, le vin témoigne d'un usage intelligent et sensible du bois, comme toujours. Pas le plus complet des derniers millésimes, mais très bien tourné. À boire d'ici 2020.

866681 34 $ ☆☆☆→? ③

PFAFFENHEIM

Pinot blanc 2015, Tradition, Alsace

Encore meilleur cette année. Aurait-il bénéficié de la chaleur estivale de 2015? Presque sec (6,5 g/l), délicatement parfumé et très agréable à boire avec son léger reste de gaz qui apporte du tonus à l'ensemble. Un blanc à prix attrayant pour les soirs de semaine.

11459677 16,25 $ ☆☆☆ ½ ① ♥

PFAFFENHEIM

Pinot gris 2015, Tradition, Alsace

Plus harmonieux depuis quelques années; le caractère fruité du pinot gris est exacerbé par un résidu perceptible de sucre, mais un léger reste de gaz carbonique est garant de vitalité. Bon pinot gris commercial conservant tout de même un parfum d'authenticité.

456244 15,95 $ ☆☆☆ ①

DEISS, MARCEL

Engelgarten 2012, Alsace Grand Cru

Ce grand domaine de la viticulture alsacienne est conduit en biodynamie par Jean-Michel Deiss et son fils Mathieu, qui croient fermement aux vertus de la complantation et des assemblages plutôt que de l'expression d'un seul cépage sur un seul cru.

Les cépages riesling, pinot gris, pinot beurot, muscat et pinot noir puisent leur sève dans les sols graveleux du cru Engelgarten (« jardin d'ange ») avant d'être récoltés et vinifiés ensemble. En 2012, millésime de concentration en Alsace, cela a donné un vin immense, aussi large que long en bouche et qui fait preuve d'une densité nettement supérieure à la moyenne régionale. Sous le fruit, une trame minérale, une franche amertume et beaucoup de caractère. Excellent vin de texture, qui devrait reposer en cave jusqu'en 2020.

4 568212 190408

11687688 47,50$ ☆☆☆☆ ③

BARMÈS BUECHER

Trilogie 2014, Alsace

Sophie et Maxime Barmès ont pris la relève du domaine familial et signent une belle gamme de crémant et de vins tranquilles, dont cet assemblage de riesling, de pinot gris et de pinot blanc, créé exclusivement pour le marché québécois. Encore très jeune, ample, nerveux et riche en goûts de caramel et de fruits jaunes compotés, le 2014 est toujours très recommandable dans sa catégorie. Un bon vin qu'on pourra apprécier autant à table qu'à l'apéritif.

3 760161 041010

12254420 21,45$ ☆☆☆ ½ ②

France

BEYER, LÉON

Gewürztraminer 2013, Alsace

Même le gewürztraminer de Marc Beyer est sec, du moins, paraît sec. Délicat et absolument pas pommadé, le vin déploie en bouche des parfums d'eau de rose et d'épices, soulignés d'une amertume fine. À boire d'ici 2020 pour profiter de la jeunesse du fruit.

978577 24,90$ ☆☆☆ ②

HUGEL & FILS

Gentil 2015, Alsace

Le terme «gentil» désigne un vin issu d'un assemblage de divers cépages alsaciens. Dans ce cas-ci: riesling, pinot gris, gewürztraminer, muscat, pinot blanc et sylvaner. Un bon vin blanc débordant de fruit, délicatement aromatique et si équilibré qu'il paraît presque sec.

367284 17,15$ ☆☆☆ ①

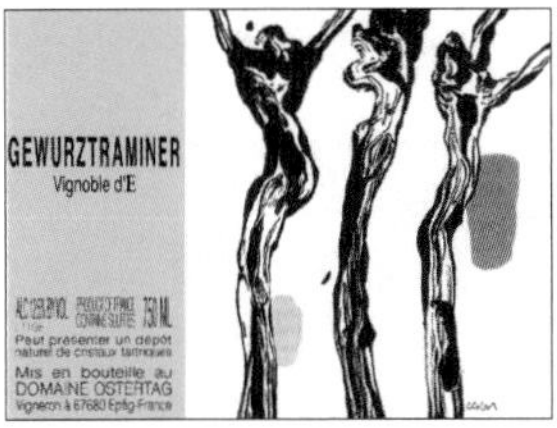

OSTERTAG

Gewürztraminer 2015, Vignoble d'E, Alsace

Même s'il renferme une dose perceptible de sucre, ce gewürztraminer n'accuse aucune lourdeur et donne plutôt l'impression d'une délicieuse friandise liquide qui se boit dangereusement bien tant la rondeur fait corps avec la structure et l'acidité, portant des saveurs intenses, complexes et persistantes.

12392751 35,75$ ☆☆☆☆ ②

PFAFFENHEIM

Gewürztraminer 2015, Cuvée Bacchus, Alsace

Plus sobre et contenu que je ne l'aurais cru. On a eu la bonne idée de ne pas exacerber le naturel déjà bien assez exubérant du cépage. Demi-sec (19 g/l), il a assez de vitalité pour conserver un bon équilibre.

197228 19,95$ ☆☆☆ ①

VAL DE LOIRE

PAYS NANTAIS

Le muscadet est sans doute l'un des vins blancs de France dont la réputation a le plus souffert de la vague de produits industriels commercialisés au cours des dernières décennies. Entre de bonnes mains, le melon de bourgogne – cépage de l'appellation – donne pourtant des vins savoureusement désaltérants qui n'ont rien à envier à d'autres bons vins blancs de France.

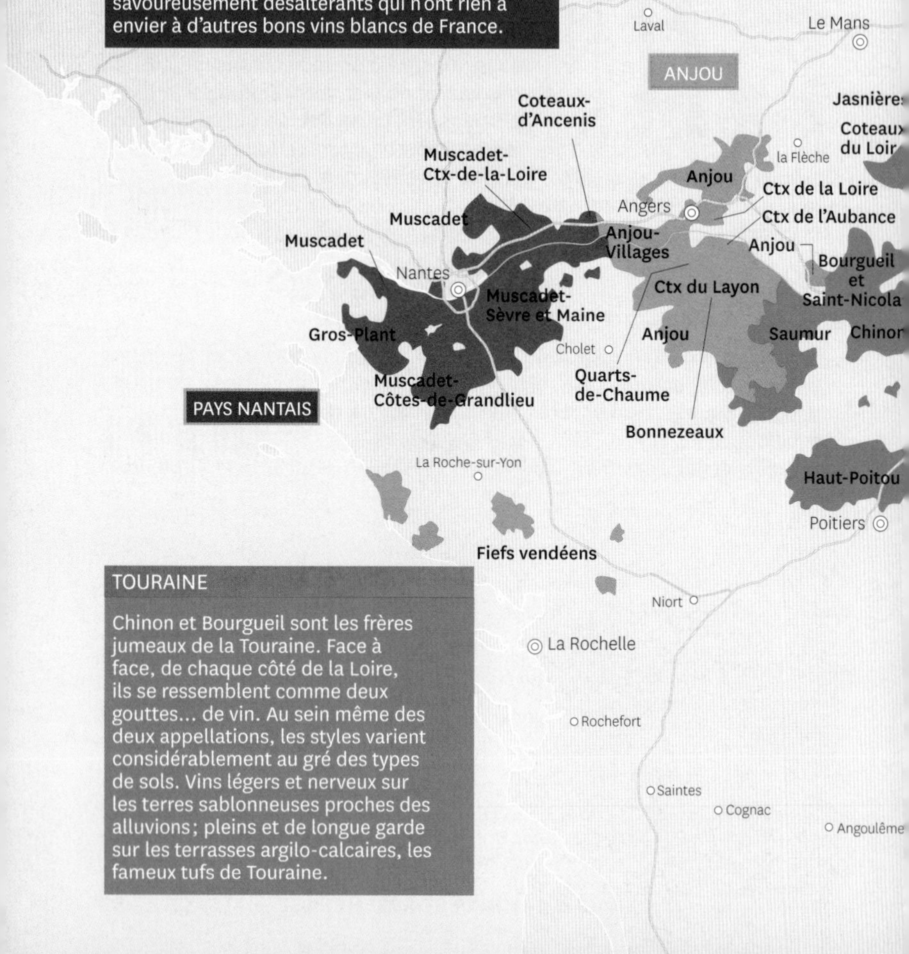

TOURAINE

Chinon et Bourgueil sont les frères jumeaux de la Touraine. Face à face, de chaque côté de la Loire, ils se ressemblent comme deux gouttes… de vin. Au sein même des deux appellations, les styles varient considérablement au gré des types de sols. Vins légers et nerveux sur les terres sablonneuses proches des alluvions; pleins et de longue garde sur les terrasses argilo-calcaires, les fameux tufs de Touraine.

Entre le massif Central et l'océan Atlantique, de part et d'autre du long fleuve auquel il doit son nom, le vignoble du val de Loire est le plus diversifié de France. Le vin s'y décline en plusieurs temps: rouge, rosé, blanc, sec, moelleux, liquoreux, tranquille, mousseux. On a souvent dit de ses crus qu'ils étaient les plus français de tout l'Hexagone.

Le caractère hautement digeste des vins rouges et blancs de la Loire explique sans doute leur popularité croissante. La cuisine s'allège et se raffine. Les papilles des consommateurs aussi.

Comment ne pas succomber au charme discret d'un bon cabernet franc, à la légèreté proverbiale d'un muscadet, à la singularité d'un cour-cheverny ou à la minéralité d'un grand vouvray? La tentation est d'autant plus grande que la SAQ diversifie maintenant ses sources d'approvisionnement, souvent au profit de vignerons talentueux, dédiés à leurs terroirs, et que les prix, malgré la hausse de l'euro, demeurent accessibles.

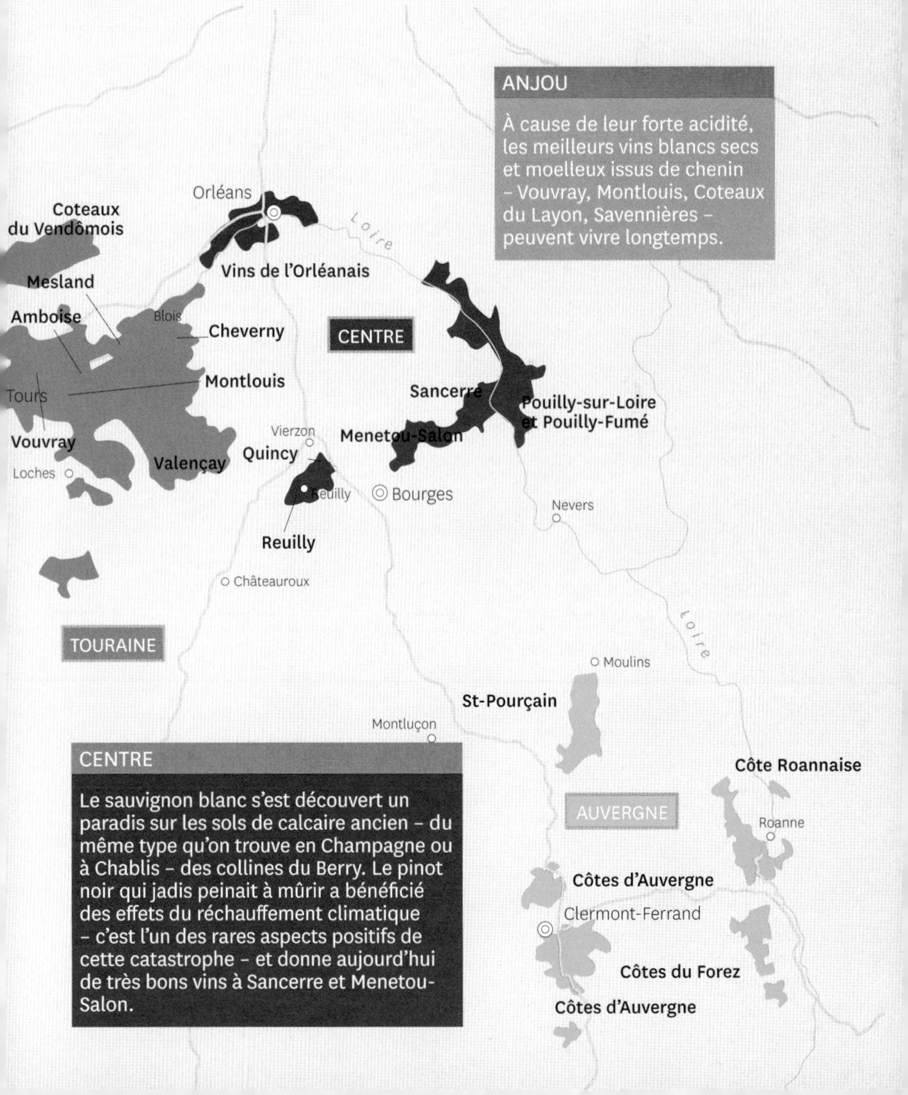
ANJOU
À cause de leur forte acidité, les meilleurs vins blancs secs et moelleux issus de chenin – Vouvray, Montlouis, Coteaux du Layon, Savennières – peuvent vivre longtemps.
Orléans
Loire
Coteaux du Vendômois
Vins de l'Orléanais
Mesland
Amboise
Blois
Cheverny
CENTRE
Tours
Montlouis
Sancerre
Pouilly-sur-Loire et Pouilly-Fumé
Vouvray
Vierzon
Menetou-Salon
Quincy
Loches
Valençay
Reuilly
Bourges
Nevers
Reuilly
Châteauroux
TOURAINE
Loire
Moulins
St-Pourçain
Montluçon
CENTRE
Le sauvignon blanc s'est découvert un paradis sur les sols de calcaire ancien – du même type qu'on trouve en Champagne ou à Chablis – des collines du Berry. Le pinot noir qui jadis peinait à mûrir a bénéficié des effets du réchauffement climatique – c'est l'un des rares aspects positifs de cette catastrophe – et donne aujourd'hui de très bons vins à Sancerre et Menetou-Salon.
Côte Roannaise
AUVERGNE
Roanne
Côtes d'Auvergne
Clermont-Ferrand
Côtes du Forez
Côtes d'Auvergne

LES DERNIERS MILLÉSIMES

2015
Un été chaud et sec, jusqu'aux violents épisodes de pluie de la fin août et de la mi-septembre. Très bonne qualité escomptée, tant en rouge qu'en blanc, excepté pour le Muscadet, qui a souffert des pluies d'août.

2014
Un autre millésime sauvé par une météo plus clémente pendant les mois de septembre et octobre. Résultats exceptionnels dans le Muscadet. Ailleurs, on a pu produire de bons vins blancs secs et amener les cépages rouges à maturité. Rendements en baisse un peu partout, à l'exception du Centre-Loire (Sancerre, Menetou-Salon, etc.).

2013
Un autre petite récolte et un millésime compliqué qui comportait de nombreux défis pour les vignerons: pourriture, taux de sucre faibles et acidité élevée. Peu de vins de longue garde.

2012
Une année très difficile et une petite récolte. De bons résultats en Muscadet, Sancerre et Menetou-Salon. Les variétés tardives comme le cabernet franc et le chenin blanc ont parfois souffert des pluies de la fin de l'été qui ont engendré de la pourriture.

2011
Une année un peu étrange et un millésime de vigneron. Printemps exceptionnellement chaud et floraison hâtive; temps frais en juillet et en août, et vagues de chaleur en septembre et en octobre. Le travail à la vigne a été un facteur déterminant, surtout pour les rouges.

2010
Résultats variables très satisfaisants dans le Muscadet, en Anjou ainsi qu'à Sancerre. De très bons vins rouges de cabernet franc en Touraine. Dans les Coteaux du Layon, à Vouvray et à Montlouis, pluies et pourriture ont compliqué la vie des vignerons.

2009
En dépit d'épisodes de sécheresse en Anjou et en Touraine, la qualité d'ensemble des rouges et des blancs donne satisfaction. Grêle à Sancerre.

2008
Millésime classique avec de très bons vins blancs secs – notamment dans le Muscadet – et des vins rouges charpentés en Anjou et en Touraine. Peu de vins liquoreux, en raison d'un mois de novembre pluvieux. Beaucoup de bons vins aromatiques à Sancerre et à Pouilly-Fumé.

2007
Après un été de misère et des problèmes généralisés de pourriture, les vignerons de Loire – de Nantes à Sancerre – ont pu enfin bénéficier d'un mois de septembre plus favorable. De bons vins blancs secs et liquoreux aux meilleures adresses. Des vins rouges de qualité moyenne destinés à une consommation rapide.

DOMAINE LANDRON

Muscadet-Sèvre et Maine 2015, Amphibolite

Comme Guy Bossard avant lui, Joseph Landron a beaucoup contribué à redonner au muscadet ses lettres de noblesse. Ses vignobles sont cultivés en biodynamie.

Si pour vous le muscadet n'est qu'un vin neutre, insipide et sans personnalité, il vous faut goûter ce vin vendu depuis un an à la SAQ. Un vin de terroir, de toute évidence issu de raisins mûrs et élaboré avec un grand soin, qui montre plus de fruit, de caractère et de détails que la moyenne de l'appellation. Sec et tranchant comme seul un muscadet peut l'être. Impeccable!

12741084 22,25$ ☆☆☆☆ ② ♥

3 423170 297525

CHÂTEAU DE LA RAGOTIÈRE

Muscadet-Sèvre et Maine sur Lie 2015, Les Schistes

Bon vin blanc sec, tendu et nerveux, relevé d'accents citronnés, poivrés et fumés qui lui confèrent une certaine complexité et le placent au-dessus de la moyenne régionale. Impression générale harmonieuse et finale ponctuée de notes iodées.

12543985 16,75$ ☆☆☆ ½ ② ♥

3 412250 008014

CHÉREAU-CARRÉ

Réserve numérotée 2014, Muscadet-Sèvre et Maine sur Lie

Cette cuvée vendue au Québec depuis une vingtaine d'années fait preuve d'une constance digne de mention. Léger, mais pas mince. Nerveux, mais pas rustique et agrémenté de saveurs franches et nettes.

365890 16,10$ ☆☆ ½ ①

0 642268 000981

DOMAINE FOUASSIER

Sancerre 2014, Les Grands Groux

Ce domaine connaît une certaine renaissance depuis l'arrivée en poste de la dixième génération de la famille Fouassier, au début des années 2000, qui ont notamment converti le vignoble à l'agriculture biologique, puis biodynamique.

Cette cuvée provient d'une parcelle plantée sur des sols calcaires, qui donne une interprétation à la fois bien mûre, franche et structurée du sauvignon blanc. L'attaque en bouche est ronde, vineuse, avec des notes d'ananas confit et de miel; beaucoup de volume en milieu de bouche et une sensation quasi tannique. Un léger reste de gaz apporte beaucoup de fraîcheur en fin de bouche. Un sancerre déjà très ouvert et accessible, qu'on pourra apprécier jusqu'en 2020.

3 289810 002023

12259423 25,25$ ☆☆☆☆ ② ♥

BOULAY, GÉRARD

Sancerre 2013, La Côte

Gérard Boulay s'est fait connaître sur les marchés d'exportation avec des vins de Sancerre très «tendus», pour reprendre l'expression populaire. Cette cuvée provient du terroir de La Grande Côte, l'un des trois crus les plus réputés de Chavignol. Le sauvignon puise dans les sols kimméridgiens une sève très singulière et donne un vin d'une exquise fraîcheur, qui déploie en bouche un large spectre de saveurs d'une élégance et d'une finesse peu communes à Sancerre. Tout y est, mais rien n'est trop exubérant. Beaucoup de poigne et quelle longueur! Exclusivité SAQ Signature.

4 000128 614819

12861481 57$ ☆☆☆☆ ½ ③ Ⓢ

BOURGEOIS, HENRI

Sancerre 2014, Le MD de Bourgeois

Un sancerre très typé par ses senteurs de sauvignon exacerbées. Le vin parfait pour vous instruire sur les fameux parfums de buis ou de «pipi de chat». Un vin très sec, nerveux et de bonne tenue; des goûts d'herbe fraîche et de groseille enrichissent le registre de saveurs en bouche. À boire plutôt jeune que vieux.

3 365910 000319

967778 39,50$ ☆☆☆→? ②

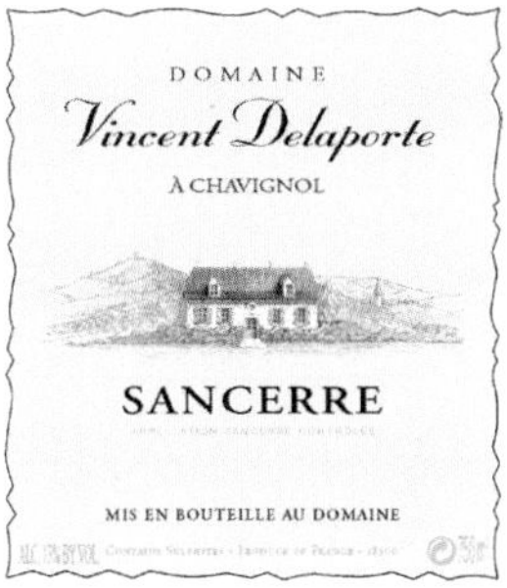

DELAPORTE, VINCENT

Sancerre 2014

Il semble que le millésime 2014 ait été porteur pour la famille Delaporte, établie depuis le 17e siècle dans la commune de Chavignol, au cœur du Sancerrois. Jean-Yves et son fils Matthieu tirent des sols de silex, qui constituent la moitié du vignoble, des vins blancs intenses et de plus en plus précis, dont celui-ci, très sec et animé d'un léger reste de gaz qui rehausse les parfums d'écorce de citron, de poivre et les accents minéraux. Sobre, élégant et de bonne longueur.

11349021 28,80$ ☆☆☆ ½ ②

3 760038 390159

MELLOT, ALPHONSE

Sancerre 2014, Le Manoir

Plutôt connu pour sa cuvée La Moussière, Alphonse Mellot signe ici un sancerre plus accessible et misant avant tout sur le caractère friand et fruité du sauvignon blanc. Rond, juteux et riche en saveurs de fruits tropicaux; séduisant, à défaut d'avoir la structure doublée de nervosité de la Moussière.

12690686 28,70$ ☆☆☆ ②

3 273390 130573

MELLOT, ALPHONSE

Sancerre 2015, La Moussière

Les Mellot sont installés sur la colline de Sancerre depuis 1513. Leur ancêtre, César Mellot, fut même conseiller viticole du Roi Soleil. Les vins de leur domaine, aujourd'hui conduit en biodynamie, font les délices des amateurs québécois depuis plus de 50 ans. S'il est un peu moins solide et concentré que le 2014, décoré d'une Grappe d'or l'an dernier, le 2015 offre en compensation sa pureté aromatique et son élégance. Une salinité et des notes crayeuses ajoutent à sa complexité. Toujours parmi les meilleurs vins de Sancerre à la SAQ.

33480 31$ ☆☆☆☆ ②

3 273390 552054

PRIEUR, PAUL ET FILS

Sancerre 2015

À Verdigny, la famille Prieur élabore des vins dans la plus pure tradition sancerroise, comme le laisse deviner l'étiquette un peu vieillotte, couverte de dorures. Bien que de facture très classique, le vin n'a rien de poussiéreux. Très sec, avec des goûts de lime, de melon miel, de concombre et de menthe, auxquels une finale minérale apporte une dimension élégante, à défaut de structure.

11953245 26,20$ ☆☆☆ ½ ②

3 760074 671106

DOMAINE PELLÉ
Menetou-Salon 2015, Morogues

Monument de l'appellation Menetou-Salon, le domaine de la famille Pellé compte un vignoble d'une quarantaine d'hectares, situé essentiellement dans le secteur prisé de Morogues, dont les coteaux escarpés ont la réputation de donner des vins blancs particulièrement fins.

Anne Pellé et son fils Paul-Henry signent un 2015 au caractère minéral épanoui. Vraiment distingué, tout en fraîcheur et de bonne tenue; juste ce qu'il faut d'extraits secs pour assurer sa structure en bouche. Des notes iodées et une fine amertume rehaussent les saveurs de zeste de citron et de poivre blanc en finale. Le vin idéal pour accompagner une salade au fromage de chèvre.

3 453560 101002

852434 24,80$ ☆☆☆☆ ② ♥

CHAVET
Menetou-Salon 2014

Très sec, agrémenté d'accents de miel et d'écorce de citron; vif et porté par une saine acidité. En finale, une pointe d'amertume ajoute au relief fruité. Simple, mais désaltérant.

3 507921 200115

974477 23,10$ ☆☆ ½ ①

DOMAINE DE LA CHARMOISE
Sauvignon blanc 2015, Touraine

Mûr et bien gras dans sa version 2015, ce vin n'a rien à voir avec les petits sauvignons blancs de Touraine aigres et herbacés d'autrefois. Plutôt de belles saveurs de fruits tropicaux qui me rappellent le jus de goyave et une texture ample et généreuse.

3 510170 000023

12562529 18,55$ ☆☆☆ ①

DOMAINE DE REUILLY

Les Pierres Plates 2013, Reuilly

Au même titre que celui de Claude Lafond, le domaine Denis Jamain est une référence à Reuilly, une petite appellation située à l'ouest de Bourges. Le nez du 2013 annonce un vin plein de vivacité, très classique, pas du tout surmûri ni caricatural. La bouche est nette et compacte, soutenue par une franche acidité. Très sec, droit au but et excellent en son genre.

11463810 23,30$ ☆☆☆ ½ ②

3 546120 000256

DOMAINE DES FINES CAILLOTTES

Pouilly-Fumé 2015

Nez assez classique de Pouilly-Fumé, avec des odeurs de silex. La bouche est plus mûre que la moyenne des vins de l'appellation, agrémentée de notes de fruits tropicaux et de pamplemousse. L'élevage sur lies apporte du gras et une certaine sucrosité en fin de bouche. Recommandable, même si le style est un peu convenu.

963355 26,30$ ☆☆☆ ②

3 281769 875017

DOMAINE PELLÉ

Menetou-Salon 2015, Les Bornés

L'échantillon goûté en juillet 2016 semblait secoué par le transport et présentait des saveurs inhabituelles de caramel au beurre. Cependant, rien à redire quant à la qualité de la texture et de l'équilibre en bouche. Étant donné sa feuille de route impeccable, je serais tentée de lui accorder le bénéfice du doute.

10523366 20,65$ ☆☆☆ ②

3 453560 101101

LAFOND, CLAUDE

Reuilly 2015, Le Clos des Messieurs

Plus discret que d'autres au nez, ce qui est loin d'être un défaut, vue l'exubérance trop souvent exacerbée du sauvignon blanc. Bouche ample et grasse, sans sucrosité ; on a manifestement fait preuve de sagesse dans le travail des lies. Un peu moins structuré que d'autres, mais élégant.

11495272 23,05$ ☆☆☆ ½ ②

3 526320 000416

DOMAINE GUIBERTEAU

Saumur blanc 2015

Depuis qu'il a repris le domaine familial de Montreuil-Bellay, il y a 20 ans, Romain Guiberteau s'est imposé comme une référence à Saumur. La conduite du vignoble est biologique et les vins sont élaborés dans les règles de l'art, sans manipulation superflue. Son Clos de Guichaux et son Clos des Carmes sont parmi les meilleurs blancs du Saumurois.

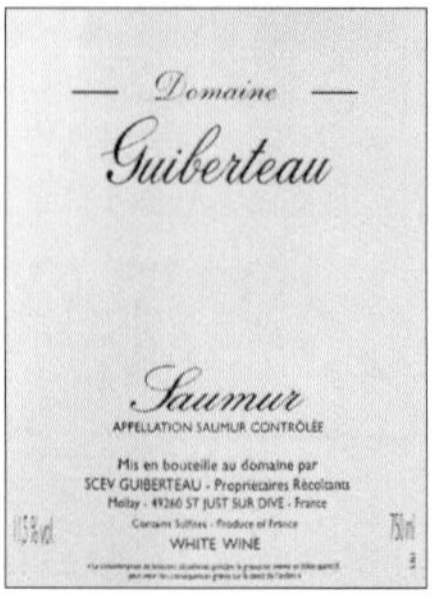

Même la « simple » cuvée du domaine permet de prendre la mesure de son immense talent. Svelte et gracieuse, tout en laissant en bouche une grande sensation de plénitude, avec des saveurs pures de fruits blancs, qu'une fine amertume étire en longueur. Aérien, racé et éminemment digeste, l'exemple parfait du vin blanc qu'on devrait toujours avoir en réserve à la maison. Pour l'apprécier à sa juste valeur, servez-le frais, mais pas froid, autour de 12 °C.

0 878257 000742

12370658 24,50 $ ☆☆☆☆ ② ♥

CARÊME, VINCENT

Vouvray sec 2014

L'acidité mordante du 2014 pourra déstabiliser les palais non initiés à un chenin blanc d'une forme si pure, dépourvue d'artifice. Fruit de l'agriculture biologique, le vin se distingue une fois de plus par ses proportions harmonieuses, par sa trame compacte et par la précision de ses saveurs, intenses et pourtant contenues. Vibrant, complexe et certainement capable de se bonifier au cours des cinq ou six prochaines années.

3 770003 649328

11633612 27,75 $ ☆☆☆☆ ② ♥

CHÂTEAU YVONNE

Saumur 2014

Le saumur blanc de Mathieu Vallée se distingue encore par son ampleur et son volume en bouche. Le vignoble est conduit en agriculture biologique et donne un vin racé, dont la puissance doublée de minéralité laisse en bouche une sensation rassasiante de fraîcheur. Bien qu'il offre une impression mûre, avec des goûts de poire pochée, ce vin ne titre que 12,5 % d'alcool. Déjà excellent, mais apte à vieillir en beauté. Arrivée prévue au début de l'année 2017.

3 760153 280014

10689665 29,75 $ ☆☆☆☆ ② ♥

France

DOMAINE DES HUARDS

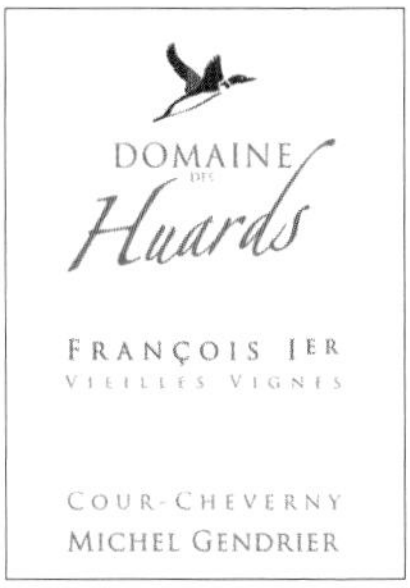

Cour-Cheverny 2011, François Ier Vieilles Vignes

Cette année encore, Jocelyne et Michel Gendrier signent un excellent vin blanc à Cour-Cheverny, une minuscule appellation qui s'étend sur à peine 50 hectares au nord-est de la Touraine. Cultivées en biodynamie, les vieilles vignes de romorantin sont profondément enracinées dans les sols argilo-calcaires de la région et donnent à cette cuvée une race et une structure hors du commun. Une bouteille ouverte et laissée au réfrigérateur pendant deux semaines avec un bouchon de liège pour seule protection ne montrait aucun signe de fatigue. Au contraire, le vin était encore plus expressif et la minéralité l'emportait désormais sur le fruité primaire. Son potentiel de garde ne fait aucun doute. Équilibre et longueur. Peu de vins blancs sur le marché en offrent autant pour moins de 30 $.

12476452 27,85 $ ☆☆☆☆ ½ ③ ♥

3 494980 002081

DOMAINE DES HUARDS

Cour-Cheverny 2012, Romo

Lui aussi composé exclusivement de romorantin qui, pour l'anecdote, est originaire de Bourgogne, puisqu'il est un descendant du pinot, comme tant d'autres cépages. Le 2012 est aussi proche de la terre que du fruit, avec des notes de champignons frais, de sous-bois et de cire d'abeille. L'attaque en bouche vive est enrobée d'une juste dose de gras et déborde de vie et d'authenticité.

12476401 20,30 $ ☆☆☆☆ ② ♥

3 494980 001107

DOMAINE LANGLOIS-CHATEAU

Saumur blanc 2015, Saint-Florent

À prix attrayant, un bon vin blanc d'envergure moyenne, porté par la vigueur caractéristique du chenin et délicatement parfumé.

962316 18,65 $ ☆☆ ½ ①

3 382250 000458

MOULIN TOUCHAIS

Coteaux du Layon 1999

Riche de réserves apparemment inépuisables, ce domaine spécialisé dans les vins doux d'Anjou offre une gamme de vieux millésimes à prix relativement abordables. Goûté il y a cinq ans, le 1999 n'a pratiquement pas bougé. Toujours onctueux, mais la sensation de sucre s'est un peu atténuée pour faire place à la vinosité propre aux liquoreux ayant pris de l'âge. Laissez-le respirer en carafe une heure avant de servir, le temps que les odeurs de soufre se dissipent.

739318 49,50 $ ☆☆☆ ②

3 591420 199902

BAUDRY, BERNARD

Chinon 2014, Les Grézeaux

Bernard Baudry et son fils Matthieu soignent leur vignoble de Cravant en agriculture biologique depuis maintenant dix ans. Leur cuvée Les Grézeaux provient des plus vieilles vignes, d'environ 60 ans, qui s'enracinent dans des graves et des argiles à silice.

Le 2014 est somptueux! Riche d'une foule de détails aromatiques qui se prolongent en finale pour notre plus grand plaisir. Mais c'est surtout la qualité de son étoffe tannique qui le rend si délicieux, si séduisant. Des tanins mûrs, veloutés, gourmands et suffisamment anguleux pour gratter la langue et accentuer la vigueur et la mâche. Déjà agréable, mais il n'y a aucune urgence à le boire. Les Grézeaux ont depuis longtemps prouvé leur aptitude au vieillissement.

10257555 29,90$ ★★★★ ③ ♥

AMIRAULT, YANNICK

Bourgueil 2014, La Coudraye

Bon vin courant de l'appellation Bourgueil. À défaut de profondeur, on apprécie sa chair fruitée pleine et mûre, soutenue par un cadre tannique assez dense, sans la moindre dureté. Au contraire, ce 2014 me semble particulièrement souple, coulant et agréable à boire dès maintenant. N'hésitez pas à l'aérer en carafe pendant une bonne heure.

10522401 23,40$ ★★★ ½ ②

BAUDRY, BERNARD

Chinon 2013

Les raisons sont nombreuses d'apprécier les vins rouges de la Loire. L'une de celles qui m'enchantent le plus est leur taux d'alcool modéré. Celui-ci ne titre que 12 %, mais déborde de saveurs. Vibrant de fraîcheur, le vin coule en bouche et procure un plaisir simple, mais ô combien satisfaisant. Ne vous laissez pas distraire par la légère odeur de réduction qu'il présente à l'ouverture ; elle se dissipe assez vite dans le verre. Belle bouteille.

10257571 23,50$ ★★★ ½ ② ♥

France

LORIEUX, PASCAL & ALAIN

Chinon 2011, Thélème

Goûté de nouveau en septembre 2016, au moment d'écrire ces lignes, ce 2011 pourtant très bien commenté l'an dernier m'a paru un peu terne. Le nez rappelle un vieux vin de Bordeaux et le fruit semble éteint. Bouteille fatiguée ou creux de vague?

917096 26,05$ ★★→? ③

3 760089 870150

LORIEUX, PASCAL & ALAIN

Chinon 2014, Expression

Bel exemple de chinon conçu pour être apprécié jeune. Aucune verdeur, mais des tanins légèrement granuleux qui mettent en relief de bons goûts de framboise, de poivre et de mine de crayon. Pas très charnu ni complexe, mais net, franc, coulant et savoureux.

873257 20,75$ ★★★ ½ ② ♥

3 760089 874103

LORIEUX, PASCAL & ALAIN

Saint-Nicolas-de-Bourgueil 2014, Les Mauguerets La Contrie

Le cabernet franc en mode « glou-glou ». Texture souple et coulante, tanins soyeux, avec juste ce qu'il faut d'aspérités pour lui donner de la vigueur. Le fruit est gourmand, savoureux, séveux. Affriolant, ouvert et prêt à boire. Très joli vin!

872580 22,45$ ★★★ ½ ②

3 760089 870259

PETIT DOMAINE, GRANDS CRUS

Comme d'habitude, la journée de Nady Foucault avait commencé à l'aurore. Comme d'habitude, le sexagénaire s'était préparé à accueillir, vêtu de son bleu de travail, clients, amis et membres de la presse spécialisée venus déguster les plus récents millésimes du Clos Rougeard. Ce matin de février 2016, nous étions près d'une trentaine de fidèles à communier dans la cave familiale du village de Chacé, où régnait une atmosphère presque solennelle.

Le succès des frères Foucault s'est forgé à coups de rigueur et d'indépendance d'esprit. Leurs vins témoignent d'une minutie et de ce souci du détail qui distinguent les bons vins des grands. Pour comprendre l'enthousiasme des amateurs du Clos Rougeard, il suffit de goûter les trois cuvées de rouge. Des vins uniques, qui donnent tout son sens à la notion trop souvent galvaudée de terroir.

Adepte du bio bien avant que cela soit tendance, le père de Jean-Louis (dit Charly) et de Bernard (dit Nady) Foucault n'a jamais emboîté le pas de la modernité agricole. Leur plus vieille parcelle, Les Poyeux, est cultivée depuis 1664 et n'a jamais reçu le moindre traitement chimique. Tout comme leurs ancêtres n'ont pas succombé à l'attrait des désherbants et des pesticides, les frères Foucault ne se sont pas laissé séduire par les vinifications modernes en cuves d'acier inoxydable. Tous les rouges sont élevés longuement dans des fûts de chêne provenant de différentes forêts de la Loire.

Lorsqu'on lui demande si le temps d'élevage est le même pour les vins de millésimes moyens que pour ceux des grandes années, Nady Foucault répond, avec ce sens de la répartie qui caractérise les Français: «Bien évidemment! Les mauvais élèves ont besoin d'aller à l'école aussi longtemps que les bons, sinon plus.» Bons élèves et complices dans l'élaboration de ces vins mythiques, les frères Foucault ont compris il y a longtemps que la qualité n'aimait pas les raccourcis.

Légendaire, mais pas éternel, le duo de Chacé a été blessé à cœur en décembre 2015. Charly Foucault est mort, laissant son frère et alter ego seul aux commandes de ce monstre sacré qu'ils ont, en quelque sorte, mis au monde. Certains observateurs alarmistes ont alors écrit que «l'âme du Clos Rougeard» s'était éteinte. Or, le Clos Rougeard est plutôt en voie d'entamer un nouveau chapitre de sa longue histoire. En février 2016, la trentaine de fidèles réunis dans la cave de Chacé ont pu voir Antoine Foucault officiant aux côtés de son oncle Nady. La rumeur veut que ce soit lui qui assurera la relève du domaine. Vigneron très talentueux, le fils du regretté Charly élabore déjà des vins rouges et blancs somptueux au Domaine du Collier. Si les rumeurs qui courent à Saumur s'avèrent fondées, les amateurs du Clos Rougeard peuvent dormir en paix: l'avenir sera pavé de bien belles bouteilles.

Ce texte a été publié dans *L'actualité* de juillet 2016.

DOMAINE DE SAINT-JUST

Saumur-Champigny 2015, Les Terres Rouges

En 1996, Yves Lambert a quitté officiellement le milieu de la finance pour se consacrer à son domaine viticole de Saint-Just-sur-Dive, à une dizaine de kilomètres au sud de Saumur. Avec son fils Arnaud, il veille sur un vignoble de plus d'une quarantaine d'hectares, cultivé en biodynamie.

Déjà ouvert et très agréable à boire, le 2015 est manifestement issu de raisins bien mûrs. Des tanins de qualité, charnus et gourmands, portent des saveurs profondes de fruits noirs et d'épices, sur un fond délicatement floral. Excellent vin qu'on pourra apprécier au cours des cinq prochaines années. Retour en succursales prévu vers le début de décembre.

12244774 21,20$ ★★★★ ② ♥

0 690529 000034

CHÂTEAU YVONNE

Saumur-Champigny 2014, La Folie

De toute évidence, un vin élaboré dans les règles de l'art, sans manipulation ni extraction inutile. Les tanins sont hyper soyeux, pratiquement dépourvus d'aspérités et caressent la langue d'une texture fine. Tout léger (12,5% d'alcool), mais haut en saveurs et plus complexe qu'il n'y paraît au premier abord, le vin persiste en bouche et y laisse une trame fruitée, florale et minérale. Rapport qualité-prix-plaisir impeccable. Si vous manquez l'arrivage d'octobre 2016, surveillez de près celui de mars 2017.

11665534 26,90$ ★★★★ ② ♥

3 760153 280069

DOMAINE LANGLOIS-CHATEAU

Saumur 2015

Sans prétendre avoir la profondeur des meilleurs vins de Saumur, ce bon cabernet franc modérément charnu, vigoureux et facile à boire offre des accents d'épices et d'herbes qui se mêlent au fruit et contribuent à son originalité.

710426 18,20$ ★★★ ②

3 382250 000243

GILBERT, PHILIPPE

Menetou-Salon 2013

Ancien dramaturge, Philippe Gilbert a repris le domaine en 1998 et l'a ensuite converti à la culture biologique, puis biodynamique. Ses vins gagnent chaque millésime en pureté et en élégance.

De mémoire, son 2013 est le plus raffiné que j'aie goûté. Les saveurs sont mises en scène avec beaucoup de subtilité, le fruit et la minéralité jouant au premier plan, portés par des tanins pulpeux et pourtant très soyeux. Beaucoup de vie, de sève, de grain et une amertume fine, garante de longueur. Excellent!

3 496330 000020

11154988 29,65$ ★★★★ ②

CLOS CHÂTEAU GAILLARD

Touraine Mesland 2014

Sans surprise, cet assemblage de côt (malbec), de cabernet franc et de gamay est très agréable en 2014. Le nez offre un joli mélange de cassis et de fumée; sans être très puissant ni spécialement concentré, le vin offre en bouche des saveurs franches et nettes.

3 496631 414113

10337918 16,85$ ★★★ ① ♥

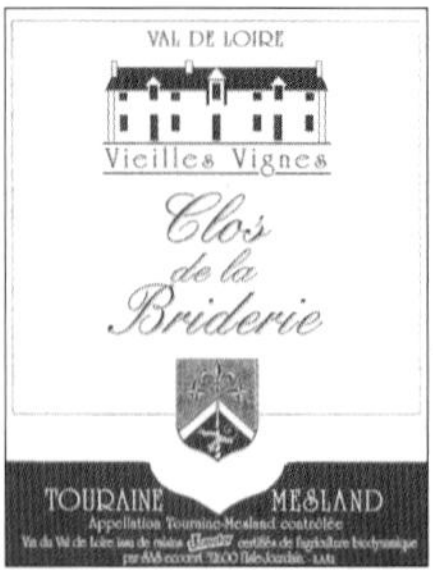

CLOS DE LA BRIDERIE

Touraine Mesland 2014

En 2014, ce vin certifié Écocert fait bien sentir la présence de côt dans l'assemblage. Plutôt sobre et discret qu'exubérant, il présente tout de même une très belle concentration fruitée, un grain compact et une finale minérale qui appelle un second verre. Très bon rapport qualité-prix.

3 476980 000014

977025 18,65$ ★★★ ½ ② ♥

DOMAINE DE LA CHARMOISE

Gamay 2015, Touraine

Bon encore cette année, il a le même caractère fruité et poivré si délicieux. Un vin jeune et facile à boire, avec la juste dose de tanins; un peu fluide et léger en alcool (12%), mais qui s'en plaindra? À ce prix, c'est un achat tout à fait recommandable.

329532 18,15$ ★★★ ② ♥

3 510170 000030

LAFOND, CLAUDE

Reuilly 2014, Les Grandes Vignes

Le nez de ce 2014 était un peu fermé en septembre 2016 et le vin se faisait davantage valoir en bouche par sa concentration. Bon pinot noir jeune et vigoureux à un prix convenable.

11495379 19,70$ ★★★ ②

3 526320 000515

MELLOT, JOSEPH

Menetou-Salon 2014, Clos Du Pressoir

Interprétation passablement charnue du cépage pinot noir à Menetou-Salon. Des senteurs de cassis annoncent un vin mûr mais doté d'une attaque en bouche vive, qui repose sur des tanins denses. Les saveurs de fruits noirs sont mises en relief par une amertume prononcée en finale. Recommandable, sans être une aubaine.

12571599 25,65$ ★★★ ②

0 792059 000888

VIGNERONS DE SAINT-POURÇAIN (LES)

Saint-Pourçain 2014, Les Deux Clochers

Curiosité provenant d'une petite appellation située dans l'Allier, entre Moulins et Clermont-Ferrand. Gamay pour les trois quarts, pinot noir pour le reste. La bouche est légère et acidulée, sans verdeur, et le vin goûte bon la fraise et le poivre. Le bon vin d'été, pas trop alcoolisé (12,5%), coulant et abordable.

895953 15$ ★★★ ① ♥

3 257731 214702

VALLÉE DU RHÔNE

VALLÉE DU RHÔNE SEPTENTRIONAL

En raison de sa situation géographique, entre Vienne et Valence, le vignoble du Rhône septentrional est plus soumis à l'effet du millésime que son voisin du Sud. Paradis de la syrah qui y donne des vins rouges généralement assez fermes, nécessitant parfois quelques années de mûrissement avant de se révéler pleinement.

VALLÉE DU RHÔNE MÉRIDIONAL

Près de 90 % des vins de la vallée du Rhône sont produits dans cette zone située au sud de Montélimar. Avec son climat chaud et le souffle constant du mistral, la région est un terrain de prédilection pour le grenache noir qui donne des vins joufflus et chaleureux.

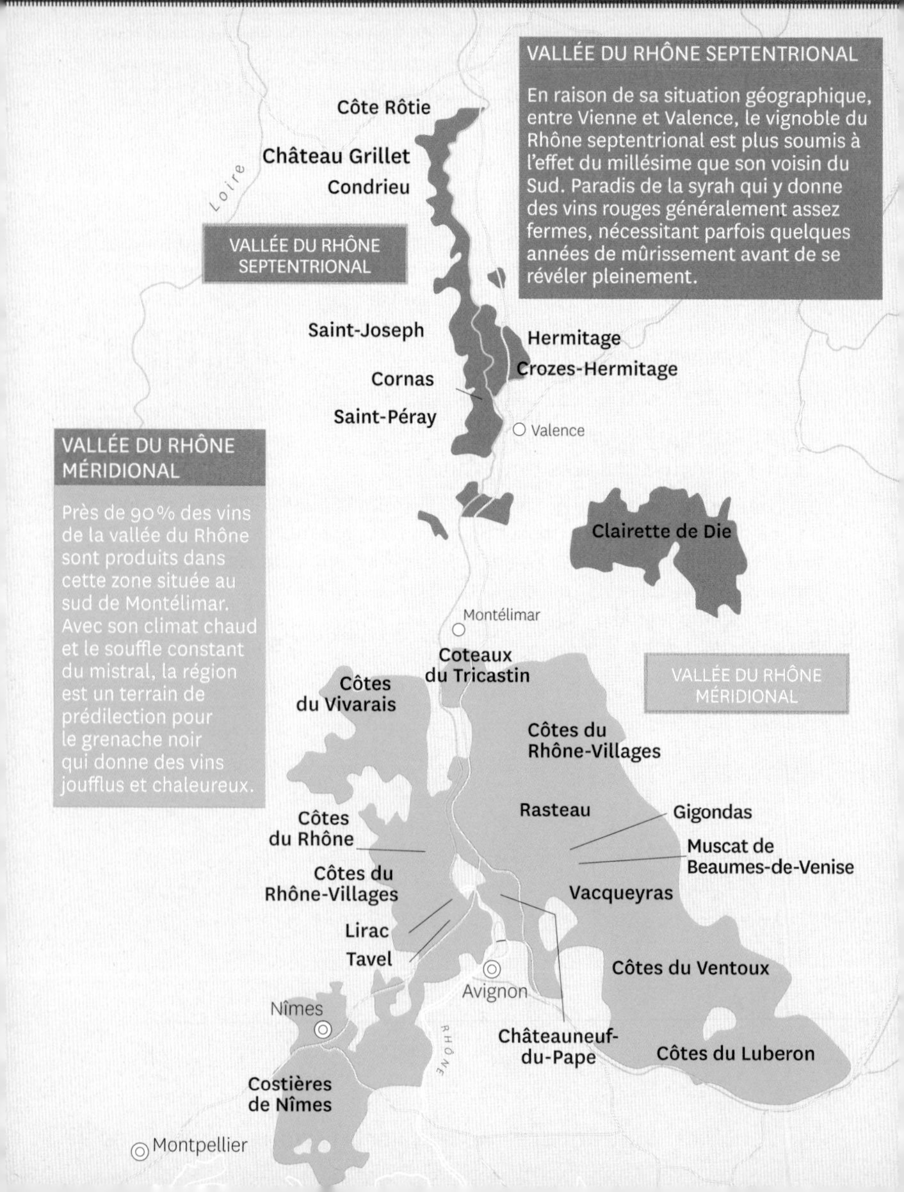

La vallée du Rhône est le plus important vignoble d'appellation contrôlée de France après Bordeaux. Une vaste étendue qui foisonne de beaux terroirs et de très bons vins. Côte Rôtie et Hermitage demeurent les grands classiques du Nord, mais l'amateur de syrah en quête d'aubaines voudra aussi explorer des appellations moins connues comme Crozes-Hermitage et Saint-Joseph, dont la qualité semble plus homogène depuis quelques années, ou encore les Collines Rhodaniennes, vins de pays qui se comparent aisément à leurs voisins plus célèbres.

Châteauneuf-du-Pape est encore et toujours le roi de la partie méridionale, mais le travail de viticulteurs doués a fait progresser de façon spectaculaire des appellations moins renommées comme Rasteau, Vacqueyras et Cairanne. Les Côtes du Rhône-Villages Séguret, Sablet et Signargues, tout comme les Costières de Nîmes, Ventoux et Luberon peuvent aussi réserver de belles surprises, souvent à bon prix.

Environ 10% des vignobles de la région, soit 6000 hectares, sont certifiés biologique ou biodynamique, ou sont en processus de conversion.

LES DERNIERS MILLÉSIMES

2015

De manière générale, un excellent millésime. Les blancs sont parfois capiteux, mais les vins rouges du nord de la vallée sont denses et frais à la fois, et les quelques bouteilles goûtées jusqu'à présent annoncent un avenir très prometteur. Les meilleurs crus de Côte Rôtie, Hermitage et Cornas ont encore 15, sinon 20 belles années devant eux. Le sud a produit des vins rouges et blancs pleins, séduisants et de bonne tenue. Les meilleurs châteauneufs vivront jusqu'en 2025.

2014

Un millésime exceptionnel pour Condrieu a donné des vins blancs à la fois denses et empreints de fraîcheur. En revanche, les cépages rouges ont atteint la maturité de justesse et donneront des vins classiques. Dans le sud de la vallée aussi, une réussite plus convaincante pour les blancs que pour les rouges. À Châteauneuf, d'importants volumes sur le grenache occasionneront peut-être une certaine dilution ; meilleurs résultats pour les syrahs et mourvèdres.

2013

Une année compliquée dans le Nord qui devrait donner des vins rouges assez solides. De belles réussites à Condrieu. Dans le Sud, de très faibles rendements pour le grenache et des degrés d'alcool plus modérés.

Rhône septentrional

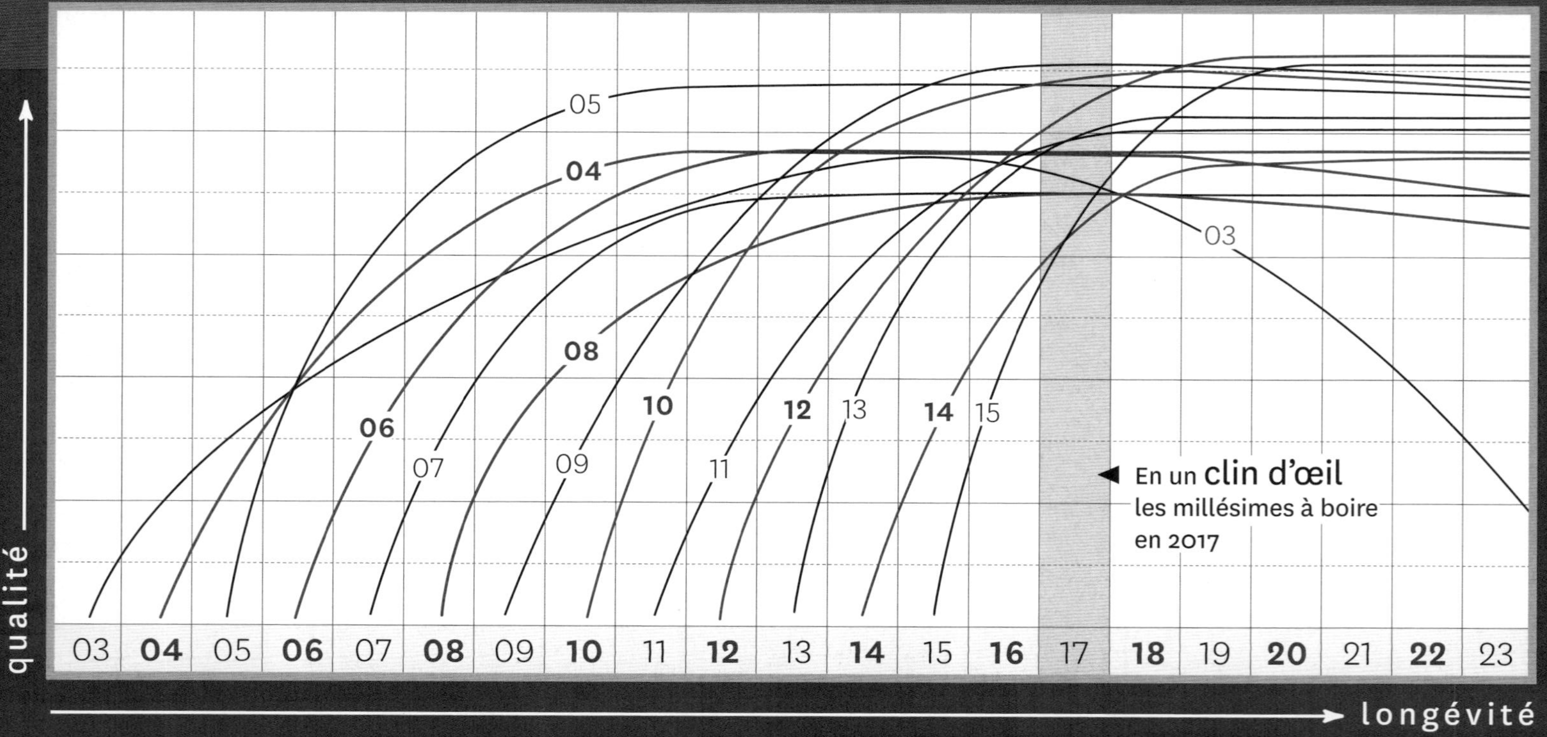

France

2012
Un millésime classique dans le Nord a donné des vins rouges concentrés, très longs et structurés, qui auront besoin de temps avant de se révéler. Millésime tout aussi favorable aux appellations méridionales; les rouges sont généralement plus étoffés que les 2011, avec un supplément de tonus. Les vins blancs des deux régions présentent un équilibre irréprochable.

2011
Au nord comme au sud, un millésime qui ne passera pas à l'histoire. Peu de vins de longue garde dans la partie septentrionale. À retenir pour des rouges souples et fruités et de bons vins blancs empreints de fraîcheur.

2010
Une récolte déficitaire et de très bons vins de Côte Rôtie à Châteauneuf-du-Pape. Dans le Nord, des rendements faibles ont donné des vins rouges concentrés, mais néanmoins harmonieux; condrieus très fins et équilibrés. Plusieurs réussites aussi dans le Sud: vins rouges nourris et charnus.

2009
Millésime très satisfaisant, en particulier dans le Nord où la syrah a donné des vins profonds et de longue garde. Été exceptionnellement sec et récolte déficitaire dans la partie méridionale; plusieurs vins amples et puissants à Châteauneuf-du-Pape.

2008
Des conditions précaires dans toute la vallée. Au mieux, des vins souples et fruités destinés à être consommés dans leur jeune âge. La qualité des vins blancs est plus homogène.

2007
Qualité variable dans le Nord; au mieux, des vins rouges de qualité satisfaisante et d'évolution rapide. Scénario plus favorable dans le Sud où les mois d'été ont été chauds et ensoleillés, et où grenache et mourvèdre ont bénéficié de conditions idéales; une récolte abondante de vins rouges sphériques, charnus et généreux.

2006
Quatrième succès consécutif. Un mois d'août très sec et une récolte généreuse de vins rouges riches, solides et généralement d'une saine acidité. À Châteauneuf-du-Pape, les vins rouges sont nourris, puissants et bien équilibrés.

2005
Réussite générale autant dans le Nord que dans le Sud. Des vins rouges pleins, charnus et bien équilibrés. Très bons vins blancs généreux à boire jeunes.

VILLARD, FRANÇOIS
Saint-Péray 2014, Version

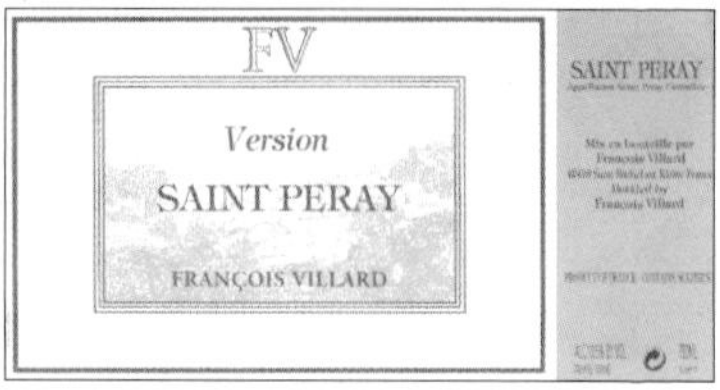

François Villard ne recherche pas la concentration en sucre, mais il récolte à parfaite maturité, parce qu'il constate que les composants minéraux s'acquièrent à la fin de la saison végétative. On est porté à lui donner raison quand on goûte cet excellent vin blanc de Saint-Péray, la plus méridionale des appellations du nord du Rhône.

Exemple même d'un vin blanc singulier qu'on apprécie pour sa texture, plus que pour ses arômes, la qualité du 2014 repose sur un jeu d'équilibre parfait entre le gras et la structure, la minéralité et le fruit. Un nez de sapinage et de fruits blancs, avec de légers accents de réduction qui s'estompent vite à l'aération. Densité, structure, beaucoup de relief en bouche et une dose appréciable d'extraits secs, garants de tonus et de fraîcheur. À boire entre 2017 et 2020.

3 760090 460074

12129080 33,50 2$ ☆☆☆☆ ♥

GAILLARD, PIERRE
Condrieu 2015

Les grands millésimes vont rarement de pair pour les rouges et les blancs. Ainsi, autant le millésime 2015 a donné des vins rouges somptueux, équilibrés et destinés à une longue garde, autant l'équilibre n'est pas acquis pour les vins blancs, surtout ceux de viognier. Loin d'être une mauvaise année, mais disons que les conditions généreuses de l'été exacerbent le caractère variétal de ce cépage. Quoique délicieusement parfumé, il sera peut-être un peu trop exubérant pour l'amateur de condrieu minéral et contenu. La rumeur veut toutefois que les meilleurs terroirs «reprennent leur droit» après quelques années de vieillissement. Laissons-lui le bénéfice du doute.

12423932 64,50$ ☆☆☆→? ③

3 760088 372808

GAILLARD, PIERRE

Saint-Joseph blanc 2015

À mon sens, une réussite plus convaincante que le condrieu commenté à la page précédente, pour ce vin issu exclusivement du cépage roussanne. Un vin blanc sérieux, plein, mûr, structuré. Nuances de fleurs blanches, de miel, de noisette. Bonne dose d'extraits secs et finale minérale; peut-être un peu moins long que le 2014, mais quelle texture, quelle tenue en bouche! À boire entre 2018 et 2023.

11219606 41,75$ ☆☆☆→☆ ③ 3 760088 374093

VINS DE VIENNE

Crozes-Hermitage blanc 2015

Composé à 100% de marsanne, un très bon vin blanc assez plein en bouche, mais plutôt élégant que gras. On a manifestement usé de prudence et de retenue lors de l'élevage sur lies et c'est tant mieux. Les saveurs sont soutenues en finale par une amertume noble qui rappelle les amandes fraîches; le vin est sec, délicat, agréable à boire. Arrivée prévue en début d'année 2017.

12034275 34,50$ ☆☆☆ ½ ② 3 760098 150021

DOMAINE COMBIER
Crozes-Hermitage 2015

En plus de mener avec beaucoup de succès ce vignoble familial aujourd'hui conduit en agriculture biologique, Laurent Combier se consacre au Trio Infernal, dans le Priorat, aux côtés de Peter Fischer et Jean-Michel Gerin.

Son Crozes-Hermitage est un vrai délice, à la fois intense et raffiné. Le 2015 présente les nuances aromatiques complexes des meilleurs vins de l'appellation. L'attaque est vigoureuse et charnue. Fidèle à son habitude, Laurent Combier a eu la sagesse de ne pas trop extraire : les tanins sont croquants, gourmands, sans dureté, et la longueur est remarquable. L'archétype du crozes, déjà si séduisant par son fini velouté et sa profusion de saveurs, mais construit pour la garde.

11154890 32,50$ ★★★★ ③

3 550036 420008

DELAS

Crozes-Hermitage 2013, Domaine des Grands Chemins

Propriété de la société champenoise Deutz depuis 1977 – elle-même dans le giron du groupe Roederer –, cette maison possède des vignobles dans le nord de la vallée et gère une activité de négoce dans le Rhône méridional. Ce Crozes-Hermitage offert en exclusivité dans les succursales Signature est assez représentatif du style de la maison : généreux, bien en chair, bâti sur des tanins polis et empreint du caractère fumé et poivré propre à la syrah. À laisser mûrir encore deux ou trois ans.

11099587 44$ ★★★→? ③ Ⓢ

3 359950 267047

GUIGAL

Crozes-Hermitage 2013

Comme tout le reste de la gamme de la famille Guigal, ce crozes se signale par une constance exemplaire. Le 2013 était débordant de fraîcheur lorsque goûté en fin d'été 2016 et portait la vigueur caractéristique du millésime, avec des tanins compacts, des saveurs précises et une finale fraîche et élégante.

739243 29,90$ ★★★ ½ ②

3 536650 801003

VILLARD, FRANÇOIS

Crozes-Hermitage 2014, Comme une évidence

Cette cuvée vinifiée avec les grappes entières provient d'achat de raisins de la commune de Mercurol. On y retrouve le caractère fumé et torréfié caractéristique de la syrah; le grain tannique est ferme et repose sur une texture légèrement crémeuse.

12474019 35,25$ ★★★★ ③

3 760090 460340

VILLARD, FRANÇOIS

Syrah 2014, L'appel des Sereines, Vin de France

Commercialisée en Vin de France (anciennement Vin de table), cette syrah provient essentiellement de vignobles du nord de la vallée, près des zones de Condrieu et de Saint-Joseph, ainsi que du sud de l'Ardèche pour une portion des raisins. Mise à vinifier avec les grappes entières, ce qui accentue son volume en milieu de bouche et la sensation générale de fraîcheur. Beaucoup de vie et de relief dans cette syrah; des parfums de café fraîchement moulu se mêlent au fruit noir et aux notes florales, et s'articulent autour d'un grain tannique ferme, sans dureté. Pas très long, mais franchement savoureux.

12292670 21,25$ ★★★ ½ ② ▼

3 760090 460333

VINS DE VIENNE

Crozes-Hermitage 2014

Nez très typé de Crozes-Hermitage, avec de riches parfums de violette. Juteux, gourmand et bien proportionné. Bien qu'il se présente déjà sous un jour très expressif, ouvert et généreux, je ne serais pas étonnée qu'il gagne en nuances d'ici 2018-2019.

10678229 26,40$ ★★★ ½

3 760098 130214

Brett ou réduction?

Les dégustateurs ne reconnaissent pas toujours les déviations liées à la réduction et les confondent souvent avec celles liées aux brettanomyces («brett»), un problème beaucoup plus sérieux. Les deux se manifestent par des odeurs désagréables de basse-cour, d'écurie, de «pet». La réduction est attribuable à un manque de contact avec l'oxygène; dans la plupart des cas, une simple aération en carafe permet d'y remédier. Les brettanomyces relèvent plutôt d'une contamination par des levures du même nom. En jeunesse, les effets de la brette se perçoivent surtout au nez, mais avec le temps, les levures s'attaquent à la structure même du vin, rendant les tanins osseux, décharnés.

GAILLARD, PIERRE

Côte Rôtie 2014

Partenaire dans le projet des Vins de Vienne et propriétaire du Domaine Cottebrune, à Faugères, Pierre Gaillard est avant tout reconnu pour ses vins rouges et blancs du nord de la vallée du Rhône.

J'ignore si on doit y voir l'effet du millésime ou d'un changement de style pour Pierre Gaillard, mais les trois rouges goûtés au cours de l'été m'ont laissé une impression nettement plus contenue et subtile que par le passé. Son Côte Rôtie 2014 se distingue par ses saveurs précises et son tissu tannique tissé très serré, qui procure en bouche une sensation générale de fraîcheur. Si tonique et digeste qu'on le boirait dès maintenant. Les plus patients pourront l'apprécier facilement jusqu'en 2024.

12448179 73$ ★★★★ ③

3 760088 373003

GAILLARD, PIERRE

Saint-Joseph 2014, Clos de Cuminaille

Étant donnée la nature du millésime 2014, ce saint-joseph de Pierre Gaillard me semble étonnamment droit, strict et contenu. Beaucoup plus nerveux que je ne l'aurais espéré. Rien de trop chargé ni de trop mûr, plutôt une attaque franche et une acidité soutenue, qui porte le fruit et accentue sa «verticalité», pour reprendre un terme populaire. Son équilibre et la qualité de son fruit et du grain tannique me laissent croire qu'il vieillira en beauté. À boire entre 2019 et 2023.

11231963 41,75$ ★★★★ ③

3 760088 373171

VILLARD, FRANÇOIS

Saint-Joseph 2013, Reflet

Le Saint-Joseph de Villard est délicieux et exprime toute la richesse, la chair et la vivacité de la syrah avec sa couleur riche et son nez très fruité et délicatement poivré caractéristiques. Sans être spécialement puissant, le vin se révèle avec une grande complexité aromatique et se déploie en largeur autant qu'en longueur. L'attaque est pleine, le milieu charnu et la finale d'une persistance impressionnante. Un vin distingué à laisser mûrir jusqu'en 2020-2021.

11696980 69$ ★★★★ ③ ▼

3 760090 460135

VINS DE VIENNE

Cornas 2014, Les Barcillants

Le caractère sauvage de Cornas se manifeste autant au nez qu'en bouche. Pour le moment, ce vin puissant et solidement bâti s'impose par sa structure plus que par son relief de saveurs; on devine toutefois une intensité contenue dans ses notes fumées et animales. Très jeune, laissons-lui de quatre à cinq ans, le temps que les éléments se placent.

3 760098 153183

708438 49,75 $ ★★★→? ③

VINS DE VIENNE

Côte Rôtie 2014, Les Essartailles

Un vin sombre qui offre ce parfum unique de viande fumée et de violette. Le nez annonce le meilleur et la bouche est bien proportionnée, nette et dodue, avec des tanins serrés et une amertume fine. À boire entre 2019 et 2025.

3 760098 153176

11600781 75,50$ ★★★→? ③

VINS DE VIENNE

Heluicum 2014, Vin de France

Petit frère du Sotanum, commenté ci-dessous. Le nez expressif aux accents de violette annonce un vin ouvert, très typé des syrahs du Nord. Le fruit est succulent et les tanins se déroulent en bouche comme un tapis de velours. Du grain, des saveurs juteuses. Un peu plus de longueur et c'était quatre étoiles.

3 760098 153091

11635896 37$ ★★★ ½→? ③

VINS DE VIENNE

Saint-Joseph 2014

Beaucoup de volume en bouche, mais aucune lourdeur ni sucrosité; 12,5% d'alcool, une attaque mûre et caressante, des tanins suaves qui se resserrent en fin de bouche. Bonne longueur. Savoureux!

3 760098 130313

10783310 31$ ★★★ ½ ②

VINS DE VIENNE

Sotanum 2014, Collines Rhodaniennes

En 2014, le Sotanum illustre à merveille cette combinaison assez unique de finesse et de chaleur qu'ont les meilleures syrahs du nord du Rhône. Un brin sur la réserve au nez; très pur et vibrant de jeunesse en bouche. Les tanins sont encore vigoureux, mais fins, denses et élégants. Déjà très rassasiant, il mériterait de mûrir jusqu'en 2022.

3 760098 130191

894113 60,75$ ★★★→★ ③

GASSIER, MICHEL

Nostre Païs blanc 2014, Costières de Nîmes

Baignées de soleil et bercées par le Mistral, qui souffle sur les vignes et favorise une récolte saine, les Costières de Nîmes jouissent d'un climat très méditerranéen et forment l'appellation la plus méridionale du Rhône. Le vignoble s'étend au nord de la Camargue.

Je dois avouer être agréablement surprise par la fraîcheur et la minéralité de ce blanc de Michel Gassier. Un excellent vin qui conjugue les vertus complémentaires des grenache blanc, roussanne, viognier, clairette et bourboulenc, plantés sur des sols calcaires et certifiés biologiques. L'élevage en fût neutre nourrit sa texture sans masquer les subtilités du fruit. On gagnera à le servir autour de 10-12 °C, avec un poulet rôti aux herbes ou tian de légumes.

0 690604 000485

12854169 24$ ☆☆☆ ½ ②

CHAPOUTIER, M.

La Ciboise 2015, Luberon

Un vin blanc typique du sud, tant par sa composition de grenache blanc, de vermentino, d'ugni blanc et de roussanne, que par sa texture grasse, rehaussée d'un léger reste de gaz. Pas très aromatique, mais agréable à boire et doté d'un caractère digne de mention, vu le prix.

3 391182 731538

12194720 15,05$ ☆☆☆ ② ♥

CHÂTEAU MONT-REDON

Lirac 2015

J'aime beaucoup les vins rouges de ce domaine de Châteauneuf, mais le Lirac blanc me laisse un peu sur ma soif en 2015. Flatteur avec ses parfums de caramel et de poire confite, mais tout de même un peu rudimentaire.

12258973 24,05$ ☆☆ ½ ①

CHÂTEAU MOURGUES DU GRÈS

Les Galets Dorés 2015, Costières de Nîmes

Comme tant de blancs du Sud, c'est un vin de texture plus que d'arômes. Il faut donc le servir plutôt frais que froid (autour de 10-12 °C), afin de laisser ses arômes délicats s'exprimer pleinement. Pas très parfumé au nez, mais de belles saveurs de poire asiatique, une juste dose de gras et une sapidité digne de mention en bouche, grâce, entre autres, à sa finale saline.

11095877 17,80$ ☆☆☆ ½ ② ♥

CHÂTEAU SAINT-ROCH

Côtes du Rhône blanc 2015

Bon vin blanc moderne composé de grenache blanc, de clairette et de roussanne. Gras, bien fruité et surtout, soutenu par une franche acidité qui rehausse ses parfums d'écorce de citron. Pour le reste, pas très parfumé mais fringant et facile à boire.

10678181 17,90$ ☆☆☆ ①

GUIGAL

Côtes du Rhône blanc 2015

Impeccable, comme toujours, ce côtes du rhône blanc est composé essentiellement de viognier cultivé dans le sud de la vallée, complété de roussanne et de marsanne. Porte-drapeau de la maison avec son pendant rouge, le vin est l'archétype du vin blanc du Rhône sud, bien que le 2015 m'ait semblé plus nourri que d'habitude. Une matière fruitée pleine, du gras et des arômes nets et invitants. Moins remarquable que le 2014, mais il reste au sommet de sa catégorie.

290296 21,05$ ☆☆☆ ½ ②

LE CLOS DU CAILLOU

Côtes du Rhône 2014, Le Bouquet des Garrigues

Depuis que j'ai commencé à m'intéresser au vin, il y a une quinzaine d'années, j'ai souvent lu et entendu que le grenache, cépage du sud de la vallée du Rhône, pouvait donner des vins dont la finesse et les parfums s'apparentent au pinot noir. Très peu de bouteilles m'ont cependant permis d'en faire l'expérience. La première était un Château Rayas 2006. La deuxième m'est arrivée comme une surprise dans le marathon de dégustation de ce guide.

Produit sur le terroir de Courthézon, tout près de la zone de Châteauneuf-du-Pape, Le Bouquet des Garrigues de Sylvie Vacheron est en tous points remarquable en 2014. Composé à 85% de grenache, le vin présente une couleur pâle et des parfums de cerise fraîche, plutôt que confite, et de fines notes épicées. Aussi complexe sinon plus en bouche, avec des goûts de griotte, de terre humide, de poivre, d'herbes séchées, qui se déploient en une trame leste, coulante, aérienne, faisant à peine sentir les 14,5% d'alcool. Exceptionnel par sa longueur et par sa plénitude doublée d'élégance.
Pour cette raison, presque cinq étoiles et une Grappe d'or!

6 968050 010810

12249348 26,60$ ★★★★ ½ ② ♥

CHÂTEAU DE LA GARDINE

Châteauneuf-du-Pape 2013

Comme toujours, un très bon vin moderne de Châteauneuf, conçu pour être apprécié à table. Une couleur grenat, un nez expressif sentant le raisin mûr; rond et chaud en bouche, avec des saveurs de fruits confits, des accents de garrigue et d'épices. Très satisfaisant, il reste une des valeurs sûres à la SAQ.

3 552510 012006

22889 37,50$ ★★★ ②

France

CHÂTEAU MONT-REDON

Châteauneuf-du-Pape 2011

Le millésime 2011, par sa nature généreuse, a donné des vins parfois surdimensionnés. Surtout chez les producteurs qui misent essentiellement sur le grenache, cépage reconnu pour sa concentration en sucre. Heureusement, ce n'est pas le cas de Mont-Redon, qui assemble toujours le grenache aux syrah, mourvèdre, cinsault, counoise, muscardin et vaccarèse. Plus riche et plein que d'habitude certes, ce 2011 ne sacrifie pas la «buvabilité» propre aux châteauneufs du domaine. On pourra se régaler de sa profusion de fruits confits, de kirsch, de réglisse et d'épices jusqu'en 2020.

856666 44,75$ ★★★ ½ ②

3 379931 111312

CLOS DU MONT-OLIVET

Châteauneuf-du-Pape 2013

Un peu atypique en 2013 puisque les cépages syrah et mourvèdre occupent une plus grande proportion de l'assemblage, le grenache ayant été touché par des problème de coulure. Plein, séveux et charnu, le cadre tannique est solide, mais enrobé d'un tissu de velours et d'un fruit délicieusement mûr. Finale vaporeuse aux goûts d'anis, de fleurs séchées et de cerises confites. Savoureux!

11726691 43,75$ ★★★★ ③

3 760108 000056

DOMAINE DU PÉGAU

Châteauneuf-du-Pape 2011, Cuvée Laurence

Tout à fait dans l'esprit du millésime 2011 à Châteauneuf-du-Pape. Un nez riche et intense annonce un vin plein, joufflu et capiteux, sans être brûlant. Étoffé et bien proportionné il présente des notes d'eau-de-vie de prune et de confiture. Agréable à boire dès maintenant, il pourra être apprécié encore jusqu'en 2022. Excellent, mais le prix laisse songeur.

13020431 124$ ★★★ ½ ② ⓢ

4 000130 204312

DOMAINE NALYS

Châteauneuf-du-Pape 2011

Bon vin mûr et sphérique, pas le plus puissant ni spécialement profond, mais net, bien typé de son appellation et généreux. Une pointe d'acidité volatile rehausse le fruit et les notes animales.

972653 40,50$ ★★ ½ ②

3 770000 037111

VIGNERONS D'ESTÉZARGUES (LES)

La Montagnette 2015, Côtes du Rhône-Villages Signargues

Cette petite cave rhodanienne, créée en 1965, regroupe à peine une dizaine de vignerons qui ont à cœur de produire des vins de terroirs. Elle compte aujourd'hui parmi les plus en vue de France.

Toujours très bon, ce vin semble magnifié par les conditions de l'été 2015. Un vin plein et vibrant, à la fois ferme et velouté tant ses tanins sont mûrs; expressif, généreux et pourtant très frais et illustrant à merveille les charmes de cet excellent millésime. Quatre étoiles bien méritées dans sa catégorie.

11095949 18,15$ ★★★★ ② ♥ 3 760038 251214

CHÂTEAU DE LA GARDINE

Rasteau 2014, Benjamin Brunel

Un nez de chocolat noir et de cerise confite. Une bouche pleine et capiteuse, assise sur des tanins compacts; un très léger reste de gaz lui donne un petit côté piquant qui se dissipe après une courte aération. L'envergure et la concentration sont moyennes, mais on peut apprécier son joli relief aromatique.

123778 21,05$ ★★★ ② 3 760168 120008

CHÂTEAU MONT-REDON

Lirac 2014

En plus de leur châteauneuf, les familles Abeille et Fabre signent un très bon vin rouge de Lirac. Du fruit à revendre, des tanins tendres et une texture riche et flatteuse. À boire au cours des trois à quatre prochaines années, autour de 15 °C.

11293970 24,60$ ★★★ ② 3 379935 114319

DOMAINE DE BOISSAN

Cuvée Clémence 2014, Côtes du Rhône-Villages Sablet

Dans l'esprit des vins du village de Sablet, c'est-à-dire pas spécialement puissant, mais coloré, gorgé de fruits noirs et agrémenté de notes florales et anisées. Titrant 14,5 % d'alcool, mais l'équilibre entre la structure, le fruit et l'acidité est malgré tout remarquable. Compact, solide et fort satisfaisant, surtout dans le contexte du millésime 2014. Très bon rapport qualité-prix.

712521 21,80 $ ★★★ ½ ② ♥

DUPÉRÉ BARRERA

Côtes du Rhône-Villages 2015

En plus de mener avec aplomb leur propriété provençale, Emmanuelle Dupéré et Laurent Barrera mènent un commerce de négoce haut de gamme dans le Rhône. Maintenant certifié biologique, leur Côtes du Rhône-Villages générique se présentait sous un jour un peu fermé en août 2016, avec des odeurs de réduction et un reste important de gaz. Après une aération prolongée, le vin était plus volubile et le fruit, plus expressif, savoureux même. N'hésitez pas à ouvrir la bouteille quelques heures avant de passer à table.

10783088 20,45 $ ★★★ ½ ② ♥

ORTAS

Rasteau 2015, Tradition

Bon rasteau d'envergure moyenne, mais tout à fait rassasiant et d'une constance digne de mention. Beaucoup de fruits noirs, des notes de poivre et d'aromates; pas très tannique, mais joufflu et gorgé de soleil. Très bon rapport qualité-prix.

113407 17,05 $ ★★★ ② ♥

PERRIN

Vacqueyras 2013, Les Christins

Un vin solide, plein et bien en chair, affichant fièrement son caractère rhodanien et le profil chaleureux du cépage grenache. Modérément corsé, dense et savoureux. Une occasion abordable de découvrir le beau potentiel du terroir de Vacqueyras.

872937 **24,25 $** ★★★ ②

DOMAINE DE LA VIEILLE JULIENNE

Côtes du Rhône 2014, Lieu-dit Clavin

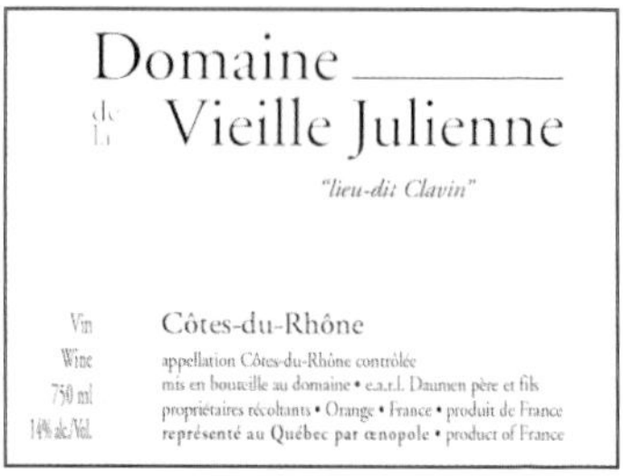

Jean-Paul Daumen est reconnu pour ses châteauneufs très intenses et étoffés. Issu d'une petite parcelle plantée de vieilles vignes de grenache, dont les rendements sont limités, ce vin est toujours à retenir parmi les plus complets des côtes du rhône génériques.

Le 2014 se distingue par sa vigueur tannique et par une grande sensation de fraîcheur en bouche. Pas très exubérant ni spécialement dodu, mais son registre de saveurs complexes, mariant les herbes aromatiques, les fruits noirs, les épices et les fleurs séchées le rend vraiment très charmant. Tanins de qualité, bonne longueur, relief et équilibre irréprochable. Une grande réussite dans le contexte du millésime. La biodynamie aurait-elle aidé Jean-Paul Daumen?

10919133 30,75$ ★★★★ ② ♥

3 760169 470782

CAMBIE, PHILIPPE

Côtes du Rhône 2014, Halos de Jupiter

Très bon côtes du rhône plein de fruit, costaud et capiteux, faisant bien sentir sa richesse alcoolique à 15%. Quasi sucré, le vin repose sur de tanins ultramûrs et regorge de saveurs de sirop de cassis, auquel il emprunte aussi la texture riche et crémeuse. Nul doute que cette surabondance séduira l'amateur de sensations fortes. Personnellement, j'ai peine à m'imaginer en boire un verre entier.

11903619 21$ ★★★ ②

0 690604 000447

CHAPOUTIER, M.

Côtes du Rhône 2015, Belleruche

Particulièrement réussi cette année, sans doute à la faveur de l'excellent millésime 2015. Plein, ample et très typé de son lieu d'origine; des tanins veloutés tapissent la bouche d'un fruit bien mûr. Finale savoureuse aux accents de fleurs séchées et d'épices.

476846 17,95$ ★★★ ½ ② ♥

3 391181 111539

COUDOULET DE BEAUCASTEL

Côtes du Rhône 2013

Autrefois dans le peloton de tête en matière de côtes du rhône, le Coudoulet me laisse sur ma soif depuis quelques années. Tendre et gorgé de saveurs de fruits rouges qui évoquent la confiture de framboises, à défaut de caractère et de profondeur. Savoureux, séduisant et taillé pour plaire, mais à ce prix, on serait en droit d'espérer un peu mieux.

3 488423 013024

973222 30,25$ ★★★ ②

DAUMEN, JEAN-PAUL

Côtes du Rhône 2014

Légèrement en recul par rapport au savoureux 2013, décoré d'une Grappe d'or l'année dernière. Bien que moins joufflu, affriolant et nourri, il présente un bel équilibre d'ensemble. Bon côtes du Rhône générique, à boire d'ici 2019.

11509857 21,70$ ★★★ ②

3 760169 470584

GUIGAL

Côtes du Rhône 2012

D'année en année, je continue d'être impressionnée par le sérieux manifeste que la famille Guigal porte à ses cuvées d'entrée de gamme. Le 2012 est un modèle du genre. Beaucoup de relief, des tanins serrés et une bouche vibrante, rehaussée d'un soupçon de gaz.

3 536650 501002

259721 20,40$ ★★★ ½ ② ♥

JABOULET AÎNÉ, PAUL

Côtes du Rhône 2014, Parallèle 45

À la fois producteur et négociant, la célèbre maison rhodanienne fondée en 1884 appartient à la compagnie financière Frey depuis 2005. Pas le plus charnu ni le plus complet des dernières années, mais agréable à sa manière avec sa présence en bouche leste et joliment fruitée; bon vin quotidien.

3 105714 150144

332304 16,95$ ★★★ ②

VINS DE VIENNE

Côtes du Rhône 2014, Cranilles

Ce vin me donne davantage l'impression d'un vin du nord du Rhône en 2014. Moins de volume et de richesse fruitée, mais une fraîcheur supplémentaire, un grain plus serré et une facture très classique. Très bon côtes du Rhône taillé pour la table.

3 760098 130375

722991 19,10$ ★★★ ½ ② ♥

CHÂTEAU PESQUIÉ

Terrasses 2014, Ventoux

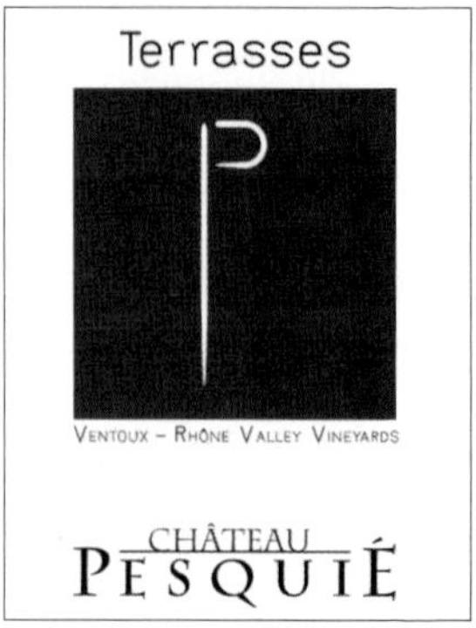

Le vignoble du Ventoux bénéficie d'un climat tempéré à la fois par la Méditerranée et par la proximité du mont Ventoux. Des découvertes archéologiques ont récemment démontré que l'implantation des vignes dans la région était parmi les plus anciennes de France.

Les fidèles du Ventoux de Pesquié ne seront pas déçus par le 2014. Bon vin tannique, chargé de fruits et d'épices, assez solide, franc de goût et très satisfaisant. Un très bel exemple de vin méridional empreint des parfums de la végétation ambiante avec des notes de thym, de romarin, de marjolaine et toutes ces essences qui composent la fameuse garrigue. Pour bien en apprécier les nuances, assurez-vous de le servir légèrement rafraîchi autour de 15 °C.

3 760149 591032

10255939 18,60$ ★★★ ½ ② ♥

CHÂTEAU DE NAGES

Costières de Nîmes 2013, Nages, Vieilles Vignes

Un vin rouge sans prétention, mais savoureux et débordant de fruit. Des parfums très invitants de cerise confite et de cacao; une bouche tendre et juteuse; des saveurs très nettes marquées par 70 % de grenache. Bonne ampleur en bouche pour le prix.

12268231 19,95$ ★★★ ②

0 690604 000133

CHÂTEAU DES TOURELLES

Costières de Nîmes 2014

Bon vin courant composé de syrah, de marselan, de mourvèdre et de carignan. Du fruit, des accents rôtis et un bon équilibre. Tout à fait correct à moins de 15 $.

387035 14,35$ ★★★ ②

3 760034 420010

France

CHÂTEAU LA TOUR DE BERAUD

Costières de Nîmes 2014

Seconde étiquette du Château Mourgues du Grès, ce vin repose sur un assemblage de carignan, de grenache et de syrah. Nez affriolant de fleurs et de fruits noirs; rien de complexe, mais la chair fruitée est rassasiante et son caractère digeste donne envie d'un second verre.

3 760087 400106

12102629 18,05$ ★★★ ½ ② ♥

CHÂTEAU MOURGUES DU GRÈS

Les Galets Rouges 2014, Costières de Nîmes

François Collard peaufine son art depuis une vingtaine d'années dans les Costières de Nîmes. Son 2014 est un peu moins gourmand, mais il offre tout de même une belle structure, une vigueur tannique et une finale relevée d'épices, de fruits noirs et de réglisse. Encore meilleur après 30 minutes en carafe.

3 760087 400038

10259753 18,90$ ★★★ ② ♥ ⧋

CHÂTEAU MOURGUES DU GRÈS

Terre d'Argence 2012, Costières de Nîmes

Un peu plus ouvert et accessible lorsque goûté de nouveau au courant de l'été 2016, ce 2012 commenté dans la dernière édition avait encore beaucoup de fruit et de mâche en réserve. Une proportion de carignan contribue certainement à la fraîcheur ressentie. Suave, séveux et chaleureux, il aura besoin d'encore quelques années avant de se révéler à sa juste valeur. Laissez-le reposer en cave jusqu'en 2018-2019.

3 760087 400076

11659927 22,15$ ★★★ ½ ③ ♥

JABOULET AÎNÉ, PAUL

Les Traverses 2014, Ventoux

Réussite tout aussi convaincante en 2014 pour l'entrée de gamme de la maison Jaboulet. Au caractère suave et gourmand du grenache (80 %) s'ajoutent la fermeté tannique et les saveurs florales et épicées de la syrah. Tout à fait satisfaisant à ce prix.

3 105714 450145

543934 15,95$ ★★★ ② ♥

SUD DE LA FRANCE

COTEAUX DU LANGUEDOC

Au fur et à mesure que leur style se précise, certaines appellations comme La Clape, Pic-Saint-Loup et Montpeyroux, gagnent en reconnaissance. En septembre 2016, Pic-Saint-Loup a d'ailleurs été promu au rang d'appellation d'origine, au même titre que Saint-Chinian et Faugères.

ROUSSILLON

On associe d'emblée la région du Roussillon aux somptueux vins rouges de grenache noir, mais on y produit aussi de superbes vins blancs issus de grenache blanc et gris cultivés sur les terroirs de schiste.

BIO

Choyés par un climat chaud et sec, de nombreux vignerons ont opté pour la viticulture biologique.

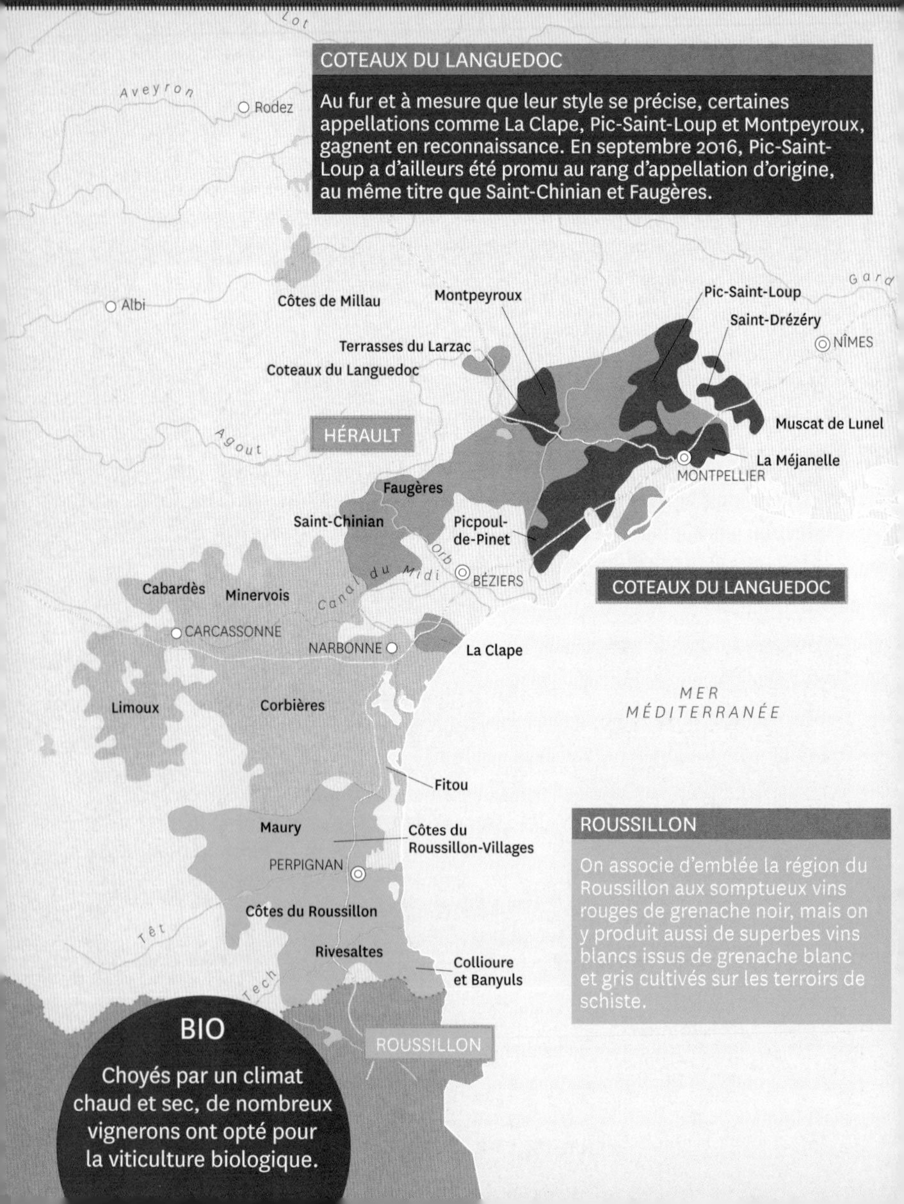

Quel chemin parcouru en 30 ans! Ce vaste croissant, qui s'étend de la frontière espagnole à la vallée du Rhône, est d'autant plus attrayant qu'il mise désormais à fond sur les multiples facettes de ses terroirs et de ses cépages.

Les vignerons redécouvrent les qualités de cépages autrefois considérés comme «roturiers», tels le carignan ou le cinsault, dont les vieilles vignes, plantées sur les bons terroirs et cultivées adéquatement, peuvent donner des vins étonnamment racés, empreints de la signature aromatique de la garrigue. La plupart ont cessé de jouer la carte de la puissance et cherchent avant tout à produire des vins rouges authentiques, digestes et originaux.

Ajoutons à cela des vins rosés de bonne qualité, des vins mousseux et des vins doux naturels de muscat ou de grenache et l'on pourrait aisément conclure que le Languedoc-Roussillon est l'une des régions les plus riches et les plus diversifiées de France, en plus d'être un rayon à aubaines.

En 2015, le rosé représentait près de 88% de la production totale de la Provence. Pourtant, bien que marginale, la palette de vins rouges et blancs produits de Marseille à Nice est très loin d'être banale et la région foisonne de bons vins gorgés de soleil dont quelques belles cuvées commentées dans ces pages.

LES DERNIERS MILLÉSIMES

2015
Une année classique, avec juste ce qu'il faut de pluie au printemps pour renflouer les réserves et permettre à la vigne de s'épanouir pendant la saison estivale. Une récolte de très beaux fruits qui devrait donner des vins plus élégants que puissants.

2014
Dure année pour le midi de la France. Le secteur de La Clape et le Minervois ont été touchés par des épisodes de grêle. Ceux qui ont réussi à vendanger avant les pluies torrentielles de septembre ont pu sauver la mise. La Provence a connu 65 jours de précipitation, contre 50 sur une année normale. On peut anticiper une certaine dilution.

2013
De mauvaises conditions printanières ont nui à la floraison. Cette situation a donné une vendange certes très tardive, mais de raisins sains qui pourraient potentiellement donner des vins rouges et blancs équilibrés.

2012
Petite récolte en raison de mauvaises conditions au moment de la floraison. Un été compliqué avec de la sécheresse et de la grêle. Les vignerons qui ont eu la patience d'attendre pour vendanger ont réussi à produire de bons vins suffisamment concentrés et harmonieux. Quelques belles surprises dans le Roussillon. Qualité hétérogène pour les rouges de Provence.

CAVE DE ROQUEBRUN

Saint-Chinian 2015, La Grange des Combes blanc

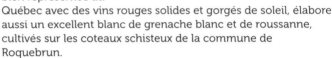

Cette cave coopérative de Saint-Chinian, déjà très bien représentée au Québec avec des vins rouges solides et gorgés de soleil, élabore aussi un excellent blanc de grenache blanc et de roussanne, cultivés sur les coteaux schisteux de la commune de Roquebrun.

Élevé en cuve d'acier inoxydable pour préserver la fraîcheur et la pureté du fruit, le 2015 n'est pas très exubérant au nez, mais quelle bouche! Toute la tenue, le caractère presque tannique des bons vins du Midi. Beau relief aromatique, entre la noix fraîche, le fruit blanc, les agrumes et le minéral et une finale singulière au caractère *umami* prononcé. Beaucoup de personnalité pour le prix. Servir frais, mais pas froid, autour de 10-12 °C.

12560996 19$ ☆☆☆☆ ② ♥ 3 379431 181044

CAVE DE ROQUEBRUN

Saint-Chinian 2015, Les Fiefs d'Aupenac

Moins de pureté que La Grange des Combes. Un élevage de neuf mois en fût de chêne nourrit la texture de ce saint-chinian et apporte des notions de caramel et d'épices qui se mêlent aux saveurs de poires bien mûres de la roussanne, dont il est composé à 80%. Du gras et un soupçon de gaz; charmant. Une belle bouteille pour faire explorer de nouveaux horizons à un amateur de chardonnay boisé.

10559174 19,95$ ☆☆☆ ½ ② ♥ 3 379431 181020

CHARTIER – CRÉATEUR D'HARMONIES

Le Blanc 2014, Pays d'Oc

Cet assemblage de chardonnay, de grenache blanc et de rolle me donne l'impression d'une acidité plutôt faible, mais il ne manque absolument pas de fraîcheur. Une jolie texture, du gras, une amertume fine qui met en relief les saveurs de fruits blancs et une trame minérale qui contribue à son caractère désaltérant. Bonne longueur pour le prix.

0 814299 000012

12068117 18,10$ ☆☆☆ ½ ② ♥

CHÂTEAU COUPE ROSES

Minervois blanc 2015, Schiste

Ce vin blanc composé à 100 % de roussanne offre toujours un bon rapport qualité-prix. Sec, mais très gras, beaucoup de volume, une certaine pointe austère en finale, du corps et un tempérament aromatique singulier, entre la menthe, le melon et le minéral.

894519 19,75 $ ☆☆☆ ½ ② ♥

3 496650 000069

DOMAINE D'ALZIPRATU

Fiumeseccu blanc 2015, Corse – Calvi

Le cépage vermentino produit son lot de vins corrects, sans distinction réelle. Celui-ci se situe toujours nettement au-dessus de la moyenne. Plein de fruit, gras, avec une minéralité sous-jacente relève l'ensemble.

10884663 21,90 $ ☆☆☆ ½ ②

3 351221 170834

DOMAINE D'AUPILHAC

Les Cocalières blanc 2014, Montpeyroux

Les cépages roussanne, marsanne, rolle et grenache blanc sont mis à égale contribution dans ce blanc vinifié et élevé en foudre et en barrique usagée. Le 2014 est davantage marqué par les parfums beurrés des malolactiques, au détriment du fruit. Tout de même un très bon vin, dans lequel j'aurais souhaité un peu plus de longueur et de complexité.

11926950 30,50 $ ☆☆☆ ②

3 760087 640083

DOMAINE DE FENOUILLET

Faugères blanc 2014, Les Hautes Combes

Une rareté, puisque les cépages blancs couvrent moins de 2 % de la surface plantée dans l'appellation Faugères. La bouche est très franche, agrémentée de saveurs pures et nettement moins marquée par la fermentation en barriques que le 2013 goûté l'an dernier. Bonne tenue, très sec et original. Il a assez de corps pour accompagner une viande blanche.

11956850 19,05 $ ☆☆☆ ② ♥

3 186127 806521

DOMAINE DE MOUSCAILLO

Limoux 2012

Le chardonnay trouve sur les sols calcaires de Limoux une expression très originale. Les parfums de cire d'abeille et d'ananas de ce 2012 pourraient faire craindre un vin lourd et très gras. Or, comme toujours, le vin est ample et manifestement issu de raisins mûrs, mais soutenu par un fil d'acidité qui agit comme une colonne vertébrale et donne au vin beaucoup de tonus et de structure. Maintenant ouvert et prêt à boire.

10897851 22,20 $ ☆☆☆☆ ② ♥

3 451740 500065

BERGERIE DE L'HORTUS

Classique 2015, Coteaux du Languedoc – Pic-Saint-Loup

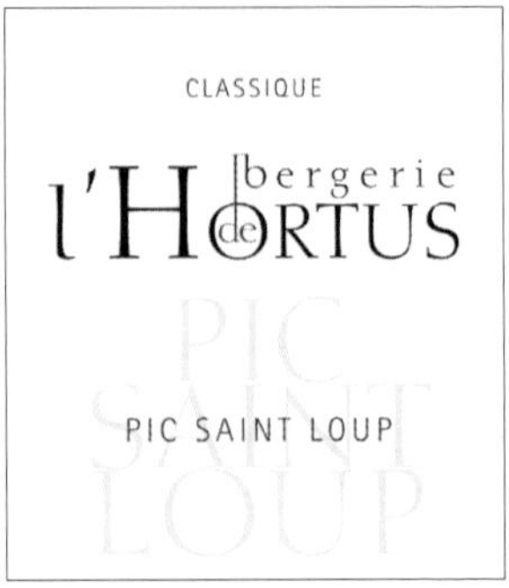

Des dizaines d'années après avoir entamé des démarches auprès de l'INAO, Pic-Saint-Loup a enfin été promue au statut d'appellation en septembre 2016. Ce terroir situé au pied du massif des Cévennes est l'un des plus septentrionaux du Languedoc. La syrah s'accommode bien de son climat plus frais.

Le domaine de Jean Orliac est un nom connu de l'appellation. Moins exubérant que d'autres vins de Pic-Saint-Loup, ce qui n'exclut pas le plaisir, son 2015 déploie au nez comme en bouche une trame de saveurs caractéristiques des vins de la garrigue (thym, romarin, anis, poivre, fruits sauvages), portée par des tanins un peu carrés, qui font bon mariage avec la chair fruitée mûre. Gourmand, mais surtout très digeste. Un excellent vin dans sa catégorie.

3 760016 290013

427518 21,70$ ★★★★ ② ♥

CHÂTEAU L'ARGENTIER

Coteaux du Languedoc – Grés de Montpellier 2012

Ce 2012 mise sur les vertus complémentaires des cépages grenache, syrah et carignan. Un nez expressif de cassis et de cuir annonce un vin maintenant ouvert et prêt à boire. La bouche est tendre, veloutée, un peu capiteuse en finale (14% d'alcool), mais sans lourdeur. À boire d'ici 2019.

3 760201 940105

12797521 21,95$ ★★★ ②

CHÂTEAU ROUQUETTE SUR MER

Cuvée Amarante 2013, Languedoc – La Clape

A l'est de Narbonne, dans le prolongement des Corbières maritimes, le secteur de La Clape a accédé au statut d'appellation à part entière en juin 2015. Cette année encore, difficile de ne pas être charmé par l'ampleur et la texture suave de ce vin de mourvèdre et de syrah. Des parfums de torréfaction trahissent un élevage en fût qui autrement se fond assez bien à l'ensemble. Un classique languedocien qu'on revisite avec grand plaisir, d'année en année.

3 438190 004015

713263 19$ ★★★ ½ ② ♥

DOMAINE CLAVEL

Les Garrigues 2014, Coteaux du Languedoc

Un peu moins concentré en 2014. Le vignoble aurait-il été touché par les pluies diluviennes de septembre? Très séduisant, cela dit, avec ses parfums de thym, de fenouil, de fruits noirs et sa présence en bouche un brin stricte et austère, aux antipodes des vins commerciaux, taillés pour plaire. N'hésitez pas à l'ouvrir une bonne heure avant de passer à table.

3 545590 021167

874941 20,70$ ★★★ ½ ③

DOMAINE CLAVEL

Pic-Saint-Loup 2013, Bonne Pioche

Pierre Clavel signe un excellent vin qui témoigne du grand potentiel du terroir de Pic Saint-Loup. Le nez complexe de ce 2013 annonce un vin sérieux. Les syrah (65%), mourvèdre et grenache sont issus de l'agriculture biologique et le vin se dessine avec beaucoup de volume, une finale chaleureuse et vaporeuse, mais aussi une intensité contenue. À boire entre 2018 et 2022. Son retour en succursales est prévu en début d'année 2017.

3 545590 020252

11925658 23$ ★★★★ ③ ♥

DOMAINE DU CAUSSE D'ARBORAS

Terrasses du Larzac 2013, La Faille, Vignobles Jeanjean

Cet assemblage de syrah, grenache et mourvèdre offre un nez discret, puis une bouche tendre et suave; un élevage partiel en demi-muid pendant dix mois nourrit la charpente et arrondit les angles, en plus de ponctuer le vin de notes torréfiés qui se mêlent bien au fruit. À boire entre 2017 et 2020.

3 186127 858216

12881984 24,95$ ★★★ ②

DOMAINE DE LA GRANGE DES PÈRES

Pays d'Hérault 2012

Dès son premier millésime, en 1992, le domaine fondé par Laurent Vaillé s'est imposé comme un ténor de la région. Un vin culte, à juste titre. Et le 2012 est tout à fait à la hauteur des attentes. Intense, profond et séveux, porté par un grain tannique d'une superbe qualité, velouté et mis en valeur par l'élevage. Proportions harmonieuses et longueur admirable. On a envie d'en boire dès maintenant tant il est bon, mais l'idéal serait de l'attendre au moins jusqu'en 2022.

4 000108 243374

10824337 118$ ★★★★ ½ ③

CHÂTEAU SAINTE-EULALIE

Minervois 2015, Plaisir d'Eulalie

Au sein de l'appellation Minervois, l'aire de La Livinière s'étend sur 6 communes et couvre quelque 200 hectares du flanc sud de la montagne Noire, sur les contreforts du massif Central. Isabelle Coustal, présidente de l'appellation, est aussi à la barre de ce domaine bien connu des amateurs québécois.

Toujours très bon et d'une constance qualitative qui suscite l'admiration, le Plaisir d'Eulalie est particulièrement savoureux en 2015. Quasi sucré tant le fruit est mûr, mais parfaitement sec, il donne l'impression de croquer à pleines dents dans la grappe. Des notes affriolantes de cerise et de poivre, de beaux tanins tendres et une bonne concentration fruitée. En prime, une finale saline et une pointe d'amertume qui ajoutent à sa dimension aromatique et à sa longueur. Pour le prix… wow!

488171 17,80$ ★★★★ ② ♥

3 548601 995013

CHÂTEAU COUPE ROSES

Granaxa 2012, Minervois

Encore une fois un vin débordant de fruit, avec un nez intense de crème de cassis et de menthe. Pas très corsé, mais plein et charnu, il donne l'impression de mordre à belles dents dans le raisin. Une bonne longueur, une fraîcheur digne de mention et un degré d'alcool très modéré pour un vin de grenache. Ne pas oublier de le servir rafraîchi autour de 17 °C.

862326 23,35$ ★★★ ½ ②

3 496650 000083

CHÂTEAU COUPE ROSES

Les Plots 2015, Minervois

Au cœur du Minervois, dans la commune de La Caunette, Françoise Le Calvez gère avec rigueur et indépendance d'esprit ce domaine dont les origines remontent au 17e siècle. Très bon vin dont le fruit noir et les accents de fines herbes s'articulent autour de tanins compacts. Solaire, digeste et très languedocien.

914275 21,45$ ★★★ ½ ②

3 496650 000052

CHÂTEAU DU GRAND CAUMONT
Corbières 2014

Le Languedoc continue d'évoluer à grande vitesse, mais la famille Rigal reste fidèle au style classique qui a contribué au succès populaire de ses vins il y a une dizaine d'années. Le plaisir du vin de soleil dans toute sa jeunesse ; une couleur violacée, un nez poivré regorgeant de fruit, une bouche juteuse et croquante. Simple, mais plein d'élan et de fraîcheur.

3 289720 023514

316620 14,05$ ★★★ ② ♥

CHÂTEAU DU GRAND CAUMONT
Corbières 2015, Impatience

Cette cuvée haut de gamme mise sur la sève de vignes de carignan âgées de plus de 75 ans, complétées de syrah et de grenache noir. Beaucoup de fruit et de mâche, une ampleur moyenne en bouche, mais une bonne tenue et des tanins qui se resserrent en finale, laissant une sensation rassasiante. À boire entre 2016 et 2021.

3 289720 023507

978189 18,75$ ★★★ ②

CHÂTEAU TRILLOL
Corbières 2012, Grenache – Carignan – Syrah

Les Sichel de Bordeaux (Château d'Angludet) sont installés dans le Languedoc depuis 1990 et ont flairé bien avant les autres le potentiel immense de cette vaste région. Bon corbières de facture moderne ; les saveurs et le grain tannique sont mûrs ; la bouche embaume le bleuet et la feuille de tabac. Bonne longueur et finale un peu stricte. On peut le laisser reposer en cave encore quelques années.

3 394150 045651

523274 18,45$ ★★★ ②

DOMAINE DU LOUP BLANC
Minervois 2014, Le Régal

Le vignoble des Montréalais Alain Rochard et Laurent Farre est certifié biologique depuis 2007. Leur Régal est tout à fait charmant avec son attaque en bouche souple, ses goûts de framboise et de fines herbes et ses notes sanguines, qui traduisent la présence de syrah dans l'assemblage. On n'a pas trop cherché à extraire les tanins – tant mieux ! –, ce qui nous le rend agréable à boire dès maintenant. Servir frais autour de 15 °C.

3 760119 322048

10405010 19,85$ ★★★ ½ ② ♥

DOMAINE COTTEBRUNE

Transhumance 2012, Faugères

Troisième grande réussite consécutive pour ce vin de Faugères élaboré par le Rhodanien Pierre Gaillard. D'emblée très complexe au nez, avec des senteurs minérales qui rappellent la poussière de pierre, c'est surtout en bouche que ce 2012 se révèle à sa pleine mesure.

Très franc en attaque, presque vif, le vin se développe en une matière ronde, gourmande et chargée de saveurs fruitées, puis termine son parcours en bouche sur une finale à la fois tendre, compacte et pleine de fraîcheur, avec des parfums de fines herbes et de cerise acidulée. Ce vin séveux et harmonieux est déjà ouvert et restera au sommet de sa forme jusqu'en 2020, au moins.

10507307 22,20$ ★★★★ ② ♥

3 760088 370460

CAVE DE ROQUEBRUN

Saint-Chinian 2013, La Grange des Combes

Pas de goût boisé – qui s'en plaindra? – mais un caractère très languedocien. Des parfums de tomate séchée et d'olive noire le rendent d'emblée très invitant au nez. La bouche suit, charnue, minérale, chargée de saveurs compactes de fruits noirs et d'épices; un peu austère, ce qui n'est pas un défaut et lui donne un caractère plus singulier.

3 379431 111942

11661023 20,05$ ★★★★ ② ♥

CAVE DE ROQUEBRUN

Saint-Chinian 2013, Les Fiefs d'Aupenac

Cet assemblage de syrah (60%), de mourvèdre et de grenache, élevés en fût, donne un vin très coloré, au nez compact et à la trame tannique serrée, mais malgré tout très veloutée. Beaucoup de présence, de volume en bouche et une longue finale où les parfums floraux de la syrah côtoient les notes torréfiées du chêne. Un goût très classique; très séduisant aussi. Bon dès maintenant, mais structuré et bâti pour vivre jusqu'en 2022.

3 379431 111546

10559166 21,90$ ★★★ ½ ② ♥

France

CAVE DE ROQUEBRUN

Saint-Chinian 2015, Terrasses de Mayline

Retour à une forme plus harmonieuse après un bref «écart de conduite» en 2014. On a mis de côté les artifices boisés pour miser à fond sur l'expression fruitée des cépages syrah, grenache, carignan et mourvèdre. Rien de compliqué, mais une attaque en bouche juteuse et une finale assez persistante aux accents de fines herbes qui évoquent la garrigue.
Très honnête pour le prix.

552505 14,90$ ★★★ ② ♥

3 379430 000674

CHÂTEAU DES ESTANILLES

Faugères 2014, L'Impertinent

Surplombant la ville de Béziers, l'appellation Faugères compte quelques-uns des plus beaux terroirs du Languedoc. Peut-être en raison des conditions défavorables de la fin de l'été 2014, ce vin issu de grenache, de syrah, de mourvèdre et de carignan me semble un peu moins étoffé cette année. Cela dit, tout à fait agréable à boire, il compense par sa fraîcheur et la netteté de son fruit. À boire d'ici 2019.

10272755 17,70$ ★★★ ②

0 829190 101089

DOMAINE DE FENOUILLET

Faugères 2014, Combe rouge

L'amateur de vins de soleil aimera ce très bon vin de Faugères dès le premier nez, épicé et ponctué de notes ferreuses, sanguines, qui traduisent la présence de syrah complétée de grenache et de carignan. Pas explosif, mais droit, charnu et savoureux; des saveurs caractéristiques et généreuses évoquent les fruits sauvages et le chocolat noir. À boire sans se presser d'ici 2020.

881151 18,75$ ★★★ ②

3 186127 760304

DOMAINE LA MADURA

Saint-Chinian 2013, Classic

Alors que certains domaines de la région rivalisent de concentration et de puissance, Nadia et Cyril Bourgne misent résolument sur l'équilibre et l'élégance. Sans surprise, leur 2013 se distingue du lot par sa trame tannique fine et veloutée, les saveurs sont nettes, précises, tout en nuances et mises en relief par une agréable amertume en finale. Dans sa catégorie, il mérite toujours quatre étoiles.

10682615 20,75$ ★★★★ ② ♥

3 760054 340312

HECHT & BANNIER

Saint-Chinian 2012

Très bel équilibre dans ce Saint-Chinian, ainsi qu'une certaine profondeur aromatique, avec des notes de tomate fraîche, mais aussi d'anis et de confiture de bleuets. Le tissu tannique est ample et velouté. Une gorgée de soleil!

10507323 24,80$ ★★★ ½ ②

3 760108 241046

DOMAINE GAUBY

Calcinaires 2015, Côtes Catalanes

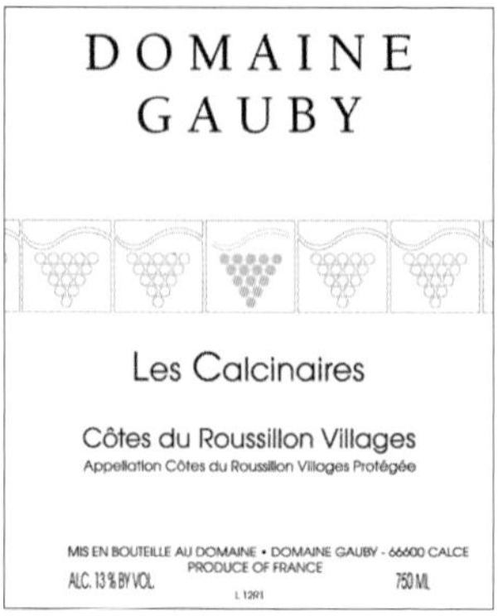

Pour être reconnue et pour rayonner à l'étranger, toute appellation a besoin d'un défricheur. D'un homme ou d'une femme qui porte ses vins plus haut, qui les magnifie. Depuis le début des années 1980, le Roussillon a trouvé le sien en la personne de Gérard Gauby. Biodynamiste, terroiriste, mais surtout grand perfectionniste qui a inspiré nombre de vignerons, bien au-delà de ses côtes catalanes.

Souvent marqués par un caractère réducteur en jeunesse, ses vins rouges (même les blancs) ont une espérance de vin impressionnante. Le Calcinaires 2015 est hyper typé Roussillon, même s'il comporte une forte proportion de syrah (50 %), un phénomène plutôt récent dans la région. Le grain tannique est compact, un peu austère, mais le vin conserve un caractère éminemment digeste. Longue finale épicée, florale, aux notes de cuir.

12689520 27,90 $ ★★★★ ② ♥ 3 700980 200021

DOMAINE CAZES

Marie-Gabrielle 2015, Côtes du Roussillon

Un bond de quatre millésimes pour ce vin de syrah, de grenache et de mourvèdre, cultivés selon les principes de la biodynamie. Déjà ouvert et prêt à boire, le 2015 est croquant, bourré de goûts de fruits noirs, de menthe séchée, de thym; l'extraction tannique semble avoir été conduite avec délicatesse et le vin a toute la poigne nécessaire, mais aucune dureté. Finale chaleureuse aux accents de kirsch et de fleurs séchées; bonne longueur pour le prix.

851600 19,90 $ ★★★ ½ ② ♥ 3 248840 303098

DOMAINE DU CLOS DES FÉES

Côtes du Roussillon 2015, Les Sorcières du Clos des Fées

De vieilles vignes de grenache et de carignan (âgées de 40 à 80 ans) et de jeunes vignes de syrah donnent cette année encore un très bon vin rouge charnu et gourmand. Un élevage en cuve d'acier inoxydable et une vinification avec un apport réduit en soufre permettent d'obtenir un vin d'une richesse fruitée très roussillonnaise, à la fois plein, rassasiant et rafraîchissant par son caractère tonique en finale.

11016016 19,10 $ ★★★ ② ♥ 3 569840 208016

FERRER-RIBIÈRE

Carignan 2013, Vignes de plus de 100 ans, Côtes Catalanes

Ce 2013 m'a semblé plus ouvert et encore plus vibrant que l'an dernier. Le vin séduit par son empreinte toute méditerranéenne, sa mâche et son registre aromatique complexe, qui marie le cassis à la pivoine et à la garrigue. À moins de 20$, il mérite largement quatre étoiles.

12212182 19,85$ ★★★★ ② ♥

3 481260 000172

FERRER-RIBIÈRE

Tradition 2014, Côtes Catalanes

Archétype du vin rouge du Roussillon. Compact, intense, gorgé de fruits noirs et de saveurs de thym et d'anis, sur un fond minéral, le vin a aussi un profil austère, qui lui donne du caractère et le rend si charmant. Belle bouteille à moins de 20$.

11096271 19,50$ ★★★ ½ ② ♥

3 481260 001070

MAS LAS CABES

Côtes du Roussillon 2014

Le domaine de Jean Gardiés est la source d'un bon 2014, principalement composé de syrah, fait plutôt rare dans le Roussillon. Riche et consistant, marqué par les notes fumées et le grain tannique compact caractéristiques du cépage. Un peu atypique, mais équilibré et assez charmeur avec sa finale chaleureuse aux accents rôtis. À boire d'ici 2020.

11096159 18,35$ ★★★ ½ ② ♥

3 760039 380463

PITHON, OLIVIER

Cuvée Laïs 2014, Côtes du Roussillon

Cette cuvée lauréate d'une Grappe d'or l'an dernier me semble encore meilleure dans sa version 2014. Le tissu tannique est dense et juste assez granuleux pour lui conférer un potentiel de «buvabilité» immense. Un vin long et complexe, aussi proche de la terre que du fruit. Les couches de saveurs fruitées, herbacées, animales et fumées se succèdent et persistent en bouche pour notre plus grand plaisir. Délicieux!

11925720 26,20$ ★★★★ ½ ② ♥

3 760103 820345

PITHON, OLIVIER

Mon Petit Pithon 2015, Côtes Catalanes

Le nez présente les odeurs de réduction fréquentes dans les vins nature, mais sous cette odeur quelque peu dérangeante se cache un vin absolument délicieux qui pourrait bénéficier d'une petite aération en carafe. Bourré de fruit et juteux, il a aussi beaucoup de tonus et une personnalité d'enfer. Un pur plaisir à boire!

12574811 20,40$ ★★★★ ② ♥ ♙

3 760103 820352

DOMAINE D'AUPILHAC

Lou Maset 2014, Languedoc

Autrefois snobé, considéré comme l'usine à vin médiocre du pays, le Languedoc-Roussillon est maintenant bien orienté vers la qualité. Pour preuve : ce vin biologique produit par Sylvain Fadat dans l'appellation Montpeyroux, le cru le plus élevé des coteaux du Languedoc.

Quel bel exemple de vin de soif, aussi séduisant au nez qu'en bouche, cet assemblage de cinseault, de grenache, de carignan et de mourvèche est joufflu et débordant de fruit. Sa vigueur, son caractère aérien et ses parfums floraux rappellent un peu le cépage ruchè du Piémont, avec un enrobage bien méditerranéen et gorgé de soleil.

11096116 17$ ★★★★ ② ♥ 3 760087 640021

BOUSQUET, JEAN-NOËL

Corbières 2015, La Garnotte

La région ensoleillée des Corbières permet de produire, à prix doux, un très bon vin au tempérament bien méditerranéen : chaleureux, nourri de saveurs confites, mais aussi doté d'une agréable fraîcheur, notamment grâce à ses notes de menthe séchée et son amertume fine.

3 564732 007029

11374411 12$ ★★★ ② ♥

CHAPOUTIER, M.

Marius 2015, Pays d'Oc

En appellation Pays d'Oc, Michel Chapoutier produit aussi ce vin pansu, inscrit au répertoire général de la SAQ. Le 2015 est fidèle à ses origines, tant par ses parfums de garrigue que par sa chair fruitée gorgée de soleil.

11975196 14,95$ ★★★ ② ♥ 3 391181 600057

France

CHÂTEAU DE PENNAUTIER

Cabardès 2014

Assemblage typique de l'appellation Cabardès, ce vin marie les cépages bordelais (cabernet et merlot) aux cépages méditerranéens (grenache et syrah). Du corps, du fruit, mais aucune lourdeur. Un bon vin pour accompagner la cuisine simple des soirs de semaine.

3 454781 060000

560755 16,55$ ★★★ ②

DUPÉRÉ BARRERA

Terres de Méditerranée 2015, Vin de Pays d'Oc

Toujours au sommet de la catégorie des cuvées de pays d'Oc, ce vin non filtré, non collé et non boisé se livre avec tout autant de générosité en 2015. La matière est riche, savoureuse, portée par des tanins serrés et charnus. Un achat du tonnerre à ce prix.

3 760144 930089

10507104 16,05$ ★★★ ½ ② ♥

MOULIN DE GASSAC

Élise 2014, Hérault

De concert avec la coopérative locale de Villeveyrac, la famille Guibert, propriétaire du Mas de Daumas Gassac a mis au point une gamme de vins vendus à des prix abordables. Cette cuvée de merlot et de syrah rencontre toutes les attentes, une fois de plus. Rien de compliqué, mais tout le fruit voulu, sans aucune mollesse, avec une vigueur tannique qui ajoute à son caractère digeste et rassasiant.

3 257698 303105

602839 15$ ★★★ ② ♥

ORMARINE

Picpoul De Pinet 2015, Les Pins de Camille

Toujours un très bon vin guilleret, modérément aromatique, mais très fringant en raison d'un reste de gaz carbonique. Franc de goût et sans prétention; une occasion peu coûteuse de goûter au caractère friand et presque tropical de ce cépage du Sud.

266064 14,50$ ☆☆☆ ② ♥

3 186127 768690

PONT NEUF

Pays du Gard 2015

Un assemblage de merlot, marselan, cabernet sauvignon et syrah qui s'avère rassasiant, croquant, plein de fruit, avec des accents de romarin, d'anis; tendre, suave, mais parfaitement sec. Très bel exemple d'un bon vin du Sud, gorgé de soleil et fidèle à ses origines.

896233 17$ ★★★ ②

3 352264 371141

DOMAINE LES BÉATINES

Coteaux d'Aix-en-Provence 2014, Les Béatines

Le vignoble de Pierre-François Terrat est certifié biologique, mais il y applique aussi les principes de la biodynamie pour renforcer la fertilité et la santé des sols. Pour lui, impossible de prétendre faire de vrais vins de terroirs sans cela.

Vendue pour la première fois à la SAQ, sa cuvée Les Béatines reflète à merveille la philosophie du vigneron en ce qu'elle traduit explicitement le goût de son lieu d'origine, sans maquillage inutile. Un vin riche et gorgé de soleil dont il émane pourtant une sensation de fraîcheur et de vitalité; plein, dense, suave et savoureux. À boire avec des plats braisés comme un jarret d'agneau aux olives et au romarin, et à servir frais autour de 15 °C.

En primeur

13027886 20,85$ ★★★★ ② ♥

CHÂTEAU LA LIEUE

Côteaux Varois en Provence 2014

Sans être aussi complet et attrayant que l'excellent rosé de ce domaine de Brignoles, ce vin rouge composé essentiellement de grenache et de mourvèdre issus de l'agriculture biologique s'avère assez charnu et satisfaisant pour le prix. Saveurs fruitées un peu discrètes en 2014, mais bon équilibre d'ensemble.

605287 14,95$ ★★★ ②

3 760015 200013

CHÂTEAU REVELETTE

Coteaux d'Aix-en-Provence 2014

Les vins de Peter Fischer sont issus de l'agriculture biologique et vinifiés sans intrant, sinon une petite dose de soufre à la mise en bouteille. Encore tout jeune, son 2014 présente un léger nez de réduction, qui s'estompe vite à l'aération. Beaucoup de mâche et un très joli spectre de saveurs qui oscille entre les petits fruits noirs et le fenouil, le poivre et la violette. Toute la structure voulue, mais aucune lourdeur, entre autres grâce à un léger reste de gaz qui donne beaucoup de tonus à l'ensemble. Difficile de résister à tant d'authenticité.

10259737 21,35$ ★★★★ ② ♥

3 760087 281224

CHÂTEAU REVELETTE

Le Grand Rouge 2014, Vin de Pays des Bouches-du-Rhône

Installé depuis longtemps en Provence, l'Allemand Peter Fischer a hissé son Château Revelette parmi les ténors de la région et sa cuvée Le Grand Rouge fait incontestablement partie de l'élite des vins de Provence. Fruit d'un assemblage de syrah, cabernet sauvignon, grenache et carignan, le 2014 est tout aussi séduisant au nez qu'en bouche. Des parfums intenses et compacts dont il émane une impression de puissance contenue, une texture velouté qui caresse le palais et des saveurs profondes et persistantes. Bon maintenant et pour plusieurs années.

3 760087 280623

10259745 37,75$ ★★★★ ②

DOMAINE D'ALZIPRATU

Fiumeseccu 2015, Corse – Calvi

Dans le nord-ouest de l'île, à huit kilomètres au nord de Calvi, Pierre et Cécilia Acquaviva élaborent ce très bon vin rouge de nielluccio (sangiovese) et de sciacarello. N'y cherchez pas une version corse du vin de Chianti. Appréciez plutôt son caractère hyper méditerranéen, nerveux, épicé et gorgé de fruits; chaleureux et pourtant léger et vibrant de fraîcheur. Le vin d'hiver parfait pour l'amateur de vins de soif. Arrivée prévue en janvier 2017.

3 351221 170810

11095658 21,95$ ★★★★ ② ♥

DOMAINE HOUCHART

Côtes de Provence 2014

En 2014, la famille Quiot du domaine du Vieux Lazaret, à Châteauneuf-du-Pape, signe un très bon rouge fidèle à ses origines provençales, gorgé de soleil, joufflu, plein de fruit, au point de paraître presque sucré. Amateurs de vin du Sud, vous serez servi, à petit prix.

3 345120 000064

10884612 14,80$ ★★★ ② ♥

Volubile...

Pour varier un peu le vocabulaire et pour éviter de vous endormir après avoir lu quelques notes de dégustation, il m'arrive parfois d'utiliser un vocabulaire plus imagé. Par exemple, un vin volubile ne risque pas d'interrompre vos conversations à table, mais risque d'être un peu plus expressif en bouche qu'un vin muet, terne, triste.

SUD-OUEST

PAYS BASQUE

Le cabernet franc est originaire du Pays basque espagnol. On raconte qu'il aurait migré de l'autre côté des Pyrénées grâce à l'initiative de quelques pèlerins, sur le chemin du retour de Saint-Jacques-de-Compostelle. Moins tannique et coloré que d'autres cépages du Sud-Ouest, il s'adapte bien aux terroirs frais, comme celui de Chinon dans la Loire. Il est également le père du cabernet sauvignon et du merlot.

JURANÇON

Les nombreux vins liquoreux du Sud-Ouest – jurançon, pacherenc du vic-bilh, gaillac, monbazillac – sont autant de solutions de rechange abordables au sauternes.

Les vins du Sud-Ouest n'ont jamais été aussi connus et reconnus qu'aujourd'hui. Ceux de Jurançon, Gaillac, Fronton, Irouléguy et Marcillac piquent la curiosité et font la joie des amateurs à la recherche de goûts différents. Et ceux de Cahors et de Madiran sont maintenant (presque) complètement réhabilités, après un long passage du côté obscur de la force.

On trouve bien quelques ceps de merlot, de cabernet et de sauvignon blanc dans certaines zones, mais le Sud-Ouest est avant tout un jardin ampélographique dédié à des variétés anciennes, le plus souvent uniques à cette vaste région.

Plantés sur les terroirs appropriés, les cépages négrette, mauzac, duras, manseng, courbu, auxerrois, fer servadou, tannat, malbec et autre abouriou sont les cartes maîtresses qui préservent l'originalité des vins du Sud-Ouest. Ça et le travail des vignerons, évidemment.

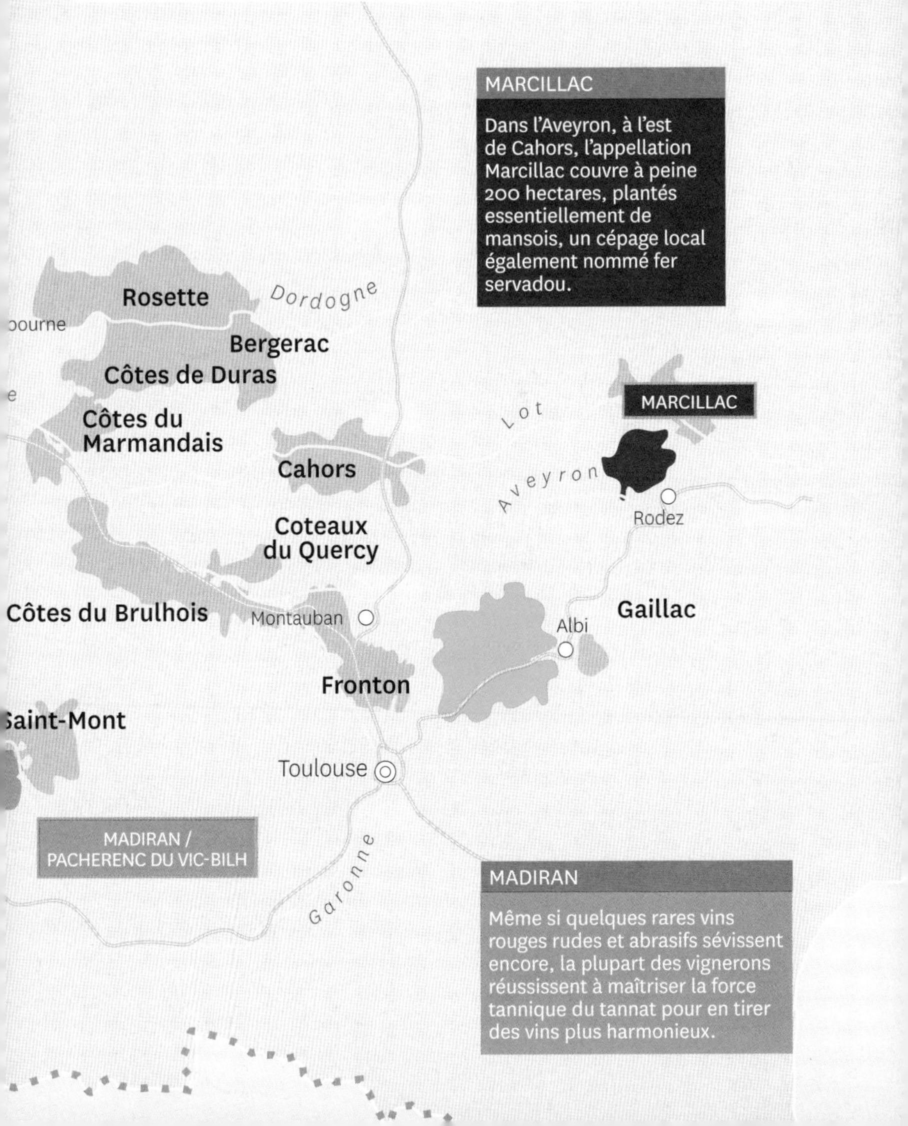

MARCILLAC

Dans l'Aveyron, à l'est de Cahors, l'appellation Marcillac couvre à peine 200 hectares, plantés essentiellement de mansois, un cépage local également nommé fer servadou.

MADIRAN

Même si quelques rares vins rouges rudes et abrasifs sévissent encore, la plupart des vignerons réussissent à maîtriser la force tannique du tannat pour en tirer des vins plus harmonieux.

CAHORS ET MADIRAN

LES DERNIERS MILLÉSIMES

2015
À part quelques vignerons malchanceux, touchés par la grêle et les orages, un excellent millésime en perspective, qui devrait rivaliser avec 2014 pour les vins de Cahors et de Madiran.

2014
Contre toute attente, un excellent millésime qui a donné des vins de facture classique à Cahors et Madiran. Une belle fin de saison aura permis de récupérer le retard occasionné par un été en dents de scie. Qualité exceptionnelle pour les liquoreux.

2013
Autre année de disette, avec un été parsemé de grêle, de problèmes de pourriture. Seul note positive : des vendanges sous le soleil.

2012
Du gel, de la grêle et un temps généralement froid et pluvieux. 2012 aura été l'année de toutes les intempéries dans le Sud-Ouest. La récolte fut petite, mais de qualité satisfaisante, grâce, entre autres, à de bonnes conditions météorologiques à compter du 15 septembre.

2011
Grande réussite pour les vins blancs ! Le meilleur millésime depuis 2005. Des vins rouges concentrés à Madiran et à Cahors, certains affichant un degré alcoolique relativement élevé.

2010
Des conditions misérables au printemps ont entraîné de fréquents problèmes de coulure. Résultat : une récolte réduite de vins parfois sauvés par une fin de saison favorable.

2009
L'un des bons millésimes des dernières années. Dans les deux appellations, les vins s'annoncent solides et structurés.

2008
Récolte déficitaire en bien des endroits. Après un été frais, une belle fin de saison laisse présager plusieurs bons vins.

2007
Millésime ingrat ; ses vins ne passeront pas à l'histoire. Quelques producteurs ont su tirer profit du beau temps de l'arrière-saison. Qualité irrégulière.

2006
Millésime irrégulier avec des pluies pendant les vendanges. Le moment choisi pour récolter était un facteur crucial.

CHÂTEAU TOUR DES GENDRES

La Gloire de mon Père 2014, Côtes de Bergerac

Encore méconnue, l'appellation Bergerac est la source de très bons vins rouges issus des mêmes cépages que son voisin bordelais, mais souvent vendus pour une fraction du prix. Cette cuvée élaborée par Luc de Conti en est un bel exemple.

Même s'il est un cran plus vif et tendu que les derniers millésimes, le 2014 n'en est pas moins séduisant et s'articule autour de tanins droits et charnus, sans dureté ni rusticité. Toute la mâche voulue, un bon usage du bois et un bel équilibre d'ensemble. Encore très jeune et marqué par un élevage d'un an en fût, le vin a toutes les qualités pour vieillir en beauté. N'hésitez pas à le remiser en cave pendant quelques années.

10268887 24,50$ ★★★ ½ ③

3 760090 285219

CHÂTEAU TROLLIET-LAFITE

Côtes de Bergerac 2011

Ce vin de Bergerac, issu à majorité de merlot et complété des deux cabernets et de malbec m'avait beaucoup plu dans sa version 2010. Malheureusement, je ne peux pas en dire autant de ce 2011, marqué de notes végétales qui lui donnent une allure un peu trop rustique à mon goût. Le nez témoigne d'un manque de maturité, avec des parfums de poivron, et la bouche, quoique plutôt souple, repose sur des tanins secs qui laissent en bouche un fini anguleux. Creux de vague? Peut-être, mais j'en doute.

12233805 21,60$ ★★ ½ →? ③

3 760214 990036

CLOS DU MOULIN

Bergerac 2012

Sauf erreur, c'est la première fois qu'un vin de ce domaine familial de Bergerac est distribué à la SAQ. Issu d'une parcelle en conversion à l'agriculture biologique, le 2012 mise avant tout sur la rondeur du merlot, dont il est composé à 65%. Un vin d'ampleur moyenne, fruité, relevé de parfums de cannelle et d'un bon équilibre d'ensemble. Tout à fait recommandable à ce prix.

12859728 15,95$ ★★★ ② ♥

3 593021 391013

HOURS, CHARLES

Jurançon sec 2013, Cuvée Marie

Ce vin commenté l'an dernier me semble encore meilleur. Le fruité primaire fait place à de légers accents de cire d'abeille et de noisette, qui témoignent d'un début d'évolution. Mais n'allez pas croire qu'il est déjà sur le déclin. Bien au contraire!

Lorsque j'ai commencé à m'intéresser au vin, il y a une petite quinzaine d'années, la cuvée Marie est parmi les premiers vins blancs que j'ai mis en cave. J'ai donc eu la chance de goûter quelques «vieux» millésimes au cours des dernières années. Et je n'ai jamais été déçue. Encore très jeune, ce 2013 ultra sec, vif et d'une droiture exemplaire s'avère déjà très agréable par son caractère désaltérant, mais sa densité, son style nourri et son équilibre sont autant de gages de longévité. Retour en succursales est prévu vers la mi-décembre.

896704 23,50$ ☆☆☆☆ ③ ♥

3 760091 250018

BRUMONT, ALAIN

Pacherenc du Vic-Bilh sec 2011, Château Montus

Très bon vin blanc, doté d'une envergure digne de mention; du gras, un usage perceptible de la barrique – tant par ses parfums que par sa structure – mais aussi doté d'une saine acidité qui harmonise le tout. Finale rassasiante aux accents de fruits jaunes, d'érable et de fumée.

11017625 24,85$ ☆☆☆ ②

3 372220 110041

BRUMONT, ALAIN

Pacherenc du Vic-Bilh sec 2011, Jardins de Bouscassé

Alors que plusieurs producteurs de la région misent sur le gros manseng, Alain Brumont a choisi de mettre à profit l'acidité, et la vinosité naturelle du cépage petit courbu. Maintenant âgé de 5 ans, ce vin offre un rapport qualité-prix remarquable. Un vin blanc à point, ouvert, gras et doté d'une profondeur aromatique notable. La pêche côtoie la confiture d'abricot, les épices et le miel; la texture est ample, onctueuse, mais dépourvue de sucrosité et soulignée de notes salines qui apportent une fraîcheur irrésistible en finale. Wow!

11179392 17,80$ ☆☆☆☆ ② ♥

3 372220 100226

BRUMONT, ALAIN

Pacherenc du Vic-Bilh sec 2011, Torus

L'acidité et le tempérament nerveux du gros manseng apportent au petit courbu une bonne dose de mordant. Tout le gras et la texture voulus, sans goûts boisés ni lourdeur. Et en prime, le goût singulier des cépages blancs du Sud-Ouest de la France. Pour l'amateur de chardonnay ample et joufflu, une belle occasion de découvrir de nouveaux horizons, à peu de frais.

3 372220 000380

11098314 17,60$ ☆☆☆ ½ ② ♥

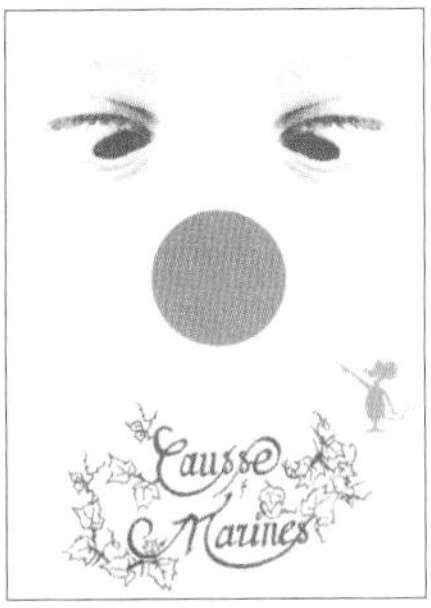

CAUSSE MARINES

Gaillac 2015, Les Greilles

Une fois de plus en 2015, Virginie Magnien et Patrice Lescarret signent une cuvée composée de mauzac, de loin-de-l'œil et de muscadelle. Peu d'acidité en apparence, mais un vin pourtant empreint de fraîcheur. L'attaque en bouche est mûre et tapisse la bouche d'une texture grasse qui pourrait presque laisser une sensation de lourdeur en finale, si ce n'était cette trame minérale et saline qui donne du nerf à l'ensemble. Beaucoup de caractère et de style dans cet excellent vin blanc, qui sera de retour en succursales en janvier 2017.

3 760086 250016

860387 23,85$ ☆☆☆☆ ② ♥

CHÂTEAU LAFFITTE-TESTON

Pacherenc du Vic-Bilh 2014, Ericka

Un pas de plus sur la bonne voie pour ce domaine de Maumusson. L'élevage sous bois est de mieux en mieux maîtrisé, laissant la vivacité et l'originalité des cépages petit manseng, gros manseng et petit courbu s'exprimer librement. Bon équilibre et finale persistante aux accents de pomme blette, de fumée et de miel. Un bon achat!

3 515780 007158

11154582 22,55$ ☆☆☆ ½ ②

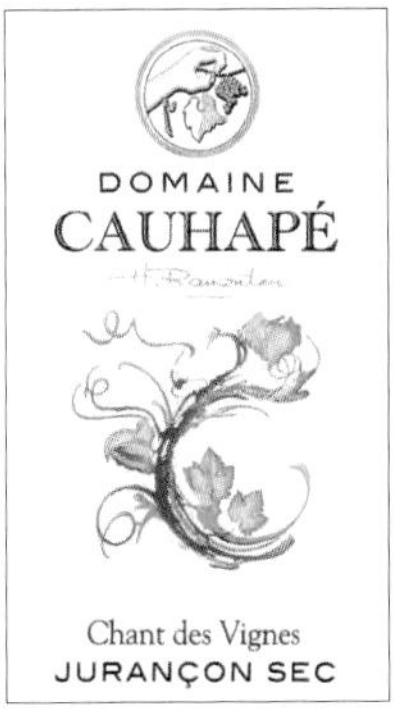

DOMAINE CAUHAPÉ

Jurançon sec 2015, Chant des Vignes

Pas de bois pour la cuvée d'entrée de gamme de la famille Ramonteu. On mise plutôt sur la pureté aromatique et sur la vitalité du gros manseng. Le 2015 me semble plus ample et plein que d'habitude: 14% d'alcool, une bonne dose de gras et une impression d'ensemble tout à fait rassasiante pour le prix. Pas très long, mais original et très bien fait.

11481006 17,70$ ☆☆☆ ② ♥

3 473930 100152

VIGNERONS DE BRULHOIS (LES)

Carrelot des Amants 2015, Côtes de Gascogne

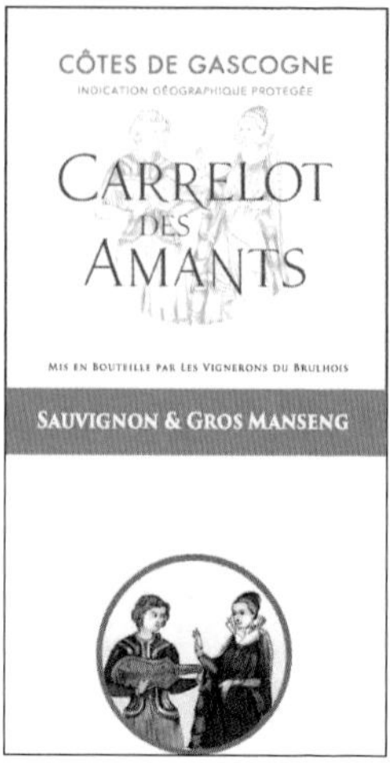

Surtout connu pour ses vins rouges, le Sud-Ouest produit de plus en plus de bons vins blancs secs comme celui-ci, élaboré par Les Vignerons de Brulhois, une cave coopérative qui regroupe une quarantaine de vignerons au nord-ouest de Toulouse.

Composé de sauvignon et gros manseng, une «recette» de plus en plus populaire dans les côtes de Gascogne, ce vin blanc sec est plus que jamais vendu à prix d'aubaine, puisqu'il coûte 3$ de moins que l'an dernier. Aucun sucre résiduel ni de goût de jus de pamplemousse, mais des saveurs franches de pomme verte et de citron et une bonne tenue en bouche pour le prix. Le vin idéal pour les soirs de semaine ou pour les grandes réunions familiales.

3 586610 002032

11675871 11,45$ ☆☆☆ ① ♥

BRUMONT, ALAIN

Gros Manseng – Sauvignon 2015, Côtes de Gascogne

Toujours aussi vif et tranchant, ce vin conjugue la tenue et la vigueur du cépage gros manseng aux saveurs affriolantes du sauvignon blanc. À moins de 15$, il demeure une valeur sûre pour l'amateur de vin blanc acidulé et parfumé.

548883 14,05$ ☆☆☆ ① ♥

3 372220 000243

DOMAINE DE L'HERRÉ

Sauvignon blanc 2015, Côtes de Gascogne

En plus d'un très bon vin rouge du Douro commenté dans la section Portugal, le Québécois André Tremblay et ses deux associés français élaborent un très bon vin blanc sec au pied des Pyrénées. Fort bien tourné en 2015 et de bonne tenue, le vin mise à fond sur le naturel aromatique du cépage sauvignon blanc, sans verser dans l'excès. Un léger reste de gaz ajoute à sa vitalité. À ce prix, une proposition on ne peut plus honnête.

12015525 15,60$ ☆☆☆ ② ♥

0 817339 012006

DOMAINE DU TARIQUET

Côté 2014, Côtes de Gascogne

Je n'avais pas goûté cet assemblage de chardonnay et de sauvignon blanc depuis quelques années et j'avoue être agréablement surprise. Moins sucré - en apparence du moins - plus vif, plus frais et plus harmonieux, à mon sens. Évidemment, ça reste flatteur et grand public, mais bien fait et recommandable.

561316 18,95$ ☆☆☆ ②

3 359880 700058

DOMAINE DU TARIQUET

Réserve 2014, Côtes de Gascogne

Tant par sa couleur dorée que par ses parfums de fruits surmûris, cet assemblage de gros manseng, de chardonnay, de sauvignon blanc et de sémillon donne l'impression d'un liquoreux. Le vin est pourtant parfaitement sec (3,8 g/l); gras, ample et généreux, mais aussi tendu et presque nerveux en bouche tant l'acidité est bien jouée. Belle bouteille à servir à la fin du repas avec des fromages.

3 359880 200015

11556320 18$ ☆☆☆ ½ ② ♥

LURTON, FRANÇOIS

Sauvignon blanc 2015, Fumées Blanches, VDP Côtes de Gascogne

Plus discret en 2015, il me semble. Bon vin blanc vif, aromatique comme il se doit, sans excès, avec des parfums d'écorce d'agrumes. Un léger reste de sucre arrondit les angles, mais n'apporte aucune lourdeur à l'ensemble. Bon vin courant à prix honnête.

643700 15,30$ ☆☆ ½ ①

0 635335 961957

CAUSSE MARINES

Gaillac 2015, Peyrouzelles

Dans la commune de Vieux, Virginie Magnien et Patrice Lescarret pratiquent une viticulture biologique ; leurs vins ne sont ni filtrés, ni chaptalisés, ni acidifiés. Dans ses temps libres, Lescarret critique aussi ouvertement les politiques de l'INAO, qui limite l'usage de certaines variétés autochtones au vignoble gaillacois et favorise l'introduction de cépages « étrangers ».

Celui-ci s'articule essentiellement autour du braucol, de la syrah et du duras, mais « il se murmure que quelques pieds d'alicante, prunelart et jurançon s'y retrouvent malencontreusement… » peut-on lire sur le site du domaine. De mémoire, le 2015 est le plus juteux et le plus « glou-glou », pour reprendre l'expression populaire, des derniers millésimes de Peyrouzelles. Pas le plus concentré des vins de la région, mais quelle élégance dans le grain! Un fruité cristallin et des notes salines et florales qui persistent en finale. L'expression la plus pure du terroir de Gaillac que j'ai goûtée depuis un moment. Wow!

3 760086 250030

709931 21,65$ ★★★★ ② ♥

BRUMONT, ALAIN

Merlot – Tannat 2015, La Gascogne de Brumont

En plus de produire d'excellents vins de garde dans ses propriétés de Madiran, Alain Brumont est passé maître dans l'art de réussir de bons vins courants à des prix abordables. Tout nouveau à la SAQ, cet assemblage de merlot et de tannat est l'exemple même du bon vin rouge des soirs de semaine. Toute la rondeur du merlot, mais aussi le support tannique du cépage tannat qui lui donne par ailleurs une couleur bien locale. À moins de 15$, un très bon achat.

13086991 14,95$ ★★★ ② ♥

3 372220 000236

CHÂTEAU LECUSSE

Cuvée spéciale 2014, Gaillac

Ce domaine de Gaillac appartient à la famille danoise Olesen (aussi propriétaire de Poulsen Roses) depuis 1994. Une interprétation particulièrement mûre et consistante du fer servadou. Le grain tannique est tendre, mais compact et le vin offre une bonne dose de fruit. Bon équilibre. Tout à fait recommandable.

3 760025 958256

11253599 15,85$ ★★★ ②

DOMAINE DU CROS

Marcillac 2014, Lo Sang del Païs

Philippe Teulier, propriétaire du Domaine du Cros, est un acteur majeur de Marcillac. Chaque année, sa cuvée Lo Sang del Païs s'inscrit parmi mes vins rouges favoris à moins de 20$, toutes régions du monde confondues. Au nez, des senteurs de poivre et de poivron rouge lui donnent des airs de chinon. En bouche, des notes ferreuses, presque sanguines, se mêlent au fruit et reposent sur un grain tannique juste assez rugueux qui gratte la langue et accentue son caractère rassasiant. Pas très puissant ni concentré, mais vigoureux et d'une longueur digne de mention pour le prix. Servi frais, avec une ratatouille... Hmmm!

743377 17,10$ ★★★★ ② ♥

3 760086 290012

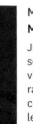

MATHA, JEAN-LUC

Marcillac 2012, Cuvée Lairis

Juchées dans les montagnes de l'Aveyron, une soixantaine de kilomètres à l'est de Cahors, les vignes de Jean-Luc Matha sont plantées en terrasse et s'enracinent dans des sols riches en calcaire et en oxyde de fer qui leur donnent une couleur rouge ocre. Le 2012 a la couleur violet intense du cépage mansois et ses arômes particuliers, entre le poivron rouge grillé, les fruits noirs et les notes ferreuses. Droit, vif, avec des tanins fins, mais juste assez granuleux. Pas des plus profonds, mais il a du caractère à revendre.

10217406 19,50$ ★★★ ②

3 760087 460018

VIGNERONS DE BRULHOIS (LES)

Le Vin Noir 2011, Brulhois

Bien que son nom puisse faire craindre le contraire, Le Vin Noir n'a rien des molosses qui sévissaient autrefois dans le Sud-Ouest. Nettement plus digeste et accessible que par le passé; 13% d'alcool, des tanins compacts, assez rugueux pour garantir une certaine vigueur en bouche et mettre en relief les goûts de bleuet. Charnu et rassasiant.

11154822 19,15$ ★★★ ②

3 586610 001721

COSSE ET MAISONNEUVE

Cahors 2014, Les Laquets

Depuis qu'ils ont créé leur domaine en 1999, Catherine Maisonneuve et Mathieu Cosse ont toujours privilégié l'élégance et la « verticalité », à la concentration et la surmaturité. Issus de la biodynamie, les vins qu'ils produisent sont autant d'expressions pures et racées des plus beaux terroirs de l'appellation.

Ce vin produit sur les éboulis calcaires de Lacapelle-Cabanac est toujours exemplaire, mais en 2014, il transcende son appellation. Jamais je n'aurais cru utiliser ce terme pour un cahors, mais il y a dans ce vin quelque chose... d'aérien. Séveux, relevé de saveurs profondes, soutenu par des tanins de qualité, tricotés très serrés, et porté par un équilibre exemplaire. Grande élégance, grand potentiel. À boire idéalement entre 2020 et 2026, au moins.

3 760074 070039

10328587 42$ ★★★→★ ③

CHÂTEAU DE HAUTE-SERRE

Cahors 2011

Cahors d'envergure moyenne et de facture moderne. Du fruit et beaucoup de volume en bouche, ne serait-ce que par sa force alcoolique de 15%, et un bon adéquat du bois de chêne. À boire entre 2018 et 2022.

3 275843 090021

947184 26$ ★★★ ②

CHÂTEAU DU CÈDRE

Cahors 2012

Le porte-étendard du domaine est toujours aussi complet et 2012 s'inscrit dans la continuité des millésimes précédents. Peut-être un peu plus strict et concentré que le 2011, mais hautement digeste avec sa trame de fond saline, et relevé de saveurs profondes de fruits noirs et de violette. Laissez-le dormir en cave jusqu'en 2021, idéalement. D'ici là, la carafe s'impose.

3 516483 796257

972463 27,10$ ★★★→★ ③ ♥ ♨

France

CHÂTEAU LAMARTINE

Cahors 2012, Cuvée Particulière

Depuis quelques années déjà, les vins de cette propriété réputée de Cahors adoptent une allure très moderne qui me laisse perplexe. En 2012, j'ai même l'impression qu'on a tenté d'imiter le malbec de Mendoza tant le fruit est surmûri, les tanins gommeux et l'acidité virtuellement absente. À une époque où la plupart des domaines sérieux de l'appellation s'évertuent à traduire la richesse de leurs terroirs, ce virage international me paraît d'autant plus étrange.

862904 23,80$ ★★ ½ ②

3 372961 900901

COSSE ET MAISONNEUVE

Cahors 2012, La Fage

Catherine Maisonneuve et Mathieu Cosse sont passés maîtres dans l'art d'élaborer des cahors si soyeux, veloutés et élégants qu'on aurait vite fait de les confondre avec des merlots du Libournais... La Fage 2012 est à la fois svelte et assez large en bouche, doté de ces couches de saveurs et de parfums qui sont la marque des bons vins. À boire sans se presser jusqu'à son dixième anniversaire.

10783491 26,50$ ★★★★ ② ♥

3 760037 012113

COSSE ET MAISONNEUVE

Cahors 2013, Le Combal

Un bond de trois millésimes pour ce très bon cahors, éclatant de fruit et de fraîcheur. Pas le plus complexe des vins du domaine, mais une très belle bouteille; sorte d'hybride entre un vin de soif et la charpente habituelle du Cahors. Le vin présente une légère réduction à l'ouverture, mais après une aération en carafe, il se révèle sous un jour beaucoup plus expressif, avec des goûts de bleuet sauvage et une pointe anisée. Très rassasiant pour le prix. À boire dès maintenant et jusqu'en 2020.

10675001 21,50$ ★★★ ½ ② ♥

3 760037 012069

COMBEL-LA-SERRE

Cahors 2014, Le Pur Fruit du Causse

Jean-Pierre Ilbert et son fils Julien sont bien installés sur les plateaux calcaires de Cahors, à 320 m d'altitude, dans la commune de Cournou. Leur vignoble est en conversion vers l'agriculture biologique depuis 2013.

Vendue pour la première fois à la SAQ, cette cuvée est issue de vignes de malbec d'environ 35 ans plantées sur le causse, où les sols calcaires ont la réputation de produire des vins fins, frais et parfumés. Une version cadurcienne du vin de soif. Et vu la qualité du millésime 2014, on ne pouvait espérer une meilleure première impression. L'attaque en bouche est fraîche, les tanins sont fins et un très léger reste de gaz rehausse les bons goûts de fruits noirs et de violette. À boire d'ici 2019.

12956481 19,45$ ★★★★ ② ♥

0 873922 009624

CHÂTEAU DU CÈDRE

Cahors 2014, Chatons du Cèdre

Depuis 1987, les frères Verhaeghe se sont taillé une solide réputation avec des vins de facture moderne, à la fois séveux, solides et harmonieux. Ne serait-ce que pour sa constance au fil des ans, leur cahors d'entrée de gamme mérite une mention spéciale. Généreux et bien construit, le 2014 a tout ce qu'il faut de corps, sans la moindre dureté, avec en prime de bons goûts de fruits noirs et d'épices. Prix avantageux.

560722 14,70$ ★★★ ② ♥

3 750026 020014

CHÂTEAU EUGÉNIE

Cahors 2013

Assemblé à 20 % de merlot, le cépage malbec donne ici un vin d'une étonnante souplesse. Plus digeste encore en 2013, il me semble, avec un supplément de vivacité, de très jolis parfums de violette et une impression générale fort élégante. Bel exemple de cahors à boire jeune.

3 558501 001004

721282 17$ ★★★ ½ ② ♥

CHÂTEAU LES HAUTS D'AGLAN

Cahors 2010

Solidement construit et chargé en tanins, sans verser dans la dureté. Amateur de vins corsés, vous pouvez l'apprécier dès maintenant avec une viande sauvage, mais il tiendra aisément la route jusqu'en 2020.

734244 19,30$ ★★★ ②

3 760005 530014

CHÂTEAU ST-DIDIER-PARNAC

Cahors 2014

Propriété de la maison Rigal, une division du groupe Advini (Jeanjean), ce domaine de Cahors produit régulièrement un bon vin charnu, ponctué de notes florales et d'épices qui se marient au bon goût de bleuet. Encore plus frais cette année il me semble. Qui s'en plaindra?

3 180611 029175

303529 16,20$ ★★★ ② ♥

CLOS LA COUTALE

Cahors 2014

Ce domaine situé dans la partie ouest de l'appellation, comme le Château du Cèdre, produit un Cahors de qualité très régulière. Nez hyper attrayant de violette et de bleuet. La bouche suit, très digeste, corsée, mais sans aucune dureté; beaucoup d'élan et une longueur digne de mention pour le prix. Comme toujours, excellent dans sa catégorie.

3 499290 000017

857177 16,20$ ★★★ ½ ② ♥

VIGOUROUX, GEORGES

Cahors 2014, Les Comtes

Bon 2014 déjà ouvert et prêt à boire. Le vin de Cahors en mode facile, fruité, coulant; finale vive, aux goûts de cannelle.

3 275843 291022

315697 15,85$ ★★ ½ ②

BRUMONT, ALAIN

Madiran 2009, Château Montus, Cuvée Prestige

Produite pour la première fois en 1985, la Cuvée Prestige avait propulsé Alain Brumont au firmament du madiran tout en lui attirant une légion de fidèles qui apprécient le style opulent et bien ficelé de ses vins.

Le 2009 est large et long en bouche, riche d'une foule de détails aromatiques, aussi plein et rassasiant en attaque, qu'en milieu et en fin de bouche et porté par un tissu tannique très serré, comme seul le tannat peut donner. Minéral, beaucoup de relief. L'une des belles réussites pour la Cuvée Prestige. À boire entre 2020-2022.

3 372220 000038

705475 50,25$ ★★★★ ③

BRUMONT, ALAIN

Madiran 2010, Château Bouscassé

Beaucoup de matière dans le verre pour 20$ et des poussières. Un vin coloré, tannique, mais sans dureté, qu'on peut commencer à boire, mais sans se presser, car il a la charpente voulue pour vivre au moins jusqu'en 2020. D'ici là, la carafe s'impose.

3 372220 110003

856575 21,25$ ★★★ ②

BRUMONT, ALAIN

Madiran 2010, Tour Bouscassé

En 2010, Alain Brumont a produit un vin séveux et rassasiant, dont la fraîcheur ne repose pas tant sur l'acidité que sur la combinaison d'un grain tannique serré et d'une trame minérale. Au-delà du fruité primaire, on décèle des accents de graphite, des notes ferreuses et une sensation saline qui accentue le caractère *umami* (voir encadré, page suivante) qu'on retrouve dans certains vins de l'appellation. Très belle bouteille pour moins de 20$

3 372220 100196

12284303 19,35$ ★★★ ½ ② ♥

France

BRUMONT, ALAIN

Madiran 2011, Château Montus

D'un millésime encensé dans la région, un bon vin rouge corsé et solide, aux saveurs compactes de fruits noirs, de cuir et d'épices. Bien, mais à ce prix, j'aurais souhaité y trouver un peu plus de relief et de complexité. Ça viendra sans doute; laissons-lui quelques années.

705483 29,95$ ★★★→? ③

3 372220 110010

CHÂTEAU D'AYDIE

Odé d'Aydie 2012, Madiran

La famille Laplace compte parmi les leaders de Madiran. En 2012, le deuxième vin du domaine est passablement robuste et large d'épaules; riche en goûts de fruits noirs, avec des accents de réglisse et de fruits confits. Trame tannique veloutée et tissée serré.

10675298 19,35$ ★★★ ②

3 384521 021117

DOMAINE LABRANCHE LAFFONT

Madiran 2013

Christine Dupuy pratique l'agriculture biologique dans le domaine familial de Maumusson depuis 1993. Son 2013 s'inscrit dans la continuité des derniers millésimes et il est si élégant qu'on a peine à croire qu'il s'agit d'un vin de tannat, cépage reconnu pour son caractère… TANNique. Un peu vif et acidulé en attaque; loin d'être un défaut, cette caractéristique le rendra encore plus digeste et agréable à boire à table, tant avec des plats de viande bien gras et copieux comme le cassoulet qu'avec une salade de confit de canard. Excellent rapport qualité-prix.

919100 17,70$ ★★★ ½ ② ♥

3 469620 000017

PRODUCTEURS PLAIMONT

Madiran 2013, Maestria

Dans les conditions difficiles du millésime 2013, les vignerons de la cave de Saint-Mont ont produit un bon madiran, droit et franc, misant davantage sur la souplesse du fruit que sur la charpente caractéristique du tannat. Honnête et pas racoleur du tout.

10675271 18,45$ ★★★ ②

3 270040 107657

Umami

Longtemps ignoré par la culture occidentale, le mot umami est plus populaire que jamais sur les tribunes gastronomiques. Terme japonais se traduisant à peu près par «savoureux», il désigne la cinquième saveur de base (sucré, acide, amer et salé) et résume un concept plutôt difficile à expliquer. En simplifiant, on pourrait décrire l'umami comme un exhausteur de goût; un élément qui rehausse les saveurs d'un plat, d'un vin. En cuisine, les exemples les mieux connus d'ingrédients umami seraient le fromage parmesan et la sauce soja. Saurez-vous le déceler dans un vin?

ITALIE

Au début des années 1980, l'Italie est entrée dans la période la plus effervescente de sa longue histoire viticole. Après des décennies de viticulture *all'improvviso*, il lui fallait composer avec la modernité et mettre à jour son savoir-faire, aussi bien en matière d'ampélographie que d'agriculture et d'œnologie.

Une trentaine d'années plus tard, cette grande révolution donne de très beaux fruits. Les chiantis, barolos et barbarescos n'ont jamais été aussi bons et de partout surgissent des vins délicieux, d'appellations et de cépages obscurs dont on ignorait jusque l'existence.

Entre la fraîcheur des montagnes du Nord et les régions chaudes et arides du Sud, en passant par les Apennins au centre, le pays regroupe une multitude de sols et de climats et bénéficie également d'une immense diversité biologique, avec près de 400 cépages indigènes!

Vraiment, la route des vins italiens est riche et son histoire, passionnante. Avec les projets de délimitation et de classification de terroirs qui se poursuivent en ce moment dans les appellations Barolo, Barbaresco, Montalcino et maintenant Chianti Classico et Vino Nobile di Montepulciano, parions que l'avenir sera tout aussi captivant.

FRIOUL

À quelques exceptions près – notamment des spécimens issus de variétés autochtones de Campanie –, les vins blancs secs les plus raffinés proviennent du Frioul, du Trentin et, plus rarement, de Vénétie.

TOSCANE

La Toscane est le royaume du sangiovese. Des plus légers (chianti classico, chianti colli senesi, etc.) aux plus costauds et boisés (chianti classico riserva, brunello di Montalcino), tous font de merveilleux compagnons de table.

SICILE

Bien qu'elle soit avant tout connue pour ses gros rouges charnus et chaleureux, la Sicile produit également de très bons vins rouges de soif – c'est-à-dire légers, friands et désaltérants – dans l'appellation Cerasuolo di Vittoria, au sud de l'île.

Italie Piémont

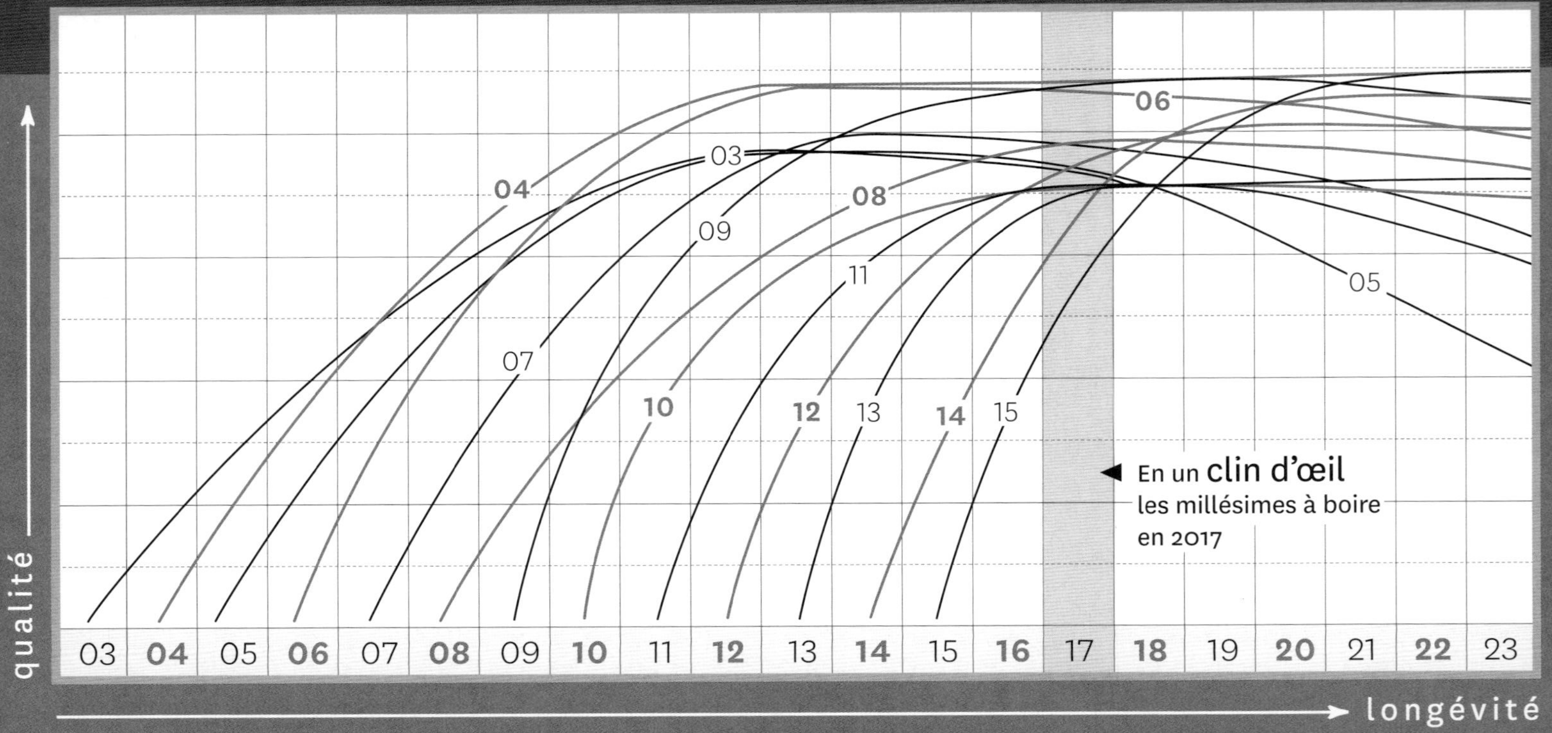

LES DERNIERS MILLÉSIMES

2015
Grande année pour les vins rouges du Piémont. Les barolos et barbarescos devraient vivre longtemps. En attendant, on pourra boire les dolcettos et barberas, eux aussi très bien réussis. Qualité en hausse pour l'amarone après le désastreux millésime 2014. En Toscane, le printemps pluvieux a permis à la vigne de faire ses réserves avant un été chaud et sec. La qualité s'annonce excellente pour les vins de Chianti et de Montalcino, tout comme pour les vins rouges des Marches, des Abruzzes et des régions du sud du pays.

2014
Un été humide et très frais, voire froid dans certains secteurs, a donné du fil à retordre aux vignerons du nord de l'Italie. Un millésime à oublier pour l'amarone. En revanche, dans le Piémont, les variétés tardives comme le nebbiolo pourraient donner des vins d'un équilibre classique. Récolte assez abondante en Toscane, mais qualité incertaine. Dans les Abruzzes, les vignobles d'altitude ont connu un meilleur sort, tout comme les vins blancs des Marches.

2013
Floraison et récolte tardives dans le Piémont; peu de vins de longue garde. Très bonne année pour les vins de Soave. En Toscane, un mois de septembre ensoleillé a permis de sauver la récolte. Peu de grandes réussites, mais quelques bonnes bouteilles de consommation rapide.

2012
Une petite récolte et des vins de très bonne qualité dans le Piémont. Sécheresse et canicule en Vénétie et en Toscane. Quelques Valpolicella accusent une certaine lourdeur et un excès d'alcool. En Toscane, un mois de septembre plus frais a néanmoins permis de maintenir un équilibre classique. Les cépages du Sud – l'aglianico en particulier – ont mieux supporté les excès de température.

2011
Un millésime de chaleur dans le Piémont et en Toscane a donné des vins parfois capiteux. Qualité variable, surtout en Toscane où certains vins de sangiovese ont souffert d'un stress hydrique, occasionnant des saveurs végétales. La réputation du producteur fait toute la différence. Grande année pour l'amarone.

Italie Toscane

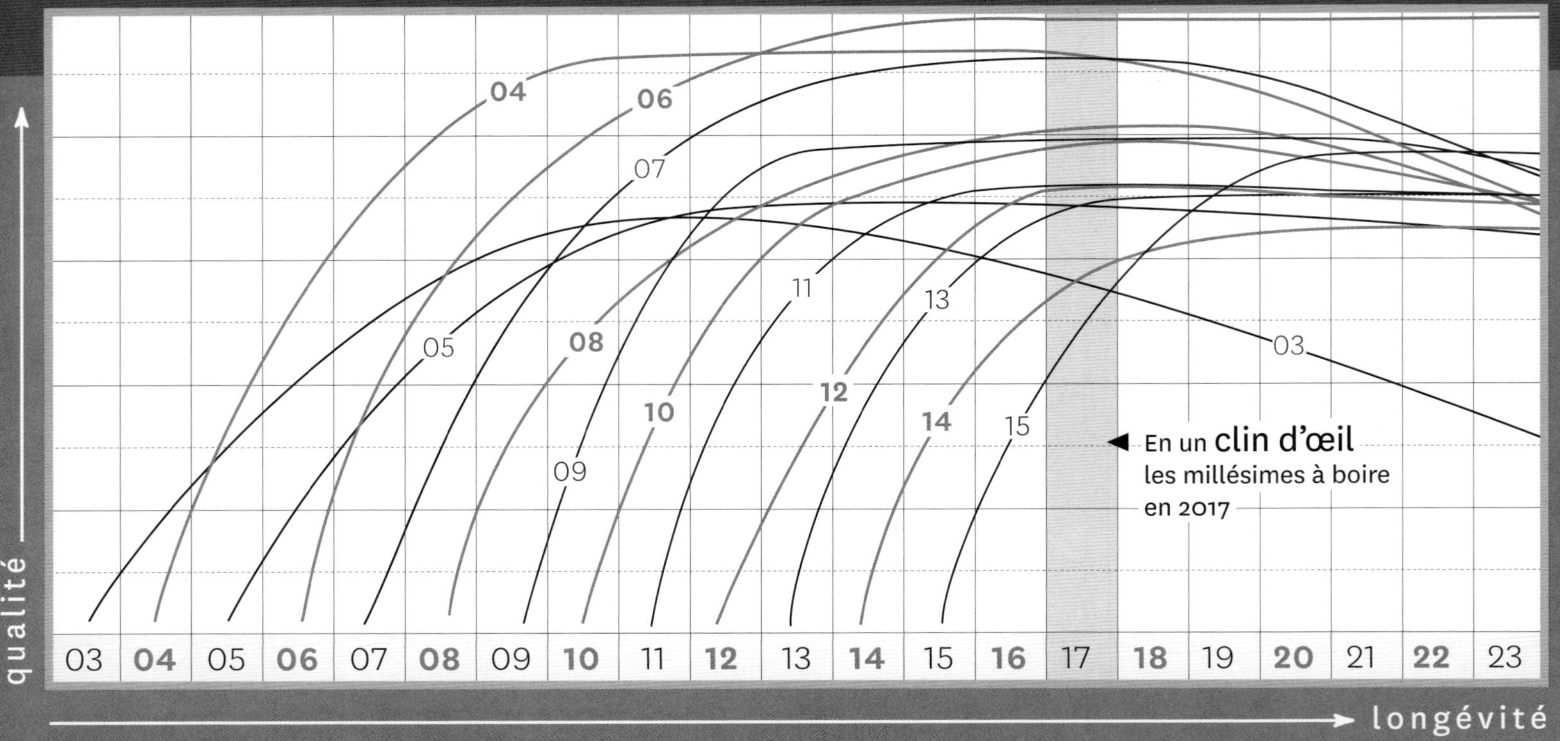

2010
Récolte déficitaire et qualité hétérogène dans le Piémont; la signature du producteur sera un critère de choix. Même scénario en Toscane – y compris Bolgheri – où des problèmes de pourriture ont causé des soucis à plusieurs. La région de Montalcino semble avoir profité de conditions plus propices. En Vénétie, les vins rouges de Valpolicella joueront – à défaut de puissance – la carte de la légèreté et de l'équilibre; les bons amarones seront rares.

2009
Dans l'ensemble, bon millésime dans tout le nord du pays. Été très chaud dans le Piémont et récolte très satisfaisante de nebbiolo ayant donné beaucoup de bons vins. Grand succès annoncé dans le Valpolicella. Très belle fin de saison en Toscane; qualité générale prometteuse.

2008
Un été chaud et sec dans le Piémont; des barolos et des barbarescos apparemment de fort belle qualité. Chaleur et sécheresse en Toscane ont aussi conduit à un troisième succès d'affilée, après 2007 et 2006. En Vénétie, des conditions idéales pour le valpolicella et l'amarone.

2007
Grand succès dans le Piémont; une récolte de vins structurés, déficitaire d'environ 25% (grêle à Barolo). Dolcetto et barbera ont aussi donné des vins très satisfaisants. Excellent millésime en Toscane, que plusieurs comparent à 2004 et à 2001. Grand succès aussi à Bolgheri, où le cabernet sauvignon semble avoir eu le meilleur sur le merlot. Bonne qualité en Vénétie, surtout chez les producteurs patients qui ont attendu le beau temps.

2006
Excellent millésime dans le Piémont en dépit de conditions climatiques parfois extrêmes. Grande année en Toscane. Remarquable en Vénétie, en particulier pour les amarones.

2005
Millésime hétérogène. Dans le Piémont, six jours de pluie consécutifs à compter du 2 octobre ont gâché bien des espoirs. En Toscane – autant dans le Chianti Classico qu'à Montalcino –, le temps frais de la fin de l'été n'a pas favorisé le mûrissement idéal souhaité. À Bolgheri, les conditions climatiques ont été sensiblement plus favorables.

«CARAFER» OU DÉCANTER?

La décantation consiste à transvaser un vin (relativement vieux) de sa bouteille d'origine dans un autre contenant, afin d'en éliminer le dépôt. Avant de décanter le vin, on laissera la bouteille debout, le temps que le dépôt descende jusqu'au fond. La délicatesse est de mise lors de cette opération, les vieux vins étant plus fragiles.

Dans le cas de vins jeunes, il est plus approprié de parler de «carafer» que de «décanter.» L'idée ici est de permettre à des vins souvent trop jeunes – et par conséquent fermés et timides à l'ouverture de la bouteille – de s'épanouir au contact de l'oxygène. Tous les vins – petits ou grands, blancs ou rouges – peuvent bénéficier d'une aération. Les grands vins blancs sont souvent meilleurs après une journée d'ouverture en bouteille.

En bref…

Inutile de dépenser une fortune pour des aérateurs soi-disant révolutionnaires.

Le cristal, c'est très joli, mais ce n'est pas essentiel. À vrai dire, n'importe quel récipient en verre peut servir de carafe: grande tasse à mesurer, pichet à eau, même un grand pot Mason fera l'affaire. Assurez-vous seulement que ces contenants soient propres et dépourvus de toute odeur. C'est toujours dommage de ruiner une belle bouteille avec des odeurs de betteraves marinées…

PRODUTTORI DEL BARBARESCO

Barbaresco 2012

Fondée en 1958 et menée de main de maître par Aldo Vacca, cette cave coopérative est, à mon avis, la meilleure porte d'entrée pour découvrir les charmes de Barbaresco. Dégustés côte-à-côte, les neuf différents crus de la cave résument à eux seuls toute la richesse de cette grande appellation piémontaise.

En 2012, les *produttori* ont toutefois choisi de ne produire aucun cru. La totalité de la récolte a donc servi à réaliser cet excellent vin, qui prend des airs de surdoué en 2016. Très franc, hyper digeste et tout en nuances. Les notes florales, les épices, le minéral, le *umami*, les herbes séchées, tout y est et les saveurs persistent longtemps en bouche. Mais plus que tout, c'est la finesse de son tissu tannique qui m'a impressionnée: tricoté serré et élégant comme une étoffe de grande qualité. Vraiment, ce vin a tout pour lui. Déjà excellent et promis à un bel avenir.

12558909 39,75$ ★★★★ ③

8 025022 000021

CHIARLO, MICHELE

Barbaresco 2012, Palas

Les lecteurs du *Guide du vin* savent que j'ai rarement été excitée par les cuvées de ce producteur piémontais au cours des dernières années. Je dois cependant reconnaître les qualités de ce bon vin de Barbaresco, porté par un grain tannique compact et animé d'une saine acidité qui donne de l'éclat aux saveurs de cerise confite et de fleurs séchées. Savoureux et débordant de jeunesse, il tiendra la route aisément jusqu'en 2020.

12909625 29,05$ ★★★→? ③

8 002365 058209

PODERI COLLA

Barbaresco 2012, Tenuta Roncaglie

Fidèle au style habituel de Poderi Colla, c'est-à-dire sobre, ferme et solide, mais sans dureté. Des goûts de kirsch et de quinine se dessinent en finale, mais pour le moment, le vin semble un peu taillé d'un seul bloc. Nul doute que quelques années de repos lui permettront de gagner en nuances.

11100120 48$ ★★★→? ③

0 836951 000772

PODERI COLLA

Barolo Bussia 2010, Dardi Le Rose

Tino Colla et sa nièce Federica ont créé Poderi Colla en 1993. Ils persistent à croire que la seule façon de tirer leur épingle du jeu dans un marché aussi vaste est de faire des vins qui demeurent à l'écart des tendances internationales. Leurs cuvées n'ont donc rien d'excessif ni de spectaculaire, mais leur fibre authentiquement piémontaise a tout pour faire un malheur à table.

Sur une parcelle de 7 hectares située dans le cru Bussia, ils produisent un épatant Barolo. Jamais le plus imposant de l'appellation, mais toujours remarquable par son tissu tannique soyeux et sa longue finale vaporeuse qui embaume les fleurs séchées et l'eau-de-vie de petits fruits. Il a la force du gymnaste plutôt que celle de l'haltérophile. Un peu timide à l'ouverture. N'hésitez pas à le laisser reposer en cave pendant quelques années... ou en carafe pendant un après-midi complet. Votre patience sera récompensée.

0 836951 000888

10816775 53,50$ ★★★→★ ③ ⚗

CONTERNO, ALDO

Barolo 2011, Bussia

Le grand Aldo Conterno s'est éteint en mai 2012 à l'âge de 81 ans. Ce 2011 est donc l'une des dernières occasions de goûter le fruit de son travail d'orfèvre. Un vin racé qui profite d'un long élevage dans de grands foudres en chêne de Slavonie, plutôt qu'en barrique. Après une longue aération, le vin s'ouvre sur des notes de terre humide et d'herbes séchées. La bouche est mûre et capiteuse, mais sertie de tanins serrés et juste assez granuleux pour apporter de la fraîcheur à l'ensemble. Il mériterait de reposer en cave jusqu'en 2019, au moins.

8 028777 005112

12008237 87,25$ ★★★★ ③ ▼ ⚗

FONTANAFREDDA

Barolo 2011

Le nez de ce 2011 est aussi proche de la terre que du fruit. En bouche, les tanins sont un peu secs, mais offrent une agréable tenue. Toujours recommandable dans sa gamme de prix. Une valeur sûre au répertoire général de la SAQ.

20214 32,75$ ★★ ½ ②

FONTANAFREDDA

Barolo 2011, Serralunga d'Alba

Bon barolo de style classique, étonnamment droit pour un millésime de chaleur. Timide au nez; plus expressif en bouche par sa droiture tannique et sa vivacité. Sans profondeur particulière, mais un bon vin accessible, prêt à boire dès maintenant.

12578248 42,75$ ★★ ½ ②

FONTANAFREDDA

Barolo 2011, Vigna La Rosa

Évaluée à 100 millions d'euros, Fontana Fredda appartient en partie à dont Oscar Farinetti, aussi propriétaire des supermarchés de luxe Eataly. Déjà passablement ouvert, ce 2011 déploie en bouche le spectre aromatique propre au cépage nebbiolo, entre les parfums de terre humide et de cerise, le cuir et la betterave. Charnu, plein et assez ample, à défaut de longueur. À boire sans se presser jusqu'en 2021.

11701689 75$ ★★★→? ③

GRASSO, SILVIO

Barolo 2010

Même s'il se livre un peu moins facilement en jeunesse que le 2009, décoré d'une Grappe d'or l'an dernier, ce 2010 est assez bien réussi, sur un mode austère. Encore marqué par l'élevage, mais néanmoins équilibré; il a assez d'étoffe et de matière en réserve pour vieillir en beauté d'ici 2022.

12544734 46,25$ ★★★ ½ ③

PRINCIPIANO FERDINANDO

Barolo 2012

Ce domaine de Serralunga d'Alba livre un vin tout aussi satisfaisant que le 2011, quoiqu'un peu plus linéaire. Des tanins mûrs, presque ronds, le rendent déjà passablement accessible, mais il bénéficiera tout de même d'un an ou deux de repos, le temps que les éléments se mettent en place et que le fruit se révèle.

11387301 43$ ★★★→? ③

PODERI COLLA

Bricco del Drago 2010, Langhe

Près de 50 ans après sa création par le docteur Degiacomi, le premier « super vin de table » du Piémont distille toujours autant de charme. De mémoire, ce 2010 est l'un des meilleurs Bricco del Drago que j'aie goûté.

Bien qu'il soit très volubile au nez, c'est surtout en bouche que cet assemblage de dolcetto et de nebbiolo révèle sa profondeur. Structuré, ferme et appuyé par des tanins quasi rugueux, propres aux crus de la région, le vin est riche d'une foule de détails aromatiques qui persistent en bouche et laissent une impression irrésistible de plénitude en finale. Racé, élégant, savoureux. On peut le boire dès maintenant, mais ce vin a l'habitude d'affronter les années avec aplomb. Un 1999 dégusté il y a quelques mois était encore dans une forme resplendissante.

927590 29,80$ ★★★★ ③ ♥

0 836951 000789

CHIARLO, MICHELE

Nebbiolo d'Alba 2014, Il Principe

J'ai parfois eu des mots durs envers les vins de Michele Chiarlo. Celui-ci par contre est de bonne facture et surtout, fidèle à ses origines. Un vin droit et tannique, marqué de ces notes de terre humide et de cerise, caractéristiques des bons vins de nebbiolo. Bonne qualité.

12874661 21,95$ ★★★ ②

8 002365 034401

NEGRI, NINO

Valtellina Superiore 2013, Quadrio

Cette appellation du nord de la Lombardie, tout près de la frontière suisse, est très peu représentée chez nous. C'est dommage puisque le nebbiolo – nommé chiavennasca dans la région – y donne des vins rouges de très belle qualité, comme celui-ci, produit par un domaine réputé de Valtellina. Même s'il vient d'une région fraîche, le vin n'accuse aucune maigreur. Pas spécialement costaud, mais son ossature tannique est suffisamment enrobée et tout à fait rassasiante. Original et abordable.

12570545 20$ ★★★ ½ ② ♥

8 000160 661884

PODERI COLLA

Nebbiolo d'Alba 2013

Quel rapport qualité-prix d'enfer! Des saveurs de cerise, de fleurs séchées et d'épices; un grain tannique serré, compact et pourtant aucune sécheresse ni dureté. Particulièrement complet en 2013 avec des proportions idéales entre le fruit, la charpente tannique, l'acidité et l'amertume, du relief et une longue finale florale. On en achète à la caisse, dès son retour en succursales en février 2017.

10860346 25,40$ ★★★★ ② ♥

PRODUTTORI DEL BARBARESCO

Nebbiolo 2014, Langhe

Encore hyper jeune et fringant lorsque goûté en août 2016, ce vin présentait un léger reste de gaz qui déstabilisera sans doute quelques palais, mais qui n'affecte en rien sa qualité, et accentue au contraire la sensation de fraîcheur en bouche, tout en rehaussant les parfums de cerise noire, de kirsch, de fleurs et d'herbes séchées. Si ce caractère nerveux vous agace, aérez le vin énergiquement en carafe. N'ayez pas peur de le brusquer, il a besoin de respirer. Peut-être un peu moins complet que les derniers millésimes, mais tout à fait recommandable.

11383617 23,10$ ★★★ ½ ②

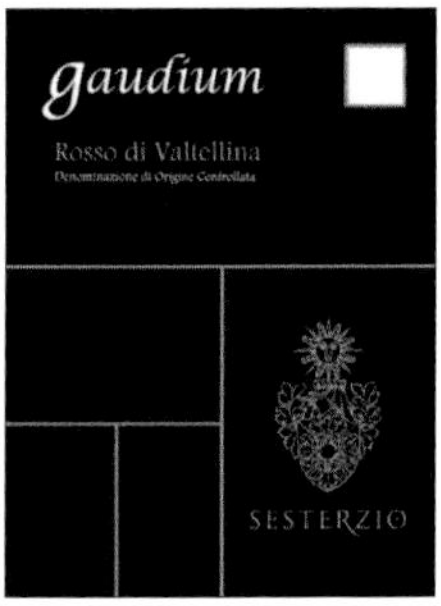

SESTERZIO

Rosso di Valtellina 2013, Gaudium

Très joli nez de kirsch et de cerise rouge, quelque peu masqué par des parfums vanillés lorsque goûté en septembre 2016. En bouche, la même impression: un joli fruit, une agréable vigueur tannique, mais des goûts boisés un peu trop envahissants, entre la vanille et le café. À noter qu'après deux jours d'ouverture, les goûts boisés s'étaient estompés, permettant au fruit de s'exprimer plus librement. Laissons-lui quelques mois de repos, le temps que les éléments se mettent en place.

12883437 19,75$ ★★★→? ③

CHIONETTI

Dogliani 2014, San Luigi

Le dolcetto est une variété quasi exclusive au Piémont. En raison de son mûrissement précoce, on le cultive généralement dans les secteurs plus frais, où le nebbiolo et le barbera, plus tardifs, peinent à mûrir. De manière générale, il donne des vins colorés, ronds et fruités – son nom signifie littéralement « petite douceur » –, destinés à être bus dans leur prime jeunesse.

Issu du terroir de Dogliani, une appellation du Piémont dédiée exclusivement au dolcetto, le San Luigi 2014 est simplement délicieux. Aussi alléchant au nez que savoureux en bouche: une explosion de fruit, avec des notions sauvages et végétales (origan, menthe séchée) qui enrichissent le spectre aromatique. Plein de caractère et de vitalité, et une bonne longueur en prime. Tout ça pour 20$ et des poussières...

8 033501 861117

12466001 21,80$ ★★★★ ② ♥

ALTARE, ELIO

Dolcetto d'Alba 2014

Elio Altare a été l'un des premiers vignerons modernistes du Piémont. Il a réduit les rendements, introduit l'élevage en barrique et tout mis en œuvre pour hausser la qualité des vins du domaine familial, dont sa fille Silvia assure aujourd'hui la relève. Manifestement issu de raisins bien mûrs, ce 2014 est un modèle de race et d'équilibre; sa texture charnue évoque la peau d'une pêche, veloutée, caressante, le tout couronné d'une fine d'amertume qui rehausse le fruit, qui fait saliver et qui ouvre l'appétit. Presque disparu des tablettes, on le trouve cependant en bonnes quantités sur SAQ.com

6 968050 011824

12817413 24,70$ ★★★★ ② ♥

BORGOGNO

Barbera d'Alba Superiore 2014

Produit par une cave de taille importante, un barbera bien mûr et gorgé de saveurs fruitées, qui s'avère aussi généreux en bouche qu'au nez. Certes moderne et misant à fond sur l'expression fruitée de la barbera, mais rassasiant et assez représentatif de ce cépage piémontais avec sa finale nerveuse, soutenue par une franche acidité.

8 003807 000046

10388088 23$ ★★★ ② ♥

GRASSO, SILVIO

Barbera d'Alba 2014

Très bon barbera plein de vigueur et tout à fait dans l'esprit du millésime 2014. Certains lui reprocheront peut-être une attaque un peu vive et pointue, mais il a le mérite d'être fidèle à ce que doit être la barbera: un vin fringant dont l'acidité est taillée sur mesure pour arroser les plats copieux du nord de l'Italie. Essayez-le avec un risotto ou un osso bucco, vous verrez...

11580080 24,55$ ★★★ ②

8 033286 752013

GRASSO, SILVIO

Dolcetto 2014, Langhe

Plus strict que la moyenne des vins de dolcetto, ce 2014 procure tout de même beaucoup de plaisir avec ses goûts originaux de cumin et de bleuet, son équilibre d'ensemble et ses tanins suaves, mais tricotés très serrés. Bonne bouteille pour accompagner le saucisson à l'apéro.

12062081 20,05$ ★★★ ½ ② ♥

8 033286 752099

OLIM BAUDA

Barbera d'Asti Superiore 2010, Nizza

Maintenant ouvert et prêt à boire, ce barbera présente un début d'évolution, au nez comme en bouche. Un long élevage de 30 mois a «dompté» la fougue caractéristique du cépage, sans cependant en masquer les saveurs. Très bon vin au profil classique, équilibré et harmonieux, mais dont le prix laisse à réfléchir.

11383570 37,50$ ★★★ ½ ②

8 032601 420033

SANDRONE, LUCIANO

Dolcetto d'Alba 2014

Plutôt que les goûts confits des années chaudes, on appréciera la fraîcheur du fruit, agrémentée de fines notes amères qui ajoutent à sa complexité aromatique. Je dois avouer que j'aime de plus en plus ce type de vins légers, qui chuchotent plutôt que de crier. À boire au cours des deux ou trois prochaines années.

10456440 24,90$ ★★★ ½ ② ♥

8 022534 514756

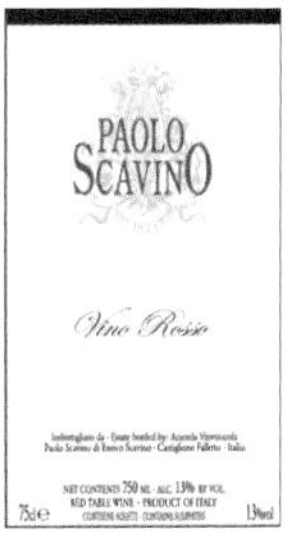

SCAVINO, PAOLO

Vino Rosso 2015

Issu de jeunes vignes de barbera, de dolcetto et de nebbiolo, ce Rosso est l'exemple même d'un bon vin de table qu'on boit sans trop se poser de question. Fruité, délicatement fumé et épicé, assez solide et soutenu par une acidité garante de fraîcheur. À moins de 20$, rien à redire.

12448902 18,70$ ★★★ ②

8 032636 132017

LAGEDER (TENUTÆ)

Chardonnay 2014, Gaun, Alto Adige

Dans les montagnes qui tiennent lieu de frontière avec l'Autriche, la famille Lageder excelle dans l'élaboration de vins blancs purs et racés. Fruit d'une viticulture en biodynamie, certification Demeter à l'appui, le Gaun est l'exemple même du bon chardonnay de climat frais.

Pas de parfums boisés, mais un fruit d'une franchise exemplaire, couronné d'une fine amertume et d'une salinité qui fait saliver; délicat, mais assez substantiel pour accompagner des poissons à chair grasse. Arrivée en succursale prévue vers la mi-décembre, juste à temps pour Noël.

8 000395 030776

742114 25,95$ ☆☆☆☆ ② ♥

ATTEMS

Cicinis 2012, Collio

La famille Frescobaldi s'est aventurée hors de sa Toscane natale et a acquis la propriété historique du comte Douglas Attems, dans le Frioul. Ce vin de sauvignon blanc provient du lieu-dit Cicinis, au cœur de l'appellation Collio, en Vénétie Julienne. Vinifié et élevé en fût de chêne français (20% de bois neuf) mais pas boisé outre mesure, le vin se distingue surtout par sa trame minérale, sa structure et ses saveurs profondes qui vont bien au-delà du fruit. Pas donné, mais très réussi.

8 007425 000396

12889311 35$ ☆☆☆ ½ ②

JERMANN

Pinot grigio 2014, Venezia Giulia

Substantiellement plus cher que la moyenne des pinots gris, mais il faut admettre que la qualité est au rendez-vous. Discret au nez, fruité et très charmeur en bouche par ses notes de miel et de poire; le tout est relevé par une franche acidité et un léger reste de gaz. Bon vin savoureux et original.

8 033324 035122

11865851 34$ ☆☆☆ ② ▼

LAGEDER, ALOIS

Gewürztraminer 2015, Alto Adige

Chez Lageder, aucun risque de retrouver du sucre résiduel dans les vins. Alors que beaucoup de vins de gewürztraminer tombent dans les excès pommadés, celui-ci est parfaitement sec et droit, avec une exquise pureté aromatique. Nul doute que ses saveurs vaporeuses d'épices et de rose sauvage séduiront les amateurs de ce grand cépage alsacien.

8 000395 111000

12345671 27,10$ ☆☆☆☆ ② ♥

LAGEDER (TENUTÆ)

Chardonnay 2013, Lowengang, Sudtirol - Alto Adige

Le Lowengang est l'un des meilleurs chardonnays d'Italie. À la faveur d'un millésime frais dans le nord du pays, le cépage bourguignon se montre ici sous un jour à la fois ample, structuré et très complexe, signe de raisins récoltés à parfaite maturité et vinifiés et élevés avec soin. Le vin s'impose par la pureté et l'intensité de ses saveurs; beaucoup d'ampleur, de finesse et de longueur.

8 000395 003039

10264608 50,25$ ☆☆☆☆ ②

LAGEDER (TENUTÆ)

Pinot grigio 2014, Porer, Alto Adige

L'étiquette indique pinot grigio, mais ce vin a beaucoup plus en commun avec le pinot gris de type alsacien qu'avec les petits pinots grigios bas de gamme qui continuent de sévir à la SAQ. Gras, ample et plus structuré que la moyenne, le vin laisse une sensation presque tannique en fin de bouche. Saveurs pures, longueur appréciable.

8 000395 004012

10248712 27,70$ ☆☆☆ ½ ②

TERLAN

Sauvignon blanc 2015, Winkl, Alto Adige

En 2015, le sauvignon blanc de cette cave coopérative historique du Trentin-Haut-Adige dépasse une fois de plus toutes les attentes. Timide et un peu linéaire à l'ouverture, le vin se développe de façon prodigieuse après quelques heures d'aération. On découvre alors un spectre de saveurs très complexes, qui en impose en bouche: fruits tropicaux, thé vert, fruits blancs, agrumes, épices, etc. Tout y est, avec une juste dose de gras et de vivacité, et une saine amertume, en prime. Déjà beaucoup de plaisir et une bonne garde en perspective.

8 021507 737659

12298625 28,70$ ☆☆☆☆ ③ ♥

LAGEDER, ALOIS

Cabernet 2012, Riserva, Alto Adige

Même s'il excelle avant tout dans l'élaboration de vins blancs, Alois Lageder produit aussi un excellent vin rouge composé à parts égales de cabernet sauvignon et de cabernet franc, plantés et vinifiés ensemble.

Le 2012 a de petits airs de chinon, avec son nez poivré et sa vivacité. Ni verdeur ni minceur dans ce vin issu de culture biodynamique. N'y cherchez pas non plus la puissance des rouges italiens du Sud, vous serez déçu. Appréciez plutôt son équilibre, sa fraîcheur et son expression fruitée nette et franche, agrémentée de jolies notes de fumée. À boire dès maintenant. Délicieux!

12400896 24,30$ ★★★★ ② ♥ 8 000395 165003

INAMA

Carmenère 2012, Oratorio di San Lorenzo, Colli Berici

Les vignes de carmenère ne semblent pas avoir souffert de la sécheresse de l'été 2012 et ont donné un vin mûr et velouté, assez nourri en bouche. Beaucoup de fruit, de poigne et de persistance. Un vin chaleureux et bien charpenté, peut-être plus robuste que réellement raffiné. L'avenir nous en dira davantage.

12178981 66$ ★★★→? ③ Ⓢ 8 029001 000019

MARION

Cabernet sauvignon 2012, Veneto

Bien qu'il ne donne pas dans la dentelle en 2012 – les effets d'un millésime de sécheresse, sans doute –, ce cabernet s'impose par ses goûts riches de fruits noirs et de bois de cèdre, de même que par sa texture onctueuse. Vieillira t-il en beauté? Cela reste à voir. Pour l'instant, aucun doute qu'il comblera les attentes des amateurs de cabernet potelé, puissant et concentré, qui gagneront à l'aérer pendant quelques heures en carafe.

10443091 49$ ★★★→? ③ 8 033040 490328

Italie

RIGHETTI, LUIGI

Cabernet sauvignon delle Venezie 2013, Sognum

Ce vin rappelle un peu certains bordeaux du millésime 2003. Ample, bien en chair et pourtant marqué par les saveurs végétales du cabernet, qu'on a bien tenté de camoufler sous des saveurs boisées, vanillées. Profilé pour plaire, mais somme toute assez maladroit.

8 016963 000096

10705080 22,75$ ★★ ½ ②

VIGNALTA

Rosso Riserva 2010, Colli Euganei

Loin d'être le fruit d'un récent phénomène de mode, la culture des cépages bordelais en Vénétie remonte plutôt au début du 19e siècle. Ces derniers auraient été introduits dans la région dans le sillage de l'invasion napoléonienne. Produit dans la zone des Colli Euganei, au sud-ouest de Padoue, ce 2010 met d'emblée en appétit, avec des odeurs de champignons, signe d'un vin ouvert et à point. Composé de merlot à 60% et de cabernet sauvignon, il compte sur un grain tannique irrésistiblement soyeux, mariage de vigueur et de souplesse.

8 031802 001232

10705071 23,45$ ★★★★ ½ ② ♥

VISTORTA

Merlot 2010, Friuli Grave, Conte Brandolini d'Adda

Les années passent et j'affectionne toujours autant ce merlot du Frioul. Il n'a pourtant rien de spectaculaire, mais il déploie tout le charme discret d'un vrai vin de table, au sens noble du terme. C'est-à-dire, conçu pour procurer du plaisir à table. Une saine acidité, des tanins à la fois ronds et tissés serrés. Un peu plus strict en 2010, mais toujours aussi savoureux.

0 891341 000022

10272763 24,60$ ★★★ ½ ②

CHRONIQUE VÉNITIENNE

Tout buveur de vin connaît le nom «valpolicella». Pas besoin d'être un expert, ce rouge est au vin italien ce que la pomme de terre est aux légumes: hyper consommé, mais peu valorisé. Vous en avez probablement bu à quelques reprises, sans en garder de souvenirs bien précis, sinon celui d'un petit rouge léger, souvent insipide.

C'est que, depuis la fin des années 1960, les grandes entreprises de cette appellation qui s'étend au nord de la ville de Vérone ont amorcé un virage commercial, multipliant les rendements de la vigne par deux, sinon par trois.

En parallèle, alors que la planète éclusait des tonnes de ces vins dilués et bon marché, l'amarone prenait du galon. De curiosité locale relativement inconnue en dehors de la Vénétie, ce vin issu de raisins partiellement déshydratés est devenu la boisson de prédilection des amateurs de sensations fortes. Et comme les deux vins – valpolicella et amarone – partagent la même zone d'appellation, le succès de l'un se fait systématiquement au détriment de l'autre. Ainsi, de 2005 à 2013, la production annuelle de valpolicella est passée de 41 à 19 millions de bouteilles. Une chute de 50 % en moins de 10 ans!

Malmené par une production industrielle et par la vogue de l'amarone, le valpolicella a pourtant tout pour séduire la nouvelle génération de buveurs, souvent amateurs de vins plutôt légers et faciles à boire. De plus en plus de vignerons véronais l'ont compris (heureusement!) et consacrent désormais une partie de leur récolte à l'élaboration de cuvées de valpolicella «tout court». Des vins simples, mais faits dans les règles de l'art, qui ressemblent un peu à ceux du Beaujolais: coulants, gouleyants, joliment fruités et pleins de vitalité.

Ce texte a été publié dans *L'actualité* du 1er août 2016.

Italie

ZYMĒ

Valpolicella 2015, Rêverie

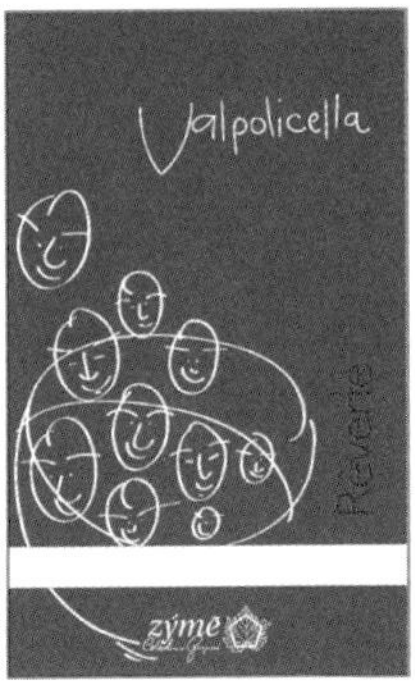

Œnologue-conseil et gendre de l'illustre Giuseppe Quintarelli, Celestino Gaspari a fondé ce domaine il y a près de 10 ans avec Francesco Parisi, également consultant.

Leur excellent valpolicella exerce un charme immédiat avec son nez de jus de raisins tout frais fermenté. Léger (11,5% d'alcool), mais loin d'être insipide, le 2015 regorge de saveurs de fruits acidulés et de fines notes de poivre, et laisse en bouche une sensation impressionnante de plénitude. Très complet, bonne longueur et du caractère à revendre. À boire dès maintenant en n'oubliant pas de le servir frais. Que c'est bon!

8 033040 320748

12328417 21,95$ ★★★★ ② ♥

MARION

Valpolicella 2014, Borgo Marcellise

À peine 12,5% d'alcool, gourmand, juteux et misant à fond sur l'expression fruitée des cépages locaux corvina et rondinella, ce valpolicella «tout court» a de la tenue en bouche. Les saveurs de fruits rouges sauvages sont ponctuées de notes d'herbes séchées, qui ajoutent à sa dimension, apportant une fraîcheur aromatique et laissant en finale une impression drôlement rassasiante.

8 033040 490038

12328311 20,65$ ★★★ ½ ② ♥

MONTRESOR

Corvina 2015

Tout léger, tout frais, juste assez acidulé, comme se doit de l'être un bon vin de soif. Rien de compliqué, mais sec – avec la vague de valpolicellas sucrés qui encombrent le marché, ça fait du bien! – fruité, leste, coulant, harmonieux.

8 003503 017171

12990081 12,45$ ★★★ ① ♥

MARION

Amarone della Valpolicella 2011

Stefano et Nicoletta Campedelli ont acquis ce domaine situé dans la vallée de Marcellise, à l'est de Vérone, en 1988. Ils n'ont commencé à vinifier sous leur propre étiquette qu'en 1996, encouragés par Celestino Gaspari (Zymē), qui croyait au potentiel du lieu.

Une seule gorgée de ce vin suffit pour se convaincre de la grandeur du millésime 2011. Une année triomphale pour les vins d'Amarone. Puissant, capiteux et plantureux comme seule peut l'être cette spécialité véronaise, le vin n'en est pas moins hyper complexe, cousu d'une multitude de menus détails qui font les meilleurs vins. J'ai particulièrement aimé ses accents de menthe séchée et son amertume fine, qui se mêlent aux saveurs de kirsch et persistent en finale. Beaucoup de vin dans le verre. On aura intérêt à le laisser dormir jusqu'en 2021.

11694386 84,75$ ★★★★ ③ 8 033040 490342

MARION

Valpolicella Superiore 2012

La famille Campedelli élabore aussi un valpolicella hors norme dont la concentration s'apparente à certains amarones. Une partie des raisins est récoltée en surmaturité, dans les premiers 10 jours d'octobre ; le reste, vendangé plus tôt en septembre, est mis à sécher pendant une quarantaine de jours. L'idée est d'obtenir un vin intense, mais pas trop capiteux. Et ça marche ! Même avec ses 14 % d'alcool et la générosité d'un été chaud et sec, le 2012 est plein sans être lourd. Frais, leste, coulant et très agréable à table. À boire d'ici 2021.

10710268 38,75$ ★★★★ ③ 8 033040 490311

Italie

MASI

Amarone della Valpolicella Classico 2011, Costasera

Maintenant à point et étonnamment ouvert pour un 2011, le Costasera n'arrivera jamais en tête de peloton, dans la course à la puissance et à la concentration, mais sa retenue et son minimalisme ne sont pas dépourvus de charme. À apprécier pour ses goûts de raisins secs et de fleurs séchées plus que pour son intensité.

8 002062 000051

317057 41,75$ ★★★ ②

MONTRESOR

Amarone della Valpolicella 2013

Cette année encore, cet amarone inscrit au répertoire général général de la SAQ se signale par sa fraîcheur tant en bouche qu'au nez, où des notions de menthe se mêlent aux parfums caractéristiques de fruits confits de cette spécialité véronaise. Bouche un peu animale, reste de CO_2, vigueur et tenue digne de mention. Pas très long, mais il demeure tout à fait recommandable à moins de 40$.

240416 35$ ★★★ ②

8 003503 000555

SANT'ANTONIO (TENUTA)

Amarone Selezione 2013

Composé d'un assemblage de corvina, rondinella, croatina et oseleta, mis à sécher pendant trois mois pour que les raisins acquièrent une concentration accrue de sucre (appassimento). Le résultat est un vin puissant et onctueux, titrant 15% d'alcool. Dans le genre très mûr, un bon vin plein, très relevé et long en bouche, auquel des tanins granuleux apportent une certaine sensation de fraîcheur.

10704984 42,75$ ★★★ ②

0 832841 821229

TEDESCHI

Amarone della Valpolicella 2012

J'ignore si on peut y voir une conséquence de la sécheresse qui a frappé la région du lac de Garde pendant l'été 2012, mais cet amarone me semble plus concentré que jamais, au point même d'être sévère. Nez de caoutchouc et de fruits secs, bouche capiteuse, animée d'une acidité vive qui mériterait encore de se fondre à l'ensemble pendant quelques années. Un peu bancal et maladroit pour le moment, mais j'ai bon espoir que les éléments se mettent en place d'ici 2020.

522763 43$ ★★★→? ③

8 019171 000070

TEDESCHI

Capitel San Rocco 2014, Valpolicella Superiore, Ripasso

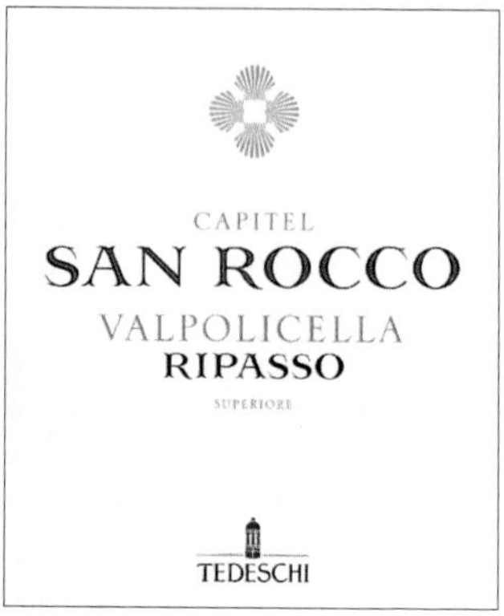

La famille Tedeschi a fait le pari de la qualité il y a déjà très longtemps, alors que la Valpolicella sombrait dans la médiocrité. Le Capitel San Rocco est particulièrement savoureux en 2014, millésime très frais dans la région. Fruit de la recette traditionnelle *ripasso,* qui consiste à faire refermenter le vin de Valpolicella sur des lies d'Amarone, le vin est par la suite élevé pendant six mois dans de grands foudres de chêne de Slavonie.

Il en résulte un vin intense et un peu *funky*, dont l'attaque en bouche est accentuée d'un reste de gaz qui met en valeur les notes de fruits sauvages et de viande fumée. Ce côté rustique et fringant me le rend d'ailleurs particulièrement sympathique. Comme une beauté imparfaite qu'on a eu la sagesse de ne pas maquiller. Pour toutes ces raisons et parce qu'il a beaucoup plus de caractère que la moyenne de cette appellation où le pire côtoie souvent le meilleur, il mérite bien sa Grappe d'or.

972216 22,40$ ★★★★ ② ♥

8 019171 000056

CESARI, GERARDO

Valpolicella Ripasso 2014, Mara

Le site de la SAQ indique qu'il contient 10 g/l de sucre, mais ce vin n'accuse aucune lourdeur. Riche, expansif et gorgé de saveurs confites, comme tout bon ripasso, mais pas trop puissant ni trop boisé. Très bon vin.

10703834 20,60$ ★★★ ② ♥

8 000834 312005

CESARI, GERARDO

Valpolicella Ripasso Superiore 2013, Bosan

La propension naturelle de la famille Cesari à produire des vins robustes et concentrés donne ici un résultat convaincant avec un ripasso très en chair, nourri de saveurs de fruits ultramûrs. Vin sans détour, tonique et équilibré, quoique encore bien marqué par l'élevage. Laissez-le reposer en cave quelques années, le temps que le bois se fonde.

11355886 32,50$ ★★★→? ③

8 000834 395008

GUERRIERI RIZZARDI

Valpolicella Ripasso Classico Superiore 2012, Pojega

Ce domaine de création récente a produit un très bon ripasso qui met à contribution les vertus complémentaires des cépages corvina, corvinone, rondinella et molinara. Riche, épicé et soutenu par un cadre tannique assez solide qui laisse une agréable empreinte de fraîcheur en bouche. Nettement moins sucré que la moyenne (3,5 g/l), nerveux et fort agréable à table.

11331681 24,70$ ★★★ ② ▼

MASI

Campofiorin 2012, Rosso Verona

Probablement le plus connu de tous les vins issus de la méthode *appassimento*, même s'il n'est pas commercialisé comme un ripasso. Un vin modeste, produit à grande échelle, mais bien fait et surtout très sec. Ce qui me le rend déjà beaucoup plus agréable que les bombes fruitées et sucrées qui ont vu le jour depuis cinq ans. Tout à fait recommandable dans sa catégorie.

155051 21,80$ ★★★ ②

NICOLIS

Valpolicella Ripasso 2013, Seccal

Bon 2013 à la fois vif, riche en tanins mûrs et en fruit, marqué de notes de confiture de framboises. Pas spécialement puissant, mais charmeur et bien proportionné. L'un des bons ripassos à la SAQ. Si vous aimez ce style de vins pleins et plantureux, vous serez ravi.

11027807 24,85$ ★★★ ½ ②

SANT'ANTONIO (TENUTA)

Valpolicella Ripasso 2014, Monti Garbi

Parmi les bons ripassos, cette année encore. Rien de surfait ni de trop extrait, pas de sucre ni de bois. Juste le bon goût de confiture et d'épices et toute la richesse de cette spécialité véronaise. Seul bémol, la teneur en sucre à 12 g/l.

10859855 21,25$ ★★★ ②

QUINTARELLI, GIUSEPPE

Bianco Secco 2015, Veneto

Figure légendaire de Vénétie, le vigneron-artiste Giuseppe « Bepi » Quintarelli est décédé en 2012. Sa fille et ses petits-enfants ont pris la relève, ne changeant rien aux méthodes ultratraditionalistes de la maison, et produisent à leur tour un savoureux vin blanc, composé de garganega, de chardonnay et de sauvignon blanc.

Exemple même d'un excellent vin de texture, dans la lignée des meilleurs soaves, le 2015 fait preuve d'une tenue exemplaire, aérien mais laissant une sensation presque tannique en fin de bouche. Plutôt discret au nez, où l'on distingue tout de même du citron et des fleurs blanches. Loin d'être insipide, un vin blanc tout en élégance et en finesse, avec du nerf et une profondeur aromatique qui se développe énormément à l'aération. Ne faites pas l'erreur de le servir trop froid, sans le laisser respirer au préalable, vous risqueriez de passer complètement à côté de ses subtilités. Et ce serait bien dommage...

10663801 43$ ☆☆☆☆ ②

8 033040 820071

ANSELMI

Capitel Croce 2013, Veneto Bianco

L'an dernier, ce 2013 traversait une petite crise d'adolescence. Il semble qu'une année de repos lui ait été favorable puisque je retrouve maintenant de ce garganega élevé en fût tout le charme fruité habituel. Plus sucré que la moyenne (9,2 g/l), mais équilibré et très agréable avec son registre de saveurs tropicales qui rappelle les ananas confits. Très bien, même s'il me semble depuis quelques années s'éloigner du profil des vins de Soave et adopter un style plus international.

928200 26,45$ ☆☆☆ ½ ②

8 027331 000686

ANSELMI

San Vincenzo 2015, Veneto Bianco

Dans la continuité des derniers millésimes, ce vin blanc inscrit au répertoire général composé majoritairement de garganega est complété d'une proportion de sauvignon blanc, qui apporte des parfums caractéristiques d'agrumes et de buis. Moderne, aromatique et arrondi par un reste perceptible de sucre (8,4 g/l), mais sans lourdeur.

585422 17,95$ ☆☆☆ ①

0 687004 000610

CAMPAGNOLA

Chardonnay 2015, Veneto

Cette année encore, on peut difficilement trouver un vin blanc offrant un meilleur rapport qualité-prix que ce chardonnay de la maison Campagnola. Vif, avec de délicats parfums citronnés; suffisamment de gras et un bon équilibre. À moins de 15$, rien à redire.

12382851 14,30$ ☆☆☆ ① ♥

8 002645 651069

CAMPAGNOLA

Soave Classico 2014, Monte Foscarino, Le Bine

Autant le chardonnay de ce domaine offre un rapport qualité-prix hors pair, autant ce soave me laisse sur ma soif. Un bon vin riche et gorgé de parfums de fruits exotiques qui lui donnent des airs de sauvignon blanc, mais sans la minéralité et la vitalité habituelles de l'appellation. Séduisant, sans être vraiment typique.

12717586 17,75$ ☆☆☆ ② ▼

8 002645 246005

CA' RUGATE

Soave Classico 2014, Monte Alto

Quoiqu'un peu sulfureux à l'ouverture, ce vin de Soave s'illustre néanmoins par sa vitalité, sa tension et sa générosité aromatique, avec d'appétissantes saveurs de bonbons à l'ananas et de miel. Pas spécial, mais bien fait.

12469375 25,35$ ☆☆☆ ②

8 024540 111202

INAMA

Soave Classico 2015

Stefano Inama a rejoint l'entreprise familiale créée par son père sur les terres volcaniques de Monte Foscarino il y a 20 ans. En 2015, il signe un très bon vin nerveux et légèrement perlant, fin et délicatement aromatique, ni dilué comme tant de petits vins de Soave ni sucré, comme tant de blancs modernes de Vénétie. Stylistiquement proche de certains chablis, il déploie en bouche de jolies notes citronnées et une sensation générale pure et désaltérante.

908004 20,95$ ☆☆☆ ½ ② ▼

8 029001 000149

ARGIANO
Rosso di Montalcino 2014

Ce domaine situé tout au sud de l'appellation, juste à côté de Banfi, appartient à la comtesse Noemi Marone Cinzano, qui est aussi propriétaire de Bodegas Noemia, en Patagonie argentine. Le rosso di Montalcino qu'elle signe en 2014 est délicieux.

Le sangiovese est un cépage à maturation tardive; il donne ses meilleurs vins lorsqu'il profite d'une longue saison végétative. C'est le cas de ce rosso, provenant d'un vignoble situé à 300 m d'altitude, où les nuits fraîches permettent un long mûrissement. Déjà très ouvert et invitant par ses senteurs de cerise et de fleurs, le vin offre une bonne matière fruitée, une franchise de goût et une impression de vivacité et de fraîcheur. Encore plus agréable s'il est servi autour de 15 °C.

8 022931 504145

10252869 24,40$ ★★★★ ② ♥

CAPARZO
Rosso di Montalcino 2013

Toute la souplesse d'un bon rosso di Montalcino, sans trop de vivacité. Des notes ferreuses, sanguines diraient certains, se mêlent au fruit et aux notes d'épices. Bon équilibre d'ensemble. À boire d'ici 2019.

8 004012 000036

713354 19,95$ ★★★ ②

CAPEZZANA
Barco Reale di Carmignano 2014

Barco Reale est un peu à Carmignano ce que Rosso est à Montalcino. Le 2014 offre une bonne consistance; amplement fruité, très charmeur avec ses notes de cerise noire sur un fond de thym et autres aromates. Bon vin vif et fruité, empreint des inimitables saveurs épicées du sangiovese. Bien qu'il soit en hausse, le prix reste tout à fait honnête.

8 003765 999901

729434 21,45$ ★★★ ½ ② ♥

COL D'ORCIA

Rosso di Montalcino 2013

Visage moderne et fruité du sangiovese, au point qu'on reconnaît à peine le cépage. Au lieu de la sobriété habituelle, des parfums de confiture de framboises et une attaque en bouche capiteuse, heureusement soutenue par une bonne dose d'acidité qui fait contrepoids.

8 016760 000039

12095545 24,95$ ★★★ ②

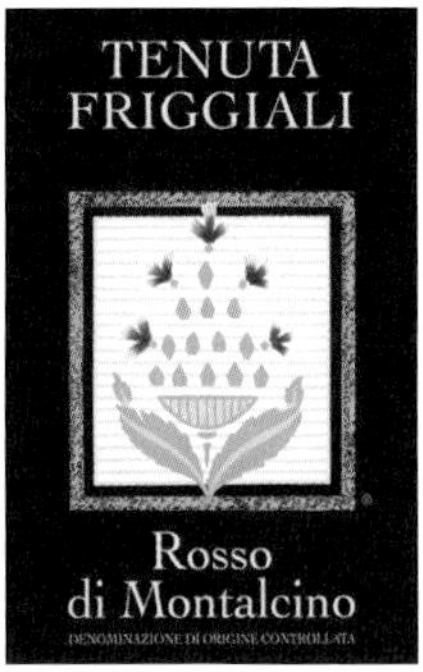

FRIGGIALI

Rosso di Montalcino 2014

Autant je n'ai pas été convaincue par le brunello di Montalcino de Friggiali, autant j'ai apprécié ce vin d'entrée de gamme. Encore très jeune, il repose sur des tanins un peu carrés, mais sans dureté; les saveurs se développent beaucoup dans le verre avec l'aération et le vin fait preuve d'une bonne longueur pour un rosso. À boire sans se presser jusqu'en 2020.

8 012738 000056

11895479 25,25$ ★★★ ½ ②

PODERI DAL NESPOLI

Sangiovese di Romagna Superiore 2014, di Prugneto

Cette cuvée parcellaire fait preuve de beaucoup de consistance et de longueur cette année. Charnu, relevé et généreusement nourri, il ne semble pas avoir souffert de la météo pluvieuse de l'été 2014. Beaucoup de volume en milieu de bouche et une finale savoureuse aux accents de confiture de cerises et de thé noir. Très bon achat à moins de 20$.

8 000154 000019

11298404 19,95$ ★★★ ½ ②

SAN VALENTINO

Sangiovese di Romagna 2013, Scabi

Goûté l'an dernier sur le même millésime, ce vin produit en bordure de la mer Adriatique n'avait rien perdu de sa fraîcheur en août 2016. Harmonieux, équilibré, des couches de saveurs fruitées, de la mâche et des tanins compacts, mais veloutés. Savoureux!

8 032869 822020

11019831 19,10$ ★★★★ ② ♥

CASTELLO DI AMA

Chianti Classico Gran Selezione 2011, San Lorenzo

Installés dans la commune de Gaiole, dans la province de Sienne, Lorenza Sebasti et Marco Pallanti font rayonner cette propriété historique depuis plus d'un quart de siècle.

Son 2011 est l'une des grandes réussites des 10 dernières années, à mon avis. Un vin très concentré, aux saveurs compactes et au grain tannique très dense, dont il émane une sensation de plénitude et de raffinement. Les saveurs gourmandes et nuancées d'un sangiovese mûri longuement sont soulignées par une pointe d'acidité volatile qui ajoute à son élan en bouche. Excellent chianti de facture classique dont on peut faire provision pour les cinq à sept prochaines années. Infiniment plus complexe que la plupart des vins de Montalcino et pourtant moins cher. Amateur de grands vins de Toscane, il y a là une aubaine à saisir.

8 021846 151123

12475716 46,50$ ★★★★ ½ ② ♥

ANTINORI

Chianti Classico Gran Selezione 2010, Badia a Passignano

Promu au rang de Gran Selezione en 2009, ce chianti m'a donné l'impression d'un vin à point, épanoui et prêt à boire lorsque goûté au courant de l'été 2016. Les parfums de champignons séchés témoignent de son évolution et les tanins sont soyeux, polis, mais toujours assez compacts et ne démontrent d'ailleurs aucun signe de fatigue. Le 2011 qui prendra la relève en janvier 2017 est un peu plus chaleureux, mais tout aussi charmeur.

8 001935 064503

403980 43$ ★★★ ½ ②

ANTINORI

Chianti Classico Riserva 2013, Marchese Antinori

Les raisins de sangiovese et de cabernet sauvignon (10 %) qui entrent dans la composition de ce chianti classico proviennent de la Tenuta Tignanello. Une belle occasion de flirter à moindre frais avec ces vins cultes. Le 2013 est mûr et bien enrobé, mais repose sur une charpente tannique assez solide. Bon équilibre et beaucoup de relief en bouche et des saveurs de chocolat noir, de cerise et de fines herbes. Il continuera de se bonifier jusqu'en 2020, au moins.

8 001935 115403

11421281 38$ ★★★→★ ③

BARONE RICASOLI

Chianti Classico Riserva 2013, Rocca Guicciarda

Une version austère, classique et fort bien tournée du chianti. Nous sommes aux antipodes du vin moderne produit à Bolgheri. Un vin sérieux et passablement étoffé qui procure déjà beaucoup de plaisir à table, mais qui a l'équilibre et l'étoffe nécessaires pour se développer jusqu'en 2019-2021.

10253440 28,35$ ★★★→★ ③

LE MICCINE

Chianti Classico Riserva 2011

Interprétation moderne, mais fort bien réussie du chianti classico. La générosité caractéristique du millésime accentue ses formes plantureuses et ses saveurs fruitées, qui se marient bien au bois. Finale vaporeuse aux accents de cerise et de fumée. On gagnera à le laisser dormir en cave jusqu'en 2019-2021.

11580135 28,80$ ★★★→? ③

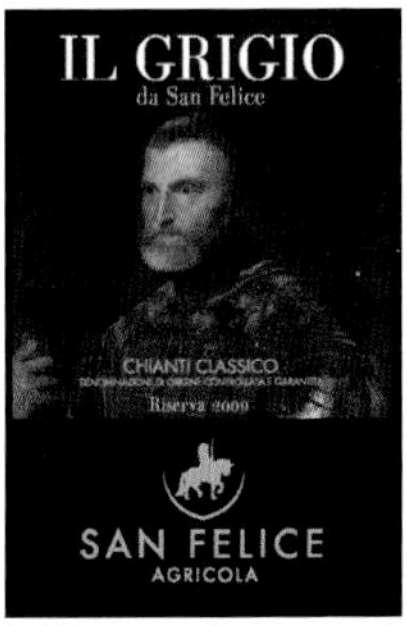

SAN FELICE

Chianti Classico Riserva 2012, Il Grigio

Ce vin a presque l'effet d'un voyage dans le temps. Alors que d'autres domaines de l'appellation Chianti Classico ont effectué un virage moderne depuis une vingtaine d'années, San Felice reste fidèle à un style très classique. Pas de goûts de bois neuf, pas de surmaturité, juste une expression dépouillée du cépage sangiovese, dont la vigueur tannique, quoiqu'un peu rustique, procurera beaucoup de plaisir à table. Surtout avec des pâtes aux tomates ou une escalope de veau aux champignons.

703363 26,35 $ ★★★★ ② ♥

VOLPAIA

Chianti Classico Riserva 2013

Un chianti de facture plutôt traditionnelle, vieilli pendant deux ans dans de grands foudres de chêne de Slavonie, une région du nord-est de la Croatie. Se pourrait-il que les mauvaises conditions météo pendant la floraison aient entraîné une concentration? Ce 2013 m'a semblé particulièrement robuste et charnu; très riche en saveurs de fruits noirs aussi et marqué par la vigueur proverbiale du sangiovese. Beaucoup de mâche, de consistance et une finale très longue, relevée de fines notes amères. Excellent, mais laissez-le dormir encore deux ou trois ans.

730416 33,75$ ★★★→★ ③

FÈLSINA
Chianti Classico 2013, Berardenga

Année après année, cette belle propriété de Castelnuovo Berardenga, à l'est de Sienne, donne quelques-uns des meilleurs vins de Toscane. Des supertoscans au simple Chianti Classico, tous les vins de Giuseppe Mazzocolin se signalent par leur finesse et leur équilibre exemplaire.

Ici, pas de cinéma, pas d'artifices ni d'extraction exagérée, mais un vin élégant, taillé pour la table. Même dans un millésime de qualité hétérogène comme l'a été 2013, ce vin déjà passablement épanoui n'accuse aucune dureté ni maigreur. Le sangiovese s'exprime ici en suavité plus qu'en vigueur, et embaume le palais d'effluves de tomate, d'épices, de cuir, de terreau humide. Une très belle bouteille à boire dès maintenant et jusqu'en 2020.

0 827772 200243

898122 29,60$ ★★★★ ② ♥

BADIA A COLTIBUONO
Chianti Classico 2013

Ce chianti issu de l'agriculture biologique a une allure très méditerranéenne en 2013. Son caractère exubérant et sa profusion de saveurs confites contrastent avec le profil sévère des autres vins de ce millésime. À l'évidence, on a choisi de miser à fond sur le fruit plutôt que sur l'extraction tannique. Le résultat est séduisant, quoique atypique.

8 008483 000502

10985931 28,25$ ★★★ ②

BARONE RICASOLI
Chianti Classico 2013, Brolio

La vaste propriété de 1400 hectares des barons Ricasoli est un peu le berceau historique du chianti. Après une vingtaine d'années de grande noirceur lors de la mainmise de l'empire Seagram – deux décennies d'une production industrielle de masse –, le domaine a été repris par Francesco Ricasoli en 1993. Même s'il est produit à grand volume (800 000 bouteilles par an) ce chianti fait preuve d'une constance qualitative admirable. Une expression simple, mais honnête du sangiovese, avec des notes de vieux cuir et de fumée, un peu compact et sévère pour l'heure, mais agréable à table.

0 618109 027516

3962 24,95$ ★★★ ③

BRANCAIA

Chianti Classico 2014

Bien qu'il soit élevé en cuves de ciment, ce vin dégage au nez des parfums marqués de vanille. Cela dit, une heure d'aération suffit pour que le fruit reprenne le dessus et que le sangiovese s'exprime avec ses odeurs habituelles de cuir et sa vigueur tannique. Pas très complexe, mais une réussite digne de mention dans le contexte du millésime 2014.

12895104 26,95$ ★★★ ②

LE MICCINE

Chianti Classico 2013

L'œnologue québécoise Paula Papini Cook signe un bon 2013 au nez compact de cuir et de cerise. La bouche est plutôt sobre, modérément fruitée, mais elle a toute la mâche souhaitée et laisse une sensation de plénitude. Solide constitution et bonne longueur pour le prix. À laisser reposer idéalement jusqu'en 2018.

12257559 22,05$ ★★★ ½ ②

SAN FABIANO CALCINAIA

Chianti Classico 2013

Ce chianti issu de l'agriculture biologique est un brin austère au premier nez, comme tant de 2013 goûtés au courant de l'été 2016. En bouche par contre, voilà un joli vin très classique, bien équilibré et appuyé par des tanins mûrs. Du grain, du volume en milieu de bouche et une finale vaporeuse à 14% d'alcool. Si harmonieux qu'on le boirait dès maintenant. Cela dit, il gagnera encore en nuances d'ici 2019. Le site de la SAQ indique 2014, mais on trouve encore beaucoup de 2013 en succursales.

10843327 22,10$ ★★★★ ③ ♥

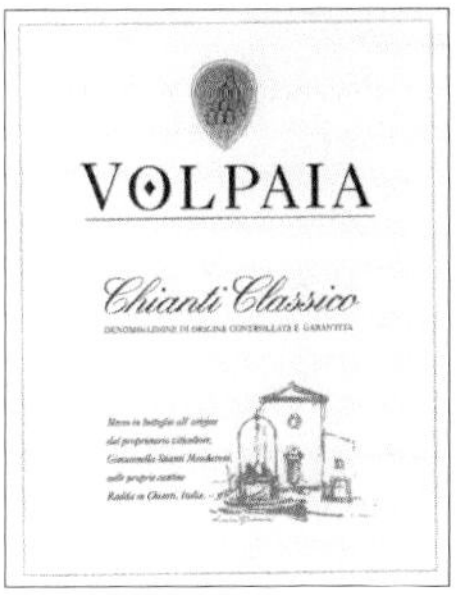

VOLPAIA

Chianti Classico 2013

Sous la gouverne de Giovannella Stianti, ce domaine a étroitement participé à la renaissance du chianti au cours des années 1980. Aujourd'hui encore, Volpaia est réputée pour l'élégance et le classicisme de ses vins. Au nez, des notes d'herbes fraîches et séchées donnent d'emblée une impression de fraîcheur; la bouche est ensuite marquée par la vigueur tannique du sangiovese et fait preuve d'une intensité contenue très séduisante. À boire entre 2017 et 2020. Issu de l'agriculture biologique.

10858262 26,65$ ★★★★ ② ♥

POGGIO ANTICO

Brunello di Montalcino 2011

Dans les vieux ouvrages qui traitent de la dégustation, il n'est pas rare qu'on parle de parfums de goudron pour décrire un vin. Cette mention a beau me faire sourciller plus souvent qu'autrement, je dois avouer que c'est le premier qualificatif qui me vient en tête pour décrire le nez de ce somptueux brunello.

Au sud-ouest du village de Montalcino, le domaine de Poggio Antico est l'un des plus haut perchés de toute l'appellation. Paola Gloder y signe l'un des brunellos les plus distingués de la région. Maintenant âgé de cinq ans, son 2011 exerce un charme certain au nez, par ses senteurs de cuir, de tabac et... de goudron. Les tanins sont à la fois hyper fins et tissés très serrés, les couches de saveurs fruitées, épicées et animales vont crescendo et le vin laisse une sensation de plénitude peu commune, même pour cette appellation. On peut l'apprécier dès maintenant ou le laisser mûrir quelques années.

11300375 79,25$ ★★★★ ② 8 032697 882821

BANFI (CASTELLO)

Brunello di Montalcino 2010

Déjà passablement ouvert et accessible lorsque goûté de nouveau en septembre 2016, ce vin étonne par son attaque en bouche tendre, très polie, qui se resserre ensuite pour laisser en finale une sensation tonique et vigoureuse. Beaucoup de chair et de fruit, mais aussi une saine fraîcheur en bouche, tant par ses tanins granuleux que par ses notes de menthe séchée. À boire d'ici 2020.

10268596 60$ ★★★ ½ ② 8 015674 103164

CAPARZO

Brunello di Montalcino 2011

Toujours un peu plus souple et accessible en jeunesse que d'autres vins de l'appellation, ce brunello adopte une allure encore plus gourmande en 2011. On sent bien les effets de l'été sec et chaud, avec une matière fruitée très mûre et une fin de bouche capiteuse (14% d'alcool), sans être brûlante.

10270178 53$ ★★★ ② 8 004012 000029

CASANOVA DI NERI

Brunello di Montalcino 2011

Même dans un millésime quelque peu délicat à Montalcino – beaucoup de vins lourds et riches en alcool –, Giacomo Neri et son fils Giovanni ont produit un brunello harmonieux et élégant. Bien sûr, il n'a pas la vigueur des années classiques, mais sa plénitude en bouche, de même que sa trame charnue et bien mûre qui donne l'impression de croquer dans la grappe, valent le détour. Déjà séduisant, il devrait vieillir en beauté jusqu'en 2023.

8 025862 080009

10961323 64$ ★★★★ ②

COL D'ORCIA

Brunello di Montalcino 2009

L'archétype du brunello di Montalcino : nez puissant de viande fumée, agrémenté de notes goudronnées. La bouche est tout aussi typée, très mûre, mais animée par la vigueur tannique propre au sangiovese, ce qui permet à ce vin costaud de conserver une fraîcheur exemplaire. Un bon achat pour l'amateur de cette appellation du sud de la Toscane.

8 016760 001869

403642 52$ ★★★ ②

FRESCOBALDI

Brunello di Montalcino 2011, Castelgiocondo

Le côté déjà flatteur de ce brunello est accentué par la générosité du millésime 2011. L'attaque quasi sucrée se mêle à des parfums de vanille et de cacao qui plairont à l'amateur de vins modernes de Toscane, mais qui laisseront sur leur soif ceux qui, comme moi, préfèrent le sanviovese sous un jour plus strict, plus vigoureux. À boire jusqu'en 2019.

8 002366 089264

10875185 50$ ★★★ ②

PIAN DELLE VIGNE

Brunello di Montalcino 2011

Ce domaine situé au sud de Montalcino appartient à la famille Antinori depuis 1995 ; elle y produit un bon brunello typé. Le 2011 est ample et sa structure tannique s'harmonise bien à sa chair fruitée mûre. L'apport boisé se fait sentir, sans dénaturer les parfums du sangiovese. À boire entre 2017 et 2021.

8 001935 000280

12008288 53,75$ ★★★→? ②

ANTINORI

Tignanello 2013, Toscana

Même si son empire s'étend aujourd'hui du nord au sud de l'Italie et jusqu'au Chili, en passant par la côte Ouest américaine, la famille Antinori reste indissociablement liée à la Toscane, où elle produit du vin depuis le 14e siècle. Piero Antinori, acteur de premier plan de la renaissance viticole toscane, est maintenant entouré de ses trois filles : Albiera, Allegra et Alessia.

Créé au début des années 1970 par Piero Antinori, ce vin demeure un modèle d'élégance en matière de supertoscan. Le 2013 se décline en bouche avec beaucoup de finesse pour un vin si jeune, destiné à une longue garde. Les travaux effectués il y a quelques années sur le vignoble de la Tenuta Tignanello portent fruit et le vin me semble atteindre un nouveau sommet cette année. Des tanins, une acidité, une amertume et un fruit de première qualité, réunis dans des proportions idéales. À boire tout au long de la prochaine décennie. Bravo!

8 001935 124504

10820900 104$ ★★★→★ ③

ARGIANO

Non Confunditur 2013, Rosso Toscana

Profondément toscan, par sa vigueur tannique et par ses notes sanguines, ponctuées d'une saine amertume et d'une pointe d'acidité volatile. Dégusté sur 2 jours, cet excellent vin était à son meilleur après 24 h d'aération en bouteille – conservée sans autre protection que le bouchon de liège. Pour en profiter à son plein potentiel, mieux vaut l'aérer en carafe.

8 022931 875139

11269401 23,55$ ★★★★ ③ ♥ ♨

LE MICCINE

Carduus 2010, Toscana

S'il présente la rondeur caractéristique du cépage merlot (100 %), ce 2010 n'accuse aucune mollesse ni fatigue. Une agréable acidité accentue sa vigueur en bouche et met en relief les saveurs de prune, de champignons, de tabac et d'épices. Bonne longueur en bouche, finale élégante aux parfums de *porcini*. À boire d'ici 2020.

0 805534 970047

12798398 34,50$ ★★★ ½ ②

Italie

SAN FABIANO CALCINAIA

Cabernet sauvignon 2011, Toscana

Commenté l'an dernier dans *Le guide du vin 2016*, ce vin n'avait pas pris une ride lorsque goûté de nouveau au courant de l'été 2016. L'attaque en bouche est pleine et chaleureuse, les saveurs sont aussi un peu plus expressives, entre le cassis, les épices et les fines herbes. Assez solide pour tenir encore au moins jusqu'en 2022.

11546914 27,50$ ★★★→? ③ 8 025205 000442

SAN FABIANO CALCINAIA

Casa Boschino 2014, Toscana

À prix abordable, un bon vin savoureux et ouvert; pas spécialement concentré, mais franc de goût. Une expression nette et sympathique du sangiovese, complété d'un peu de cabernet et de merlot. Vigoureux, ponctué de notes de poivre, de cuir, de mûres; il pourrait difficilement être meilleur. Très bon achat encore cette année.

12592832 15,25$ ★★★ ② ♥ 8 025205 000350

SETTE PONTI

Oreno 2012

Ce domaine d'Arezzo appartient à la famille Moretti depuis 1950. La cuvée haut de gamme du domaine est composée pour moitié de merlot, puis de cabernet sauvignon et de petit verdot. Le 2012 s'impose par sa force tannique, sa concentration et la densité de son fruit. Un vin plein d'élan, jeune et un peu dru au point d'être un peu rustique, mais vraiment très étoffé. Reste à voir comment il évoluera.

10297047 73$ ★★★→? ③ 8 033011 200413

POGGIOFOCO (VIGNETI DI)

Secondo Me 2010, Sovana

Dans une veine très classique, un vin remarquable produit tout au sud de la Toscane, sur l'appellation Sovana, et composé à 100% de cabernet sauvignon. Tout le contraire du gros vin tape-à-l'œil: élégant, soyeux et très distingué, sans pour autant manquer de mordant, il est fait d'une intensité contenue et d'une profondeur rare dans cette gamme de prix. On peut l'apprécier dès maintenant après un bref passage en carafe ou le laisser reposer sans crainte jusqu'en 2020.

11019997 26,90$ ★★★★ ② ♥ ♁ 8 033237 020567

ARGENTIERA (TENUTA)

Giorgio Bartholomaus 2011, Toscane

Créé au tournant des années 2000, aux limites sud de l'appellation Bolgheri, cet ambitieux domaine est l'œuvre des frères Corrado et Marcello Fratini, d'importants entrepreneurs florentins. Giorgio Bartholomaus, la cuvée haut de gamme d'Argentiera est composée à 100 % de merlot.

Chaque année depuis son premier millésime, en 2006, j'aime beaucoup ce vin précis et très bien structuré, au fruité compact; long en bouche et plein de caractère, avec une sorte de puissance contenue qui le rend particulièrement séduisant. Bien qu'un peu moins étoffé et concentré que le plus célèbre des merlots de Bolgheri, le Masseto d'Ornellaia (600 $), il faut reconnaître que ce 2011 soutient admirablement la comparaison, avec sa finale profonde aux saveurs de prune, de graphite et de cèdre. Un vin à la fois riche et agréable à boire même en jeunesse. On gagnera cependant à l'attendre jusqu'en 2021.

11900223 169 $ ★★★→★ ③

8 032937 584102

ARGENTIERA (TENUTA)

Villa Donoratico 2012, Bolgheri

Goûté un an plus tard à l'été 2016, cet assemblage bordelais avait terminé sa petite crise d'adolescence et se révélait sous un jour élégant et harmonieux. Un vin remarquable dont la puissance contenue, le velouté, l'intensité et la persistance résument bien tout le potentiel de Bolgheri, quand on a la sagesse de ne pas trop en faire. Grain tannique élégant, beau relief de saveurs, tout en nuances. Rapport qualité-prix irréprochable.

12936471 32,25 $ ★★★★ ③

8 032937 582108

BISERNO

Insoglio del Cinghiale 2014, Bolgheri

Une « curiosité » de Bolgheri, composée d'un tiers de syrah – merlot, cabernet franc et un soupçon de petit verdot pour le reste. Gourmand, très méditerranéen tant en arômes qu'en texture, avec son attaque sphérique et ses tanins gommeux. À défaut de complexité, on se laissera vite charmer par la sensation générale de plénitude qu'il laisse en bouche.

10483405 32,50 $ ★★★ ½ ②

8 032937 311203

Italie

LE MACCHIOLE

Bolgheri 2014

Le visage moderne de la Toscane, dans le meilleur sens du terme; bel usage complémentaire des cépages merlot, cabernet et syrah. Plein, rond et gorgé de fruit, le 2014 repose sur des tanins juste assez fermes, qui font contrepoids à sa générosité. Très bon vin à la hauteur de la réputation du domaine. À boire dès maintenant et jusqu'en 2020.

8 032700 765066

11098285 29,20$ ★★★★ ② ♥

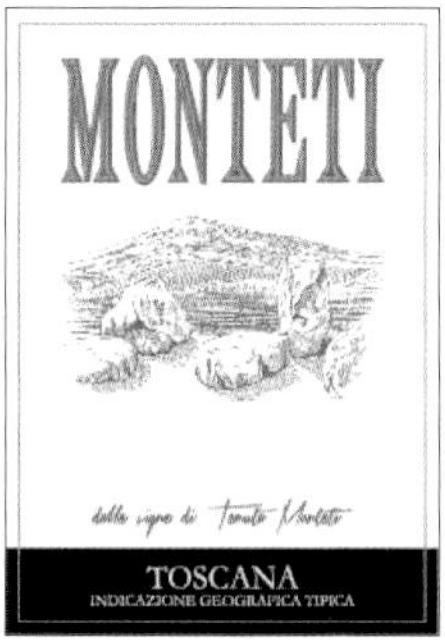

MONTETI

Toscana 2010

Ce domaine situé au sud de Grosseto a été créé de toutes pièces il y a une quinzaine d'années par Paolo Baratta, un ancien banquier et homme politique, qui a aussi présidé la Biennale de Venise pendant quatre ans. À vue de nez, on comprend qu'on a affaire à un vin sérieux. La bouche ne ment pas : complexe et multidimensionnelle, bien qu'un brin austère et sur la réserve. Le grain est soyeux, mais serré, tonique, étonnamment leste et ouvert pour un vin composé de petit verdot à 55 %. Beaucoup de fruit noir et une finale minérale qui rappelle la poussière de roche. Un vin à point, qu'on pourra boire jusqu'en 2021.

8 033269 000025

11547061 41,25$ ★★★★ ②

ORNELLAIA

Le Serre Nuove 2014, Bolgheri

D'ordinaire volubile et expansif, ce vin était plutôt sévère et replié sur lui-même lorsque goûté en août 2016. Le charme et la grâce n'étaient pas au rendez-vous bien qu'il ne manque pas de charpente ni de consistance. Est-ce la secousse du transport, le creux de vague d'un vin embouteillé récemment ou l'effet d'un été pluvieux en Toscane? Qui vivra verra.

0 877397 000254

10223574 63$ ★★ ½→? ③

SATTA, MICHELE

Piastraia 2012, Bolgheri

Assemblage de sangiovese et de cépages bordelais, élaboré par le maître du sangiovese à Bolgheri. Tendre, juteux, coulant; pas spécialement profond, mais ouvert, harmonieux et agréable à boire dès maintenant.

0 830294 002127

879197 38$ ★★★ ②

SAPAIO (PODERE)

Volpolo 2014, Bolgheri

Développé à compter de 1999 à Castagneto Carducci, le vignoble de Massimo Piccin mise exclusivement sur les variétés bordelaises, comme la plupart des domaines de Bolgheri, tous inspirés par le succès du Sassicaia.

Plutôt que de s'imposer par sa force brute, ce 2014 propose une interprétation gracieuse et « athlétique » du cabernet sauvignon (70 %), du merlot et du petit verdot. Un vin très droit, aux larges épaules, qui a toute la mâche et la structure voulues, sans aucun excès ; beaucoup de relief, de nuances aromatiques et une finale singulière aux accents de violette. Un excellent vin, bien plus rassasiant que nombre de «grands» vins de Toscane vendus deux (sinon trois) fois plus cher, et qu'on pourra aisément garder en cave jusqu'en 2023.

12488605 29,05$ ★★★★ ③ ♥

8 033315 791204

FATTORIA DI MAGLIANO

Sinarra 2011, Maremma Toscana Rosso

Une interprétation chaleureuse du cépage sangiovese. Le 2011 repose sur des tanins un peu anguleux qui ajoutent à sa «buvabilité» et à son caractère digeste. En goûtant ce vin, j'ai tout de suite eu envie d'être assise à table, devant un plat de spaghetti à la sauce tomate. Un signe qui ne ment pas...

11191447 23,30$ ★★★ ½ ② ♥

8 032644 544345

GRAETZ, BIBI

Casamatta 2014, Toscana

Vinifiée et élevée en cuves d'acier inoxydable, la cuvée Casamatta mise à fond sur la fraîcheur et sur les saveurs fruitées des sangiovese, merlot et syrah. Le 2014 est relativement léger en alcool (12,5 %), joufflu, gourmand, souple et coulant. Bibi Graetz n'a manifestement pas cherché à trop extraire les tanins et c'est tant mieux. Très bon vin de soif, façon Toscane.

8 033971 031812

11372441 18,25$ ★★★ ½ ② ♥

MONTETI

Caburnio 2012, Toscana

Un assemblage hétéroclite de cabernet sauvignon, d'alicante bouschet et de merlot donne un vin au nez très invitant de fruits noirs, souligné par une pointe d'acidité volatile. Bouche nerveuse, en raison d'une acidité vive qui pince les joues. Le vin n'a cependant rien d'acerbe et est enrobé d'un tissu de tanins mûrs laissant une impression très gourmande. Les notes épicées du bois de chêne se marient bien à l'ensemble. Excellent. Beaucoup de vin dans le verre pour le prix.

11305580 22,90$ ★★★★ ② ♥ 8 033269 000018

SATTA, MICHELE

Bolgheri 2014

J'ai éprouvé beaucoup de plaisir à boire ce vin de cabernet, de sangiovese, de merlot et de syrah. Au nez, un jardin de plantes aromatiques, entre la sauge, la menthe poivrée, le romarin, et de petits fruits rouges. La bouche est fraîche, fruitée et ponctuée de notes animales et poivrées; vigoureuse et de très bonne longueur. À 25$, c'est un excellent achat.

10843466 25,15$ ★★★★ ② ♥ 0 830294 009140

TUA RITA

Palazzetto 2014, Toscana

Très joli vin, plus gouleyant que puissant. Beaucoup de volume en bouche (14% d'alcool), mais aucun débordement. Les éléments se présentent dans des proportions heureuses et une juste dose d'acidité confère à l'ensemble une énergie débordante. Le vin de table idéal. Un peu plus de profondeur et il méritait quatre étoiles.

11896148 20,30$ ★★★ ½ ② 8 033481 320666

TUA RITA

Rosso dei Notri 2014

Fondé en 1984, Tua Rita a été le premier domaine à s'établir dans le secteur de Suvereto, dans la province de Livourne. Ce vin composé pour moitié de sangiovese est d'emblée séduisant par sa riche texture fruitée, s'appuyant sur une assise tannique à la fois solide et vigoureuse. Moderne, oui, mais très chic. Comme une maison de style contemporain. Plein et élégant, charnu et gouleyant. Le meilleur des mondes.

10843335 25,10$ ★★★ ½ ② 8 033481 320642

UMANI RONCHI

Casal di Serra 2015, Verdicchio dei Castelli di Jesi Classico Superiore

Le cépage verdicchio est enraciné dans la région des Marches depuis le 12e siècle. À une trentaine de kilomètres à l'ouest de la mer Adriatique et de la ville d'Ancône, dans le secteur de Castelli di Jesi, il peut donner d'excellents vins blancs, comme celui-ci.

Issu de vignes de verdicchio de moins de 30 ans, cultivées entre 200 et 350 m d'altitude, le vin profite d'une macération partielle sur lies qui nourrit sa texture, sans l'alourdir. Très bel exemple de verdicchio, ce 2015 a l'ampleur en bouche d'un vin blanc du sud du Rhône et la vitalité doublée de salinité d'un muscadet. Modérément aromatique, très net en bouche, à la fois ample, nerveux et désaltérant. Encore meilleur s'il est aéré en carafe une heure avant de le servir.

10254725 18,70$ ☆☆☆☆ ② ♥ ⧋

8 032853 721124

BÙ

Splendido, Puglia, Constellation Brands

Les vins de la sommelière Jessica Harnois sont à peine lancés, mais on peut déjà leur prédire un grand succès populaire. La gamme a avant tout été pensée pour les épiceries, mais deux des cuvées mises en marché en septembre 2016 se retrouvent aussi sur les tablettes de la SAQ, dont ce vin blanc mis en bouteille au Québec. Rien de bien profond, mais un vin blanc sec de bonne tenue, assez gras et auquel le fiano (40%) apporte une couleur bien locale, avec des notes d'amandes grillées. Bouteille coiffée d'une capsule vissée. Une proposition tout à fait honnête pour le prix.

13066703 14,70$ ☆☆☆ ① ♥

0 056049 134589

CASTELLO DI POMINO

Pomino bianco 2015, Frescobaldi

Cet assemblage de chardonnay et de pinot blanc fait partie du paysage de la SAQ depuis une trentaine d'années. C'était même mon apéritif de prédilection lorsque j'ai commencé à m'intéresser au vin. Les années ont passé et mes horizons se sont un peu élargis, mais le Pomino reste fidèle au style qui l'a rendu si populaire: net, très sec, délicatement parfumé et désaltérant. Toutes les qualités recherchées dans un bon vin d'apéro. Comme quoi...

65086 19,95$ ☆☆☆ ①

8 007425 000730

Italie

CASTORANI (PODERE)

Pecorino Superiore 2015, Amorino

Jarno Trulli et son équipe se sont dotés d'un pressoir sous vide pour l'élaboration de leurs vins blancs. Je ne sais pas si on doit y voir une conséquence directe de cette nouvelle technologie, mais ce pecorino m'a semble plus achevé que jamais. La bouche est fraîche et le fruit s'exprime avec netteté, déployant un spectre de saveurs plus complexes qui persistent en finale. Belle bouteille à boire d'ici 2020.

8 032790 763386

10859249 26$ ☆☆☆☆ ② ♥ ▼

CASTORANI (PODERE)

Scià 2015, Chardonnay – Fiano, Puglia

En exclusivité dans les succursales SAQ Dépôt, un vin blanc sec composé de chardonnay et de fiano. Peu d'acidité, mais une fraîcheur méridionale qui repose sur la tenue et la structure; finale gourmande aux parfums d'écorce d'orange. Original et très abordable.

12477551 11,75$ ☆☆☆ ① ♥

8 032790 763904

MASCIARELLI

Trebbiano d'Abruzzo 2015

Prix très attrayant pour un bon vin typiquement méditerranéen. Passablement structuré pour un trebbiano, riche en détails aromatiques, teinté de miel et d'amandes grillées, le tout soutenu par une franche acidité. Distinctif et très satisfaisant à moins de 15$.

12635097 14,60$ ☆☆☆ ½ ① ♥

8 033140 750100

VELENOSI

Verdicchio dei Castelli di Jesi Classico 2015

Un vin blanc sec, qui goûte bon la poire mûre et juteuse. Bien servi par la technologie moderne, il a plus de caractère que la moyenne des vins blancs de ce prix. Ses saveurs nettes et sa vitalité en font un bon vin d'apéritif.

11155665 16,50$ ☆☆☆ ②

0 666056 000205

UMANI RONCHI

Cúmaro 2012, Rosso Conero Riserva

Le cépage montepulciano – à ne pas confondre avec la petite ville de Toscane qui porte le même nom et où on produit le vino nobile di Montepulciano – est cultivé un peu partout dans le centre de l'Italie. Surtout connu pour donner des vins gorgés de soleil dans les Abruzzes, il est aussi la source de vins rouges très étoffés sur l'appellation Rosso Conero, dans les Marches.

Porte-étendard de cette maison dynamique, propriété de la famille Bernetti, le 2012 est plus complet et plus rassasiant que le 2010 goûté en 2015. Beaucoup de mâche tannique et une chair fruitée ample, gorgée de saveurs de bleuet sur un fond d'épices, de cèdre et de tabac, sans doute attribuables à l'élevage en fût de chêne français. Déjà excellent, il a toutes les qualités pour traverser les années avec grâce.

710632 29,60$ ★★★→★ ③

8 032853 723517

FALESCO

Vitiano 2014, Umbria

Sangiovese, cabernet sauvignon et merlot. Plus frais que le 2013 goûté au même moment, pimpant, guilleret, mais aussi généreux, charnu, gourmand. On croque dans le fruit pour pas cher.

8 028003 000515

466029 17$ ★★★½ ② ♥

LUNGAROTTI

L'U 2012, Umbria

La famille Lungarotti joue un rôle prédominant à Torgiano. D'abord par sa taille – production annuelle de trois millions de bouteilles – mais surtout par la constance qualitative de ses vins. Bien qu'international par sa composition, ce vin de sangiovese et de merlot demeure fidèle à ses origines par sa forme. Le fruit est mûr et les tanins dodus, mais il ne manque pas de vivacité et laisse en bouche une sensation fraîche et harmonieuse. Bon vin pour accompagner la cuisine familiale de tous les jours.

8 016044 000380

12717463 18,80$ ★★★ ② ▼

MORODER

Rosso Conero 2013

Moins étoffé et plus abordable que le Cúmaro de la même maison, ce vin est un bel exemple de rosso conero accessible en jeunesse. D'autant plus que le 2013 mise à fond sur l'expression vigoureuse du montepulciano, avec de bons goûts de cerise noire, de thé et de cacao et des tanins juste assez gommeux qui donnent l'impression de croquer dans la grappe. Très rassasiant. Un peu plus de longueur et il méritait quatre étoiles.

8 029375 000042

11155307 21,05$ ★★★ ½ ② ♥

UMANI RONCHI

Medoro 2014, Sangiovese, Marche

Maintenant ouvert et à point, ce 2014 offre un vrai goût de sangiovese, fruité, fringant et relevé, comme ceux qu'on boit dans les *trattorie* d'Italie. Un petit délice bon marché. Le plaisir des choses simples, mais bien faites. Vite, des spaghetti!

8 032853 720479

565283 13,40$ ★★★ ② ♥

MASCIARELLI

Marina Cvetic 2011, Montepulciano d'Abruzzo

Décédé en 2008 à l'âge de 53 ans, Gianni Masciarelli était l'un des hommes forts des Abruzzes. Son épouse Marina Cvetic, maintenant épaulée de ses enfants, veille au grain et continue de produire des vins parmi les plus achevés de la région.

Comme toujours, la cuvée qui porte son nom (créée par son défunt mari) distille une élégance et un raffinement peu communs pour le cépage montepulciano, sans pour autant sacrifier sa personnalité. Au contraire, on magnifie le cépage, on le porte plus loin. Un nez discret de cèdre et un grain tannique très soyeux, mais aussi compact; des saveurs fines, complexes. Le vin est très racé, vibrant d'authenticité et doté d'une finale saline qui le rend encore plus digeste. Déjà exquis, il a encore de belles années devant lui.

8 033140 750506

10863766 30$ ★★★★ ½ ② ♥

CASTORANI (PODERE)

Amorino 2010, Montepulciano d'Abruzzo

Fruit d'une mise en bouteille différente que le 2010 vendu à l'automne 2015, celui-ci était plus marqué par le bois lorsque goûté en juin 2016. L'ensemble n'en est pas moins harmonieux, mais lui donne une allure générale un peu plus convenue. Un très bel exemple de montepulciano moderne, vendu à prix juste.

8 032790 768176

11131778 26,15$ ★★★ ②

CASTORANI (PODERE)

Coste delle Plaie 2012, Montepulciano d'Abruzzo

Une autre belle réussite pour ce montepulciano qui n'a rien de rustique, mais qui conserve une identité bien méditerranéenne avec ses saveurs de fruits confits, d'herbes séchées et d'anis. L'attaque en bouche est tendre et généreuse et le vin se resserre en finale, laissant une impression d'ensemble relevée, tonique. Ouvert et conçu pour être apprécié dès sa mise en marché.

8 032790 761177

10788911 22,65$ ★★★ ②

Italie

CASTORANI (PODERE)

Montepulciano d'Abruzzo 2010, Riserva

Chaque année, mon préféré de la vaste gamme de Jarno Trulli. Issu de vignes d'une quarantaine d'années, le vin profite d'un élevage sous bois qui se manifeste encore aujourd'hui par des saveurs de cèdre et de fumée, mais qui nourrit surtout son grain tannique et laisse la bouche pleine et rassasiée. Très méditerranéen dans l'esprit, structuré, élégant. À boire entre 2018 et 2022.

8 032790 762105

10383113 34,75$ ★★★→★ ③

ILLUMINATI

Montepulciano d'Abruzzo 2013, Ilico

Plutôt que de chercher à plaire à tout prix en s'adaptant aux nouveaux marchés d'export, a famille Illuminati se contentent de produire des vins authentiques et fidèles à leurs origines. Le Ilico exprime bien la charmante rusticité du montepulciano, sans maquillage. Du corps, une finale florale et une bonne longueur pour le prix. Bravo!

8 000268 750237

10858123 16,75$ ★★★ ½ ② ♥

ILLUMINATI

Montepulciano d'Abruzzo 2014, Riparosso

Sans surprise, ce 2014 est un autre bel exemple de montepulciano, vigoureux, nerveux, un brin rustique, mais sympathique. Le fruit se mêle aux accents de cuir et d'épices, le grain tannique est ferme, sans dureté. À prix d'aubaine, c'est tout le bon goût des Abruzzes.

8 000268 750213

10669787 14,95$ ★★★ ② ♥

MASCIARELLI

Montepulciano d'Abruzzo 2014

L'attaque en bouche est souple, coulante et regorge de de fruits frais, puis le vin se resserre, laissant en finale une trame tannique juste assez dense, ponctuée de notes d'herbes séchées. Beaucoup de corps et de caractère pour le prix.

8 033140 750018

10863774 16,70$ ★★★ ½ ② ♥

ZACCAGNINI

Montepulciano d'Abruzzo 2014, La Cuvée dell'Abate

Toujours peu volubile au nez, ce 2014 goûté à deux reprises au cours de l'année 2016 revêt une allure plus commerciale que par le passé. Le vin comporte un léger reste de sucre (7,5 g/l) et un usage presque caricatural du bois de chêne lui apporte des arômes dominants de vanille. Pour le reste, il ne manque pas de corps, juste d'authenticité.

8 028938 012089

908954 17,40$ ★★ ½ ②

RIVERA

Il Falcone 2010, Riserva, Castel del Monte

Produite par la famille Corato, la cuvée Il Falcone est le porte-drapeau de l'appellation Castel del Monte, à l'est de la ville de Bari, au cœur des Pouilles. À juste titre, puisque cet assemblage de nero di troia et de montepulciano est toujours savoureux. Un excellent vin typique des terroirs très ensoleillés.

Le 2010 est impeccable. Coloré, il embaume le cèdre, les fruits noirs et les champignons séchés; la bouche est vive, laissant une impression un peu carrée en bouche. Certains y trouveront des airs un peu trop rustiques. Personnellement, j'ai beaucoup plus de plaisir à boire ces vins à forte personnalité, authentiques et généreux, que n'importe quelle cuvée techniquement parfaite, dépouillée de caractère. D'autant plus recommandable qu'il est ouvert et prêt à boire.

10675466 24,70$ ★★★★ ② ♥

8 000715 000502

MONTEVETRANO

Core 2014, Campania

L'aglianico est l'un de mes cépages préférés du sud de l'Italie. Surtout quand il est vinifié avec sagesse, comme celui-ci, sans trop de concentration, d'extraction ni de goûts boisés envahissants. Rien de surprenant d'ailleurs : ce domaine réputé de Campanie, appartenant à la photographe Silvia Imparato et géré par l'œnologue Riccardo Cottarella, nous a habitués au meilleur. Nous voici donc face à un vin très méditerranéen avec des saveurs de fruits confits, mais aussi une acidité vivifiante qui accentue les angles tanniques, lui donnant une allure juste assez rustique, mais pas trop. Très original. Excellent!

12558394 30$ ★★★★ ②

8 201415 152014

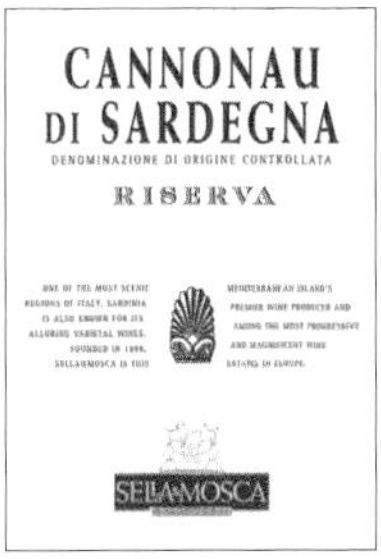

SELLA & MOSCA

Cannonau 2011, Riserva di Sardegna

Plutôt que d'adopter un style flatteur pour s'imposer sur les marchés internationaux, cette force majeure de l'industrie viticole sarde est restée fidèle à un style à l'ancienne, un peu rustique, mais charmant. Une interprétation originale du cépage grenache (cannonau) en Sardaigne ; très mûre, avec des goûts de fruits confits et des notes de viande fumée. Un vin à découvrir. Servir légèrement rafraîchi.

425488 17,30 $ ★★★ ② ♥

TAURINO COSIMO

Reserva 2009, Salice Salentino

Voilà maintenant quatre ans que ce 2009 est inscrit au répertoire de la SAQ. Les inventaires sont apparemment sans fin, mais ce vin de negroamaro et de malvasia nera n'est, lui, pas éternel et commence à montrer des signes de fatigue. Cela dit, ça reste un bon vin original et fidèle à ses origines.

411892 17,90 $ ★★★ ①

TORMARESCA

Torcicoda 2014, Salento

Ce primitivo (zinfandel), produit l'effet d'un coup de soleil dans la bouche, tant il en impose. Quasi sucré en attaque, avec une tonne de fruits confits et une solide charge tannique pour encadrer le tout. Plus de muscle que d'esprit, mais un bon équilibre d'ensemble.

11331631 19,95 $ ★★★ ②

TORMARESCA

Trentangeli 2014, Castel del Monte

Depuis 1998, la célèbre famille Antinori de Florence a développé un vaste domaine de 600 hectares dans les Pouilles. Ce vin d'aglianico (70 %), de cabernet et de syrah s'avère très satisfaisant dans sa version 2014. De belles saveurs de petits fruits sauvages, un caractère aigrelet qui lui apporte de l'élan en bouche et des tanins un peu carrés, juste assez fermes pour donner du tonus à l'ensemble. Déjà plus ouvert que le 2013 goûté en cours d'année 2016 ; à boire d'ici 2019.

12756420 20 $ ★★★ ②

SICILE : RENAISSANCE À FLANC DE VOLCAN

Depuis qu'il a élu domicile au pied de l'Etna, l'humain y a cultivé la vigne et l'olivier : bientôt 4000 ans à braver les éruptions de l'un des volcans les plus actifs du monde ! Pourtant, à lire les commentaires dans les magazines spécialisés, on aurait vite fait de prendre les vins de cette région de la Sicile pour de nouveaux venus. Avec raison.

Isolé tout à l'est de l'île et laissé à l'abandon pendant une bonne partie du 20e siècle, le vignoble de l'Etna est aujourd'hui en plein essor et est même devenu le symbole de la renaissance du vin sicilien.

Cette résurrection, on la doit d'abord au Toscan Andrea Franchetti, du domaine culte Passopisciaro, dans la commune de Castiglione di Sicilia, et à Marco de Grazia (Tenuta delle Terre Nere), un importateur américain d'origine italienne établi à Randazzo, sur le versant nord de l'Etna, depuis 2002. Le succès de ces « étrangers » a inspiré des locaux comme les Graci et les Planeta, qui s'y sont installés respectivement en 2004 et 2008.

Tous sont convaincus de l'immense potentiel de la région, ne serait-ce qu'en raison de la complexité des sols – résultat des éruptions successives et de dépôts sédimentaires –, mais aussi de la singularité des cépages nerello mascalese, nerello cappuccio et carricante (blanc), qui s'enracinent à flanc de montagne entre 600 et 1100 m d'altitude.

Particulièrement distinctifs sur le versant nord du volcan, les vins distillent une énergie et une personnalité peu communes. Ils se révèlent aussi près de la terre que du fruit, presque salés tant leur caractère minéral est prononcé. Profonds, élégants, vibrants de fraîcheur.

L'Etna, du haut de ses 3300 m, fume, crache et tremble encore chaque mois, mais l'Homme continuera d'y cultiver la vigne, même en sachant que ce qu'il a construit peut être réduit en cendres à tout moment. Il a depuis longtemps compris que le jeu en valait la chandelle.

Ce texte a été publié dans *L'actualité* du 1er octobre 2016.

GRACI

Etna Rosso 2013

À la mort de son grand-père, Alberto Graci a quitté le monde des banques et la ville de Milan pour la terre de ses ancêtres. Le domaine qu'il a alors fondé sur le flanc nord de l'Etna, dans le secteur prisé de Passopisciaro, s'est vite taillé une réputation enviable. Le nerello cappuccio, s'enracinant dans les sols volcaniques entre 600 et 900 m d'altitude donne un vin rouge empreint d'élégance.

Issu d'un millésime frais et humide qui a donné des vins de facture classique, ce 2013 est discret au nez, mais très expansif en bouche. Une attaque franche, un grain tannique très fin, serré et juste assez rugueux pour donner du relief à l'ensemble et mettre en valeur les goûts de fruits, de fines herbes et d'épices. Beaucoup de profondeur et de nuances. Plaisir garanti à table.

8 033609 610006

13041830 27,50$ ★★★★ ② ♥

PASSOPISCIARO

Terre Siciliane 2012

Andrea Franchetti signe une vaste gamme de vins de terroir sur les sables noirs du village de Passopisciaro, chacun de ses crus faisant preuve d'une personnalité distincte. Même le «petit» rouge du domaine est exemplaire. Une couleur pâle et une ampleur moyenne, mais un grain tannique à la fois fin et très serré, et des saveurs relevées, dessinées avec précision. Quoique déstabilisante pour les palais non initiés, sa vivacité prendra cependant tout son sens à table.

12628495 52$ ★★★ ½ ②

4 000126 284953

PLANETA

Etna rosso 2015

Patricia Tóth peaufine son art et sa maîtrise du cépage nerello mascalese chaque millésime depuis 2012. Celui-ci présente un très léger reste de gaz à l'ouverture qui accentue son naturel fringant et donne de l'élan aux saveurs fruitées et florales. Bien mûr (14% d'alcool) et pourtant tout léger et d'une grande finesse. Un peu plus de longueur et c'était quatre étoiles.

12473577 25$ ★★★ ½ ②

8 020735 031003

PLANETA

Etna Bianco 2015

Les vignes de la propriété de Feudo di Mezzo ont beau n'avoir que 7 ans, ça n'a pas empêché l'œnologue d'origine hongroise Patricia Tóth d'en tirer un vin blanc d'une exquise pureté. Établie sur le flanc nord de l'Etna depuis 2008, la famille Planeta est maintenant active dans cinq secteurs de la Sicile.

Déjà très bien réussi en 2014, ce vin blanc issu de carricante, cultivé sur des sols volcaniques noirs à 700 m d'altitude, atteint un nouveau sommet en 2015. Difficile de résister à un mariage si harmonieux de force, d'intensité et de délicatesse. Un vin tout en retenue, ponctué de fines notes de fleurs blanches et de pêche, sur un fond minéral et subtilement fumé. Un élevage partiel en fût apporte tout le gras souhaité, mais le vin est avant tout hyper digeste et désaltérant, portant l'empreinte de son lieu d'origine. Bravo!

8 020735 030006

12473614 25$ ☆☆☆☆ ½ ② ♥

DONNAFUGATA

Anthilia 2015, Sicilia

C'est peut-être juste une impression, mais cet assemblage de catarratto, ansonica et grillo me donne l'impression d'un virage fraîcheur cette année. Un peu moins parfumé, mais toujours très expressif et hyper désaltérant avec des notes salines et citronnées, rehaussées d'un reste de gaz. À l'apéro, au soleil, on siffle la bouteille sans même s'en rendre compte. Attention!

8 000852 000113

10542137 18$ ☆☆☆ ½ ① ♥

MARCO DE BARTOLI

Lucido 2015, Terre Siciliane

Les frères Renato et Sebastiano de Bartoli sont les rois du marsala et d'autres vins originaux de Sicile. Parmi eux, ce très bon vin blanc d'apéritif constitué de catarratto, le second cépage blanc le plus planté en Italie, derrière le trebbiano. À la fois vibrant et élégant, le vin présente une légère sucrosité en attaque, ce qui ne nuit en rien à sa fraîcheur et à son caractère désaltérant. Prix attrayant pour un vin d'excellente qualité.

0 895958 000253

12640603 20$ ☆☆☆☆ ② ♥

MORGANTE

Bianco di Morgante 2014

Issu de nero d'avola, un cépage rouge, mais vinifié en blanc : ce qui veut dire que les raisins ont été pressés directement, sans que la peau des raisins colore le moût. Le résultat est assez intéressant : du gras, mais surtout une vivacité peu commune dans les vins blancs de Sicile.

8 707270 000090

12819558 18,90 $ ☆☆☆ ½ ② ♥

PLANETA

Alastro 2015, Sicilia

Très bon vin blanc composé de grecanico (garganega à Soave), de sauvignon blanc et de grillo, aux saveurs de fruits tropicaux, de goyave. Une bouteille pleine de vitalité, dans laquelle un léger reste de gaz permet de compenser l'acidité. Sec, débordant de fraîcheur et original.

8 020735 002003

11034361 22 $ ☆☆☆ ½ ②

PLANETA

Chardonnay 2014, Sicilia

Issu de raisins de différents secteurs, dont une parcelle plantée à 450 m d'altitude sur des sols calcaires, ce chardonnay a beaucoup gagné en fraîcheur et en pureté depuis quelques années. Évidemment, on est loin d'un profil chablisien, mais on est aussi très loin de l'idée d'un chardonnay de climat chaud. Un peu plus de longueur et c'était quatre étoiles.

8 020735 000160

855114 39,75 $ ☆☆☆ ½ ②

PLANETA

La Segreta bianco 2015, Sicilia

Fidèle à la « recette » gagnante qui a fait son succès populaire, cet assemblage de grecanico, chardonnay, fiano et viognier est l'exemple même du bon vin méridional moderne : une expression aromatique très nette, du gras et l'acidité nécessaire à sa fraîcheur. À ce prix, rien à redire.

8 020735 001006

741264 16,95 $ ☆☆☆ ½ ① ♥

RAPITALÀ

Catarratto – Chardonnay 2015, Terre Siciliane

Bon vin de facture moderne, mariant la singularité du cépage indigène catarratto au caractère international du chardonnay. Du gras, un bon équilibre, des parfums d'épices qui s'ajoutent au fruit blanc. Le tout à prix attrayant.

8 002010 689635

613208 14,50 $ ☆☆☆ ② ♥

TAMI

Frappato 2015, Terre Siciliane

Il y a quelques années, Arianna Occhipinti – l'une des vigneronnes vedettes de l'Italie – a créé Tami, avec son ami Francesco Trovato. Sous cette nouvelle étiquette, ils mettent en marché des vins souples et accessibles, issus de raisins qui proviennent du vignoble de quelques amis dans le secteur de Contrada.

Cette curiosité du sud de la Sicile est vinifiée sans additifs ni élevage sous bois, afin de laisser s'exprimer toute l'essence aromatique du cépage frappato. Le 2015 se place dans la continuité des derniers millésimes: beaucoup d'éclat et de nuances au nez; la bouche quant à elle est légère, allègre, bourrée de saveurs de fruits et de fleurs séchées. Servi bien frais, autour de 14 °C, il sera encore meilleur. Offert en bonnes quantités dans près d'une centaine de succursales. Profitez-en!

11635423 21,45$ ★★★ ½ ② ♥

0 895958 000086

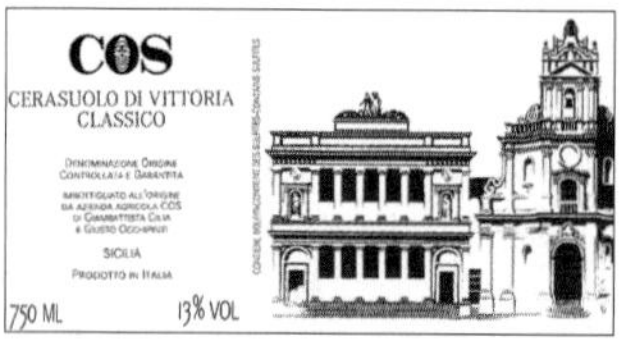

COS

Cerasuolo di Vittoria Classico 2014

Un merveilleux cerasuolo, gourmand, joufflu et presque sucré en bouche tant le fruit est présent. Un vin rouge velouté et combien charmeur, dont les saveurs fruitées sont rehaussées d'une pointe d'acidité volatile qui rend le vin encore plus vibrant, plus expressif. Même s'il n'est plus seul sur le marché, son exquise «buvabilité» le garde dans une classe à part. À savourer maintenant et au cours des deux prochaines années.

12484997 36,25$ ★★★★ ②

8 033749 750600

FIRRIATO

Nari 2014, Sicilia

Bien qu'il soit composé de nero d'avola à 80 % et de petit verdot, cultivés sous le chaud soleil de Sicile, ce Nari 2014 a des allures de vin de soif. Jamais sucré, mais toujours juteux, affriolant et délicieusement fruité. Simple, abordable et fort agréable à boire.

8 002815 405706

11905809 13,95$ ★★★ ② ♥

PLANETA

Cerasuolo di Vittoria 2014

Fruité et parfumé au nez, ce vin embaume le palais de saveurs de fraise des champs et de poivre. On croque littéralement dans la grappe. Soyeux, enveloppant et tout frais. Un délice à réfrigérer une petite demi-heure avant de servir!

8 020735 009002

10553362 24$ ★★★ ½ ②

PLANETA

Frappato 2015, Sicilia

Ce vin léger et de couleur pâle – c'est la nature même du cépage frappato – se fait valoir par son équilibre et par la netteté de son fruit. Souple et élégant, rafraîchissant et très plaisant. À boire jeune autour de 14-15 °C.

8 020735 034004

12640611 25$ ★★★ ②

PLANETA

La Segreta rosso 2014, Sicilia

La version rouge de La Segreta emprunte la même formule que le blanc: moitié de cépage indigène (nero d'avola) et moitié de variétés internationales (merlot, syrah et cabernet franc). En 2014, ça donne un vin mûr au nez compact de fruits rouges; nerveux, plein de saveurs, aucune lourdeur. Très bon achat.

8 020735 007008

898296 16,95$ ★★★ ② ♥

DONNAFUGATA

Sedàra 2014, Sicilia

Depuis 1983, Giacomo Rallo a insufflé une énergie nouvelle à la Sicile. Son succès a fait boule de neige, incitant plusieurs de ses pairs à revoir leurs méthodes désuètes. Aujourd'hui aidé par ses deux fils, il signe une gamme étendue de vins rouges et blancs impeccables, ainsi qu'un somptueux vin liquoreux.

Cet assemblage de nero d'avola, de merlot, de cabernet sauvignon et de syrah a des allures de vin de soif en 2014. Particulièrement juteux et gouleyant, il charme à la fois par sa générosité méditerranéenne et par son attaque en bouche nerveuse, attribuable à un léger reste de gaz. Frais et charmeur comme pas un. On croque le fruit à bon prix.

10276457 18,80$ ★★★★ ② ♥

8 000852 002124

BDP

Nero d'Avola 2013, Terre Siciliane

Un peu plus original que la syrah de la même gamme, avec des saveurs généreuses de confiture de fruits noirs. Malgré tout, le vin manque de chair autour de l'os et laisse en finale une impression un peu étriquée. Ce domaine nous avait habitués à mieux. Dommage.

11097346 19,55$ ★★ ½ ②

8 032679 443354

CORVO

Rosso 2013, Sicillia

Un vin facile et conçu pour être bu dès sa mise en marché. Parfums de confiture de petits fruits et finale vive et anguleuse. Tout à fait convenable dans un style commercial un peu prévisible.

34439 14,95$ ★★ ½ ②

0 891006 000237

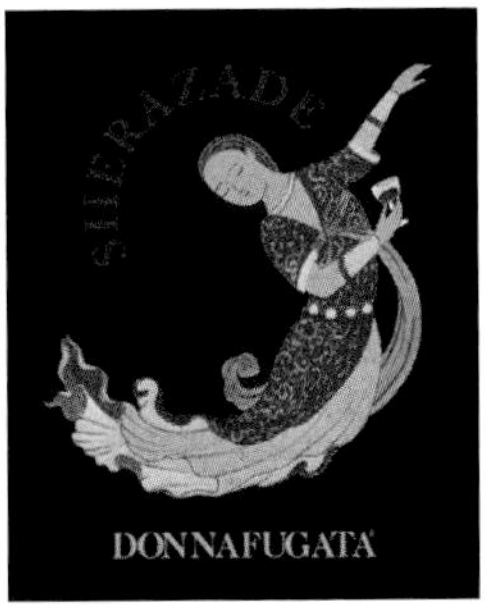

DONNAFUGATA

Sherazade 2014, Sicilia

S'il est un peu plus facile et moins rassasiant que le Sedàra, ce rouge composé à 100 % de nero d'avola offre toutefois un charme fruité et un bel équilibre. L'attaque est tendre, mais les tanins sont juste assez fermes pour donner la réplique aux saveurs généreuses de confiture de framboises. Servir frais au cours des deux prochaines années.

8 000852 006399

11895663 20$ ★★★ ②

MORGANTE

Nero d'Avola 2013, Sicilia

Un vin coloré, au nez compact de confiture de fruits et de fumée. L'attaque en bouche est mûre, à la limite de la sucrosité, mais une acidité sous-jacente harmonise le tout; beaucoup de chair et une trame tannique solide. Cette cuvée plaira à l'amateur de vin corsé.

8 707270 000014

10542946 19,15$ ★★★ ②

PLANETA

Plumbago 2014, Sicilia

Rien de profond ni de raffiné, mais un bon nero d'avola d'ampleur moyenne, agréable par sa souplesse, sa texture veloutée et ses saveurs fruitées nettes et expressives. À boire jeune, autour de 14-15 °C.

11724776 23,75$ ★★★ ②

8 020735 008005

ESPAGNE

ÎLES CANARIES

À quelques centaines de kilomètres au large du Maroc et du Sahara Occidental, les îles Canaries regroupent une foule de microclimats, propices à la viticulture. Pas étonnant que chaque île possède sa propre dénomination d'origine et qu'à elle seule, l'île de Tenerife en regroupe cinq, toutes pertinentes.

La morosité économique des dernières années a forcé les vignerons espagnols à parcourir le monde à la recherche de nouveaux marchés. Ils en ont aussi profité pour prendre le pouls d'une nouvelle génération de buveurs et adapté leurs vins en conséquence. Résultat: de manière générale, on observe une diminution significative des goûts boisés et de l'alcool, au profit du fruit et de la fraîcheur.

On voit ressurgir une foule de vieux cépages qui avaient été délaissés au profit du tempranillo et de variétés internationales. Plusieurs régions viticoles historiques sont aussi remises au goût du jour grâce à l'arrivée de jeunes vignerons qui repensent les méthodes de production et se tournent vers l'agriculture biologique.

L'impact se fait sentir jusque dans la très traditionnelle région de la Rioja qui semble en voie d'ajouter un nouveau chapitre à sa longue et fabuleuse histoire. Plusieurs grandes entreprises de la région cherchent encore leur style, oscillant entre tradition et hypermodernisme, mais on trouve de moins en moins de vins rustiques et maladroits sur le marché.

L'offre à la SAQ continue de se diversifier et les pages suivantes font état de plusieurs nouveaux vins de grande qualité. Faites-vous plaisir, voyagez en saveurs et sortez des sentiers battus.

- Tout comme sa voisine portugaise (Vinho Verde), l'appellation Rias Baixas, en Galice, est la source de vins blancs originaux et désaltérants. Particulièrement racés lorsqu'ils sont issus du cépage albariño.
- Situées tout au nord de l'Espagne, en Galice et en Castille- Léon, les appellations Bierzo et Valdeorras misent toutes deux sur le cépage rouge mencía et ont le vent dans les voiles depuis une dizaine d'années.
- Avant de s'appeler grenache en France, la garnacha fleurissait déjà dans la région d'Aragon depuis le 16e siècle. En Espagne, elle est présente partout et couvre environ 7 % du vignoble national, derrière le tempranillo et le bobal. Le grenache est aussi répandu dans le midi de la France, où il nourrit la charpente du châteauneuf-du-pape et joue un rôle primordial dans la profondeur des vins (secs ou liquoreux) du Roussillon. Il est également abondamment cultivé en Australie depuis une centaine d'années, de même qu'en Californie et en Sardaigne, où il est connu sous le nom de cannonau.

LES DERNIERS MILLÉSIMES

2015
Du nord au sud et de l'est à l'ouest du pays, un printemps chaud et sec a permis une bonne floraison. Et juillet 2015 passera à l'histoire comme le mois le plus chaud depuis 1880. Cette vague de canicule et de sécheresse de 26 jours a engendré un retard des maturités. Heureusement, plusieurs régions (la Rioja en particulier) ont bénéficié de mois d'août et septembre plus tempérés, avec des épisodes providentiels de pluie. Bon millésime pour les régions du nord du pays, mais il faudra s'attendre à des vins concentrés et riches en alcool.

2014
Dans la Rioja, un retour à des formes et à des quantités normales, après deux années de petites récoltes. La saison végétative a été longue, mais des pluies pendant les vendanges ont compliqué la donne dans certains secteurs.

2013
Un gel tardif en début de saison a engendré une petite récolte, puis les vendanges ont été parsemées d'épisodes de grêle et de pluie. Au mieux, on peut espérer des vins plus frais et légers en alcool.

2012
Récolte exceptionnellement faible dans la Rioja. L'une des plus petites des deux dernières décennies. Heureusement, le peu qui a été produit promet d'être excellent.

2011
Un été chaud dans la Rioja a engendré de plus faibles rendements et des vins plus concentrés qu'en 2010. L'été 2011 a été marqué par une sécheresse générale et certaines régions viticoles ont commencé la vendange dès la fin du mois de juillet!

2010
Rendements réduits dans la Rioja et dans Ribera del Duero en raison des pluies printanières; le beau temps qui a suivi permet d'anticiper des vins solides. Année fraîche dans le Priorat, et plusieurs vins particulièrement harmonieux.

2009
Qualité satisfaisante un peu partout au pays. Très bons vins jugés équilibrés et de belle tenue dans la Rioja. Millésime caniculaire dans Ribera del Duero, où des pluies automnales ont été bénéfiques. Belle récolte dans les Penedès; grande chaleur aussi dans le Priorat où les vins manquent parfois d'équilibre.

2008
Qualité variable causée par un été frais, notamment dans la Rioja et dans Ribera del Duero. Dans ces deux régions ainsi que dans les Penedès, les résultats semblent mitigés, avec tout de même plusieurs vins satisfaisants.

TERRAS GAUDA

Rías Baixas 2015, O Rosal

Le fleuve Minho trace la frontière entre l'Espagne et le Portugal. Au sud du Minho, le cépage alvarinho donne naissance aux meilleurs vins de Vinho Verde, dans les communes de Monção et Melgaço. Au nord, il confère aux vins blancs de l'appellation Rías Baixas des parfums inimitables d'abricot et une vitalité rassasiante.

Expression exubérante et bien mûre de l'albariño, provenant du secteur de O Rosal, la partie la plus méridionale de Rías Baixas. Les saveurs, gorgées de soleil, évoquent la pêche et la purée d'abricots, mais aussi le thé vert et le poivre blanc, le tout porté par une texture grasse, animée d'un léger reste de gaz, garant de fraîcheur. Longueur digne de mention. Excellent vin!

10858351 25,75$ ☆☆☆☆ ② ♥

8 423037 100017

RODRÍGUEZ, TELMO

Godello 2015, Gaba do Xil, Valdeorras

Dans la partie sud-est de la Galice, l'appellation Valdeorras a le vent dans les voiles, grâce au succès des vins de godello, un cépage blanc indigène qui était largement répandu dans la région avant la crise du phylloxéra. Le 2015 est ample et vineux, offrant beaucoup de volume en bouche, sans impression de sucrosité, même servi à 15 °C. Les saveurs de fruits blancs se mêlent aux fruits tropicaux; très original sur un mode moderne. Comme nombre de vins blancs espagnols, ce godello gagne à être servi frais, mais pas froid.

11896113 19,55$ ☆☆☆ ½ ② ♥

8 436037 407031

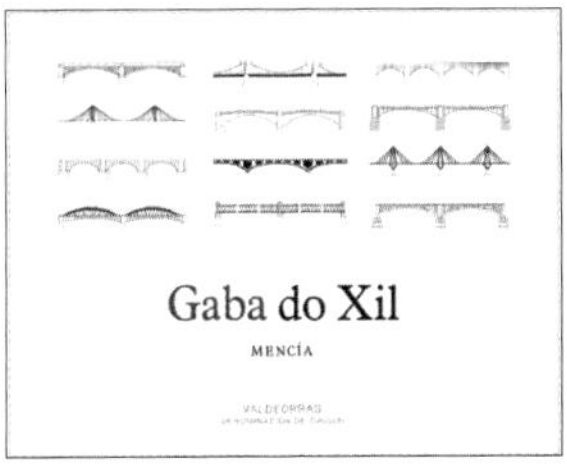

RODRÍGUEZ, TELMO

Mencia 2013, Gaba do Xil, Valdeorras

Toujours très agréable dans un style frais, pimpant, débordant de fruit, et pourtant assis sur une trame assez compacte pour laisser en bouche une sensation rassasiante. À la fois velouté et tonique, ampleur moyenne et longueur digne de mention pour un vin de moins de 20$. Telmo Rodríguez démontre une fois de plus son talent à produire des vins de facture moderne, fidèles à leurs origines.

11861771 19$ ★★★ ½ ② ♥ ▼

8 436037 407024

RODRÍGUEZ, TELMO

Basa 2015, Rueda

Telmo Rodríguez a sillonné l'Espagne du nord au sud à la recherche de vieilles parcelles de vignes, souvent menacées d'arrachage. Son activité s'étend aujourd'hui depuis la Rioja jusqu'à l'Andalousie, en passant par la région de Castille-León, au nord-ouest de Madrid, où il produit un excellent vin blanc d'appellation Rueda.

En simplifiant, on pourrait dire que les vins de Rueda s'apparentent aux sauvignons blancs du Nouveau Monde. Vif, nerveux, tranchants et très aromatiques. Tandis que plusieurs *bodegas* ont adopté un style commercial racoleur qui frôle la caricature, Telmo Rodríguez continue de proposer un bon vin, fidèle au caractère du cépage verdejo, complété de 10 % de viura. Vif, fringant, très net et plein d'élan aromatique, gorgé de saveurs d'agrumes et doté d'une longueur peu commune dans ce genre de vin. SAQ.com recommande de le servir avec des calmars frits. Bonne idée!

8 420759 900017

10264018 16,70 $ ☆☆☆☆ ② ♥

BONHOMME, LES VINS

Rueda 2015, El Petit Bonhomme blanco

100 % verdejo – «cépage roi blanc d'Espagne», comme le mentionne la contre-étiquette. L'œnologue québécoise Nathalie Bonhomme en tire un très bon vin, animé d'un léger reste de gaz qui rehausse ses saveurs délicates d'agrumes, de miel et d'ananas. Bon blanc vin tout-aller.

8 437012 278264

12533541 15,30 $ ☆☆☆ ② ♥

CHARTIER – CRÉATEUR D'HARMONIES

Rueda Verdejo 2014

Un cran plus cher que la plupart des vins de verdejo (Rueda) sur le marché, mais pas spécialement plus complet ni complexe. Cela dit, les saveurs de pamplemousse et d'herbes fraîches se dessinent de manière délicate et le vin a une bonne ampleur en milieu de bouche.

0 814299 000074

12831101 19,30 $ ☆☆☆ ②

Espagne

COMENGE

Rueda Verdejo 2015

Troisième réussite consécutive pour ce verdejo. Le 2015 étonne un peu au premier nez avec ces parfums de coquille d'huîtres, mais s'avère tout aussi fruité et affriolant en bouche. Bon équilibre gras-acide et registre de saveurs plus complexe que la moyenne, mariant le thé vert et le gazon frais coupé aux goûts d'agrumes et de pêche. Très bon.

8 437007 287042

12432601 16,90$ ☆☆☆ ½ ① ♥

HERMANOS LURTON

Rueda Verdejo 2015

La constance de ce blanc mérite d'être signalée. Rien de renversant, mais un bon vin moderne, sec et parfumé, avec du volume en bouche et un léger reste de gaz pour la vitalité. Sans prétention et bon marché.

0 635335 205020

727198 16,95$ ☆☆☆ ② ♥

NAIA

Las Brisas 2014, Rueda

Pur et frais comme une salade de fruits tropicaux; en bouche, il offre plus de concentration et de maturité que la moyenne. Attaque nerveuse, du volume et un minimum de tenue. Plaisir garanti si vous aimez les vins vifs et fruités.

0 858669 000714

11903627 15,80$ ☆☆☆ ½ ♥

ROLLAND & GALARRETA

Rueda Verdejo 2014

Ce vin me laisse perplexe. Une impression générale maladroite qui n'est pas sans rappeler les proportions parfois ingrates d'un adolescent. Beaucoup d'ambitions, mais le résultat n'est pas des plus heureux. plus de volume, sucrosité des lies. Amertume moyen plaisant. Ambitieux, oui. Réussi? Pas vraiment.

8 437012 435681

12244889 20,30$ ☆☆ ½ ②

VAL DE VID

Rueda 2015

Bon vin blanc misant à fond sur la vitalité et le fruit du verdejo (80%) et de la viura. Très séduisant avec son nez de zeste de citron, le 2015 m'a cependant laissée sur ma soif. L'attaque en bouche est généreuse, mais le vin tombe vite et laisse une impression creuse et diffuse en finale. Correct, sans être vraiment avantageux.

8 437003 292286

12260281 15,30$ ☆☆ ½ ② ♥

BUIL & GINÉ

Baboix 2013, Montsant

Tout comme les pinots blancs, gris et pinots noirs, les grenaches blancs et gris sont génétiquement identiques au grenache noir. Leur couleur – ou absence de couleur – est simplement le fruit d'une mutation naturelle, survenue au fil des années. Il n'est par ailleurs pas rare de trouver des ceps qui comportent des grappes de couleurs différentes.

Comme tant de vins blancs de texture, cet assemblage de grenache blanc (90 %) et de macabeo gagne à être servi plutôt frais que froid. Du gras et des saveurs appétissantes d'ananas et de tilleul, mais ce qui retient surtout l'attention, c'est sa tenue de bouche, sa structure, qui compensent une acidité modérée et 14 % d'alcool. Très belle bouteille! Arrivée en succursales prévue pour mars 2017.

En primeur

13098766 24,95 ☆☆☆☆ ② ♥

ALBET I NOYA

Xarel-lo 2015, Curiós, Penedès

Composé à 100 % de xarel-lo. Très bonne tenue, grâce à une quantité appréciable d'extraits secs; sa vitalité est accentuée par un léger reste de gaz. Mais c'est surtout sa finale éminemment désaltérante et minérale, aux accents de poivre et de citron qui m'a le plus séduite. Pour le prix, bravo! Une nouveauté dont il faudra surveiller l'arrivée de très près, en février 2017.

En primeur

13098713 16,95$ ☆☆☆☆ ② ♥

BONHOMME, LES VINS

El Bonhomme blanc 2015, Zen, Valencia

Un vin issu du cépage malvoisie, mais parfaitement sec en bouche et surtout, délicatement parfumé. Les effluves floraux jouent en sourdine, comme si le caractère du cépage s'effaçait au profit du terroir. Pas très gras, mais une structure notable, de la fraîcheur et une finale saline et désaltérante. Très belle réussite!

12210443 19,15$ ☆☆☆ ½ ② ♥

8 437006 989091

IJALBA

Rioja blanc 2015, Genolí, Viura

Frais, pimpant, avec plus de tenue en bouche que par le passé, il me semble. Assez aromatique, mais pas trop et désaltérant comme pas un. Un excellent achat à 15$.

883033 15,50$ ☆☆☆ ① ♥

JUAN GIL

Jumilla blanco 2015, Moscatel

Dans la partie nord de Jumilla, à 700 m d'altitude, la famille Gil Vera cultive aussi du muscat à petits grains, dont elle tire un vin plutôt élégant, sur les sols calcaires de la région. Sec, vif et aromatique comme il se doit, sans verser dans les excès pommadés. Nerveux, vineux et rehaussé d'un léger reste de gaz. Très agréable à boire.

12560638 16,75$ ☆☆☆ ② ♥

LÓPEZ DE HEREDIA

Viña Gravonia blanco 2006, Rioja

Bel exemple du style de la maison. Un vin hors norme, tant par sa couleur dorée que par son nez singulier de champignons séchés; à des lieues des vins vifs et parfumés de Rueda. La bouche mêle les champignons aux amandes amères et à la pomme blette, et présente une structure peu commune, quasi tannique. Un blanc de caractère; à découvrir si vous aimez le profil oxydatif des vins du Jura.

11667927 28,15$ ☆☆☆☆ ② ♥

LUZON

Jumilla blanco 2015

Ce vin blanc sec, pourtant composé de macabeo à 70% et de chardonnay, est parfumé comme un torrontés. Très floral, sec et un peu perlant; léger en alcool (11,5%), mais il ne manque pas de volume en bouche. Bon vin courant aromatique dont l'arrivée est prévue pour décembre 2016.

12559987 15,95$ ☆☆☆ ②

PARÉS BALTÀ

Calcari 2015, Penedès

Tout bio, tout xarel-lo, un cépage catalan, utilisé notamment pour la production de cava. Très sec, tranchant et minéral, avec des accents calcaires: il porte bien son nom. Excellent vin, parfaitement droit et doté d'une certaine ampleur en bouche. Il gagne à être servi plus frais que froid.

11377225 19,25$ ☆☆☆ ½ ② ♥

D'ANGUERA, JOAN

Altaroses 2014, Montsant

Josep d'Anguera a été le premier vigneron à introduire le cépage syrah dans Montsant. En reprenant le flambeau, ses fils Joan et Josep ont converti le vignoble à la biodynamie et progressivement délaissé la syrah au profit de la garnatxa (grenache), un cépage plus « local ». La cuvée Altaroses illustre à merveille le nouvel esprit du domaine.

Deuxième coup de cœur en autant de millésimes à la SAQ. Au nez, un champ de fleurs sauvages et une montagne de cerises mettent tout de suite en appétit. La bouche est encore plus complexe, très fraîche et savoureuse, portée par des tanins fins, et dotée d'une amertume très digeste, qui accentue sa longue finale aux parfums de fleurs séchées. Agréable mariage de légèreté et de structure. Beaucoup de relief en bouche. À boire d'ici 2020.

12575223 23,50$ ★★★★ ② ♥

8 437012 238022

BUIL & GINÉ

Giné Giné 2014, Priorat

Acteur important du Priorat par sa taille, cette entreprise catalane est aussi active dans les appellations Montsant, Toro et Rueda. Composé de garnatxa (67%) et de carignan, ce vin ne pèche pas par faiblesse: 15% d'alcool, le volume et la générosité caractéristiques des vins du Priorat, sans la profondeur des meilleurs. Cela dit, à 22$, l'amateur de vin solaire y trouvera son compte. À boire entre 2017 et 2021.

0 896612 001012

11337910 22,15$ ★★★ ②

CAN BLAU

Blau 2014, Montsant

Carignan (mazuelo), garnatxa et syrah, élevés en fût de chêne, ce qui confère au vin une texture quasi onctueuse et un volume appréciable, mais qui masquait le fruit lorsque goûté à l'été 2015 à pareille date. Maintenant plus ouvert, le bois s'est estompé, quoiqu'on dénote encore des parfums de torréfaction qui se mêlent au fruit noir. Agréable à boire, pour qui aime le genre.

11962897 19,50$ ★★★ ②

8 437005 068971

ESPELT

Saulo 2015, Empordá

Tant au nez qu'en bouche, cet assemblage de garnatxa et de cariñena rappelle certains vins du Roussillon. Parfums de garrigue, de cerise confite et d'anis, et cette même vigueur tannique, garante de fraîcheur en bouche. Beaucoup de caractère pour le prix. Dans sa catégorie, il mérite bien ses quatre étoiles.

0 805109 445031

10856241 16,05$ ★★★★ ② ♥

MAS COLLET

Selecció 2014, Montsant

Cet assemblage de garnatxa, de syrah et de cabernet sauvignon élaboré par la cave coopérative de Capçanes est tout aussi satisfaisant dans sa version 2014. Très bon vin courant, charnu,doté d'une bonne charpente enrobée de fruit; juteux mais soutenu par une trame compacte sous-jacente. Pas de bois, mais tout le fruit et la structure voulus. Salinité et finale á la fois pimpante et nerveuse qui donne soif.

642538 18,05$ ★★★ ½ ② ♥

8 427154 011225

PARÉS BALTÀ

Mas Elena 2013, Penedès

Ce vin de merlot (50 %), de cabernet sauvignon et de cabernet franc biologiques ne s'impose jamais par sa rondeur ni par sa générosité, mais propose d'année en année une interprétation sincère d'un assemblage bordelais en sol catalan. Franc de goût, droit, assez structuré et mis en valeur par un élevage bien maîtrisé en fût de chêne français.

8 410439 011027

10985763 19,30$ ★★★ ②

TORRES

Mas La Plana 2010, Penedès

Quarante millésimes après sa création, le porte-drapeau de Torres est toujours aussi savoureux et achevé. Un excellent vin ferme et structuré, de forme très classique, au caractère marqué par le cabernet sauvignon. Stylé, intense, pas exubérant, mais retenu, complet, complexe et de grande qualité. À boire sans se presser jusqu'en 2022.

8 410113 093127

10796410 60$ ★★★→★ ③

MONASTERIO DE LAS VIÑAS

Reserva 2008, Cariñena

Située au sud-est de la Rioja, dans la région d'Aragon, l'appellation Cariñena n'a jamais eu le lustre de ses voisins du nord, mais peut donner de bons vins authentiques et abordables. Le Monasterio de las Viñas Reserva est l'une des nombreuses cuvées produites par la plus importante coopérative de la région de Cariñena, regroupant près de 700 familles de viticulteurs sur 4000 hectares de vignobles.

Un assemblage de garnacha, de tempranillo et de cariñena – le cépage carignan, originaire de la région, porte le même nom – cultivés à une altitude moyenne de 700 m et élevés pendant 12 mois en fûts de chêne américain et français. Rien de grand ni de complexe, mais bien fait et parfaitement leste, tissé de tanins fondus par les années, avec des parfums de cuir et de champignon. Offert en grandes quantités dans l'ensemble du réseau, c'est le vin idéal pour accompagner les plats de poulet ou de saucisses grillées.

8 412075 050231

854422 16,50$ ★★★ ½ ① ♥

ARTAZURI

Garnacha 2014, Navarra

Toujours la même attaque en bouche à la fois gourmande et nerveuse, qui regorge de saveurs de fruits noirs, d'épices et de fleurs séchées et qui laisse en bouche une sensation fraîche et tonique, malgré les 14,5% d'alcool. On peut acheter les yeux fermés. D'autant plus que la bouteille est coiffée d'une capsule à vis, ce qui élimine les risques de mauvaises surprises. Imbattable dans sa catégorie. Par conséquent: quatre étoiles.

0 877397 002012

10902841 16,90$ ★★★ ½ ② ♥

ATECA

Atteca 2014, Vieilles vignes Calatayud

La maison Ateca a été fondée en 2005 par la famille Gil Vera, aussi propriétaire des *bodegas* Juan Gil, dans Jumilla. Ce vin est composé de garnacha à 100% et confectionné dans un style moderne. Il ne faut donc pas s'étonner d'y trouver une attaque en bouche sucrée et une certaine puissance. Peut-être plus de muscle que d'esprit, mais harmonieux dans un style plantureux. La carafe ou quelques années de repos seraient deux bonnes options.

8 437005 068230

10856873 23,45$ ★★★ ② ♁

ATECA

Garnacha 2014, Honoro Vera, Calatayud

Très bon garnacha tout en fruit. Deux mois de fermentation en fût de chêne français nourrissent le vin sans l'alourdir; généreux, gourmand et très rassasiant avec sa fin de bouche ample, gorgée de cerise et de cacao. À boire au cours des trois prochaines années.

11462382 16$ ★★★ ②

8 437005 068858

BORSAO

Bole 2013, Campo de Borja

Bien qu'il soit composé de garnacha à 70%, ce nouveau vin de la cave Borsao est passablement marqué par le caractère de la syrah. Nez animal qui évoque la viande fumée, tanins serrés qui encadrent une matière ample et généreuse, à 15% d'alcool. Finale relevée de parfums d'épices. Bon vin commercial.

12885344 18,95$ ★★★ ②

8 412423 120999

MONASTERIO DE LAS VIÑAS

Crianza 2010, Cariñena

Ne vous laissez pas influencer pas l'image un peu poussiéreuse et vieillotte de l'étiquette, ce crianza 2010 vaut vraiment le détour. Rien de complexe, mais pour une bouchée de pain, on a dans son verre un vin de forme très classique, ouvert et prêt à boire, de bonne tenue. Finale séduisante aux accents de cuir et de boîte à cigare. Boire au cours de la prochaine année.

539528 12,75$ ★★★ ② ♥

8 412075 030233

PAGO DE CIRSUS

Vendimia Seleccionada 2013, Navarra

Le cinéaste Iñaki Núñez a développé un vaste vignoble d'une centaine d'hectares en Navarre, au nord-ouest de la ville de Saragosse. Assemblage inusité de merlot, de syrah et de tempranillo. Attaque nerveuse, grain un peu carré, qui lui donne une allure un peu rustique, mais sympathique. Des parfums de menthe confèrent à l'ensemble une agréable sensation de fraîcheur. Pas de bois et plus de caractère que la moyenne.

À boire d'ici 2018.

11222901 17,60$ ★★★ ½ ② ♥

8 436553 140054

RIVIÈRE, OLIVIER

Rioja 2015, Rayos Uva

Établi dans la Rioja Alta depuis 2004, Olivier Rivière réussit, avec peu de moyens techniques, là où bien des *bodegas* dotées d'installations modernes échouent : élaborer des riojas purs et authentiques qui reflètent la richesse de leur terroir.

Si vous aimez le vin espagnol, mais êtes rebuté par les parfums du chêne américain, alors vous apprécierez ce vin. Un peu timide à l'ouverture et marqué par de légères odeurs de réduction, il se révèle vraiment après une aération d'une demi-heure en carafe. On lui découvre alors de petits airs de vin de Morgon : vibrant de fraîcheur et gorgé de fruits noirs, avec des accents de poivre qui se dessinent en fin de bouche. Pas très profond, mais juteux et d'une immense « buvabilité ». À 20 $, on achète les yeux fermés.

En primeur

13076071 19,75 $ ★★★★ ② ♥ ♨

CAÑAS, LUIS

Rioja 2013, Crianza

Cette *bodega* familiale de la Rioja Alta élabore une vaste gamme de vins, dont un bon Crianza, dodu, ceint par des tanins mûrs et ronds et gorgé de saveurs d'épices, de prune et de cèdre. Encore jeune et charnu, il pourrait se bonifier d'ici 2019.

12276830 20 $ ★★★ ②

8 427558 000023

CUMBRERO (VIÑA)

Rioja 2010, Crianza

Viña Cumbrero est la propriété d'Osborne, tout comme Montecillo. Très bon rioja souple et leste, avec des goûts de fruits bien mûrs, sur un fond de tabac et de cuir. Saine acidité et équilibre classique. Très bon achat à moins de 20 $.

12570836 18 $ ★★★ ②

0 022851 242019

EL COTO DE RIOJA

Crianza 2012, Rioja

Un rioja typique, frais et très satisfaisant, avec son nez de cuir et de vanille bourbon. En bouche, les saveurs boisées se mêlent à des goûts de prune et d'épices. Toute la mâche souhaitée dans un crianza ; bon équilibre.

11254188 17,80 $ ★★★ ②

8 410537 200422

LAN

Rioja Crianza 2012

Un vin de la Rioja dans lequel le bois occupe un rôle de second plan, nourrissant la structure, sans dénaturer le produit. Compact, fruité et assez solide, avec des notes caractéristiques de cuir, de feuilles de tabac et de fruits secs. Beaucoup de corps pour le prix. Classique, honnête et fidèle à la promesse d'un bon crianza.

741108 18,65$ ★★★ ½ ② ♥

8 413472 050954

MONTECILLO

Rioja Crianza 2011

Les vins de cette *bodega* font preuve d'une constance digne de mention. Très bon 2011 passablement dense et charnu, bien servi par l'élevage en fût de chêne américain. L'un des bons vins rouges espagnols à moins de 20$.

144493 18$ ★★★ ②

0 022851 202013

MORAZA (BODEGAS)

Rioja 2015, Tinto Joven

Cette *bodega* familiale de la Rioja Alta pratique l'agriculture biologique et produit un vin très agréable au nez épicé et ouvert, expressif et engageant. Beaucoup de mouvement en bouche, un fruit dodu, potelé, abondamment fruité et laissant une impression d'ensemble très satisfaisante. *Joven* signifie «jeune» en espagnol. Pour mieux profiter de ce vin, l'idéal serait de le boire d'ici 2018.

12473825 17,85$ ★★★ ½ ♥

8 437011 734068

OLARRA

Rioja 2014, Otoñal

Bon tinto joven, misant avant tout sur la souplesse et la rondeur fruitée du cépage tempranillo. À boire au cours de la prochaine année et servir frais, autour de 14-15 °C.

12663135 13,20$ ★★ ½ ②

8 411423 011030

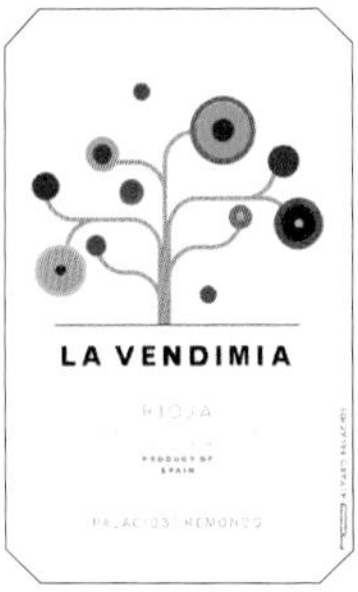

PALACIOS REMONDO

Rioja 2015, La Vendimia

La famille du célèbre œnologue Alvaro Palacios élabore de bons vins de facture moderne dans la Rioja Baja, à l'extrémité est de l'appellation. Comme toujours, ce vin met l'accent sur le fruit plutôt que sur le bois. Sphérique et juteux, il ne manque pourtant pas de tenue. Une valeur sûre.

10360317 18,50$ ★★★ ②

8 411580 034583

IJALBA

Graciano 2014, Rioja

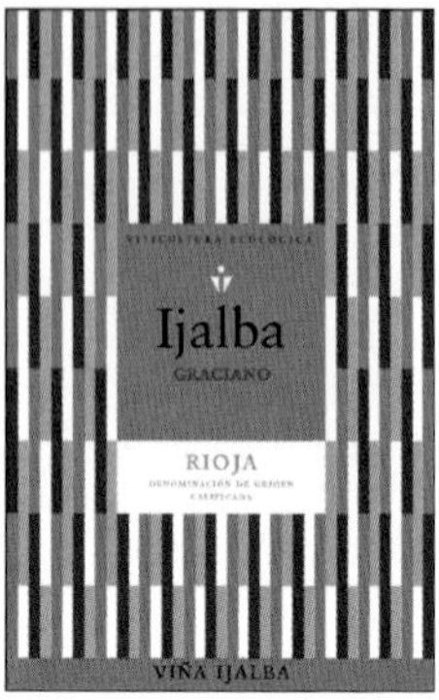

Les vins de cette cave de Logroño suscitent régulièrement des commentaires élogieux dans *Le guide du vin* depuis leur arrivée sur le marché québécois. Chez Ijalba, on s'est donné pour mission de préserver le patrimoine viticole de la Rioja en réintroduisant des variétés que l'Institut national des dénominations d'origine avait fait arracher au profit du tempranillo.

Une interprétation toujours très originale du graciano, cépage aussi connu sous le nom de bovale, en Sardaigne. Encore très (très) jeune et marqué par l'élevage, avec des parfums de cèdre et de fumée, qui ne volent cependant pas la vedette au fruit, qui conserve le rôle de premier plan. Une profusion de fruits noirs, des goûts de cerise, mais aussi des notions amères qui rappellent la quinine et les liqueurs amères italiennes. Vigueur et caractère, à un prix très attrayant.

8 423309 213001

10360261 21,95$ ★★★→★ ③ ♥

COSME PALACIO

Rioja Reserva 2010

Très réussi en 2010, surtout si on aime le vin de Rioja dense, riche en fruit et de bonne charpente; pour l'amateur de vins plus souples et plus classiques, voyez plutôt du côté de Montecillo. Bonne longueur et finale relevée d'épices. Une bonne note pour sa constance. À boire idéalement entre 2019 et 2023.

8 410351 138000

11692997 28,70$ ★★★ ½ ③

IJALBA

Rioja Reserva 2011

Tout aussi savoureux que le 2010, lauréat d'une Grappe d'or l'année dernière. Plus mûr, à la faveur d'un millésime généreux dans la région, mais d'un équilibre impeccable. Bel usage du bois, des saveurs aussi près de la terre que du fruit et un heureux mariage de vigueur tannique et d'acidité – l'effet du graciano (20%) peut-être – qui donne du *punch* à l'ensemble. Beaucoup de matière et d'élan. Vraiment rassasiant et vendu à un prix d'aubaine.

8 423309 033005

478743 22,75$ ★★★★ ② ♥

Espagne

IZADI

Rioja Reserva 2011

Encore pétillant de jeunesse, ce vin m'a paru très frais pour un 2011, année chaude dans la Rioja. Une chair fruitée mûre et dodue au goût de cerise enrobe sa structure tannique, par ailleurs un peu austère, sans doute en raison de l'élevage de 14 mois en fûts de chêne français et américain. Laissez-le s'ouvrir en carafe pendant une ou deux heures si vous n'avez pas la patience de l'attendre jusqu'en 2020.

12604098 20,50$ ★★★ ½ ③ ♁

8 423302 111113

MUGA

Rioja Reserva 2010, Selección Especial

Après avoir traversé une phase plutôt ingrate en 2014, petite crise d'adolescence sans doute, ce vin renoue avec des formes plus harmonieuses. Intense et faisant preuve d'une certaine puissance contenue; sa carrure tannique est doublée d'une chair pulpeuse qui arrondit les angles. Corsé, sans être inutilement concentré ni boisé. À boire sans se presser entre 2018 et 2021.

11155593 37,50$ ★★★ ½ ③

8 414542 150093

MUGA

Rioja Reserva 2012

Des parfums de viande fumée confinent davantage ce reserva à la rusticité qu'à l'élégance. Le type de vin qui vous emplit la bouche, mais ne s'embarrasse pas de détails. Sphérique, saveurs de fruits très mûrs et de réglisse, et finale un peu anguleuse. Pas spécialement profond, mais recommandable, à condition de l'attendre jusqu'en 2019.

855007 23,55$ ★★→★ ③

8 414542 100104

PALACIOS REMONDO

Rioja 2012, La Montesa

Bel exemple de rioja moderne cherchant à préserver le goût de la matière première au lieu de la masquer par le bois. Trame souple, ampleur moyenne, peu d'aspérités tanniques mais des saveurs franches de menthe et d'eucalyptus, de cerise et de noyau de cerise. À boire au courant de la prochaine année.

10556993 20,05$ ★★★ ②

8 411580 035863

ROLLAND & GALARRETA

Rioja 2012

Composé de tempranillo, ce vin solide et vigoureux, voire très vif en bouche, et capiteux à la fois (14%), présente des saveurs franches, épicées et originales, mais est tout de même taillé à gros traits. Une bonne heure en carafe lui ferait du bien.

12887278 25$ ★★★→▼ ③ ♁

8 437012 435674

MARQUÉS DE RISCAL

Rioja Reserva 2011

Encore aujourd'hui, cette *bodega* fondée en 1860 produit des vins de facture classique, très droits, qui n'ont rien à voir avec les monstres de concentration qui ont vu le jour depuis la fin des années 1990. Riscal est aussi connue pour son chai ultramoderne et spectaculaire, conçu par l'architecte canadien Frank Gehry.

Offert au Québec depuis des décennies, ce Reserva est tout à fait impeccable dans sa version 2011. Archétype du rioja classique, à la fois leste, raffiné et pourtant intense; un vin très expressif dont le relief en bouche et la longueur traduisent un travail rigoureux et une race indiscutable. Prix d'aubaine pour un vin offrant autant de matière et de relief aromatique. Bon dès maintenant et jusqu'en 2021, au moins.

10270881 25,15$ ★★★★ ③ ♥

8 410869 450014

CONDE VALDEMAR

Rioja Reserva 2009

Un vin à l'allure un peu vieillotte; les tanins sont fondus, polis par un long élevage en fût de chêne américain. Moyennement corsé et au grain tannique un peu lâche, mais les arômes de cuir, de fruits secs, d'épices et de vanille bourbon exercent un certain charme. Prêt à boire dès maintenant.

882761 21,95$ ★★★ ②

0 745641 055001

EL COTO DE RIOJA

Rioja Reserva 2010, Coto de Imaz

La chair fruitée mûre de ce 2010 repose sur une structure compacte, nourrie par les tanins du bois, qui apportent d'ailleurs une amertume prononcée en fin de bouche. Ample et solidement constitué, mais un peu dans sa coquille pour le moment. Il gagnera sans doute en nuances d'ici une année ou deux.

10857569 22,65$ ★★★ ③

8 410537 050126

LAN

Rioja Gran Reserva 2008

Comme l'ensemble des vins de cette *bodega*, un rioja de facture conventionnelle, portant la marque de l'élevage en fût de chêne américain. Attaque mûre et flatteuse; le nez et la bouche mêlent les notes caractéristiques de vanille, de noix de coco et de café. Plein, dodu et séduisant, mais aussi plus près du bois que du fruit. J'aurais simplement souhaité un peu plus de vigueur et de profondeur. Malgré tout, ça demeure un bon achat à ce prix.

8 413472 059117

12259061 31,75$ ★★★→? ③

LAN

Rioja Reserva 2009

Sans surprise, ce vin maintenant âgé de 7 ans se révèle tout à fait à point. Le nez évoque la terre (champignon, feuilles mortes, hummus) et les fruits secs; la bouche présente le caractère rôti et les parfums de noix de coco du chêne américain, qui embaume une texture assouplie par les années certes, mais encore étonnamment vigoureuse. Beaucoup de corps et de saveurs; bon rapport qualité-prix.

8 413472 059421

11414145 24,20$ ★★★ ½ ② ♥

MONTECILLO

Rioja Reserva 2010

Cette *bodega* produit des vins souples, non pas les plus profonds de Rioja, mais agréables. Pour un prix somme toute raisonnable, vous avez dans votre verre un vrai bon tempranillo sans fioritures, encadré par des tanins mûrs et nourri de parfums de fruits secs et de viande fumée. Très satisfaisant.

0 022851 208015

928440 22,60$ ★★★ ②

RIOJANAS (BODEGAS)

Rioja Reserva 2009, Monte Real

Maintenant âgé de 6 ans et pas encore totalement dépouillé de son fruit, le vin montre cependant un certain début de fatigue. Les tanins sont fondus et la bouche est ronde, sans verser dans la mollesse; les saveurs de fruits secs côtoient les nuances de bourbon et de fumée, attribuables à l'élevage. Déjà ouvert, il n'y a pas intérêt à le laisser reposer en cave.

8 410030 407694

856005 25$ ★★★ ②

ÁSTER (VIÑEDOS Y BODEGAS)

Ribera del Duero Crianza

2012

Avec López de Heredia, la cave de la Rioja Alta est l'une des dernières adresses où trouver de bons vins traditionnels de la Rioja. Depuis le début des années 1990, ils sont aussi établis dans la Ribera del Duero, où ils ont développé Áster.

Bien qu'il soit élevé pendant près de deux ans dans des fûts de chêne français, dont 30 % de fûts neufs, ce vin composé exclusivement de tempranillo n'est pas excessivement boisé come tant de vins de la région. Le bois joue en sourdine, présent seulement en arrière-plan et le vin fait preuve d'un superbe équilibre. Grain tannique velouté et compact, beaucoup de relief et de prestance. Déjà savoureux, il atteindra son apogée vers 2019-2021. Arrivée prévue en succursale en avril 2017.

12687348 28$ ★★★→★ ③ ♥

8 413529 012003

CHARTIER – CRÉATEUR D'HARMONIES

Ribera del Duero 2013

Le sommelier François Chartier commercialise ce vin rouge de facture moderne, qui demeure malgré tout fidèle à l'idée d'un bon tempranillo. Rien de grossier ni d'épais, plutôt une agréable souplesse et un bon usage du bois qui nourrit sa charpente tout en apportant des nuances de cacao et d'espresso. Comme tout le reste de la gamme Chartier, un bon vin de table, fidèle à son appellation d'origine.

12246622 20$ ★★★ ②

8 014299 000056

CONDADO DE HAZA

Ribera del Duero 2011

Maintenant épaulé de ses filles, Alejandro Fernández (Pesquera) est le parrain de Ribera del Duero. Même s'ils n'ont pas l'envergure des meilleurs crus des années 1990 et 2000, ces vins demeurent des références de cette appellation de Castille-León. Le 2011 s'impose par sa carrure tannique, enrobée d'un fruit mûr. Son caractère rustique plaira aux inconditionnels des vins de Fernández, qui retrouveront le même esprit de dépouillement. Bon vin distinctif qu'on peut commencer à boire sans trop se presser, car il a suffisamment de structure pour vivre quelques années.

978866 26,45$ ★★★ ½→? ③

8 423339 965338

ESTEFANIA (BODEGAS)

Bierzo 2013, Castillo de Ulver

Bon vin rouge fruité à souhait et très floral en bouche. Pas très dense ni vraiment charnu, mais une interprétation souple et coulante du cépage mencía, bien proportionné et suffisamment expressif.
À boire jeune et à servir frais autour de 15 °C.

12865829 18,50$ ★★★ ②

ESTEFANIA (BODEGAS)

Clan 15 2008, Vino de la Tierra de Castilla y León

De la même *bodega* que le bierzo commenté ci-dessus, une curiosité issue de prieto picudo, un cépage originaire de province de Castilla-León, au nord-ouest de l'Espagne, où il couvrait un peu plus de 5000 hectares en 2008. Mes références en matière de prieto picudo étant plutôt limitées, je ne saurais dire s'il est typé, ce qui ne m'a pas empêchée d'apprécier son expression aromatique. Un nez ouvert, à point, entre le cuir, la fumée, les fruits secs et les champignons séchés. En bouche, pas beaucoup d'ampleur, un peu creux en milieu et évasif en finale. Cela dit, le vin m'a laissé une assez bonne impression d'ensemble. À moins de 20$, il vaut bien le détour.

12865853 19,95$ ★★★ ½ ②

FINCA VILLACRECES

Ribera del Duero 2014, Pruno

Goûté à deux reprises depuis le mois de mai 2016, ce vin était chaque fois un peu austère à l'ouverture, déployant au nez des odeurs de réduction. Après une aération de deux heures, le nez était plus ouvert, mais la bouche toujours aussi stricte. Loin d'être un défaut, j'accueille cette retenue comme un vent de fraîcheur, surtout dans cette appellation où tant de producteurs ne jurent que par l'effet racoleur du bois neuf et de la sucrosité. Laissons-lui encore quelques mois, voire quelques années de repos.

11881940 24,05$ ★★★ ½→? ③ ♁

PITTACUM

Bierzo 2010

Bouche solide, sans doute nourrie par les tanins du bois. Plus charnu et imposant que dans mes souvenirs; moins juteux et fruité que la moyenne de l'appellation aussi. On peut déjà l'apprécier pour sa charpente et ses goûts d'épices, mais il vaudrait mieux le laisser reposer en cave encore quelques années, le temps que les éléments se fondent.

10860881 21,05$ ★★★→? ③

ARTADI

Laderas de El Seque 2015, Alicante

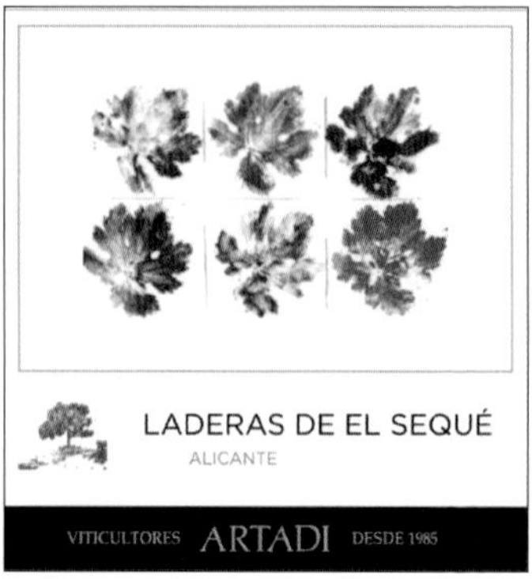

Même s'il est réputé pour les vins rouges musclés et racés qu'il donne à Bandol, dans le sud de la France, le cépage mourvèdre est avant tout espagnol. Documenté pour la première fois en 1381 sous le nom de monastrell, il était déjà l'une les variétés les plus plantées dans la région de Valence en 1460. En bordure de la Méditerranée, l'appellation Alicante – de même que Jumilla – est aujourd'hui son « foyer spirituel », pour reprendre les mots de l'auteur britannique Hugh Johnson.

Figure très connue de la Rioja, Juan Carlos López de la Calle a développé un domaine dans la région d'Alicante où il cultive principalement du monastrell. Toujours un cran plus frais que la moyenne des vins de la région, le 2015 est impeccable! Encore tout jeune, comme en témoignent ses arômes fermentaires, le fruit s'exprime avec beaucoup de fougue et de vitalité. Finale gourmande, rassasiante et étonnamment longue. À retenir parmi les meilleures aubaines espagnoles à la SAQ.

10359201 15,75$ ★★★★ ② ♥ 8 411976 112116

BONHOMME, LES VINS

El Bonhomme 2014, Valencia

Goûté à l'été 2016, ce 2014 me laisse une impression plus positive que l'an dernier à pareille date. Le nez présente encore des parfums vanillés et réduits qui masquent le fruit, mais la bouche est pleine, à la fois vive et généreuse, encadrée de tanins droits et gorgée de soleil. Bon équilibre d'ensemble et finale relevée.

11157185 20,10$ ★★★ ② 8 437006 989046

BONHOMME, LES VINS

Jumilla 2014, El Petit Bonhomme

Plus convaincant à mon avis que les autres vins de Valencia. Ce vin aux tanins serrés, juteux, fruité et mûr, mais sans sucrosité offre un certain caractère et une fine amertume qui rehausse les parfums d'épices en finale. Rien de compliqué, mais sincère et recommandable.

12365541 17,25$ ★★★ ② ♥ 8 437005 068711

Espagne

JUAN GIL

Jumilla 2014, Pasico, Monastrell – Shiraz

Un petit nouveau à la SAQ, produit par une *bodega* réputée pour ses vins costauds et copieusement boisés. Composé à parts égales de mourvèdre et de syrah, coloré et bien mûr, le vin a beaucoup de chair autour de l'os et surtout, une expression fruitée nette, chaleureuse et rassasiante. Volume, caractère et... pas de bois. Hourra!

12990152 13,55$ ★★★ ② ♥

8 437005 068865

JUAN GIL

Monastrell 2015, Jumilla

Fidèle à l'esprit de la maison, un 2015 aux senteurs de confiture de fruits et de café. Le nez ne ment pas et l'attaque en bouche est quasi sucrée tant le fruit est mûr. Rien de complexe, mais un vin généreux qui devrait combler les attentes des amateurs de sensations fortes, à prix doux.

10858086 15,50$ ★★★ ②

8 437005 068001

LUZON

Jumilla 2010, Altos de Luzon

Maintenant ouvert et prêt à boire, cet assemblage de monastrell, de cabernet sauvignon et de tempranillo ne montre cependant pas de signe de fatigue et déploie encore une agréable fraîcheur en bouche. Vigueur tannique, mais saveurs évoluées; finale capiteuse aux parfums de cuir, de fruits secs, de fumée, de terre humide.

10858131 25,60$ ★★★ ½ ①

8 436005 760212

LUZON

Jumilla 2014

Rien qu'au nez, on devine qu'on a affaire à un vin issu de raisins gorgés de soleil. Très expressif, ample, joufflu, ponctué d'une amertume fine et agrémenté d'un bon goût de cerise confite à l'eau-de-vie. Généreux, comme tous les vins de l'appellation, sans verser dans l'excès.

10858158 16,55$ ★★★ ② ♥

8 436005 760014

LUZON

Jumilla 2015, Organic

Au nez, ce vin donne d'emblée une impression de fraîcheur, avec des parfums de menthe. La bouche suit, portée par un grain tannique serré et compact, enrobé d'une chair mûrie à point. J'ai particulièrement aimé ses notes de romarin et de thym en finale. Du caractère à petit prix.

10985780 15,95$ ★★★ ½ ② ♥

8 436005 760700

JIMENEZ-LANDI

Bajondillo 2014, Mentrida

Autrefois fief gardé des caves coopératives, l'appellation Mentrida, située au sud de Madrid dans la région de Castille-La Manche, connaît un essor sans précédent, grâce aux efforts de vignerons comme les membres de la famille Jiménez-Landi, qui ont fait le pari de la qualité plutôt que de la quantité.

Vendue pour la première fois à la SAQ, cette cuvée issue d'un assemblage de syrah et de garnacha déploie d'intenses parfums de crème de cassis. Encore très jeune et violacé, très fruité en bouche, sphérique, de bons tanins mûrs et une persistance digne de mention pour cette gamme de prix. Chaleureux, mais sans lourdeur. Très bien.

12883613 19,95$ ★★★ ½ ② ♥

8 437007 276084

CAMPOS REALES

Tempranillo 2014, Canforrales, La Mancha

Bonne bouteille abordable pour accompagner la cuisine familiale des soirs de semaine. Typiquement tempranillo, avec un fruit noir sucré et des notes animales, sur une trame souple. Pas très complexe, mais net, gourmand et fruité et surtout pas racoleur, comme tant de vins de cette gamme de prix.

10327373 13,25$ ★★★ ② ♥

8 429168 009106

NAVARRO LÓPEZ

Laguna de la Nava, Reserva 2011, Valdepeñas

Un vin ouvert, de couleur vermillon et aux senteurs de pruneau, de cuir et de réglisse; ampleur moyenne, mais saine vivacité. Bon vin net, mûr et sans prétention. À découvrir, d'autant plus que le prix ne fait pas mal.

902973 14,60$ ★★ ½ ②

8 437000 100003

Espagne

TINTORALBA

Higueruela 2014, Almansa, Cooperativa Sta Quiteria

Exemple typique du vin méridional gorgé de soleil. Robuste sans être lourd, très coloré, plein de fruit et riche de beaux tanins dodus, avec des accents de poivre en fin de bouche. Très bon vin pour accompagner la cuisine familiale des soirs de semaine, il offre en prime un excellent rapport qualité-prix. Chercheurs d'aubaines, surveillez de près les nouveaux arrivages.

10758843 14,10$ ★★★ ½ ② ♥

8 437003 341052

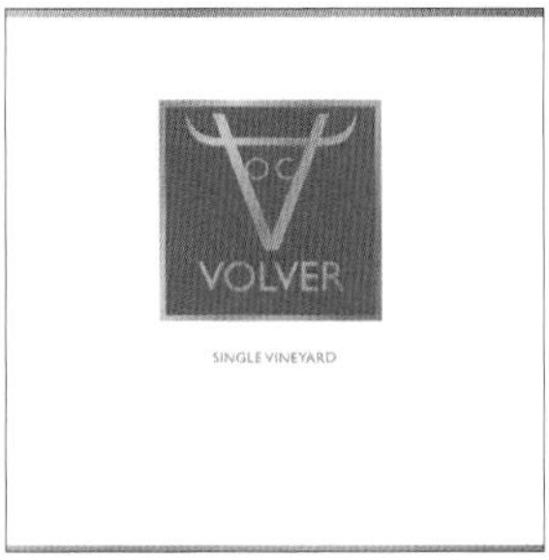

VOLVER

La Mancha 2014

Cette *bodega* de création récente (2004) est née d'un partenariat entre l'œnologue Rafael Cañizares et Jorge Ordoñez, un importateur de vins espagnols établi à Boston. Déjà très largement distribué au Québec, le Volver est composé à 100% de tempranillo, nourri par le climat aride de la région continentale de La Manche et par un élevage intensif en fût de chêne. Il en résulte un vin imposant, tiré à gros traits et laissant en bouche une sensation de sucrosité. Cela dit, le 2014 m'a paru plus harmonieux que par le passé : moins de goûts de chocolat et de café, plus de fruit. Bien fait dans un style tonitruant.

11387327 20,95$ ★★★ ②

0 819451 003900

PORTUGAL

VINHO VERDE

Au sud du fleuve Minho, qui constitue par ailleurs la frontière avec l'Espagne, la région du Vinho Verde est le royaume du vin blanc sec et désaltérant.

DÃO

Écrin de granit entouré de montagnes, la région du Dão peut produire des vins à la fois racés et élégants. Le cépage touriga nacional y donne des vins souvent plus tendres et nuancés que dans le Douro.

BAIRRADA

Au sud de Porto, la région de Bairrada met à profit le cépage baga. Longtemps considéré comme rustique, le baga donne aujourd'hui d'excellents vins, aussi originaux que savoureux.

ALENTEJO

Le vaste vignoble de l'Alentejo, à une centaine de kilomètres à l'est de Lisbonne, donne des vins rouges généreux et chaleureux, mais aussi de bons vins blancs originaux.

LISBONNE

Il faudra surveiller de près le vignoble la région de Lisbonne, surtout pour les vins blancs de l'appellation Bucelas.

Évoluant encore dans l'ombre de son voisin espagnol, le vignoble portugais foisonne de vins de qualité souvent très distinctifs. Le pays est méridional et le soleil brille du Minho à l'Alentejo en passant par le Douro, le Dão et Bairrada. Le charme de ces vins réside donc dans leur caractère authentiquement chaleureux.

En plus de bénéficier de l'effet tempérant de l'océan Atlantique, le vignoble portugais abrite une cinquantaine de cépages autochtones qui assurent aux vignerons de tout le pays la singularité de leurs vins. Les vedettes demeurent le touriga nacional pour les vins rouges et l'alvarinho pour les vins blancs, mais certains cépages comme le baga, l'alicante bouschet, le vital et même le castelão, longtemps délaissés en raison de leur profil rustique, ont droit à un second souffle grâce au travail de quelques vignerons intrépides et talentueux.

LES DERNIERS MILLÉSIMES

2015
Année de rêve! D'abord, un été chaud et sec, puis des nuits fraîches en septembre et quelques gouttes de pluie juste à temps pour la vendange ont donné des vins intenses et parfumés, mais équilibrés.

2014
Un été relativement doux s'est traduit par des vins blancs frais et équilibrés; les rouges seront plus ou moins intenses et concentrés, selon la date de la récolte, le mois de septembre ayant été marqué par de longs épisodes de pluie.

2013
Millésime de qualité hétérogène. Très bons vins blancs; disparité pour les rouges. Ceux ayant récolté avant la pluie ont pu sauver la donne.

2012
Bon millésime pour les vins blancs. Vins rouges concentrés, mais équilibrés.

2011
Les températures élevées du mois de juin ont brûlé quelques grappes. Très bonne année pour le Porto et grand millésime pour les vins de table du Douro et de l'Alentejo, avec de faibles rendements, des tanins fermes et une acidité notable.

2010
Autre année de sécheresse dans le Douro. Bon volume d'une qualité satisfaisante. Troisième succès consécutif pour Bairrada.

2009
Bonne qualité d'ensemble. De belles réussites dans les secteurs de Bairrada et de Lisbonne. Un mois d'août cuisant et sec a donné des vins puissants et riches en alcool dans le Douro et l'Alentejo.

QUINTA DA PONTE PEDRINHA

Dão blanc 2014

Dans la partie est du Dão, entre Seia et Gouveia, cette *quinta* appartient à la même famille depuis le 18e siècle. Le vin blanc de la propriété est composé essentiellement d'encruzado, cépage blanc emblématique de la région du Dão, qui peut donner des vins d'une grande complexité et aptes au vieillissement.

Bien que modeste – à 15$, il ne faut pas demander la Lune – celui-ci est une excellente porte d'entrée pour découvrir les charmes de cette variété méconnue. Un cran plus élégant que par le passé, porté par une texture grasse et nourrie, mais bien servi par le climat frais des montagnes environnantes et plein de fraîcheur. Citron, fleurs blanches, ananas et épices. Un bon vin blanc sec, fidèle à ses origines et offert à prix d'aubaine. Surveillez aussi de près l'arrivée du 2015 d'ici la fin de l'année.

10760492 15,60$ ☆☆☆ ½ ② ♥ 5 607009 000021

AVELEDA

Vinho verde 2015

L'exemple même du vin-boisson à la mode portugaise : neutre, léger en alcool (9,5%), mais riche en gaz carbonique, question d'accentuer sa fraîcheur. Désaltérant.

5322 12,10$ ☆☆ ① 5 601096 210264

CABRAL

Douro blanc 2015, Reserva

Tout à fait sec, presque austère, mais néanmoins frais et portant la trame aromatique des cépages viosinho, arinto, rabigato et gouveio, ponctués des notes fumées de l'élevage en fût de chêne français. Pas distinctif, mais tout à fait correct et assez rassasiant pour le prix.

12757692 15,30$ ☆☆☆ ② 5 602660 004111

CORTES DE CIMA

Chaminé 2015, Vinho Regional Alentejano

Verdelho, sauvignon blanc, antão vaz et viognier donnent cette année encore un très bon vin blanc vif, tendu, assez structuré et de bonne longueur. Parfumé comme il se doit, mais pas trop. Très désaltérant aussi.

11156238 14,95$ ☆☆☆ ½ ② ♥ 5 603790 004200

FONSECA, JOSÉ MARIA DA

Albis 2015, Peninsula de Setúbal

Comme d'habitude, cet assemblage de muscat et d'arinto très parfumé regorge de fruit, mais est parfaitement sec. Bon vin d'apéritif, à boire jeune. Une bonne note pour la capsule vissée qui aide à préserver l'éclat aromatique. Vive le progrès!

319905 12,95$ ☆☆☆ ② ♥ 0 600470 120002

MARQUÊS DE MARIALVA

Bairrada Branco 2015

La coopérative de Catanhede produit un bon vin blanc sec avec les cépages locaux arinto, bical et maria gomes. Tout jeune et tout frais, le 2015 n'est pas très aromatique, mais se rattrape par son équilibre et sa tenue en bouche. Tout à fait recommandable dans un style neutre et facile à boire.

626499 11,85$ ☆☆ ½ ① 5 601271 034005

MEIA ENCOSTA

Dão blanc 2015

En exclusivité dans les SAQ Dépôt, cet assemblage d'encruzado, de malvasia nera, de bical et de fernão pires s'avère toujours aussi satisfaisant dans sa catégorie. Sec, modérément parfumé, une bonne tenue et des notions d'écorce de citron et de menthe. Prix très attrayant pour un vin blanc original.

12332301 12,30$ ☆☆☆ ② ♥ 5 601129 034041

RAMOS PINTO

Duas Quintas blanc 2015, Douro

João Nicolau de Almeida excelle aussi dans l'élaboration de vins blancs secs. Celui-ci est agréablement dépaysant grâce à un assemblage singulier des cépages locaux rabigato (50%), viosinho et arinto. Peu aromatique, comme le sont d'ailleurs la plupart des vins blancs du Douro, mais assez gras et doté d'une fraîcheur qui ne repose pas tant sur l'acidité que sur une sensation de salinité. Beaucoup de caractère pour le prix.

10668514 19,65$ ☆☆☆ ½ ② ♥ 5 601332 007511

QUINTA DO VALE DA PERDIZ

Cistus 2014, Douro

Le Portugal excelle dans l'art de plus en plus difficile du rapport qualité-prix. Si vous êtes friand de vins rouges corsés, vous voudrez absolument goûter ceux du Douro. Des vins substantiels comme on en trouve peu à moins de 15 $.

Depuis son entrée à la SAQ, ce vin connaît un parcours sans faute. Le 2014 est une fois de plus à la hauteur des attentes, avec une attaque nerveuse, animée d'un léger reste de gaz; les saveurs sont franches, le fruit s'exprime avec pureté, le grain tannique est juste assez ferme et le vin procure beaucoup de plaisir à table. À 13 $ et des poussières, on achète les yeux fermés... à la caisse!

5 605567 203113

10841161 13,05$ ★★★ ½ ② ♥

DUORUM

Douro 2013, Tons

Le vin courant de Duorum est particulièrement réussi en 2013. Pas le plus musclé ni le plus profond, mais beaucoup de mâche et de volume pour moins de 15$. Tanins suaves, saveurs généreuses de fruits et d'épices, soulignées par une acidité fine. Bravo!

5 600224 301409

12759840 14,95$ ★★★ ½ ② ♥

LAVRADORES DE FEITORIA

Douro 2013

Moins fringant que lorsque goûté il y a un an. La bouche, ample et nourrie, s'ouvre sur des goûts confits, qui témoignent de raisins bien mûrs. Le vin n'accuse toutefois aucune mollesse, grâce à des tanins fermes qui assurent sa poigne et son tonus. Finale savoureuse aux accents de fleurs séchées et d'épices douces. À ce prix, on serait fou de s'en passer.

5 604086 306022

11076764 14,80$ ★★★ ② ♥

POÇAS

Coroa d'Ouro 2010, Douro

Issu du même moule que les précédents millésimes, un bon douro misant sur le fruit et la souplesse plutôt que sur la puissance et l'extraction tannique. Ouvert et prêt à boire.

743252 14,60$ ★★ ½ ②

5 601085 900299

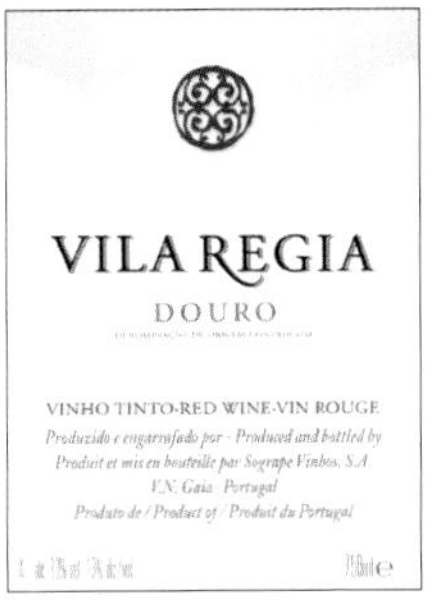

SOGRAPE

Vila Regia 2015, Douro

Numéro un de la viticulture portugaise avec 1200 hectares de vignes, la société Sogrape englobe notamment Ferreira, Sandeman et Offley. Le Vila Regia est l'un des meilleurs vins rouges portugais au répertoire général. Un 2015 coloré, assis sur des tanins mûrs; assez ferme, mais sans dureté. Sincère et très satisfaisant.

464388 10,50$ ★★★ ② ♥

5 601012 414509

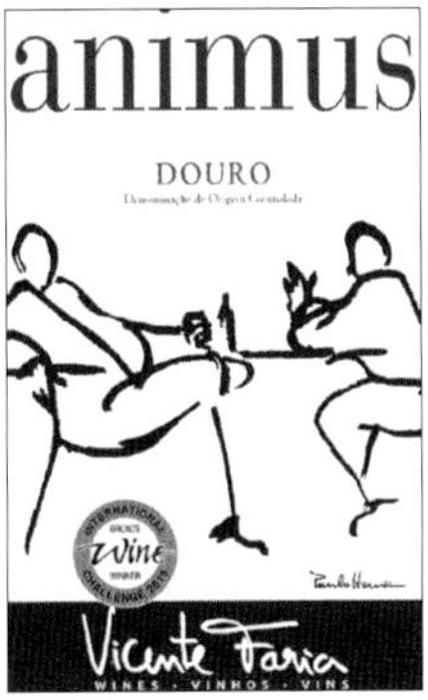

VICENTE LEITE DE FARIAS

Animus 2014, Douro

Tinta roriz, touriga nacional et touriga franca donnent à ce douro de facture moderne passablement de charpente, de volume en bouche et de tonus. Ouvert et prêt à boire. Pour le prix, un bon achat.

11133239 13,95$ ★★★ ② ♥

5 601815 421216

DOW

Vale do Bomfim 2014, Douro

Cette ancienne maison fondée en 1798 et menée depuis plus d'un siècle par la famille Symington a bâti sa réputation avec des portos vintage sublimes. Les tinta barroca, tinta roriz, touriga nacional et touriga franca de la Quinta do Bomfim donnent aussi un excellent vin de table du Douro.

En 2014, un été tempéré a permis de produire de bons vins rouges charnus et concentrés dans la plupart des secteurs du Douro. Celui de la famille Symington en est un excellent exemple. Coloré et étoffé, sentant la cerise noire et le cassis ; velouté oui, mais assez ferme et doté de cette fraîcheur tannique qui est la marque des bons douros classiques. Finale saline ; beaucoup de caractère et de matière pour le prix. À boire d'ici 2020.

10838982 15,95$ ★★★★ ② ♥ ♁

5 010867 505575

ALVES DE SOUSA

Caldas 2014, Douro

Nouvelle allure et étiquette rajeunie, mais même bon goût. Une proportion importante de touriga nacional (40 %) n'est sans doute pas étrangère aux parfums exubérants de ce 2014, composé par ailleurs de tinta barroca et de tinta roriz. Nez très expressif, entre la violette et le bleuet ; bouche suave, dodue, juteuse qui donne l'impression de croquer dans une grappe mûre. Finale gourmande et rassasiante. Excellent achat !

5 605063 119093

10865227 15,90$ ★★★ ½ ② ♥

CABRAL

Douro 2013

Un bon vin dont le style plus sobre contraste avec les cuvées modernes qui ont vu le jour dans la région du Douro depuis une dizaine d'années. Dans un style vieillot fort sympathique, il présente une franchise de goût et un bon équilibre ; maintenant ouvert et à point.

5 602660 001981

12185647 15,35$ ★★★ ②

CAP WINE

Douro 2014, Barco Negro

Le Québécois André Tremblay s'est associé à deux Français pour fonder CAP Wine. Tout aussi rassasiant et débordant de vitalité que le 2013 commenté l'an dernier, ce vin à la fois charnu et juteux offre des saveurs fruitées passablement concentrées, et des notes anisées qui persistent en bouche et nous laissent sur une finale chaleureuse. À ce prix, un vin avec une personnalité aussi affirmée mérite une mention spéciale.

0 817339 014505

10841188 16,05$ ★★★ ½ ② ♥

QUINTA DE LA ROSA

Dourosa 2013, Douro

Un vin étonnamment puissant et concentré pour le millésime 2013, comme si la Quinta de la Rosa n'avait pas été touchée par la pluie. Beaucoup de fruit, 14% d'alcool, une certaine souplesse, mais aussi une trame tannique serrée et presque austère. Il ne manque pas de caractère.

5 604846 103397

12640232 18,25$ ★★★ ② ▼

QUINTA DO CONVENTO

Douro 2013

Domaine acquis en 2011 par le Canadien Donald Ziraldo – cofondateur d'Inniskillin, à Niagara. Autant j'avais adoré le 2009, autant je dois avouer une certaine réserve quant au 2013. Un nez fortement vanillé annonce la couleur et laisse une première impression rudimentaire. En bouche, le vin est techniquement impeccable, mais il a perdu tout le caractère sauvage et cette vigueur tannique qui le rendait si charmant. L'avenir nous dira s'il s'agit de l'effet millésime ou d'un réel changement de cap.

6 968050 010827

12185655 17,85$ ★★★ ②

RAMOS PINTO

Duas Quintas 2014, Douro

Personnage incontournable du Douro, le grand João Nicolau de Almeida a pris sa retraite en 2016, après avoir passé 40 années à la barre de cette vénérable maison appartenant aujourd'hui au groupe champenois Roederer.

Qu'ils soient secs ou fortifiés, tous les vins de la maison sont impeccables. Ce 2014 en est une autre preuve; charnu, mais pas concentré outre mesure, suave et nerveux. Une élégance très classique et une présence en bouche rassasiante; de fines notes amères rehaussent les saveurs fruitées et florales en finale. Toujours très complet pour le prix.

10237458 18,35$ ★★★★ ② ♥ 5 601332 007467

ALVES DE SOUSA

Caldas Reserva 2011, Douro

Un peu plus ouvert que lorsque goûté l'an dernier à pareille date, ce vin composé exclusivement de touriga nacional s'impose d'emblée par l'intensité de ses parfums de fleurs, de fruits confits et de réglisse. Concentré, flatteur et corpulent; la bouche s'appuie sur des tanins mûrs et séduisants. Encore jeune et marqué par l'élevage, on pourra l'apprécier dès maintenant et jusqu'en 2020.

11895330 21,85$ ★★★★ ② ♥ 5 605063 119055

PILHEIROS

Douro 2012

Commenté l'an dernier, ce douro élaboré par le Québécois André Tremblay et ses associés me semble plus harmonieux. Quelques mois de repos ont permis de dompter la vivacité de la charge tannique et le vin repose maintenant sur une trame toujours aussi dense, mais fondue et équilibrée. Fin de bouche capiteuse et rassasiante.

11062531 20,45$ ★★★ ½ ② 0 817339 014512

QUINTA DE LA ROSA

Douro 2012, Passagem

Plus complet que la bouteille du 2011, goûtée en 2015. Ce vin s'impose en bouche avec force, mais n'a rien d'un colosse. Au contraire, bien dosé, à la fois ample, soyeux et pourtant pénétrant, tout en équilibre et en puissance contenue. Se développe dans le verre à chaque gorgée. Un vin authentique et sans artifices, à apprécier pour son individualité. Avec le gibier automnal, il fera un malheur. L'idéal serait de le laisser reposer en cave jusqu'en 2020.

12185698 28$ ★★★→★ ③ ♥

5 604846 102796

QUINTA DE LA ROSA

Douro 2013

Plus frais en 2013, un peu fermé même, cet assemblage de tinta roriz, de touriga nacional et de touriga franca gagne à reposer en carafe pendant quelques heures. On y découvre alors un vin profond, complexe qui affiche la structure tannique d'un vin du Médoc, avec des parfums bien méditerranéens. On peut l'oublier en cave jusqu'en 2020. D'ici là, la carafe s'impose.

928473 22,65$ ★★★★ ② ♥ ♙

5 604846 100518

QUINTA DO NOVAL

Douro 2010, Cedro do Noval

Un peu ténu et replié dans sa coquille lorsque goûté en août 2016, ce douro n'en demeure pas moins agréable. Fermeté caractéristique, plein en bouche, aussi large que long. Tous les éléments semblent réunis pour qu'il ait un bel avenir.

10758288 24,05$ ★★★→? ③

5 601064 000859

SOGRAPE

Reserva 2012, Douro

Plus moderne, ouvert, souple, taillé pour séduire. Certaine acidité, équilibre, mais pas aussi complet que le Vinha Grande. Bon douro de facture conventionnelle, modérément corsé et généreusement fruité. Plus de retenue que la moyenne, ce qui est loin d'être un défaut dans le contexte actuel d'une région qui pèche souvent par suropulence.

11325741 20,50$ ★★★ ②

5 601012 002249

QUINTA DA PELLADA

Dão Reserva 2011

En 1980, Álvaro Castro a hérité de cette propriété historique du Dão, dont les origines remontent au 13e siècle. Sur les sols de granit de la région du Dão, sa fille Maria et lui produisent cet excellent vin rouge composé aux deux tiers de touriga nacional. Là-bas, le cépage vedette portugais bénéficie autant de la fraîcheur de l'océan Atlantique que de celle des montagnes et donne des vins à la fois élégants et nuancés.

À des lieues des vins rustiques jadis produits dans le Dão, ce 2011 se dessine avec une grande pureté en bouche. Poli et de facture moderne, tout en restant fidèle à ses origines, le vin est agrémenté de notes de fleurs et d'herbes séchées qui contribuent à l'impression de fraîcheur en bouche, par ailleurs suave, chaleureuse et gorgée de fruit mûr. Déjà passablement ouvert et agréable à boire, il a beaucoup de matière en réserve et s'avère encore plus volubile après une longue aération. Autant d'éléments qui laissent présager un bel avenir. Retour en succursales prévu en début d'année 2017.

5 606686 000485

11902106 28,25$ ★★★★ ② ♥

MARQUÊS DE MARIALVA

Bairrada 2013, Reserva

Belle occasion de découvrir les vins de Bairrada, une appellation encore méconnue du Portugal. Touriga nacional, tinta roriz et bâga. Moins rustique et plus accessible que par le passé puisqu'il n'est pas très tannique, mais généreusement fruité et bien nourri par le soleil de la région.

5 601271 038423

626507 12,20$ ★★ ½ ② ♥

MEIA ENCOSTA

Dão 2014

Bien qu'il soit composé de cépages portugais – et un espagnol : le tinta roriz, ou tempranillo –, ce vin du Dão a de petits airs de gamay. Du fruit à profusion et une certaine rondeur, heureusement soutenue par des aspérités tanniques, garantes d'un minimum de tonus. Toujours recommandable à ce prix.

5 601129 034249

250548 11,95$ ★★★ ① ♥

QUINTA DA PONTE PEDRINHA

Dão 2011, Reserva

Nez attrayant de fruits noirs et de fleurs, sur un fond délicatement vanillé. Le vin est à la fois riche et expressif, presque crémeux tant le grain tannique est mûr, mais il s'impose davantage par sa finesse et son harmonie que par sa force. Séduisant, bien qu'il se présente pour le moment d'un seul bloc. Quelques mois de repos en cave lui permettront sans doute de gagner en nuances.

883645 25,20$ ★★★→? ③ ▼ 5 607009 020012

QUINTA DAS MAIAS

Dão 2013

Du même propriétaire que la Quinta dos Roques, ce vin de jaén, de touriga nacional, d'alfrocheiro et de tinta amarela est un perdant quasi assuré dans les concours. Ce genre de vin se révèle plutôt à table, où on est plus à même d'apprécier ses tanins granuleux, enrobés de fruits noirs et ponctués de subtiles notes de poivre vert. Généreusement fruité, mais jamais racoleur, il a assez d'acidité et de structure pour tenir tête à une viande rouge rôtie. Excellent rapport qualité-prix.

874925 17,25$ ★★★ ½ ② ♥ 5 603792 001214

QUINTA DOS ROQUES

Dão 2013

Si vous doutez encore des qualités des bons rouges du Dão, procurez vous à peu de frais ce vin exquis. Difficile de ne pas tomber sous le charme de ce mariage de chaleur et de nervosité, par sa texture granuleuse, franche, ses saveurs de fruits noirs bien mûrs et sa finale florale. Moyennement corsé et plus tonique que puissant, comme la plupart des bons rouges de cette région. Beaucoup de couches de saveurs et d'énergie. Excellent rapport qualité-prix. Dans sa catégorie, il mérite bien quatre étoiles.

744805 17,25$ ★★★★ ② ♥ 5 603792 001399

SOGRAPE

Duque de Viseu 2014, Dão

Sogrape élabore un très bon vin issu à la fois d'achat de raisins et des fruits de sa propriété dans le Dão, Quinta dos Carvalhais. Le 2014 me semble avoir un supplément de caractère et de concentration, sans excès. Du grain, une chair fruitée franchement savoureuse, ponctuée de notes d'herbes séchées qui rappellent un peu les parfums du Campari. Un vin très charmeur, à servir un brin rafraîchi (14-15 °C) pour en apprécier tout le fruit. Une aubaine!

546309 14,95$ ★★★ ② ♥ 5 601078 005277

CORTES DE CIMA

Syrah 2012, Vinho Regional Alentejano

Partis en voilier en quête d'un vignoble, Carrie et Hans Kristian Jørgensen ont débarqué dans cette région méridionale du Portugal au terme d'un long périple en mer. Depuis 1988, ils ont transformé leur propriété et leur vignoble en y introduisant notamment du tempranillo (nommé aragonez dans la région) et de la syrah.

Nettement plus achevé que les derniers millésimes goûtés, le vin est très coloré, concentré et rond, mais hérissé de tanins juste assez anguleux pour assurer du mouvement et de la fraîcheur en bouche. Le bois nourrit la charpente et ses parfums torréfiés se mêlent à la réglisse noire et à la confiture de framboise, ainsi qu'aux notes animales (sanguines) de la syrah. Rassasiant sur un mode solide et compact. À boire d'ici 2022.

10960697 25,65$ ★★★★ ② ♥

5 603790 001865

CORTES DE CIMA

Chaminé 2014, Vinho Regional Alentejano

Aucune maigreur ni rusticité dans ce très bon vin quotidien composé d'aragonez (tempranillo) et de syrah. Au nez, des notes animales, sanguines; la bouche est gorgée de fruits noirs et de réglisse; tanins mûrs, ronds et acidité franche. Très recommandable.

10403410 14,95$ ★★★ ② ♥

5 603790 001193

FONSECA, JOSÉ MARIA DA

Periquita 2013, Reserva, Península de Setúbal

Le cépage local castelão confère à ce vin produit en périphérie de Lisbonne un style distinctif; mûr, rond et ouvert, pas spécialement corsé, mais charnu et agrémenté de notes d'épices et de fumée.

11767442 15,95$ ★★ ½ ①

0 600470 205006

FONTANÁRIO DE PEGÕES

Palmela 2014, Cooperativa Agricola de Santo Isidro de Pegões

100 % castelão, un cépage amplement planté mais peu valorisé, heureusement en voie d'être réhabilité par nombre de jeunes vignerons qui rachètent à prix doux ces vieux vignobles abandonnés et les cultivent avec soin. Celui-ci présente malheureusement un caractère chocolaté-vanillé qui prend le dessus sur le fruit et laisse une impression un peu sucrée en fin de bouche. Recommandable, à condition d'aimer ce genre.

5 603016 193459

10432376 14,15 $ ★★ ½ ②

FONTE DO NICO

Vinho Regional Península de Setúbal 2014

L'une des rares bouteilles à la SAQ vendues sous la barre des 10 $, issue du cépage castelão, l'une des variétés portugaises les plus plantées et qui donne généralement de bons vins souples, coulants, guillerets et faciles à boire, comme celui-ci. Servir frais.

5 603016 000221

12525120 9,45 $ ★★ ½ ①

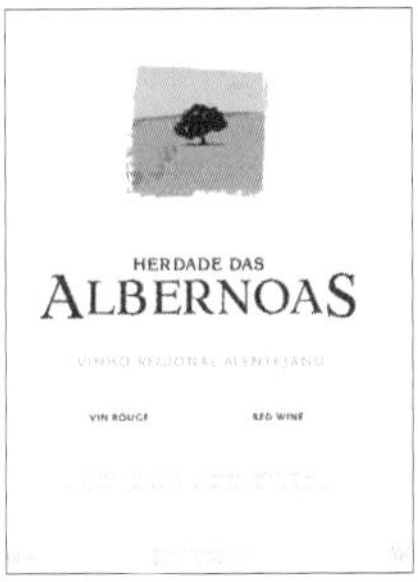

HERDADE DAS ALBERNOAS

Vinho Regional Alentejano 2014, Encosta Guadiana

Au nez, des notes animales, presque sanguines, sans doute attribuables à une bonne proportion d'aragonez. La trincadeira apporte par ailleurs la structure et le castelão, la rondeur fruitée. Bon vin souple et fruité, qui comporte peu d'angles tanniques. Servi autour de 15 °C, c'est l'une des valeurs sûres au rayon des petits prix.

5 607645 077555

10803051 10,80 $ ★★★ ② ♥

QUINTA DA ALORNA

Cardal 2014, Tejo

Cet assemblage de touriga nacional, de castelão et de trincadeira est simple et va droit au but ; passablement corsé pour un vin de ce prix, il offre une bonne dose de fruit. Boire jeune et servir autour de 16 °C.

5 601766 100147

10838675 12,35 $ ★★ ½ ②

AUTRES PAYS
GRÈCE

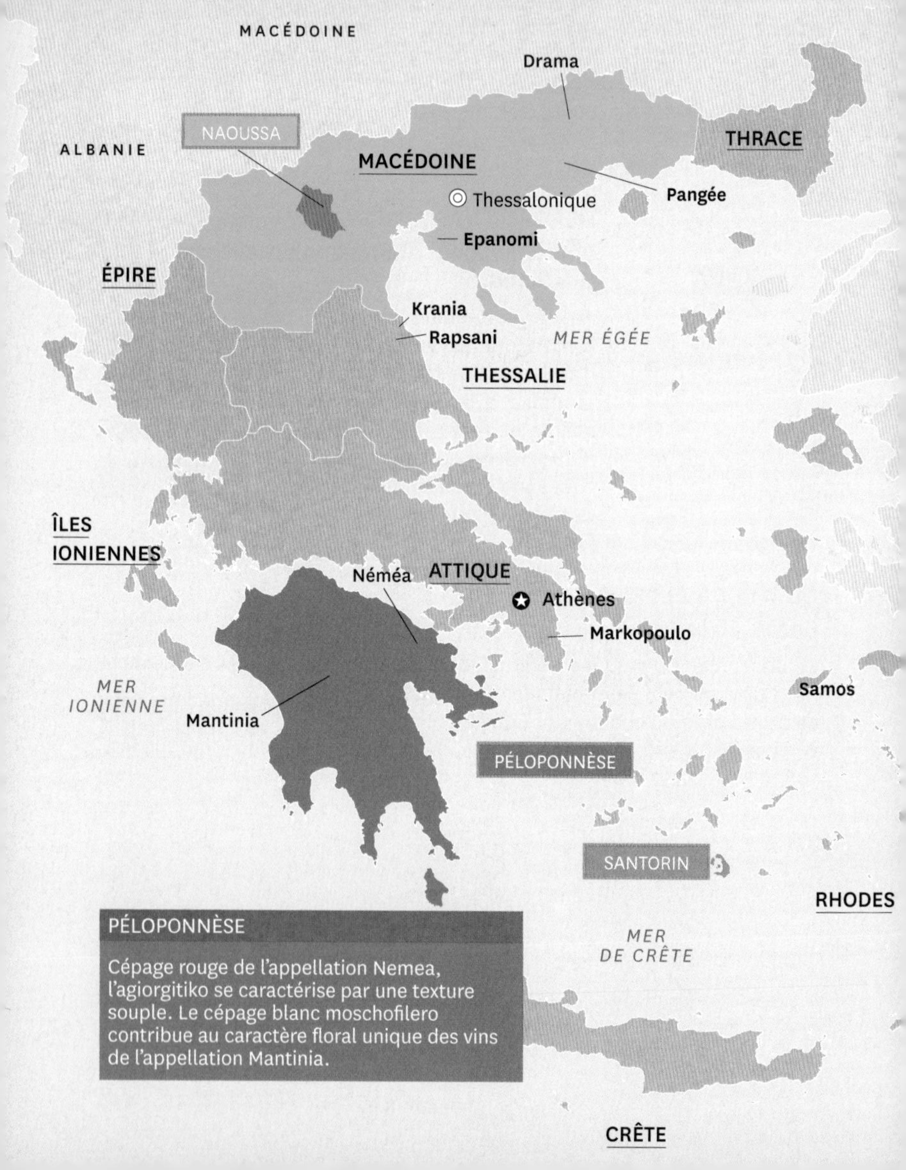

PÉLOPONNÈSE

Cépage rouge de l'appellation Nemea, l'agiorgitiko se caractérise par une texture souple. Le cépage blanc moschofilero contribue au caractère floral unique des vins de l'appellation Mantinia.

Alors que la Grèce traverse l'une des pires crises financières de son histoire moderne, ses vins connaissent un succès sans précédent, un véritable triomphe, sur les marchés d'exportation. Appelons ça le paradoxe grec.

Millénaires, mais longtemps méconnus, les vins grecs occupent maintenant une place de choix sur les cartes des meilleurs restaurants de la province. Avec raison, puisque avec ses multiples visages, ce vignoble est une promesse d'aventures pour le consommateur en quête de saveurs et de sensations nouvelles.

Gardienne d'un des plus riches patrimoines ampélographiques de la planète, la Grèce mise résolument sur ses variétés régionales, qui sont autant d'antidotes contre la standardisation du goût. Cette seule raison devrait suffire à vous convaincre d'abandonner vos préjugés à l'endroit des vins grecs, mais sachez qu'en plus, ils offrent un rapport qualité-prix-plaisir presque inégalable: généreux, éminemment digestes et parfaitement adaptés aux plaisirs de la table.

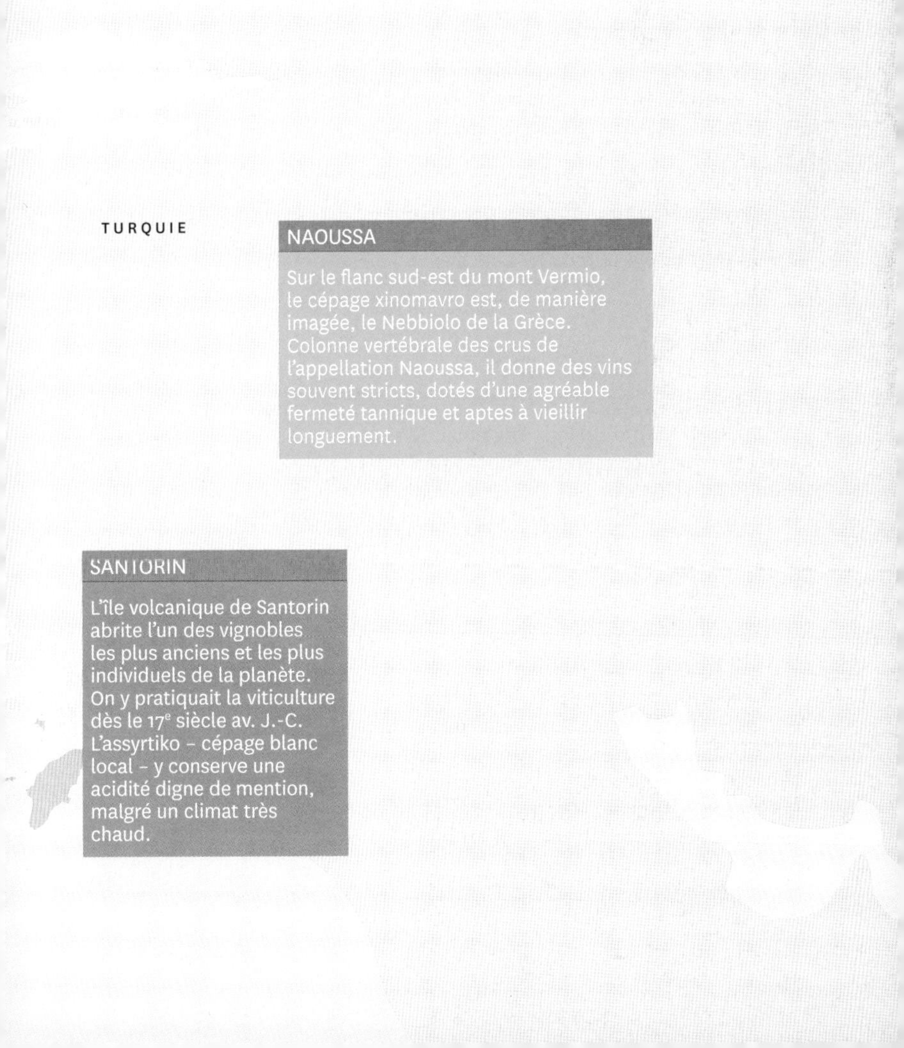

NAOUSSA

Sur le flanc sud-est du mont Vermio, le cépage xinomavro est, de manière imagée, le Nebbiolo de la Grèce. Colonne vertébrale des crus de l'appellation Naoussa, il donne des vins souvent stricts, dotés d'une agréable fermeté tannique et aptes à vieillir longuement.

SANTORIN

L'île volcanique de Santorin abrite l'un des vignobles les plus anciens et les plus individuels de la planète. On y pratiquait la viticulture dès le 17e siècle av. J.-C. L'assyrtiko – cépage blanc local – y conserve une acidité digne de mention, malgré un climat très chaud.

ARGYROS

Assyrtiko 2015, Santorin

Il est difficile de résumer le caractère des vins de sols volcaniques à une seule description, tant ils viennent d'horizons variés. Par contre, tous ont en commun une tension, une minéralité (ou salinité) et une sensation générale de fraîcheur. Parmi les meilleurs exemples du genre, les vins blancs de Santorin. Pleins de caractère et aptes à vieillir en cave pendant de longues années.

Tout juste ouvert lorsque dégusté, et par conséquent un peu sévère, le 2015 n'en était pas moins agréable à boire avec son attaque vibrante, sa tenue digne de mention et sa fin de bouche saline. L'âge des vignes (50 à 60 ans, en moyenne) contribue certainement à sa structure. On peut le boire dès maintenant, en gardant en tête que les vins de Santorin – en particulier ceux d'Argyros – gagnent toujours à être aérés longuement en carafe, mais je n'hésiterais pas à le laisser reposer en cave jusqu'en 2022.

11639344 22,15$ ☆☆☆☆ ② ♥ 5 200323 010204

ARGYROS

Atlantis 2015, VDP Cyclades

Exemple par excellence du vin grec courant, cet assemblage d'assyrtiko (88%), d'athiri et d'aidani a vite été adopté par les consommateurs québécois et est maintenant disponible à l'année dans les succursales. Vif et facile à boire, le 2015 offre une bonne dose d'extraits secs, qui contribuent à sa tenue en bouche et le rendent particulièrement rassasiant pour le prix. L'accord parfait pour les huîtres.

11097477 19,55$ ☆☆☆☆ ② ♥ 5 200323 010600

BIBLIA CHORA

Estate 2015, VDP Pangée

La densité aromatique et l'acidité fringante de ce vin composé de sauvignon et d'assyrtiko lui donnent de petits airs de pouilly-fumé. Nez caractéristique de sauvignon, entre les agrumes et les notes végétales; assez gras, mais sans sucrosité et couronné d'une amertume qui évoque la peau du pamplemousse (sans le côté rustique), apportant en fin de bouche un degré supplémentaire de complexité. Finale saline et longueur notable pour un vin de ce prix.

11901138 23,20$ ☆☆☆ ½ ② ♥ 5 200101 710012

BIBLIA CHORA
Ovilos 2015, VDP Pangée

Attaque en bouche grasse, doublée de fraîcheur et de salinité. Le bois, quoique toujours apparent, se fond de manière beaucoup plus harmonieuse aux saveurs fruitées du sémillon et de l'assyrtiko. Un vin d'envergure qu'on pourra laisser reposer aisément jusqu'en 2021.

5 200101 710050

10703594 31,50$ ☆☆☆☆ ②

GEROVASSILIOU
Blanc 2015, Vin de Pays d'Epanomi

Belle expression aromatique de la malagousia, dont on retrouve aussi en bouche la texture grasse et onctueuse. L'assyrtiko apporte tout le tonus voulu; l'ensemble est harmonieux, original, désaltérant. Toujours un très bon achat.

5 204222 575017

10249061 20,75$ ☆☆☆ ½ ② ♥ ⚗

GEROVASSILIOU
Malagousia 2015, Vieilles vignes, Epanomi

Chaque année, j'ai du mal à éviter les parallèles avec le viognier, grand cépage du nord du Rhône, en goûtant ce vin blanc. Mariage irrésistible de chaleur et de tonicité, de structure et de rondeur, de fruits, de fleurs, d'épices et de pêche. Délicieux en jeunesse, il gagnera en complexité après quelques années en cave.

5 204222 239209

11901120 25,55$ ☆☆☆☆ ② ♥

PAPAGIANNAKOS
Savatiano 2015, Vin de Pays de Markopoulo

Grâce à une viticulture soignée et des rendements limités, cet important producteur de l'Attique élabore un excellent vin blanc de savatiano, une variété sous-estimée. Un peu plus parfumé en 2015, il me semble, avec des notes délicates de fruits blancs et de citron. La bouche est nerveuse, vibrante, tout en légèreté, sans pour autant manquer d'appui ni de caractère. Très bon vin d'apéritif offert à prix abordable.

5 204172 117039

11097451 17,05$ ☆☆☆ ½ ② ♥

TSELEPOS
Mantinia 2015, Moschofilero

Sec et marqué par des notes florales caractéristiques du moschofilero, tout en faisant preuve d'une élégance et d'une minéralité nettement supérieures à la moyenne de l'appellation. Animé d'un léger reste de gaz et doté d'une bonne tenue en bouche; complexité aromatique, finale saline, franche et digeste. Très bon vin blanc à prix abordable.

5 203875 010005

11097485 18,30$ ☆☆☆☆ ② ♥

TSELEPOS
Agiorgitiko 2013, Driopi, Nemea

Ce producteur très respecté de Mantinia possède aussi un vignoble dans l'appellation Nemea, dans les montagnes de Koútsi, où il cultive l'agiorgitiko, cépage rouge le plus planté dans toute la Grèce et essence des vins de Nemea.

Son 2013 est particulièrement étoffé et délicieux, juteux et fruité, encore très jeune comme en témoigne sa couleur profonde et violacée. La bouche est ample et le bois nourrit la texture plutôt que d'assaisonner le vin; passablement charnu, fin de bouche tendue. On pourra le boire dès maintenant pour croquer dans le fruit, mais il devrait encore s'affiner au cours des prochaines années. Belle bouteille!

5 205811 010001

10701311 21,25$ ★★★★ ② ♥

CHÂTEAU CARRAS
Côtes de Meliton 2006

Ce domaine autrefois culte de Halkidiki, développé au cours des années 1980 avec les conseils du grand œnologue bordelais Émile Peynaud, est encore la source d'un excellent cabernet sauvignon, au goût d'une autre époque. Une élégance svelte et classique, de la structure et des épaules carrées, drapées de tanins soyeux. Trame tannique droite et saveurs caractéristiques du cabernet, entre le poivron rouge, le tabac, le cuir, l'iode. Parfaitement à point et vendu à un prix très attrayant compte tenu de son âge.

5 201183 420059

10701329 26,45$ ★★★★ ② ♥

GAIA

Agiorgitiko 2014, Nemea

L'agiorgitiko de Yiannis Paraskevopoulos est toujours agréable dans un style un peu plus flatteur que celui de Tselepos; saveurs compactes de fruits noirs, sur un fond de vanille et de réglisse. Le bois transparaît, sans alourdir le vin; charnu, grain tannique bien mûr. À boire dès maintenant ou à laisser reposer jusqu'en 2018.

11097426 19,75$ ★★★ ½ ②

5 203021 110313

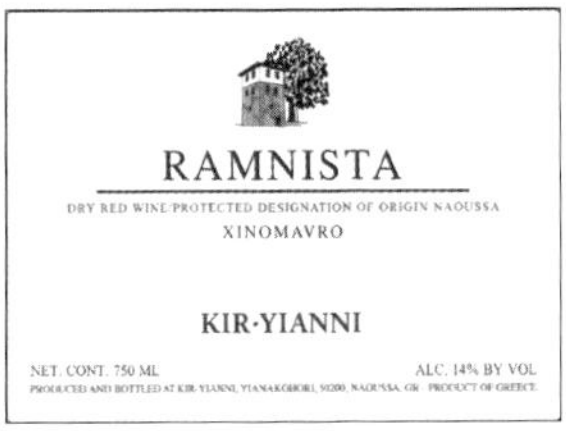

KIR YIANNI

Xinomavro 2011, Ramnista, Naoussa

À l'aveugle, ce xinomavro affiche une identité plus italienne que grecque: le nez s'apparente à un brunello di Montalcino, le grain tannique au nebbiolo. Parfums de champignons séchés, de cuir; excellente tenue en bouche, très charnu et pourtant digeste et coulant, avec des goûts de cerise acidulée. Un peu austère, mais tout indiqué pour la table.

12784703 25,45$ ★★★ ½ ②

5 203888 184021

TETRAMYTHOS

Noir de Kalavryta 2015, Achaia

J'adore ce vin! Il n'a pas la vigueur tannique de ceux de Naoussa ni le charme velouté des agiorgitiko de Nemea, mais il n'en est pas moins délicieux. Au nez, des parfums de fleurs, d'épices et de petits fruits rouges mettent d'emblée en appétit. La bouche est à la hauteur des attentes, joufflue, gorgée de fruit et d'une buvabilité à faire pâlir d'envie le plus pimpant des vins de soif. Délicieux et issu de l'agriculture biologique.

11885457 17,30$ ★★★★ ② ♥

5 204352 000090

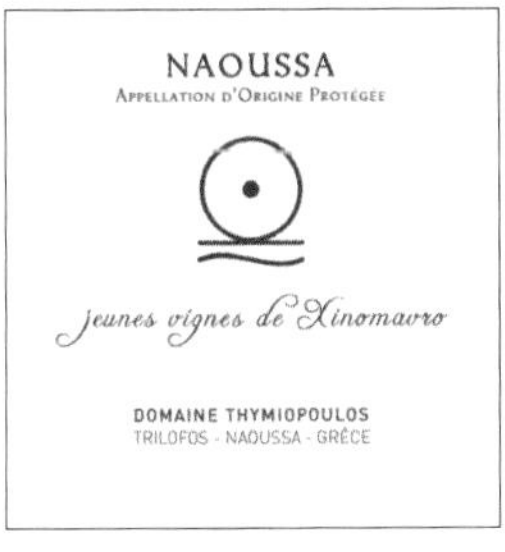

THYMIOPOULOS

Naoussa 2015, Jeunes vignes

Depuis le milieu des années 2000, la région de Naoussa connaît un second souffle grâce à une poignée de jeunes vignerons comme Apostolos Thymiopoulos. Plus complet et plus concentré que le 2014, ce vin est même un peu austère à l'ouverture. Musclé, tannique et offrant ces notes de terre humide et de cerise, caractéristiques des bons vins de Naoussa. Le lendemain, le vin était tout autre: guilleret, pimpant, débordant de fruit et de vitalité. Excellent vin rouge à boire jeune et à servir légèrement rafraîchi, après une aération d'une heure en carafe.

12212220 18,85$ ★★★★ ② ♥

5 200363 506125

AUTRES PAYS
ALLEMAGNE

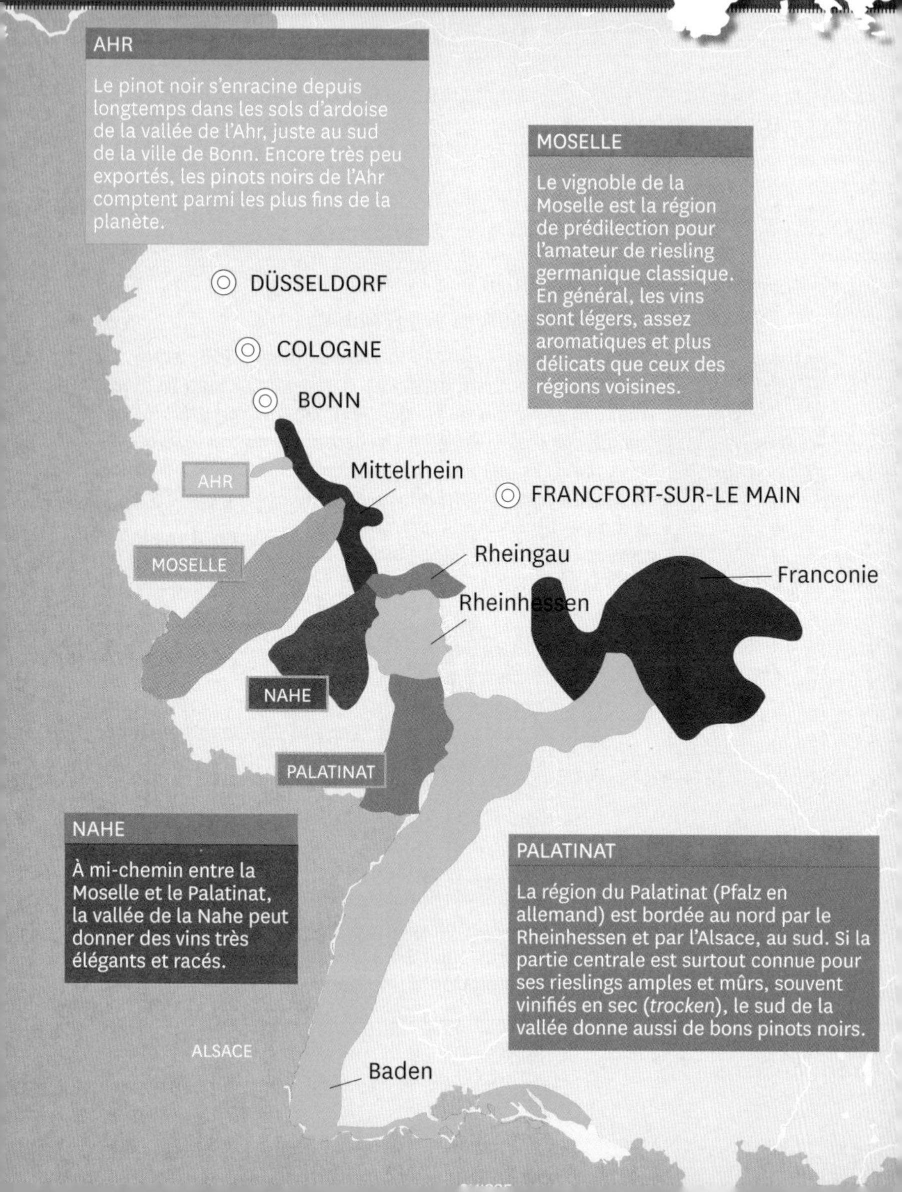

AHR

Le pinot noir s'enracine depuis longtemps dans les sols d'ardoise de la vallée de l'Ahr, juste au sud de la ville de Bonn. Encore très peu exportés, les pinots noirs de l'Ahr comptent parmi les plus fins de la planète.

MOSELLE

Le vignoble de la Moselle est la région de prédilection pour l'amateur de riesling germanique classique. En général, les vins sont légers, assez aromatiques et plus délicats que ceux des régions voisines.

NAHE

À mi-chemin entre la Moselle et le Palatinat, la vallée de la Nahe peut donner des vins très élégants et racés.

PALATINAT

La région du Palatinat (Pfalz en allemand) est bordée au nord par le Rheinhessen et par l'Alsace, au sud. Si la partie centrale est surtout connue pour ses rieslings amples et mûrs, souvent vinifiés en sec (*trocken*), le sud de la vallée donne aussi de bons pinots noirs.

Peu de pays se résument à un seul cépage. Pourtant, même si l'Allemagne produit aussi des pinots noirs (spätburgunder) de calibre international et de très bons pinots blancs (weissburgunder), la pierre angulaire de la viticulture germanique demeure incontestablement le riesling. De la Moselle au Palatinat, de la Nahe jusqu'au Rheingau, tout tourne inévitablement autour de cette variété. Tant mieux!

Au même titre que les vins de la Bourgogne, les meilleurs rieslings allemands sont certainement parmi les plus grands vins de terroir sur la planète. Nuancés, complexes, minéraux et aptes au vieillissement. Ne reste qu'à souhaiter que la sélection à la SAQ s'élargisse et que les amateurs québécois puissent enfin saisir le charme exquis de ces vins.

LES DERNIERS MILLÉSIMES

2015
Une vendange presque idéale: été chaud et sec, septembre humide et octobre sous le soleil. Superbe récolte pour les spätlese et auslese dans la Moselle. Millésime atypique pour le Palatinat; excellent pour le Rheingau, tant en sec qu'en liquoreux.

2014
Dans la Moselle, le temps ensoleillé du mois de septembre a permis de sauver la récolte. Peu de TBA, mais de bons trocken et une année classique pour les kabinett, spätlese et auslese. Qualité hétérogène, mais correcte pour les régions de Nahe, Rheinhessen, Rheingau et Palatinat.

2013
Conditions estivales dans la moyenne, mais un hiver très long qui a retardé la floraison, conjugué à un automne pluvieux, ont rendu quasi impossible l'élaboration d'auslese et de TBA. Au mieux, de bons kabinett et spätlese.

2012
Une récolte exceptionnellement petite, comme ce fut le cas dans de nombreuses régions européennes. L'arrière-saison a été favorable à une longue maturation, mais les gels de novembre ont rendu impossible la production de Beerenauslese.

2011
Récolte déficitaire dans la Moselle en raison d'importants orages de grêle. Néanmoins, un très bon millésime dans l'ensemble, avec une mention spéciale pour les TBA de la Saar et de la Ruwer. Très bons vins fruités et vigoureux dans le Rheinhessen, la Nahe et le Palatinat.

DR. BÜRKLIN-WOLF

Riesling Trocken 2014, Wachenheimer Rechbächel, Pfalz

Ce domaine historique du Palatinat est maintenant conduit en biodynamie. L'étiquette de ce riesling porte la mention *trocken*, ce qui signifie que le vin est sec, contrairement à la plupart des rieslings germaniques présents à la SAQ.

Plutôt que de jouer sur le naturel fruité affriolant du riesling, ce trocken mise clairement sur le caractère beaucoup plus discret, mais non moins séduisant, de la minéralité. Très sec, avec un léger reste de gaz, ponctué de notes de poivre blanc qu'une amertume fine souligne, ajoutant par ailleurs à sa longueur en bouche. À laisser reposer idéalement en cave jusqu'en 2020.

12490377 38$ ☆☆☆→☆ ③

4 016462 318108

KELLER, KLAUS

Riesling Trocken 2015, Rheinhessen

Effectivement très sec, vif, tranchant. Plutôt discret en bouche, au point de frôler la minceur et la dilution, il ne semble pas avoir bénéficié des largesses de l'été 2015. Phase ingrate? Peut-être bien. Laissons-lui quelques mois de repos, en espérant que les éléments se mettent en place.

10558446 28,45$ ☆☆→? ③

4 260063 092053

LEITZ

Eins Zwei Dry 2014, Rheingau

Si vous craignez le sucre dans les rieslings allemands, vous voudrez goûter ce vin élaboré par Johannes Leitz, un acteur important de la région du Rheingau. Très bon riesling d'entrée de gamme, clairement conçu pour être bu dès sa mise en marché : le vin est nerveux, plein de vitalité, juteux et affriolant. Léger en alcool et désaltérant, avec un très bel équilibre entre le sucre et l'acidité. La bouteille parfaite pour accompagner un lunch en terrasse.

12784885 18,70$ ☆☆☆ ½ ②

4 260040 552716

MÜLLER-CATOIR

Riesling Trocken 2014, Pfalz

Ce domaine fondé au milieu du 18e siècle par une famille de huguenots est aujourd'hui encore un grand nom du Palatinat. L'entrée en fonction du propriétaire actuel, Jakob Heinrich Catoir, a marqué la fin de la longue tradition féminine de ce domaine. Ce trocken paraît d'autant plus sec que l'acidité est ici très marquée, quoique enrobée par une texture onctueuse. Heureux mariage de saveurs de pomme, de citron, de miel et de fumée, la trame aromatique s'étire en bouche et laisse sur une finale nette et rassasiante. Très plaisant dans son genre.

10558462 25,45$ ☆☆☆ ½ ②

SELBACH-OSTER

Riesling Spätlese 2012, Trocken, Zeltinger Sonnenuhr

Le riesling de la Moselle... Aromatique, leste et juteux, avec une tension et une vibrance inégalées. Peu de vins offrent tant de saveurs et de présence en bouche avec des taux d'alcool si modérés (12,5%). Grande complexité aromatique, effusion de fines herbes, de pêche, de fleurs blanches et de cire d'abeille. Gras, vineux et pourtant leste et aérien, avec la sveltesse d'une ballerine et la puissance d'une chanteuse d'opéra. À boire au cours de cinq à six prochaines années.

904243 29,35$ ☆☆☆☆ ② ♥

Les mots du vin allemand

En plus du nom de la région d'origine et du cépage, les étiquettes de certains vins allemands indiquent, par l'un des termes suivants, l'état de maturité du raisin selon sa teneur en sucre.

Kabinett : vin léger, qui semble sec ou un peu doux.

Spätlese : vendanges tardives ; vin moelleux.

Auslese : grappes sélectionnées ; vin plus moelleux.

Beerenauslese : raisins sélectionnés, cueillis un à un ; vin liquoreux.

Trockenbeerenauslese (TBA) : raisins secs sélectionnés, cueillis un à un ; vin liquoreux.

Trocken signifie sec ; halbtrocken, demi-sec.

PRÜM, JOH. JOS.

Riesling Kabinett 2014, Wehlener Sonnenuhr, Mosel

Les rieslings demi-secs sont de moins en moins populaires, tant en Allemagne qu'à l'export, mais certains domaines phares comme Egon Müller et Joh. Jos. Prüm restent fidèles à ce style. En jeunesse, ces vins charment par leur caractère aérien et rafraîchissant, mais ils n'atteignent leur apogée qu'après une dizaine d'années de mûrissement en bouteille.

Malgré leur apparente légèreté, les meilleurs kabinett peuvent vieillir admirablement bien. Celui-ci provient de l'un des domaines les plus classiques de Moselle. Le vin est jeune et fringant, vif, perlant et plutôt léger de prime abord, mais déployant une certaine poigne et une bonne longueur en bouche. Un vin de Moselle très représentatif qu'il faudra laisser mûrir quelques années pour l'apprécier à sa juste valeur.

11182284 43,75$ ☆☆☆→☆ ④ 4 004068 516585

CLIFFHANGER

Riesling 2013, Trocken, Mosel

Souhaitant rajeunir l'image des vins de la Moselle, quatre vignerons ont créé Cliffhanger, un projet dont le nom – littéralement «personne suspendue à une falaise» – fait référence à l'allure vertigineuse des vignobles de leur région, dont l'inclinaison atteint parfois 60°. Le vin est vif et nerveux; l'acidité est passablement marquée, mais un léger fond moelleux lui assure un bon équilibre. Ferme, mais sans dureté.

4 260092 129850

12178965 17,25$ ☆☆☆ ①

MÖNCHHOF

Riesling Kabinett 2015, Ürzig Würzgarten, Mosel-Saar-Ruwer

Le village de Ürzig, dans la Mittelmosel, est célèbre pour son ardoise rouge qui donne aux vins du cru Würzgarten (jardin d'épices) un caractère aromatique distinctif. Dans son domaine historique, fondé au 12e siècle par les moines cisterciens, la famille Eymael en tire toujours un excellent vin intensément aromatique, vif et aérien, même s'il est arrondi par un reste perceptible de sucre. Bonne longueur, prix attrayant et constance exemplaire.

11034804 25,90$ ☆☆☆☆ ② ♥ 4 017116 201012

SELBACH, J. H.

Riesling 2014, Mosel

D'année en année, un très bon riesling demi-sec vendu à bon prix. Derrière de légers accents soufrés – difficile d'y échapper avec les rieslings allemands –, on perçoit des parfums de zeste de citron et de pomme, caractéristiques du riesling. La bouche est ronde, vive et nerveuse à la fois; idéal pour l'apéro avec ses 10,5% d'alcool.

11034741 17,30$ ☆☆☆ ② ♥ 0 717215 002582

SELBACH, J. H.

Riesling Kabinett 2015, Zeltinger Himmelreich, Mosel

Un vin de Moselle très représentatif: 10,5% d'alcool, vif, nerveux et minéral. Jeune et fringant, plutôt léger de prime abord, mais déployant beaucoup de poigne et de longueur en bouche, avec une finale au goût original de citronnelle et de mélisse.

927962 19,20$ ☆☆☆ ½ ② ♥ 0 717215 001868

VILLA WOLF

Riesling 2014, Pfalz

Ernst « Dr » Loosen possède aussi un domaine dans le Palatinat. Le vin courant qu'il y produit est léger en alcool et par conséquent arrondi d'un léger reste de sucre. Simple, aérien et facile à boire, parfum de citron et de pomme verte, avec une pointe minérale en fin de bouche. Rapport qualité-prix attrayant.

10786115 16,95$ ☆☆☆ ② ♥ 0 183103 000181

GEYERHOF

Grüner Veltliner 2015, Rosensteig, Niederösterreich

Pionnière de la viticulture biologique en Autriche, la famille Maier cultive aujourd'hui son vignoble du Kremstal, en bordure du Danube, selon les principes de la biodynamie. Les vins du domaine font en général preuve d'une grande élégance.

Bien qu'issu d'un millésime de chaleur, le 2015 est léger comme une plume (11,5% d'alcool) et regorge de fraîcheur. Très sec, avec un mariage de salinité et d'amertume qui n'est pas sans rappeler certaines eaux minérales. La comparaison s'arrête là cependant, car le vin n'a rien d'aqueux ni de dilué. Il fait plutôt preuve d'une intensité contenue de plus en plus rare et ses parfums d'abricot, de fleurs et de poivre blanc se déploient avec une finesse remarquable. Très belle bouteille!

12676307 23,95$ ☆☆☆☆ ② ♥

9 120008 900186

CHÂTEAU PAJZOS

Furmint 2015, Tokaji, Hongrie

Ce vin de facture autrefois très classique me semble prendre un virage fraîcheur en 2015. Maintenant coiffé d'une capsule à vis. Qu'importe, le vin est bon. Très aromatique, avec des tonalités de fruits tropicaux sur un fond de fleurs blanches. Du gras, mais surtout beaucoup de vitalité. Très complet pour le prix.

860668 15,15$ ☆☆☆ ② ♥

5 998830 730431

FRITSCH

Grüner Veltliner 2015, Wagram

Grüner d'entrée de gamme d'un producteur important de la région de Wagram, à l'ouest de la ville de Vienne. Bel exemple de vin qui, aromatiquement parlant, se situe beaucoup plus près de la terre que du fruit. Encore jeune et nerveux, très sec, il déploie en bouche des notes minérales qui rappellent vraiment la poussière de roche; le tout porté par une fine amertume qui lui donne un degré supplémentaire de complexité. Très bon rapport qualité-prix.

11885203 19,95$ ☆☆☆ ½ ② ♥

9 120011 265326

GEYERHOF

Riesling 2014, Sprinzenberg, Kremstal

La couleur dorée et le nez de fruits exotiques témoignent de raisins bien mûrs. En bouche, le vin est très sec et vibrant de fraîcheur, avec autant d'envergure en attaque, en milieu et en fin de bouche. Peut-être un peu moins de détail aromatique que certains millésimes antérieurs, mais un équilibre très réussi entre le minéral, le fruit et l'acidité. Finale savoureuse aux accents de poivre, d'herbes fraîches et d'orange amère. À boire sans se presser d'ici 2022.

12131551 29,50$ ☆☆☆☆ ② ♥ 9 120008 900483

GOBELSBURG

Grüner Veltliner 2014, Kamptal

Dans la gamme Domaene Gobelsburg, Michael et Eva Moosbrugger commercialisent des vins de consommation courante, destinés à être bus dès leur mise en marché. Un bon nez frais de pomme, de fumée et de poivre. Léger en bouche, nerveux aussi, avec des goûts de lime et de pêche blanche. Correctement acide et bien équilibré.

10790317 17,05$ ☆☆☆ ② 9 120002 400026

HIRSCH

Grüner Veltliner 2014, Heiligenstein, Kammern – Kamptal

Le cru Heiligenstein est l'orgueil des vignerons du Kamptal; tous veulent avoir un morceau de cette mosaïque unique de sols, qui se dresse sur les rives du Kamp à une inclinaison de 13%. Parmi la trentaine de privilégiés: Johannes Hirsch, adepte de la biodynamie et pionnier de la capsule vissée en Autriche. Même s'il ne titre que 12% d'alcool, son 2014 fait preuve d'une concentration et d'une ampleur dignes de mention dans le contexte du millésime. Du gras, des notes de fruits tropicaux, un milieu de bouche plein et vineux, mais une finale pure et cristalline, pleine de vitalité. Excellent vin!

11695055 29,10$ ☆☆☆☆ ② 9 120011 632869

MOSER, LENZ

Riesling 2013, Prestige, Niederösterreich

Cette entreprise de Krems est la plus importante d'Autriche; son vignoble couvre 2700 hectares! Jeune, fringant et animé d'un reste de gaz, Ce bon riesling autrichien est assez typique de son pays, plus sec et moins aromatique que ceux d'Allemagne. Rien de compliqué, mais tout indiqué pour l'apéro.

12783479 19,20$ ☆☆☆ ① 9 009500 009279

HEINRICH

Blaufränkisch 2014, Burgenland

Gernot Heinrich est un acteur important de Burgenland, une région viticole tempérée par la proximité du lac Neusiedler, qui donne parmi les meilleurs vins du pays, qu'ils soient rouges, blancs ou liquoreux.

Son Blaufränkisch 2014 s'inscrit dans la continuité des derniers millésimes: souple, tendre, privilégiant la rondeur fruitée à l'extraction tannique. La bouteille ouverte en septembre 2016 présentait de légers accents de réduction, qui s'estompaient après une brève aération dans le verre. On y découvrait alors des saveurs nettes de fruits noirs, d'épices et de délicates notes anisées qui persistaient en finale. Bonne bouteille à boire au cours des deux à trois prochaines années pour profiter de son fruité juvénile.

10768478 24,85$ ★★★ ½ ② ♥ 9 120007 367140

CHEVALIER DE DYONIS

Pinot noir 2014, Serve, Dealu Mare, Roumanie

Un vin aux prétentions évidemment modestes, qui a au moins le mérite de préserver le fruit et la souplesse du pinot. Simple, mais net et plutôt sympathique. À ce prix, il a autant à offrir que bien des pinots plus ambitieux.

554139 10,95$ ★★★ ② ♥ 0 787544 101164

KRUTZLER

Blaufränkisch 2014, Burgenland

Plus nerveux et charnu que la moyenne des vins de blaufränkisch, cépage reconnu pour donner des vins souples et gouleyants. Bien qu'un peu déconcertante au premier contact, sa vivacité le rendra fort agréable à table.

12411042 19,85$ ★★★ ② 9 120040 281632

Autres pays

MARKOWITSCH

Pinot noir 2013, Carnunthum

Entre Vienne et la frontière slovaque, le climat de la région de Carnunthum est tempéré à la fois par le Danube et par l'immense lac Neusiedler. Markowitsch est l'un des leaders de l'appellation. D'abord assez timide au nez, ce 2013 gagne à reposer en carafe pendant une bonne demi-heure avant d'être servi. La bouche est nette, franche, passablement charnue pour un pinot noir de cette gamme de prix, avec un profil très autrichien: singularité, jolis amers et notes de fines herbes. L'ensemble fait preuve d'une saine vitalité; beaucoup de vin dans le verre pour le prix. On peut le boire dès maintenant, mais à mon avis, il sera meilleur dans deux à trois ans.

12538570 24,15$ ★★★ ½ →? ③ ♁

9 007615 160137

MIROGLIO, EDOARDO

Pinot noir 2014, Soli, Vallée de Thrace, Bulgarie

Un vin de couleur très pâle, légèrement perlant et d'envergure moyenne, mais qui offre la souplesse et le fruit caractéristique du pinot noir. Nombre de vins plus cher proposent une expression pourtant plus sommaire et plus rustique de ce cépage.

11885377 15,30$ ★★★ ② ♥

3 800213 972777

PITTNAUER

Zweigelt 2014, Heideboden, Burgenland

Gerhard Pittnauer était à peine majeur lorsqu'il a pris les commandes du domaine familial suite au décès de son père. Le domaine, situé en bordure du lac de Neusiedl, à l'extrémité orientale de l'Autriche, tout près de la frontière hongroise, est maintenant converti à l'agriculture biologique. Voici une curiosité typiquement autrichienne issue du zweigelt, cépage capricieux, enclin à la rusticité. Le 2014 mise avant tout sur la souplesse, le fruit rond et sur une texture coulante, soutenue par l'acidité naturelle des vins de la région. Ce vin pur et franc est encore meilleur après une heure de carafe.

12677115 20,30$ ★★★ ½ ② ♥ ♁

9 120011 730022

PRIELER

Blaufränkisch 2013, Johanneshöhe, Burgenland

Cette maison renommée de la région de Neusiedlersee élabore un blaufränkisch de facture plutôt classique, voire austère, qui contraste avec la vague de vins rouges autrichiens juteux et gouleyants qui ont la cote en ce moment. Pas très long ni complexe, mais agréable et bien tourné. Sa droiture et son étoffe le rendent particulièrement agréable à table.

12178990 26,75$ ★★★ ②

9 120027 381515

MAROC

Ce pays d'Afrique du Nord profite d'une grande diversité de climats, avec la chaîne montagneuse de l'Atlas qui occupe sa partie occidentale du nord au sud, et un immense littoral, bordé au nord par la Méditerranée et à l'ouest par l'océan Atlantique, dont l'influence rafraîchissante est bénéfique pour la vigne. Le vignoble moderne a surtout été façonné par les Français au cours des années 1950 et 1960. Le cépage cinsault donne un agréable vin gris sur la côte atlantique, tandis que la région de Meknès est réputée pour ses rouges solaires et corsés. Le Maroc compte aussi d'importantes plantations de chêne-liège (*quercus suber*).

MEXIQUE

Plus ancien pays producteur de vin des Amériques. Implantées dès la colonisation espagnole, au 16e siècle, les variétés *vitis vinifera* ont prospéré au fil des siècles grâce au labeur des missionnaires catholiques qui ont développé les vignobles de la vallée de Guadalupe, en Basse-Californie, dont proviennent les trois quarts de la production nationale.

LIBAN

Bien que son histoire remonte au temps des Phéniciens, la viticulture libanaise telle qu'on la connaît aujourd'hui est relativement récente. Plantée essentiellement dans la vallée de la Bekaa, la vigne s'y enracine sur un peu plus de 2000 hectares, soit l'équivalent du vignoble du Jura. Les principaux cépages cultivés sont d'origine méditerranéenne: grenache, cinsault, syrah, carignan, auxquels s'ajoutent le cabernet sauvignon et un peu de merlot.

ISRAËL

Les particularités de quelques microclimats d'altitude, conjuguées à l'apport d'une expertise étrangère, ont permis aux entreprises viticoles d'Israël d'accomplir des progrès considérables au cours des 15 dernières années. Les régions du plateau du Golan (Galilée), au nord du pays, ainsi que les montagnes de Judée, dans la partie sud, sont aujourd'hui la source de vins de bonne qualité.

DOMAINE DES OULEB THALEB

Syrocco 2012, Zenata, Maroc

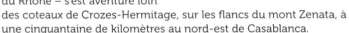

Il y a quelques années, Alain Graillot – vigneron hautement respecté du nord de la vallée du Rhône – s'est aventuré loin des coteaux de Crozes-Hermitage, sur les flancs du mont Zenata, à une cinquantaine de kilomètres au nord-est de Casablanca.

En partenariat avec le marocain Thalvin, il élabore ce vin rouge passablement substantiel, issu de vignes de syrah, dont certaines sont âgées d'une cinquantaine d'années. Le 2012 présente au nez le caractère rôti, grillé naturel de la syrah. La bouche est juteuse, affriolante, encadrée de tanins serrés, mais très fins, sans la moindre dureté; beaucoup de relief, de finesse, de détails aromatiques. Longue finale florale, signe d'une syrah mûrie longuement.

11375561 24,50$ ★★★★ ② ♥ 6 111243 990134

L.A. CETTO

Nebbiolo 2012, Reserva Privada, Valle de Guadalupe

Avec plus de 600 hectares de vignes, ce domaine fondé en 1926 par un immigrant italien est le plus important producteur de vins du Mexique. Expression chaleureuse et sympathique du nebbiolo. Nez sobre et discret aux accents d'épices, de cuir et de champignons. L'attaque en bouche est ronde, gorgée de saveurs de confiture de cerises, mais le vin porte tout de même la fermeté tannique propre au grand cépage piémontais. Rustique certes, mais il a beaucoup de caractère. Une belle bouteille pour sortir des sentiers battus, sans se ruiner.

10390233 19,90$ ★★★ ② 7 501053 160084

L.A. CETTO

Petite Sirah 2014, Valle de Guadalupe

Tant au nez, où elle présente des parfums intenses de fruits noirs sauvages, qu'en bouche avec sa trame tannique solide, enrobée d'une chair fruitée dodue, cette petite sirah rappelle le caractère solaire des bons vins du Languedoc. Un vin plein, mûr, rassasiant, mais pas lourd du tout. Servez-le frais autour de 14-15 °C.

429761 12,65$ ★★★ ② ♥ 7 501053 160060

MASSAYA

Terrasses de Baalbeck 2013, Vallée de la Bekaa

De retour dans leur Liban natal en 1998 après avoir respectivement séjourné aux États-Unis et en France, Sami Ghosn et son frère Ramzi s'y sont associés au Bordelais Dominique Hébrard et aux frères Brunier du Domaine du Vieux-Télégraphe à Châteauneuf-du-Pape.

Les vignes de grenache, de mourvèdre et de syrah s'enracinent dans les sols argilo-calcaires des hauteurs du mont Liban, à plus de 1000 m d'altitude et donnent un vin au charme fou.

Nourri par un élevage de 18 mois en foudre de chêne français, le vin est sphérique, dodu, mais aussi riche en matière et en saveurs fruitées très mûres, ainsi qu'en parfums de chocolat noir. Finale capiteuse à 15 % d'alcool; mieux vaut le servir frais autour de 15-16 °C.

5 285000 380863

904102 23$ ★★★ ½ ② ♥

CHÂTEAU KEFRAYA

Comte de M 2010, Vallée de la Bekaa

Maintenant ouvert et prêt à boire, le 2010 me semble moins satisfaisant que par le passé. La bouteille aurait-elle reposé trop longtemps sur les tablettes de la SAQ? La couleur grenat et le nez de fruits secs et de cuir annoncent un vin évolué aux tanins un peu secs. Très bon, le vin a beaucoup de caractère, mais son rapport qualité-prix me laisse songeur, Si vous en achetez et que vous avez un doute sur la fraîcheur de la bouteille, n'hésitez pas à la retourner en magasins.

5 281004 311117

722413 49,25$ ★★★ ② ▼

CHÂTEAU KSARA

Clos St-Alphonse 2012, Vallée de la Bekaa

Un vin de couleur sombre mettant en valeur les qualités complémentaires des cépages syrah et cabernet sauvignon. Un vin ample, juteux et tannique, aux senteurs originales de réglisse, de fruits noirs et de fumée. Rustique, mais sympathique.

5 281022 045902

11315171 11,05$ ★★★ ② ♥

CHÂTEAU KSARA
Le Prieuré 2013, Vallée de la Bekaa

Autre belle réussite pour ce vin de syrah et de cabernet sauvignon. Solide, épicé, fumé et franc de goût; rustique, savoureux et fort sympathique. Une personnalité digne de mention pour un vin à moins de 15$.

5 281022 189415

927848 14,95$ ★★★ ② ♥

CHÂTEAU KSARA
Réserve Du Couvent 2014, Vallée de la Bekaa

Syrah à 40%, cabernet franc et cabernet sauvignon à parts égales. Un peu austère à l'ouverture, ce vin devient plus volubile après une aération d'une demi-heure en carafe. Élégance, grain fin et soyeux; le fruit joue en sourdine, mais l'ensemble est harmonieux; un brin austère, mais assez solide en bouche.

5 281022 542944

443721 15,75$ ★★★ ②

CLOS ST-THOMAS
Les Émirs 2011, Vallée de la Bekaa

Un vin sans aucune sucrosité, mais faisant preuve d'une générosité toute méditerranéenne, avec des goûts de confiture de framboises et d'épices. Juteux, gourmand et parfaitement ouvert.

5 281108 010046

927822 18,05$ ★★★ ②

CLOS ST-THOMAS
Les Gourmets 2014, Vallée de la Bekaa

Les cépages cinsault, syrah, grenache et cabernet sauvignon sont cultivés à 1000 m d'altitude et donnent un vin généreux aux goûts de confiture de framboise sur un fond anisé et épicé. Attaque charnue, plénitude et bonne longueur pour moins de 15$.

5 281108 010015

927814 14,85$ ★★★½ ② ♥

MASSAYA
Le Colombier 2014, Vallée de la Bekaa

La vallée de la Bekaa, au Liban, a depuis plusieurs années prouvé qu'elle peut générer des vins de calibre international, dont la qualité n'a rien à envier à des appellations plus prestigieuses du pourtour méditerranéen. Cinsault, grenache, syrah et tempranillo font corps dans ce vin plein et riche de 15% d'alcool. Le nez est intense, comme une explosion de parfums de confiture de fruits et d'épices. Plein et capiteux, mais aussi encadré d'une bonne charge tannique, garante d'un minimum de vitalité.

5 285000 380177

10700764 19$ ★★★ ②

GOLAN HEIGHTS
Syrah 2012, Yarden, Galilée

Le vignoble de cette remarquable entreprise créée en 1983 est planté sur les pentes du plateau du Golan surplombant le lac de Tibériade, là où le climat frais (les vignes sont régulièrement enneigées pendant l'hiver) permet d'obtenir des vins fins et harmonieux.

Cette *winery* située dans la commune de Katzrin commercialise annuellement quelque six millions de bouteilles. Quoique toujours marquée par les parfums vanillés du chêne, cette syrah me semble plus harmonieuse en 2012. L'attaque en bouche est pleine et onctueuse, avec un volume et une puissance dignes de mention (15% d'alcool), sans excès. Servir frais, autour de 15-16 °C, sans quoi il paraîtra un peu chaud. Déjà ouvert et bon jusqu'en 2020.

12884481 38,75$ ★★★ ½ ②

7 290014 466708

GALIL MOUNTAIN
Alon 2012, Upper Galilée

Ce domaine de Galilée appartient majoritairement à Golan Heights Winery. Assemblage de cabernet sauvignon, de syrah, de petit verdot et de cabernet franc. Bien que très généreux avec ses 15% d'alcool, ce vin laisse une impression d'ensemble plus harmonieuse que la moyenne des vins d'Israël goûtés cette année. Le fruit confit est ponctué de notes d'herbes séchées qui apportent une certaine fraîcheur aromatique et lui donne des petits airs de zinfandel. Plein et capiteux, mais sans lourdeur, grâce à une acidité bien dosée. Original.

11860583 21,95$ ★★★ ②

0 736040 525530

GALIL MOUNTAIN
Meron 2011, Upper Galilee

Rien qu'au nez, on sait qu'on a affaire à un vin sérieux et ambitieux. Beaucoup de poids en bouche et des parfums d'eau-de-vie de fruits; puissant, très riche et vaporeux, il fait bien sentir ses 15% d'alcool. À l'évidence, ce vin ne fait pas dans la dentelle, mais sa chair plantureuse est encadrée par des tanins assez compacts pour éviter la mollesse. L'amateur de sensations fortes sera servi.

12481534 32,50$ ★★★ ②

0 736040 513476

GOLAN HEIGHTS

Cabernet Sauvignon 2012, Yarden, Galilée

La couleur et le nez de ce 2012 montrent un début d'évolution. Plein en attaque mais un peu creux en milieu de bouche, le vin est soutenu par un grain mûr, quasi dépourvu d'aspérités tanniques. Longueur moyenne et finale capiteuse aux accents de fumée et de confiture de cassis.

0 736040 011798

12211067 47,50$ ★★★ ②

GOLAN HEIGHTS

Chardonnay 2014, Yarden, Galilée

Un chardonnay provenant de la commune de Katzrin, au cœur du plateau du Golan. Dodu, juteux et gorgé de saveurs de poires en conserve. Rien d'original, mais aussi bon que nombre de chardonnays américains de cette gamme de prix.

12473008 27,45$ ☆☆☆ ②

0 736040 011811

GOLAN HEIGHTS

Mount Hermon Red 2014, Galilée

Si vous aimez les vins californiens modernes, vous aimerez les parfums de confiture et la texture sphérique de cet assemblage bordelais nourri par un bon usage du bois. Pour la carrure du cabernet, il faudra chercher ailleurs.

10236682 19,45$ ★★★ ② ♥

0 736040 011651

GOLAN HEIGHTS

Mount Hermon White 2014, Galilée

Plutôt original par sa composition de sauvignon blanc, viognier, chardonnay et sémillon et (relativement) léger à 13,5% d'alcool. Un vin blanc sec d'ampleur et de tenue moyenne, mais qui comporte assez de structure, de vigueur, et s'avère étonnamment sobre et harmonieux, compte tenu du haut potentiel aromatique des cépages sauvignon et viognier. Une belle introduction aux vins blancs du Golan.

0 736040 011668

12778987 23,80$ ☆☆☆ ½ ② ♥

AMÉRIQUE DU NORD
CANADA

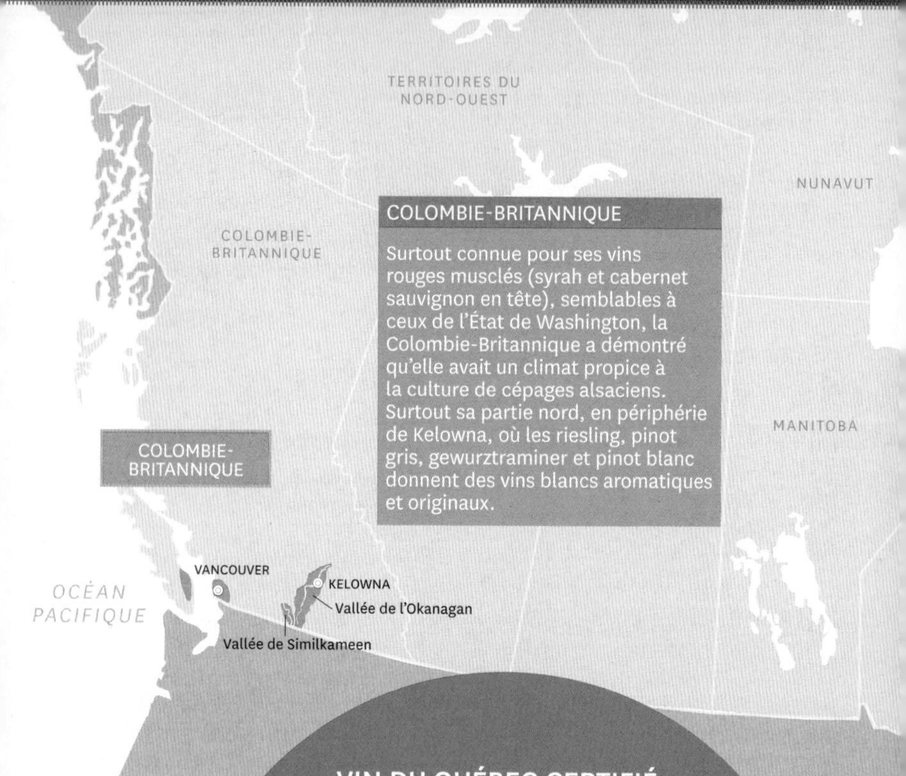

COLOMBIE-BRITANNIQUE

Surtout connue pour ses vins rouges musclés (syrah et cabernet sauvignon en tête), semblables à ceux de l'État de Washington, la Colombie-Britannique a démontré qu'elle avait un climat propice à la culture de cépages alsaciens. Surtout sa partie nord, en périphérie de Kelowna, où les riesling, pinot gris, gewurztraminer et pinot blanc donnent des vins blancs aromatiques et originaux.

VIN DU QUÉBEC CERTIFIÉ

En 2008, l'Association des vignerons du Québec (AVQ) s'est dotée d'un programme de contrôle de la qualité et a adopté des règles précises afin d'offrir une traçabilité aux clients. Les vins regroupés sous cette dénomination doivent désormais être issus à 100 % de raisins d'ici. Pour avoir droit à la mention « Produit élaboré au domaine », ils doivent être faits à partir de raisins provenant de la propriété dans une proportion d'au moins 85 %. Ceux portant l'appellation « Produit du Québec » peuvent être issus pour moitié de raisins d'un autre producteur récoltant du Québec.

Les efforts observés d'un océan à l'autre, depuis dix ans, permettent plus que jamais d'être confiant quant au potentiel du Canada de devenir un producteur de vins de classe mondiale. Tout n'est pas parfait, mais avec des vignes qui gagnent en maturité et une connaissance viticole et œnologique toujours accrue, les vins ne pourront être que meilleurs.

L'Ontario demeure le numéro un canadien avec un vignoble couvrant un peu plus de 6500 hectares, suivi par la Colombie-Britannique, le Québec et la Nouvelle-Écosse, qui commence à produire des vins effervescents de qualité.

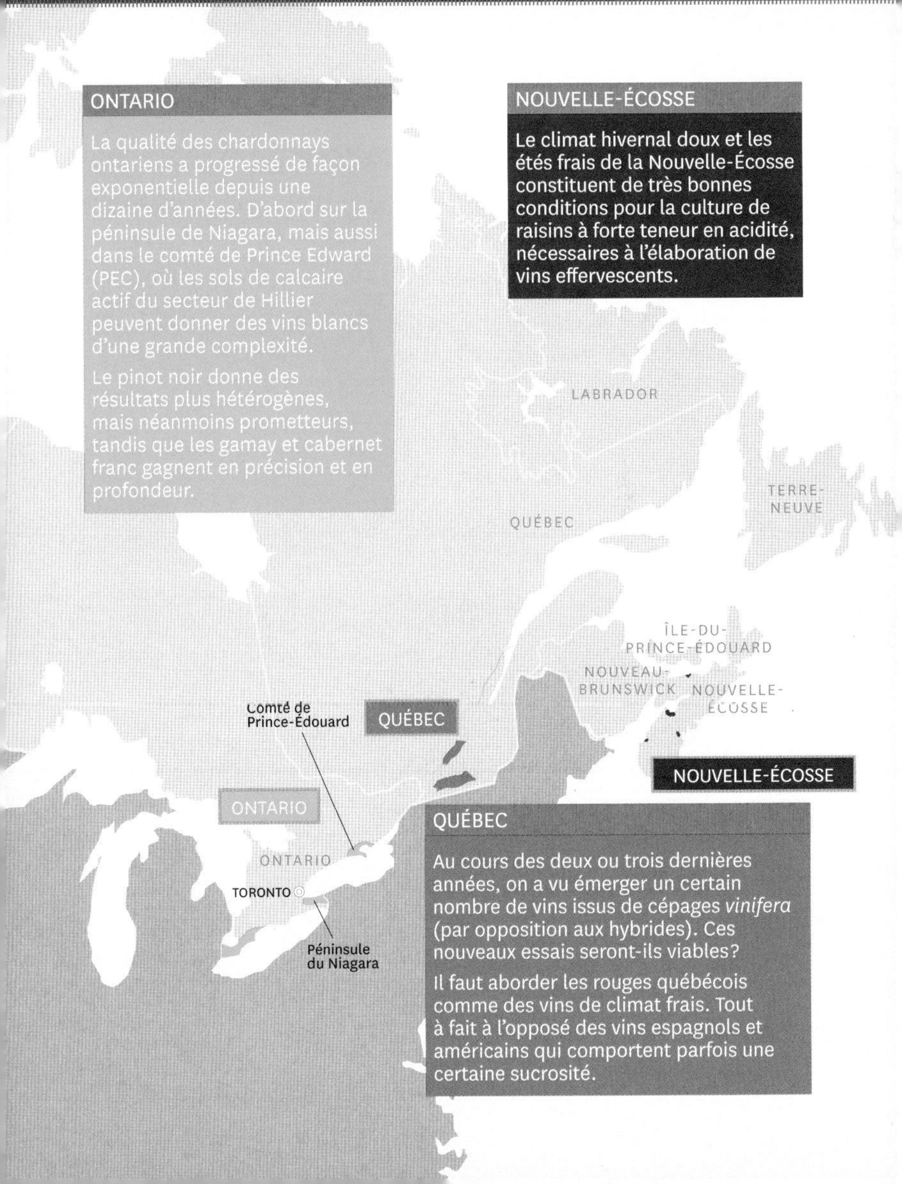

ONTARIO

La qualité des chardonnays ontariens a progressé de façon exponentielle depuis une dizaine d'années. D'abord sur la péninsule de Niagara, mais aussi dans le comté de Prince Edward (PEC), où les sols de calcaire actif du secteur de Hillier peuvent donner des vins blancs d'une grande complexité.

Le pinot noir donne des résultats plus hétérogènes, mais néanmoins prometteurs, tandis que les gamay et cabernet franc gagnent en précision et en profondeur.

NOUVELLE-ÉCOSSE

Le climat hivernal doux et les étés frais de la Nouvelle-Écosse constituent de très bonnes conditions pour la culture de raisins à forte teneur en acidité, nécessaires à l'élaboration de vins effervescents.

QUÉBEC

Au cours des deux ou trois dernières années, on a vu émerger un certain nombre de vins issus de cépages *vinifera* (par opposition aux hybrides). Ces nouveaux essais seront-ils viables?

Il faut aborder les rouges québécois comme des vins de climat frais. Tout à fait à l'opposé des vins espagnols et américains qui comportent parfois une certaine sucrosité.

CANADA

Voilà maintenant quatre ans que je participe à titre de juge au National Wine Awards of Canada. Chaque année, mon enthousiasme s'en trouve décuplé. Que de progrès accomplis depuis le tournant des années 2000!

Depuis la vallée d'Annapolis jusqu'à l'île de Vancouver, on profite de vins rouges et blancs plus fins, souvent moins boisés, et pour la plupart empreints de cette fraîcheur qui caractérise les vins de régions septentrionales.

La SAQ a déployé beaucoup d'efforts pour accroître la visibilité des vins du Québec dans ses succursales. L'implantation des sections Origine Québec – conjuguée à une augmentation du nombre de produits – a porté ses fruits et les ventes en succursales continuent de progresser.

L'Ontario conserve son rôle de leader avec un peu plus de 7000 hectares plantés. Nos voisins sont maintenant reconnus internationalement pour la grande qualité de leurs chardonnays et, dans une moindre mesure, de leurs pinots noirs, gamays et cabernets francs.

La vaste vallée de l'Okanagan, en Colombie-Britannique, comporte une foule de climats et microclimats. Rien d'étonnant puisque la région s'étend sur plus de 250 km du nord au sud et la vigne y couvre près de 4000 hectares. Il n'est donc pas étonnant d'y trouver à la fois des rieslings sveltes et aériens, des cabernets musclés et des syrahs plantureuses.

Ces vins suscitent des commentaires élogieux des grands critiques britanniques et américains, mais sont cependant toujours inaccessibles aux amateurs de vins d'ici. Car, aussi ridicule que cela puisse paraître, il est beaucoup plus facile d'avoir accès, au Québec, à des vins américains qu'à des vins canadiens.

Voilà maintenant quatre ans que le gouvernement fédéral a autorisé le transport du vin entre les provinces, au moyen de la loi C-311. Réunis au Yukon en juillet 2016, le premier ministre Philippe Couillard et ses homologues de l'Ontario et de la Colombie-Britannique ont convenu de favoriser la circulation des vins canadiens entre leurs monopoles d'État respectifs, sans pour autant s'engager à diminuer leurs marges de profits. Dans ce contexte, il ne faut pas s'étonner que si peu de domaines acceptent de transiger avec la SAQ.

Les gouvernements ne font-ils pas que respecter les accords de libre-échange, direz-vous? Tout à fait. Sauf que pendant que les Canadiens se plient aux lois du commerce international, la plupart des pays européens et nos voisins américains subventionnent l'agriculture et soutiennent leurs vignerons pour leur permettre de mieux exporter. Pourquoi alors le Canada n'en ferait-il pas autant?

Canada

DOMAINE ST-JACQUES

Pinot gris 2015

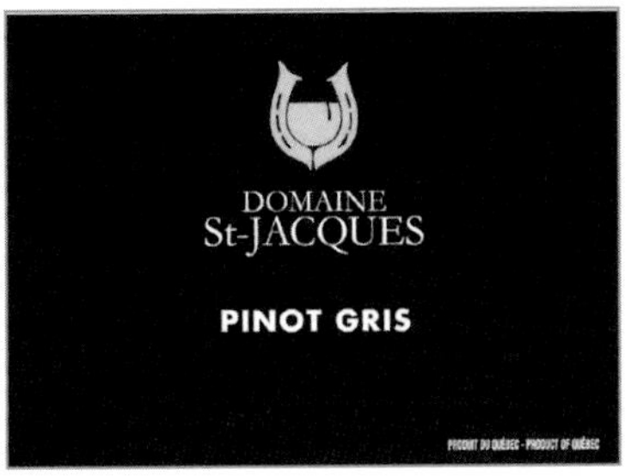

Quand Yvan Quirion m'a parlé de ses essais sur des cépages *vinifera*, il y a quelques années, j'avais de sérieux doutes. Après tout, son vignoble a beau être situé au cœur des belles plaines agricoles du Saint-Laurent, dans la région la plus chaude de la province, il n'en demeure pas moins que Saint-Jacques-le-Mineur, ce n'est pas Colmar. J'avais tort.

Goûté à plusieurs reprises au courant de l'été, son pinot gris 2015 est l'un de mes vins blancs québécois favoris des dernières années. Beaucoup de nuances et de relief, une expression aromatique élégante, du gras, mais surtout une exquise fraîcheur – c'est l'un des gros atouts de notre climat – et une finale saline et désaltérante. D'autant plus recommandable qu'il vaut parfaitement son prix. Très belle bouteille!

12981301 22,75$ ☆☆☆☆ ② ♥

0 827924 079123

CÔTEAU ROUGEMONT

Chardonnay 2014, La Côte

Un vin de taille moyenne, correctement boisé, nerveux, plutôt linéaire, mais assez fruité, avec des goûts de poire fraîche et une pointe végétale qui ne nuit en rien à l'harmonie en bouche. Rien de bien original, mais un vin tout à fait honnête, quoique peu compétitif à ce prix.

Disponible à la propriété

24$ ☆☆☆ ②

COURVILLE, LÉON

Chardonnay 2015

Rien d'original, mais un bon vin blanc adéquatement boisé et net en bouche, qui offre la vitalité et les saveurs caractéristiques d'un chardonnay de climat frais. Sec, assez gras et de bonne longueur, agrémenté de goûts de fruits blancs et de citron; la finale nous laisse sur une note saline ponctuée d'une amertume noble. Aucune rusticité dans ce vin. Très bon.

Disponible à la propriété

24$ ☆☆☆ ②

L'ORPAILLEUR

Vin blanc 2015

Élaboré pour la première fois en 1985, le populaire vin blanc de Dunham célèbre son 30e anniversaire en 2015. L'habillage a été revampé et la bouteille est maintenant coiffée d'une capsule vissée, mais ce vin reste fidèle au style qui a fait son succès.

Composé à parts égales de vidal et de seyval, le 2015 offre un très bon équilibre entre le gras et la vivacité et déploie en bouche une belle palette de saveurs fruitées, florales et minérales. Sec, très net, c'est l'exemple même d'un bon blanc d'apéritif. Allez! Une Grappe d'or pour souligner son anniversaire et sa constance irréprochable. Bravo!

704221 16,35$ ☆☆☆ ½ ① ♥

0 827924 004019

COURVILLE, LÉON

Cuvée Charlotte 2015

Joli nez de pomme, sur un fond délicatement fumé. Pas de bois, ni trop d'ampleur en bouche, mais une expression franche des cépages seyval blanc et geisenheim, dont les saveurs fruitées sont soulignées d'une agréable amertume qui ajoute à son caractère.

11106661 17,20$ ☆☆☆ ①

0 827924 059019

DOMAINE ST-JACQUES

Classique blanc 2014

Cet assemblage de seyval et vidal donne un bon vin vif et citronné; aux arômes simples, mais net et bien équilibré. Le fini pointu n'est pas désagréable. Un vin original, offert à bon prix et coiffé d'une capsule vissée.

11506120 16$ ☆☆☆ ①

0 827924 079024

Canada

NÉGONDOS

Opalinois 2015

Un joli nez de seyval sentant le gazon fraîchement tondu, la menthe et la lime; vif et allègre, léger, mais assez gras et très bien ficelé. En fin de bouche, une saine amertume est garante de longueur. Un très bon achat à ce prix, et certifié biologique.

Disponible à la propriété

17$ ☆☆☆☆ ① ♥

VIGNOBLE DE LA BAUGE

Équinox 2015

Le caractère nerveux de ce vin de frontenac blanc, de vidal et de seyval, conjugué à ses parfums de citron et de poivre blanc lui donne de petits airs de grüner veltliner, cépage blanc emblématique d'Autriche. Sec et plutôt discret, mais original, assez gras et tout à fait recommandable à ce prix.

Disponible à la propriété

15$ ☆☆☆ ① ♥

VIGNOBLE DE LA RIVIÈRE DU CHÊNE

Cuvée William blanc 2015

Particulièrement volubile lorsque goûté en mai 2016, le blanc courant de ce domaine de Saint-Eustache déployait des parfums de sucre d'orge et de barbe à papa. En bouche, le vin est sec, mais présente des arômes de confiseries qui rappellent le miel, sur un fond citronné. Vif, désaltérant et facile à boire.

744169 16$ ☆☆☆ ①

0 827924 036058

VIGNOBLE DU MARATHONIEN

Seyval blanc 2015

Sec, net et sans maquillage inutile, ce vin blanc produit à Havelock est tout à fait représentatif d'un bon seyval. Moins vif que par le passé, il me semble, mais des saveurs délicates de citron, soulignées d'une amertume fine. Bon vin d'apéritif.

11398325 15,95$ ☆☆☆ ①

0 827924 017019

Hybride

Variété de vigne qui résulte du croisement entre deux cépages, lorsque les fleurs d'une variété déterminée sont fécondées par le pollen des fleurs d'une autre variété. Elles sont rustiques et résistantes au froid. Les cépages hybrides franco-américains sont issus d'un croisement entre des cépages européens (*vitis vinifera*) et américains; les plus connus sont le maréchal foch, le vidal blanc, le baco noir, le seyval blanc, le de Chaunac et le lucy kuhlmann.

NÉGONDOS

Saint-Vincent 2014

Ce domaine de Mirabel a beau exister depuis une vingtaine d'années (1993), je ne l'ai découvert que l'an dernier. Depuis, je ne cesse d'être charmée par la pureté et la sincérité des cuvées de Carole Desrochers et Mario Plante. Des vins sans maquillage, fidèles à leurs origines et biologiques, certification à l'appui.

Les cépages cayuga et geisenhem profitent ici d'une macération pelliculaire à froid de 24 heures. C'est sans doute ce qui explique la structure et la poigne de ce vin blanc, par ailleurs riche d'une foule de détails aromatiques, entre les fleurs blanches, l'écorce de citron, le thé vert et le poivre blanc. Le vin ne subit aucune précipitation à froid; il est donc possible qu'un léger dépôt se forme dans la bouteille après une réfrigération prolongée. N'ayez crainte, ces petits cristaux de tartre n'affectent en rien la qualité du produit. Au contraire!

17$ ☆☆☆☆ ② ♥

Disponible à la propriété

COTEAU ROUGEMONT

Le Versant blanc 2014

Depuis sa mise en marché il y a quelques années, ce vin de frontenac gris et blanc ne déçoit pas. Le 2014 goûte bon la pêche et le miel et repose sur une texture assez grasse qui enrobe l'acidité et laisse en bouche une impression harmonieuse.

11957051 17,30$ ☆☆☆ ①

0 859670 001226

COURVILLE, LÉON

Vidal 2015

Ce vin produit en bordure du lac Brome révèle une intensité digne de mention en bouche, avec des saveurs soutenues de pêche très mûre. Le fruit est porté par une acidité vive, mais pas du tout désagréable, et enrobée d'un reste de sucre (11 g/l) à peine perceptible. Très bon vidal à un prix attrayant.

10522540 18,40$ ☆☆☆ ½ ② ♥

0 827924 059132

DOMAINE DU NIVAL

Bouche-bée 2015

Les fans de riesling ne seront pas dépaysés par ce vidal très jeune et très sec, qui claque en bouche comme un coup de fouet tant il est acide. Modérément aromatique et un peu vert. Il offre en revanche une bonne tenue de bouche et s'avère très agréable à table avec un *ceviche* de flétan. Un projet à suivre de près.

Disponible à la propriété

20$ ☆☆☆ ½ ②

LE CHAT BOTTÉ

Vin blanc 2015

Un cocktail original de louise swenson, swenson white, adalmiina, frontenac gris et prairie star. À l'ouverture, le fruit est masqué par des relents soufrés qui se dissipent après une longue aération en carafe. Pour le reste, le vin est sec, vif, nerveux et plutôt discret.

0 827924 119058

12442498 17,90$ ☆☆ ①

VIGNOBLE DU MARATHONIEN

Cuvée spéciale 2015

Un vin blanc de bonne facture, composé de cayuga, de vidal et de geisenhem. Des notes citronnées et herbacées se dessinent en bouche; sec, acidulé et assez net en saveurs malgré un reste de soufre qui masque le fruit au nez.

0 827924 017033

13023201 15,05$ ☆☆ ½ ①

Vitis vinifera

La vigne est un arbrisseau de la famille des vitacées ou ampélidacées; comme nombre de végétaux, elle se décline en des milliers de variétés. Parmi elles, il y a les vignes américaines de souche vitis *riparia* et *vitis labrusca*; très résistantes, mais généralement inaptes à donner des vins fins.

La réglementation européenne n'autorise que la commercialisation des vins produits avec les cépages de type *vitis vinifera:* cabernet sauvignon, pinot noir, chardonnay, sangiovese, riesling, syrah, etc. Chacun a ses caractéristiques propres, son cycle végétatif, ses forces, ses faiblesses et son caractère. Tout l'art du viticulteur consiste à planter le bon cépage au bon endroit; là où le sol est propice et le climat favorable.

COTEAU ROUGEMONT

Vidal 2014, Réserve

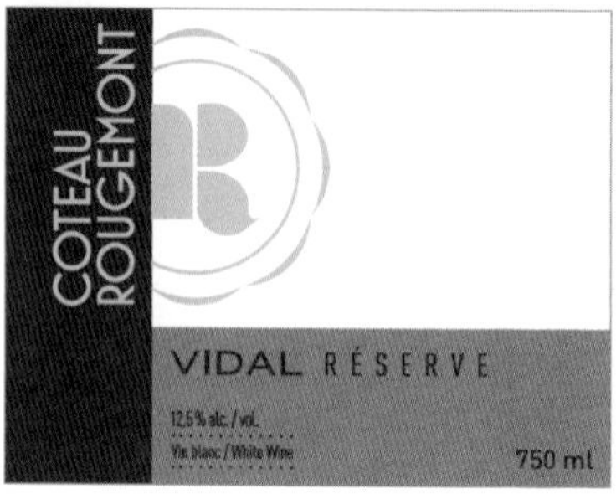

En 2006, la famille Robert a acquis un immense verger situé à Rougemont, à une cinquantaine de kilomètres à l'est de Montréal. Développé dès 2007 sur les coteaux voisins du verger, le vignoble de Coteau Rougemont compte aujourd'hui près de 50 000 plants !

L'acidité du vidal est enrobée d'une texture assez grasse, sans doute attribuable à un élevage de neuf mois en fûts de chêne français et américain, avec des bâtonnages réguliers. Le contact des lies apporte par ailleurs des notes de pâtisserie qui se fondent à la pêche et à l'abricot, laissant une impression générale gourmande. Ne vous y méprenez pas, le vin est parfaitement sec, assez élégant aussi et de bonne tenue. Heureuse surprise !

0 859670 001219

12862951 24,10 $ ☆☆☆☆ ② ♥

CHÂTEAU DE CARTES

Saint-Pépin 2015

Très bon vin modérément boisé et vanillé produit à Dunham, sur la même route que le vignoble de l'Orpailleur et nombre d'autres domaines. Le chemin Bruce est, en quelque sorte, l'épicentre de la production viticole québécoise. Ce vin de saint-pépin a une bonne acidité, du fruit, du gras et un franc caractère. À servir avec des fruits de mer et à boire sans trop attendre.

24 $ ☆☆☆ ②

Disponible à la propriété

COTEAU ROUGEMONT

Saint-Pépin 2014

De jeunes vignes de saint-pépin donnent un vin encore vif, mais enrobé par un élevage en fût de chêne qui arrondit les angles. Nez de lime et de fruits jaunes à noyau ; sec, délicatement beurré et des accents de caramel. Rassasiant dans un style flatteur.

12030063 18,60 $ ☆☆☆ ②

0 859670 001240

Canada

COURVILLE, LÉON

Saint-Pépin 2013, Réserve

L'an dernier, je n'avais pas tari d'éloges pour le Saint-Pépin 2012. Le 2013 m'a paru un peu moins complet et davantage marqué par l'élevage, mais ses qualités sont nombreuses: texture ample, du gras et une trame minérale sous-jacente qui ajoute à sa complexité en bouche. Une année supplémentaire de repos aidera peut-être les éléments à se fondre.

0 827924 059118

10919723 29,95$ ☆☆☆→? ③

COURVILLE, LÉON

Vidal 2011, Réserve

Goûté à deux reprises au courant de l'été, ce vidal m'a laissé une impression nettement plus favorable en septembre 2016. Un nez invitant aux accents de miel et de pêche; attaque en bouche nette et grasse, mais dépourvue de sucrosité; le boisé est présent, sans masquer le fruit. Finale harmonieuse aux notes minérales.

0 827924 059095

10919707 25,10$ ☆☆☆ ②

DOMAINE DU NIVAL

Matière à discussion 2015

Dans le village de Saint-Louis, en Montérégie, Matthieu et Denis Beauchemin élaborent aussi deux cuvées de vidal, l'une boisée, l'autre pas. Celui-ci est mis en valeur par un bon usage de la barrique qui nourrit sa texture, sans le parfumer outre mesure. Les parfums beurrés de la malolactique se mêlent aux saveurs de pêche du cépage. Une variation sur un thème connu, techniquement bien exécuté.

Disponible à la propriété

20$ ☆☆☆ ½ ②

L'ORPAILLEUR

Cuvée Natashquan 2013

Le vin blanc sec haut de gamme de Charles-Henri de Coussergues mise sur l'opulence du cépage vidal et sur la vivacité caractéristique du seyval, assouplie par un passage d'un an en fût de chêne américain. Beaucoup de consistance, une texture ample, du gras et de bons goûts de poire et de citron qui persistent en bouche. Excellent!

0 827924 004118

12685609 28$ ☆☆☆☆ ② ♥

NÉGONDOS

Orélie 2015

Peut-être un peu moins distinctif que les autres vins blancs du domaine, ce qui ne l'empêche pas d'avoir du caractère. Vin citronné, vif, très sec; des notes de caramel et de fruits mûrs. Pas très expansif, mais de bonne tenue. Certifié biologique.

Disponible à la propriété

18$ ☆☆☆ ½ ②

COURVILLE, LÉON

Cuvée Julien 2015

Une expression un peu rstique, mais sympathique, du maréchal foch. D'ailleurs, à tort ou à raison, je persiste à croire que s'il était issu d'un cépage obscur d'Europe de l'Est, plusieurs salueraient son originalité et s'en régaleraient.

Le 2015 a toute la souplesse et la vigueur nécessaires pour être un bon compagnon de table. En prime, de savoureux goûts de fruits noirs et de poivre qui ne sont pas sans rappeler de bons valpolicellas courants. Le vin idéal pour arroser une pizza ou des pâtes aux tomates et basilic. D'autant plus recommandable que le prix n'a pratiquement pas bougé depuis cinq ans.

10680118 16,80$ ★★★ ½ ② ♥

0 827924 059101

CHÂTEAU DE CARTES

Marquette 2013

Hybride rouge à la génétique complexe, le marquette ne cesse de gagner en popularité au Québec. Petit-fils du pinot noir et cousin du frontenac, il donne ici un vin rouge à la fois charnu et léger en alcool (11%), aux saveurs nettes de fruits noirs et de poivre. Simple, mais très bon.

12357517 18,15$ ★★★ ②

0 799705 518179

CÔTEAU ROUGEMONT

Le Versant rouge 2015

Une expression jeune, vive et juteuse des cépages frontenac noir et marquette. Les saveurs fruitées et florales sont rehaussées d'un léger reste de gaz qui ne nuit en rien à sa qualité. Si toutefois ça vous déplaît, une brève aération en carafe permettra de le dissiper en un rien de temps.

12204086 15,70$ ★★★ ½ ① ♥

0 859670 001288

Pour l'amour du fruit...

Pourquoi se donner tant de mal à cultiver la vigne au Québec si c'est pour ensuite masquer les subtilités du vin par une épaisse couche de bois ? J'ai beau essayer, je ne comprends toujours pas. Par conséquent, aucun vin rouge boisé ne sera commenté dans cette édition.

Canada

DOMAINE DU NIVAL

Les Entêtés 2015

Une interprétation pour le moins singulière des cépages pinot noir (90 %) et gamaret. La couleur très pâle annonce un vin délicat et léger en alcool (11,3 %), friande ; les saveurs fruitées, florales et poivrées sont accentuées d'une bonne dose d'acidité volatile qui choquera peut-être les palais sensibles, autant qu'elle plaira à l'amateur de vin nature. Très original. Un peu plus de longueur et c'était quatre étoiles.

Disponible à la propriété

22,61 $ ★★★ ½ ①

DOMAINE ST-JACQUES

Sélection rouge 2015

Plein de fruit et particulièrement charnu en 2015, cet assemblage de lucy kuhlmann et de maréchal foch profite d'un élevage partiel en fût de 400 litres qui nourrit la matière sans conférer de goûts boisés au vin. Très satisfaisant et coiffé d'une capsule vissée, pour en préserver toute la fraîcheur.

11506306 18 $ ★★★ ½ ① ♥

0 827924 079062

L'ORPAILLEUR

Vin rouge 2015

Charles-Henri de Coussergues a beau consacrer l'essentiel de son vignoble de Dunham aux cépages blancs, il traite son rouge avec autant de sérieux. 100 % frontenac noir et de plus en plus achevé. Pas de goût boisé, mais un joli fruit et une trame souple qui le rend agréable à boire dès maintenant.

743559 15,95 $ ★★★ ①

0 827924 004026

NÉGONDOS

Suroît 2015

Très bon rouge biologique produit dans les Basses-Laurentides. Pur, sincère, léger reste de gaz rehausse le fruit et accentue sa fraîcheur rassasiante en bouche. Servi avec une pizza à la coppa et à la roquette, un délice !

Disponible à la propriété

17 $ ★★★ ½ ① ♥

VIGNOBLE DE LA RIVIÈRE DU CHÊNE

Cuvée William rouge 2014

Au nez, une pointe fumée donne à cet assemblage de maréchal foch, de frontenac noir, de léon millot et de sainte-croix des allures de vin sud-africain. La vigueur a toutefois vite fait de nous ramener vers la couronne nord de Montréal. Loin d'être un défaut, son acidité rehausse les saveurs de fruits noirs et le rend agréable à table, avec des plats en sauce tomate. Boire jeune et servir frais.

743989 15,95 $ ★★★ ①

0 827924 036065

DOMAINE DE LAVOIE

Vin de Glace 2013

Maintenant solidement épaulé par son fils Francis-Hugues, Francis Lavoie veille sur une vaste propriété de 10 hectares, dans le secteur de Rougemont, en Montérégie.

Séduisant dès le premier nez, ce vin évoque l'odeur de la tarte à la farlouche et rappelle à la mémoire de beaux souvenirs du temps des fêtes. La bouche, bien que hyper riche, fait preuve d'une excellente tenue, grâce à une bonne dose d'extraits et d'acidité qui assurent sa structure. Longue finale aux accents de raisins confits et d'épices.

11745067 42,50$ ☆☆☆☆ ② (375 ml)

COTEAU ROUGEMONT

Vendanges tardives 2012, Frontenac gris

Au nez, des parfums de fruits tropicaux et de fumée rappellent certains vins liquoreux de sauvignon blanc. La bouche suit, riche en parfums de cantaloup bien mûr, de pêche, de thé noir et d'épices douces, sucrée, mais pas sirupeuse et soutenue par une saine acidité. Bon vin moelleux vendu à prix juste.

11680523 23,65$ ☆☆☆ ½ ②

COTEAU ROUGEMONT

Vin de glace 2013, Vidal

Sans être le plus complexe, ce vin de glace de vidal est enveloppé de saveurs intenses de fruits confits et d'épices douces. Volumineux, assez long en bouche et équilibré.

12029994 32,75$ ☆☆☆ ② (200 ml)

DOMAINE ST-JACQUES

Vin de glace rouge 2011

Ce vin de glace rouge autrefois issu de lucie kuhlmann et de maréchal foch est désormais composé à 100% sur le frontenac noir, qui donne un résultat assez convaincant en mode liquoreux. Un peu rustique, mais surtout original, avec ses goûts de petits fruits rouges aigrelets et son acidité naturelle qui forment un heureux mariage avec le sucre.

11213600 39,50$ ★★★ ②

VIGNOBLE DE L'ORPAILLEUR

Vin de glace 2012

Ce vin de glace produit à Dunham témoigne de la richesse du millésime 2012 dans le vignoble québécois. Un peu moins d'acidité, il me semble, mais une plus grande onctuosité et des saveurs intenses et concentrées de fruits confits et d'épices. À consommer en doses homéopathiques.

0 827924 004057

10220269 32,75$ ☆☆☆ ½ ① (200 ml)

VIGNOBLE DU MARATHONIEN

Vidal 2014, Vin de glace

En décembre 2014, le ministère de l'Agriculture, des Pêcheries et de l'Alimentation du Québec (MAPAQ) a reconnu officiellement les Cidre de glace du Québec et Vin de glace du Québec comme des Indications Géographiques Protégées (IGP), permettant de garantir la traçabilité de la vendange à la bouteille. Sans surprise, celui de Lyne et Jean Joly fait preuve d'une générosité incomparable. Intense, concentré et riche d'une foule de détails aromatiques, mais également soutenu par une acidité du tonnerre qui laisse une impression d'ensemble très harmonieuse.

0 827924 017064

11398317 54,25$ ☆☆☆☆ ② (375 ml)

VIGNOBLE DU MARATHONIEN

Vendanges tardives 2014, Vidal

Chaque année, cette cuvée Vendanges Tardives a des airs de vin de glace. Le vin se distingue une fois de plus par un équilibre irréprochable entre le sucre et l'acidité et par son registre aromatique plus complexe que la moyenne. Particulièrement floral dans sa version 2014, il laisse en finale des saveurs vaporeuses et délicates d'eau de rose. Excellent, comme toujours.

0 827924 017057

12204060 29,85$ ☆☆☆☆ ② ♥ (375 ml)

HIDDEN BENCH

Chardonnay 2013, Tête de Cuvée, Beamsville Bench

L'année dernière, je comparais cette cuvée du Montréalais Harald Thiel à un chardonnay de la Côte de Beaune. À tort, je dois l'avouer, parce que ce vin est bien plus qu'une simple copie de ce qui se fait ailleurs : il est le reflet de l'identité très forte que se sont forgée les chardonnays ontariens au cours des 20 dernières années. Des vins à nul autre comparables.

L'œnologue Marlize Beyers joue de modération et de subtilité avec le bois. Le contact des lies apporte de légères notes de réduction et de pain grillé, mais l'élevage lui confère surtout une tenue de bouche remarquable, accentuée par la vivacité caractéristique des vins du Bench. Pas spécialement puissant, mais très bien équilibré et d'une élégance indéniable. Finale vibrante aux tonalités minérales qui rappellent la craie. Savoureux! Au moment d'écrire ces lignes, on pouvait encore trouver des bouteilles du tout aussi somptueux 2012 dans les succursales Signature.

12309460 49$ ☆☆☆☆ ③ Ⓢ 0 874537 202080

BACHELDER

Chardonnay 2012, Minéralité, Niagara Peninsula

Un vin franc et droit, qui s'exprime avec une vitalité et une harmonie exemplaires. Bien plus qu'un chardonnay variétal, celui-ci porte bien son nom, avec un usage mesuré du bois de chêne et une expression assez typée du terroir de Niagara. On peut en profiter dès maintenant, mais son équilibre et sa texture compacte lui permettront de se bonifier jusqu'en 2019, au moins. Une aubaine à ce prix!

12610025 23,30$ ☆☆☆☆ ② ♥ 0 185729 000378

CLOSSON CHASE

Chardonnay 2014, The Brock, Niagara River

L'œnologue Keith Tyers a pris la relève de Deborah Paskus en janvier 2015 et maintient la qualité. Ce chardonnay issu de fruits du secteur de Niagara River n'a pas la tension ni la profondeur des cuvées du County, mais il s'avère assez charmeur avec son attaque en bouche mûre et onctueuse, bien servie par l'élevage qui nourrit sans alourdir. Bonne bouteille pour l'amateur de chardonnay bien en chair.

12855516 23,10$ ☆☆☆ ② 0 180756 000308

Canada

FLAT ROCK CELLARS

Chardonnay 2013, Twenty Mile Bench

Ce chardonnay qui affichait jadis un profil plutôt réducteur (odeurs caractéristiques de maïs et de céréales grillées) est nettement plus achevé depuis quelques millésimes. Habilement boisé, le 2013 a encore quelques accents réduits, mais les saveurs de fruits blancs s'expriment avec élégance, portées par une texture assez grasse, soutenue par un fil d'acidité qui harmonise l'ensemble. En finale, des notes minérales persistent. Bonne bouteille à boire au cours des deux prochaines années.

11889474 23$ ☆☆☆ ½ ②

0 881860 300321

HIDDEN BENCH

Chardonnay 2013, Estate, Beamsville Bench

Au lieu d'assaisonner le vin d'un goût de chêne, Marlize Beyers mise sur des rendements sévères et sur l'ampleur naturelle de raisins à parfaite maturité. Le fruit et le bois font bon ménage, tant en texture qu'en saveurs. Le 2013 est particulièrement complexe, achevé, savoureux. Excellent vin blanc, à la fois intense, de bonne tenue et très digeste, dont le rapport qualité-prix est exemplaire.

12583047 31,25$ ☆☆☆☆ ② ♥

0 878102 002013

MISSION HILL

Chardonnay 2014, Reserve, Okanagan Valley

Un autre exemple de vin moderne et techniquement sans faute qui, à défaut de personnalité distincte, séduira l'amateur de chardonnay boisé. La texture grasse est relevée par une bonne dose de gaz carbonique et une acidité qui l'empêche de verser dans la mollesse.

11092078 20,05$ ☆☆☆ ②

0 776545 995391

TAWSE

Chardonnay 2012, Quarry Road, Vinemount Ridge

Ce 2012 conjugue avec raffinement l'onctuosité et la tension propres aux meilleurs chardonnays de Niagara. À la fois majestueux et vibrant de jeunesse, le 2012 est encore très nerveux, mais sa fougue juvénile ne fait pas obstacle à son élégance, à sa minéralité ou à sa profondeur. Un équilibre impeccable, parfaitement mis en valeur par un usage prudent de la barrique. Il a tous les éléments pour s'épanouir au cours des cinq prochaines années.

12211278 35$ ☆☆☆☆→? ③

0 670459 005750

TANTALUS

Riesling 2015, Okanagan Valley

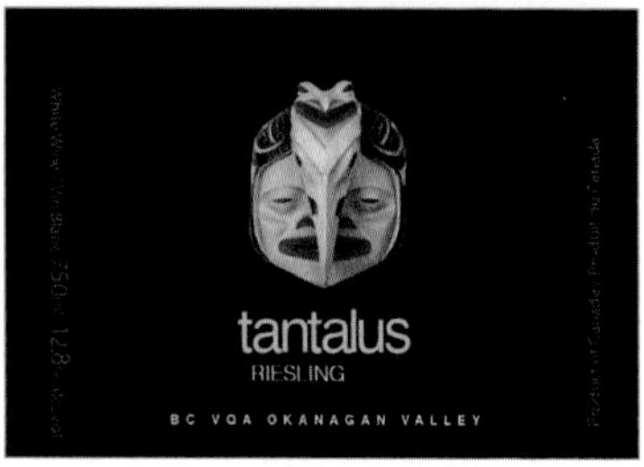

Ce riesling produit dans le secteur de Kelowna est l'exemple même d'un bon vin blanc de terroir et de climat frais. Même dans les conditions torrides de 2015, millésime le plus précoce de la courte histoire de l'Okanagan, le vin demeure vibrant et fait preuve d'une excellente tenue de bouche.

Des saveurs nettes de citron et une finale minérale, portées par une trame acide en parfaite harmonie avec le sucre, au point où ce dernier est à peine perceptible. On peut le boire dès maintenant en prenant soin de l'aérer un minimum d'une heure en carafe, mais il sera à son meilleur dans quatre à cinq ans.

0 626990 067412

12456726 31,50$ ☆☆☆☆ ② ♥

BENJAMIN BRIDGE

Tidal Bay 2015, Gaspereau Valley, Nouvelle-Écosse

Tout nouveau à la SAQ, un vin blanc original, composé des cépages l'Acadie, ortega et geisenheim. Des senteurs particulières de sapinage et de pomme Russet; la bouche déborde de vitalité, malgré ses 17,2 g/l de sucre résiduel et le vin ne titre que 9,5% d'alcool. Un peu vif peut-être, mais plein d'esprit. Une occasion abordable de découvrir les charmes encore méconnus des vins de la Nouvelle-Écosse.

En primeur

13108918 22,95$ ☆☆☆ ②

CAVE SPRING

Riesling 2014, Niagara Peninsula, Ontario

Plus facile, tout léger (11% d'alcool) et facile à boire, ce riesling mise sur un bel équilibre entre le sucre et l'acidité et déploie de jolies notes de citron et de pomme verte.

0 779334 345834

10745532 18,05$ ☆☆ ½ ①

MISSION HILL

Pinot blanc 2014, Five Vineyards, Okanagan Valley, Colombie-Britannique

Encore plus minéral il me semble en 2014. J'ai éprouvé beaucoup de plaisir à boire ce bon vin blanc léger, sans être insipide, tout frais et presque salin en finale. Un conseil: servez-le frais autour de 12 °C, mais pas froid. Vous apprécierez mieux la délicatesse de ses saveurs. Très bon rapport qualité-prix.

300301 17,95$ ☆☆☆ ½ ② ♥ 0 776545 995889

QUAILS' GATE

Chasselas – Pinot blanc – Pinot gris 2014

Une originalité partiellement issue de vignes de chasselas âgées de plus de 30 ans. Le 2014 présente des goûts de citron et de poire, mais aussi des nuances végétales, peut-être attribuables à un pressurage avec les grappes entières. Une sucrosité perceptible (6,2 g/l), sans lourdeur et un bon équilibre, grâce à une juste dose d'acidité. Bon vin fruité et facile à boire, mais non dépourvu de caractère.

12133978 20$ ☆☆ ½ ② 0 778856 114058

STRATUS

Riesling 2015, Moyer Road, Niagara Peninsula, Ontario

Vif et minéral; jeune, nerveux et fringant, plutôt léger de prime abord, mais déployant beaucoup de poigne et de longueur en bouche. Un vin de Moselle très représentatif; plus sec en apparence que le 2014 et relevé de saveurs très nettes de lime, de pomme Russet et de poivre blanc. Le tout dans un style léger (11,6% d'alcool) qui se boit dangereusement bien.

12483804 20,65$ ☆☆☆ ½ ② ♥ 0 628116 003120

STRATUS

Sauvignon blanc 2013, Wildass, Ontario

Ce vin se fait valoir par son volume en bouche et ses saveurs pleines de fruits tropicaux et de miel. Non pas un petit sauvignon vif et parfumé à siroter distraitement, mais un vin sérieux pour accompagner des poissons gras ou les pétoncles. À boire maintenant et au cours des trois ou quatre prochaines années.

12455619 21,50$ ☆☆☆ ½ ② ♥ 0 628116 002635

BACHELDER

Pinot noir 2013, Lowrey Vineyard, St. David's Bench

Tant au Clos Jordanne que sous sa propre étiquette, Thomas Bachelder s'est fait connaître avec des vins rouges et blancs toujours impeccables. Celui-ci provient d'un vignoble réputé de St. David's Bench, en raison notamment de l'âge de ses vignes de pinot noir, les plus anciennes de la péninsule.

Plus achevé et plus fin que jamais en 2013. La couleur pâle annonce la donne, le nez et la bouche suivent, exprimant des saveurs pures et précises de petits fruits rouges avec une générosité contenue. Le grain tannique est soyeux et le vin se termine sur une fine amertume qui contribue à sa longueur. On peut le laisser reposer en cave quelques années, mais il est déjà si ouvert et si savoureux que j'aurais du mal à résister à la tentation.

12619417 42,75$ ★★★★ ②

0 185729 000354

CHÂTEAU DES CHARMES

Pinot noir 2011

Au nez, on reconnaît le cépage, ce qui est déjà un bon signe. La bouche suit, leste, souple, coulante; le fruit est mûr, mais le vin laisse en bouche une agréable sensation de fraîcheur. Très bon pinot noir de climat frais, vendu à un prix attrayant.

10745495 17,05$ ★★★ ②

0 776409 000230

DOMAINE QUEYLUS

Pinot noir 2013, Tradition, Niagara Peninsula

Le vignoble a été créé il y a quelques années par un regroupement d'actionnaires québécois, dont le planificateur financier Gilles Chevalier et le plus célèbre des amateurs québécois de vins de Bourgogne, Champlain Charest. Les vins sont élaborés par Thomas Bachelder, dont on reconnaît vite la signature en goûtant ce pinot noir aux tanins à la fois soyeux et compacts. Le fruit rouge se mêle aux notes caractéristiques de terre humide du cépage et l'ensemble est souligné d'une acidité fine qui met en appétit. À boire d'ici 2020.

12470886 31$ ★★★ ½ ②

0 896131 000114

FLAT ROCK CELLARS

Pinot noir 2013, Twenty Mile Bench

Depuis son entrée en poste à titre d'œnologue en 2012, Jay Johnston a propulsé ce domaine de Lincoln vers de nouveaux sommets. Ce pinot noir doit, entre autres, sa complexité aromatique et sa fraîcheur à une petite proportion (15%) de grappes entières. Ouvert et parfumé, le vin déploie au nez de délicats accents d'écorce d'orange, d'épices et de fraise compotée; la bouche suit, d'abord fruitée puis relevée de notes terreuses, caractéristiques du pinot noir. Très joli; bonne longueur.

0 881860 400090

12457307 25,95$ ★★★★ ② ♥

HIDDEN BENCH

Pinot noir 2012, Locust Lane, Beamsville Bench

Planté sur des sols argileux, le pinot noir s'exprime ici avec plus de retenue. Un vin encore jeune et un peu timide; à la fois tonique et généreux, avec un joli nez de cerise et d'épices. Une matière charnue et assez dense, tout le volume souhaité en milieu de bouche et une longue finale vaporeuse. À boire vers 2019-2021.

4 000129 051224

12905122 58$ ★★★→★ ③ Ⓢ

HIDDEN BENCH

Pinot noir 2013, Estate, Beamsville Bench

Le pinot noir Estate de Hidden Bench traduit assez bien la nature fraîche du millésime 2013, avec une présence en bouche nerveuse, vibrante. La trame tannique est mûre, suffisamment charnue et le fruit s'exprime sur un fond délicatement vanillé, attribuable à l'élevage. Déjà ouvert, mais sa longueur et son équilibre d'ensemble me portent à croire qu'il pourrait se bonifier d'ici 2018.

0 878102 001016

12582984 35,25$ ★★★ ½ ③

TAWSE

Pinot noir 2012, Grower's Blend, Niagara Peninsula

Bien qu'issu d'un millésime généreux à Niagara, le pinot noir générique de Tawse n'accuse aucune lourdeur. Nez franc et net aux parfums de fruits noirs, avec de légers accents boisés; la bouche s'appuie sur des tanins mûrs et présente une légère astringence en finale. Peut-être pas le plus élégant de la gamme, mais un bon pinot charnu et agréable à boire dès maintenant.

En primeur

26,95$ ★★★ ②

STRATUS

Stratus Red 2012, Niagara-on-the-Lake

Sur la route menant à Niagara-on-the-Lake, cette *winery* ultramoderne est l'une des plus dynamiques de la péninsule. Les vignes de cabernet sauvignon, cabernet franc, merlot, petit verdot, malbec et tannat ont manifestement été bien servies par les largesses de l'été 2012, le meilleur millésime de la courte histoire de Stratus, selon l'œnologue Jean-Laurent Groulx.

Vibrant d'énergie, ce 2012 déborde du verre, avec des nuances de fruits noirs, d'épices, de tabac frais et de chocolat noir. La bouche est dynamique, tant en attaque qu'en milieu, où le vin caresse le palais de tanins tendres et veloutés. Le bois joue son rôle de faire-valoir et le vin est à la fois puissant, leste et musclé ; beaucoup plus près du danseur de ballet que de l'haltérophile. La finale est très longue, complexe et vaporeuse, avec des accents de cerise et d'herbes séchées. À mon avis, la plus grande réussite de Stratus. Déjà excellent, il restera au sommet jusqu'en 2022, au moins. Arrivée prévue au début de décembre 2016.

13108862 45$ ★★★★ ½ ③

En primeur

CULMINA

R & D 2013, Red Blend, Okanagan Valley

Goûté à deux reprises au courant de la dernière année, ce 2013 était particulièrement en forme lorsque dégusté en août 2016. Un vin très jeune et un peu bourru certes, mais dont le nez compact de fruits noirs et de tabac, la trame serrée et riche en fruits et la longueur en bouche sont remarquables. Surtout pour un deuxième vin. À laisser mûrir en bouteille jusqu'en 2018.

12794442 29,95$ ★★★ ½ ③

0 827413 000270

DOMAINE QUEYLUS

Cabernet franc – Merlot 2011, Niagara Peninsula

Fruit d'un millésime plutôt frais à Niagara, ce 2011 surprend par sa forme bien mûre, franche et droite. Caractère aromatique singulier qui mêle le noyau de cerise aux tonalités minérales évoquant le graphite. Élégant. Le vin, autant que le domaine, ont un bel avenir devant eux.

12329567 37$ ★★★ ½ ②

0 896131 000503

HIDDEN BENCH

Terroir Caché 2011, Meritage, Beamsville Bench

Amateur de vins de Bordeaux, vous ne pouvez rester insensible à la qualité du grain tannique de cet assemblage de merlot, de cabernets (sauvignon et franc) et de malbec. Un tissu serré, qui comporte juste assez d'aspérités et qui porte des saveurs persistantes de fruits noirs, de cuir et de fleurs, sur un fond minéral qui évoque le graphite. À savourer avec une bonne pièce de viande, au cours des trois à quatre prochaines années.

0 878102 004017

12306411 39$ ★★★ ½ ②

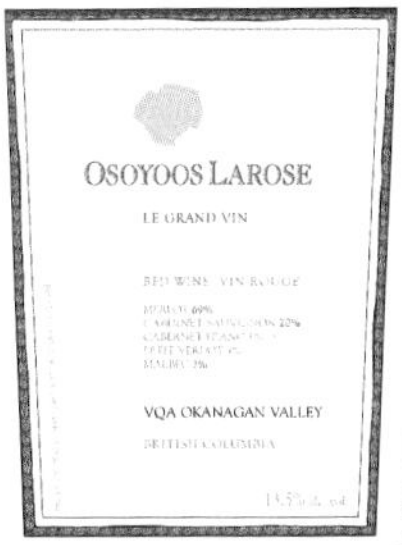

OSOYOOS LAROSE

Le Grand Vin 2013, Okanagan Valley

Beaucoup plus ouvert, harmonieux et accessible en jeunesse que le 2012 goûté plus tôt cette année. On pourrait en déduire qu'il est promis à une moins longue garde; ça reste à voir. En attendant, on peut apprécier sa finesse et sa texture veloutée, qui comporte juste assez d'aspérités tanniques pour laisser en bouche une sensation tonique, vigoureuse. Très bel équilibre entre chair, tanins, amertume et fruit. Longue finale aux accents de cerise mûre, avec des notes minérales évoquant la poussière de roche. À apprécier entre 2018 et 2023.

0 871610 001554

10293169 45$ ★★★★ ②

OSOYOOS LAROSE

Pétales d'Osoyoos 2013, Okanagan Valley

Arrivée prévue vers la fin de l'année 2016 pour ce 2013 dont le nez présente de légers accents de poivron rouge, qui rappellent les vins du Médoc avant la quête obsessive de la maturité phénolique. Rond et dodu en attaque, avec des notes d'anis et de mûre; le grain tannique se resserre en finale, laissant la bouche nette et fraîche.

11166495 29,05$ ★★★ ½ ②

0 871610 004005

TAWSE

Cabernet franc 2012, Laundry Vineyard, Lincoln Lakeshore

Le grand cépage rouge de la Loire semble avoir trouvé un terrain de jeu rêvé sur les sols sableux et argileux de l'appellation Lincoln Lakeshore. Le 2012 témoigne d'une fraîcheur et d'une vitalité étonnantes dans le contexte du millésime. Plutôt que de miser sur l'extraction, l'œnologue Paul Pender a pris le pari de la délicatesse et de la subtilité. Un élevage de 14 mois en fût de chêne français apporte de légers accents épicés, mais pas la moindre sucrosité. Les saveurs fruitées sont portées par des tanins légèrement granuleux et soulignées d'une pointe d'acidité volatile qui ajoute à son relief en bouche. Une bouteille ouverte pendant trois jours ne montrait aucun signe de fatigue. Si vous n'avez pas la patience de le laisser reposer jusqu'en 2020, n'hésitez pas à l'aérer en carafe.

12211294 33,50$ ★★★★ ③

0 670459 005286

AMÉRIQUE DU NORD
ÉTATS-UNIS

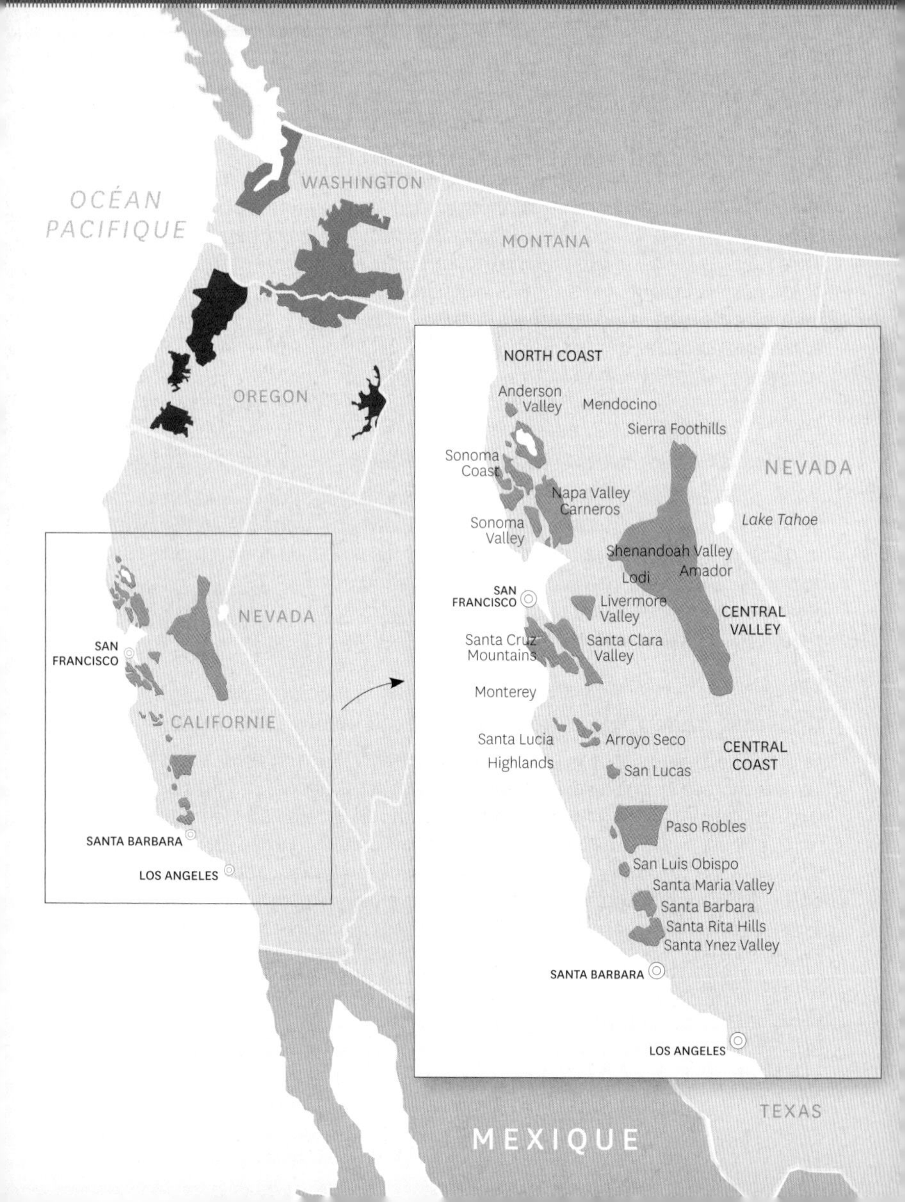

OCÉAN PACIFIQUE
WASHINGTON
MONTANA
OREGON
NEVADA
SAN FRANCISCO
CALIFORNIE
SANTA BARBARA
LOS ANGELES
NORTH COAST
Anderson Valley
Mendocino
Sierra Foothills
Sonoma Coast
NEVADA
Napa Valley
Carneros
Lake Tahoe
Sonoma Valley
Shenandoah Valley
Lodi
Amador
SAN FRANCISCO
Livermore Valley
CENTRAL VALLEY
Santa Cruz Mountains
Santa Clara Valley
Monterey
Santa Lucia Highlands
Arroyo Seco
San Lucas
CENTRAL COAST
Paso Robles
San Luis Obispo
Santa Maria Valley
Santa Barbara
Santa Rita Hills
Santa Ynez Valley
SANTA BARBARA
LOS ANGELES
TEXAS
MEXIQUE

Un géant en éternelle croissance. La superficie du vignoble américain a augmenté de près de 25% au cours des 20 dernières années. Cela tombe à point, puisque la soif de vin des Américains semble insatiable, tout comme le désir de boire local. On estime que trois bouteilles de vin sur cinq vendues aux États-Unis viennent de Californie.

Depuis quelques années, on observe un heureux virage vers des vins plus digestes, moins épais et confiturés, même dans les secteurs plus chauds, où on cultive des variétés rhodaniennes. La seule exception demeure la vallée de Napa, où les intérêts financiers continuent d'entretenir la dictature de la concentration et la quête de hauts scores.

On trouve à la SAQ une foule d'excellents vins de Californie, de Washington ou de l'Oregon.

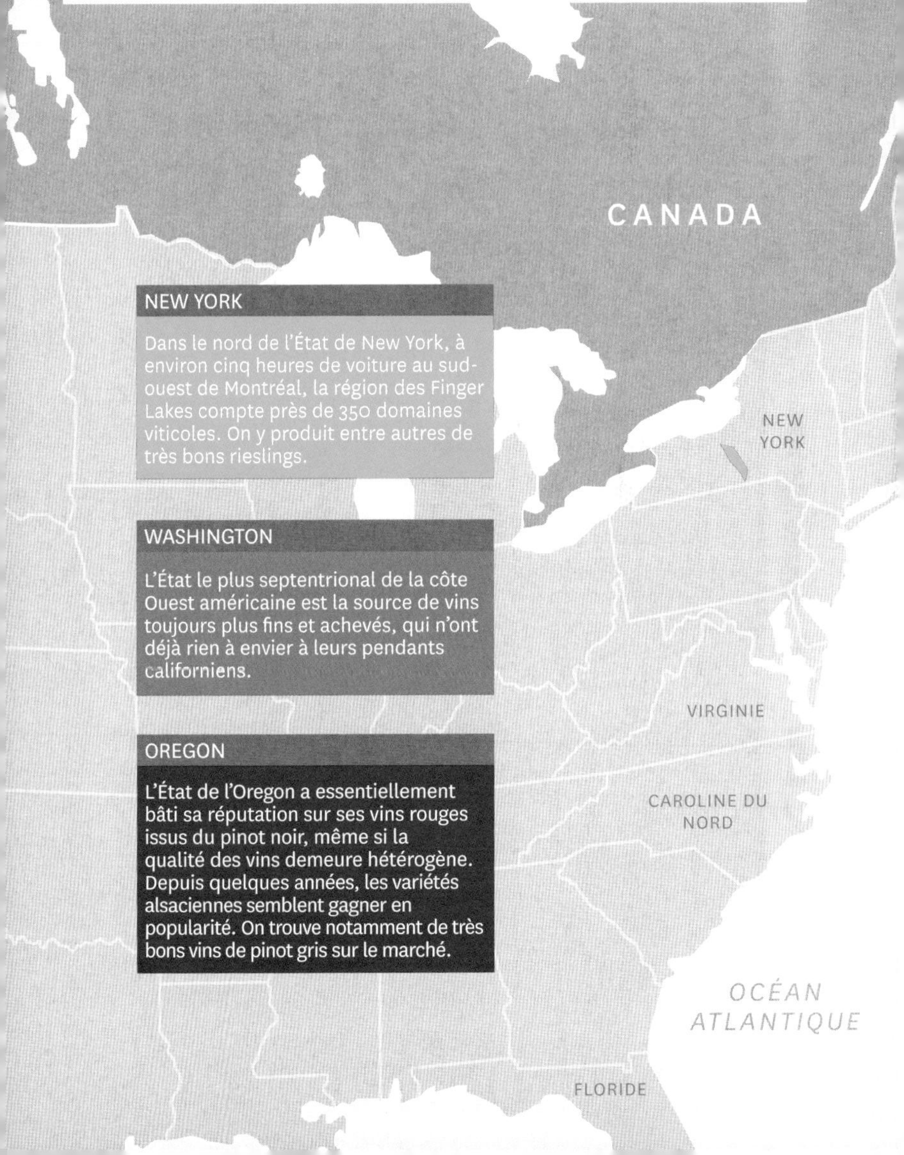

NEW YORK

Dans le nord de l'État de New York, à environ cinq heures de voiture au sud-ouest de Montréal, la région des Finger Lakes compte près de 350 domaines viticoles. On y produit entre autres de très bons rieslings.

WASHINGTON

L'État le plus septentrional de la côte Ouest américaine est la source de vins toujours plus fins et achevés, qui n'ont déjà rien à envier à leurs pendants californiens.

OREGON

L'État de l'Oregon a essentiellement bâti sa réputation sur ses vins rouges issus du pinot noir, même si la qualité des vins demeure hétérogène. Depuis quelques années, les variétés alsaciennes semblent gagner en popularité. On trouve notamment de très bons vins de pinot gris sur le marché.

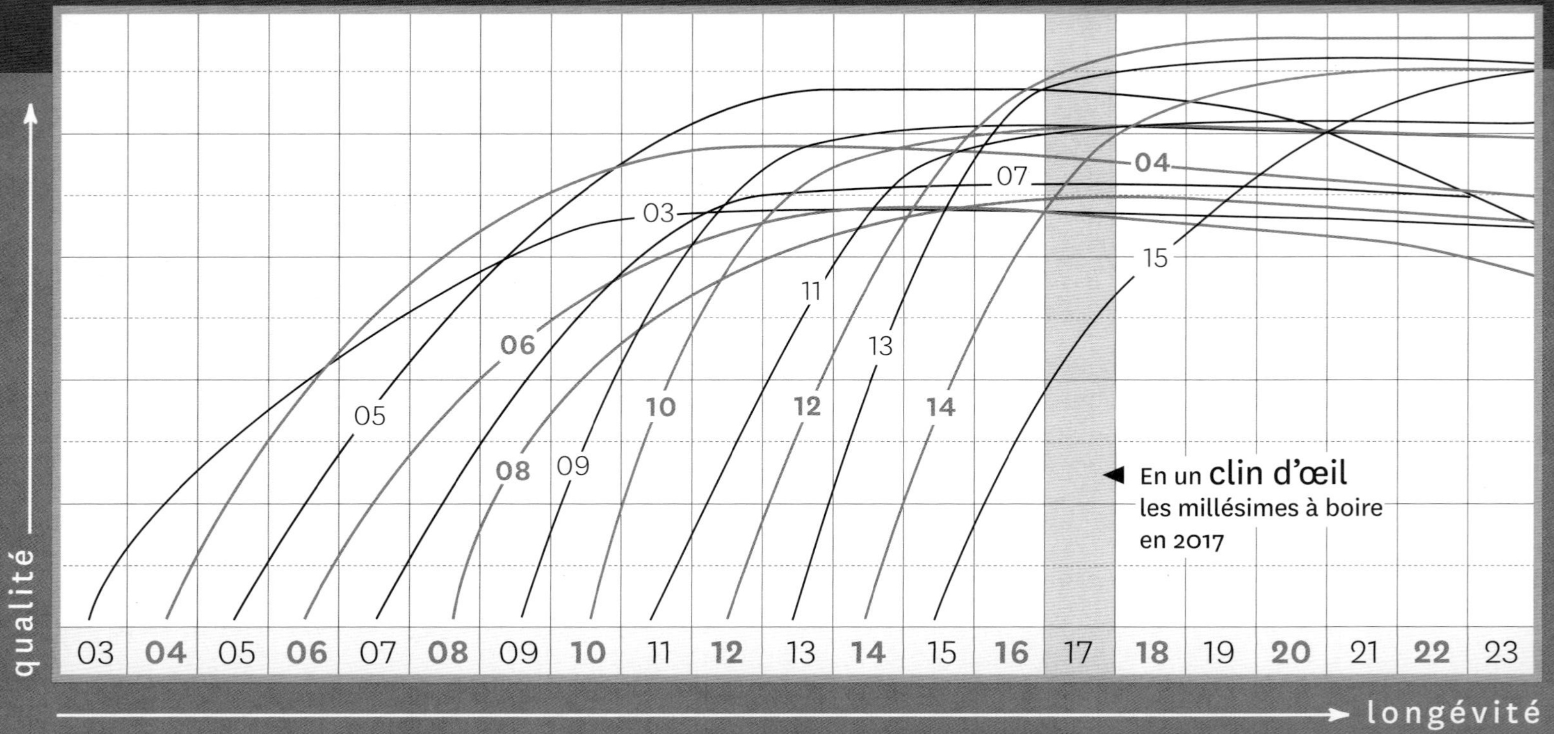
Californie Cabernet sauvignon
qualité
longévité
03
04
05
06
07
08
09
10
11
12
13
14
15
16
17
18
19
20
21
22
23
En un clin d'œil
les millésimes à boire
en 2017

LES DERNIERS MILLÉSIMES

2015
Une année de sécheresse. Vendange précoce en raison d'un hiver et d'un printemps particulièrement doux. Les quantités sont à la baisse, encore, mais la qualité s'annonce plus que satisfaisante.

2014
La qualité s'annonce très bonne, en dépit d'une troisième année consécutive de sécheresse. Du beau temps pendant les vendanges, mais une saison végétative plus courte. On peut s'attendre à des vins un peu moins nuancés et complexes.

2013
Une récolte abondante en Californie. La qualité générale est assez prometteuse.

2012
Retour à des conditions plus normales après deux millésimes de pluie et de froid. Un été très sec et de belles conditions au moment de la vendange ont donné des vins assez concentrés qui pourraient très bien vieillir.

2011
Autre année difficile pour les vignerons californiens. Des conditions météorologiques semblables à celles de 2010, à l'exception d'une heureuse vague de chaleur au moment des vendanges qui a donné un ultime coup de pouce à la vigne et a permis aux raisins d'atteindre leur maturité. Le moment de la récolte a été un facteur décisif dans plusieurs secteurs. Autre année de choix pour les palais en quête de fraîcheur.

2010
De Napa à Santa Barbara en passant par Sonoma, 2010 a été l'année de tous les défis – et de tous les cauchemars! Les vignerons ont dû composer avec un printemps pluvieux, un été frais et des pluies au moment des vendanges. Qualité aléatoire. Il faudra «séparer le bon vin de l'ivraie»... Les vins sont cependant dotés d'une fraîcheur atypique qui les rend particulièrement attrayants pour l'amateur de vins de facture classique.

2009
Des conditions climatiques sans excès ont été favorables à une qualité générale fort satisfaisante. On annonce des vins équilibrés aptes à vivre longtemps. Cabernet sauvignon et zinfandel semblent particulièrement réussis.

2008
Récolte précoce et qualité hétérogène; des vins de cabernet aux tanins parfois verts à Napa. La rigueur et la réputation du producteur sont à considérer.

ARROWOOD

Chardonnay 2014, Sonoma Coast

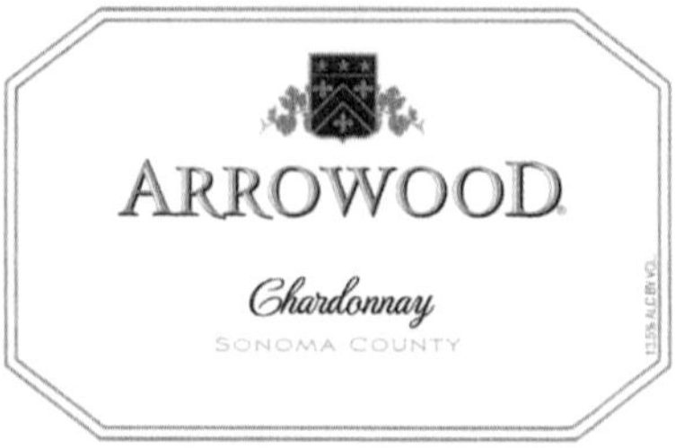

Ce domaine fondé en 1986 par Richard Arrowood et Alis Demers, a été vendu à Kendall-Jackson. Richard Arrowood est resté au gouvernail jusqu'en 2010. La direction technique d'Arrowood est entre les mains de l'œnologue Kristina Werner depuis 2015.

En 2014, le domaine a produit un excellent chardonnay dans le secteur côtier de Sonoma. Bien californien par son ampleur en bouche et par son profil aromatique, marqué de notes de réduction, le vin a aussi une bonne tenue et est soutenu par une trame minérale, garante de fraîcheur en bouche. Bon équilibre et longueur tout à fait satisfaisante. À boire entre 2017 et 2021.

0 009385 202559

12495696 32,25 $ ☆☆☆☆ ②

APRIORI

Chardonnay 2014, Mendocino County

Le nouveau projet du Québécois Patrice Breton, cofondateur de Mediagrif et propriétaire de Vice Versa Wines, à St Helena. Des trois cuvées vendues à la SAQ, le chardonnay me semble la mieux réussie. Rien de caricatural, ni au nez ni en bouche. Plutôt une saine fraîcheur, au service de saveurs mûres, bien californiennes, mais sans excès. Le prix demandé est tout à fait correct.

0 895814 002223

12413216 22,50$ ☆☆☆ ½ ②

COPPOLA, FRANCIS FORD

Chardonnay 2013, Director's Cut, Russian River Valley

Jamais mémorable, mais toujours recommandable. Un chardonnay ample, savoureux et savamment boisé, dont il faut souligner les heureuses proportions. Très satisfaisant à ce prix et aussi bon que nombre de chardonnays plus ambitieux.

0 739958 057100

12535512 28$ ☆☆☆ ②

LA CREMA

Chardonnay 2014, Sonoma Coast

En attendant, ce vin comblera les attentes de l'amateur de chardonnay californien mûr et gorgé de soleil, sans toutefois verser dans les excès sucrés. Les saveurs de fruits blancs sont nettes, relevées d'une touche vanillée qui leur donne des airs de poire en conserve. Un petit goût d'enfance pour les becs sucrés. À boire au cours des trois prochaines années.

0 049331 002222

740084 27,95$ ☆☆☆ ½ ②

MER SOLEIL

Chardonnay Unoaked 2014, Silver, Monterey County

Qu'est ce que ça peut-être agréable, du chardonnay, sans le bois! Le nez est pur et frais, avec des parfums de pomme, d'écorce de citron et de fleurs blanches; une acidité structurante donne la réplique à une trame mûre et onctueuse. On a aussi eu la sagesse de ne pas abuser des bâtonnages. Bravo!

0 710909 720106

12930969 28$ ☆☆☆ ½ ②

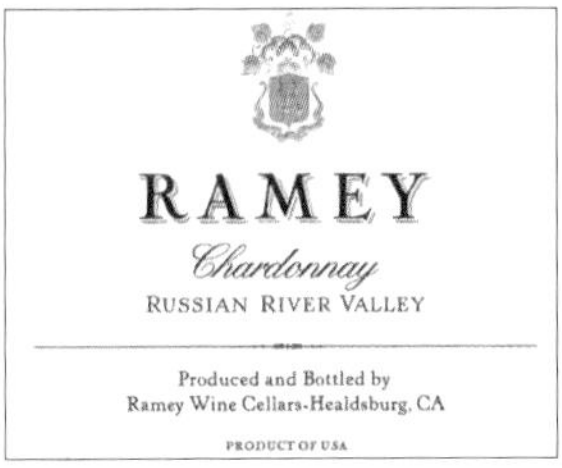

RAMEY

Chardonnay 2013, Russian River Valley

Issu d'un excellent millésime, le 2013 se distingue par son équilibre et par une subtile touche boisée, 14% du volume étant vinifié en fûts neufs français et hongrois. Plutôt que l'exubérance californienne habituelle, on appréciera la délicatesse de ses parfums floraux, son équilibre en bouche et sa vinosité doublée de fraîcheur. À boire maintenant et d'ici 2020.

0 185983 000053

11882117 48,25$ ☆☆☆ ½ ② ♥

SMITH, CHARLES

Chardonnay 2013, Eve, Washington State

On comprend bien le nom de cette cuvée et l'illustration de pomme sur l'étiquette quand on goûte ce 2013. Juteux, gorgé de saveurs de pomme fraîche qui donnent l'impression d'y mordre à pleines dents. Rien de complexe, mais assez rassasiant à sa manière.

0 184745 000201

12237195 20,55$ ☆☆☆ ②

SONOMA WINE CO.

Chardonnay 2014, Atascadero, Californie

Les chardonnays californiens dotés d'une telle fraîcheur ne courent pas les allées de la SAQ. Évidemment, ce n'est pas Chablis: le fruit est bien mûr et gorgé de soleil, mais la texture en bouche n'a rien de lourd et offre un relief de saveurs assez vaste, entre le fruit blanc, les fleurs et le minéral. À ce prix, un achat avisé.

0 851718 880732

12787576 22,30$ ☆☆☆ ½ ② ♥ ▼

AU BON CLIMAT

Pinot gris – Pinot blanc 2015, Santa Barbara

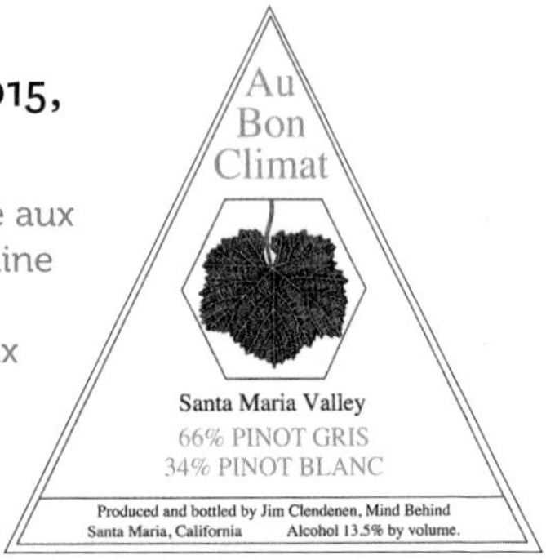

Au Bon Climat a beau être dédié aux cépages bourguignons, le domaine de Santa Barbara, au sud de San Francisco, ne se limite pas qu'aux pinot noir et chardonnay. Au sommet de son art depuis quelques décennies déjà, Jim Clendenen élabore aussi cet excellent vin blanc composé des frères jumeaux (non identiques) du pinot noir, les pinot gris et blanc.

Le tout est vinifié de façon traditionnelle bourguignonne et élevé sur lies, en fût de chêne. Avis aux puristes: inutile d'y rechercher l'Alsace. Appréciez plutôt son nez délicatement beurré, ses saveurs fines de fruits blancs et son équilibre d'ensemble, mariage de gras, de fraîcheur, de salinité et d'amertume noble. Les quelques bouteilles ouvertes cette année s'appréciaient toujours mieux le lendemain. N'hésitez pas à l'aérer quelques heures en carafe.

8 507550 000013

12510690 32,75$ ☆☆☆☆ ② ♥

BIRICHINO

Malvasia 2014, Monterey

Je ne suis en général pas très fan de vins issus de cépages aromatiques comme la malvoisie, le torrontés ou le gewurztraminer. Cela dit, je ne peux rester insensible au charme de ce vin élaboré par John Locke et Alex Krause. Techniquement impeccable, sec et pas racoleur du tout. Juste assez gras, original et authentique. Parfait avec un pad thaï ou un sauté de légumes au cari rouge.

11073512 20,05$ ☆☆☆ ½ ② ♥

0 899175 002007

CALERA

Viognier 2013, Mount Harlan

Étrangement, le nez de ce 2013 ne sent pas du tout le viognier. Comme si le terroir de Mount Harlan transcendait la personnalité pourtant très forte du cépage. Un bel usage du bois apporte par ailleurs de la structure et de délicates notes grillées, sans masquer les subtilités du fruit. Une belle bouteille dont il faudra surveiller l'évolution au cours des deux à trois prochaines années.

12592381 45$ ☆☆☆ ½ ②

0 745067 022540

MONDAVI, ROBERT

Fumé blanc 2014, Napa Valley

Une belle expression exotique du sauvignon blanc. Léger reste de gaz, parfums de goyave et autres fruits tropicaux. Du volume, une texture nourrie, mais aucune sucrosité, une amertume fine et même une certaine minéralité.

221887 26$ ☆☆☆ ②

0 086003 351868

SMITH, CHARLES

Riesling 2014, Kung Fu Girl

La cuvée Kung Fu Girl est le vin de l'État le plus vendu à la SAQ. Produit en grandes quantités, mais pas moins bon pour autant, ce riesling demi-sec repose sur une acidité franche qui crée un bel équilibre en bouche. Rien de complexe. Tout léger, tout frais et idéal pour l'apéro.

1 847450 004443

11629787 21,05$ ☆☆☆ ②

TERRE ROUGE

Natoma 2013, Sierra Foothills

Contrairement au flot de sauvignons acides, à la limite de la verdeur, qui ont la cote en ce moment, ce vin respire le fruit mûr. On est vite séduit par ses effluves tropicaux, qui rappellent la goyave, le fruit de la passion, le tout couronné d'une finale amère, mais de bon aloi.

882571 18,75$ ☆☆☆ ②

0 690171 101011

TREANA

Blanc 2014, Central Coast

Portées par une texture grasse et bien mûre qui frôle la sucrosité, les saveurs exubérantes des cépages viognier, marsanne et roussanne sont par ailleurs rehaussées de parfums vanillés. Bon vin moderne de nature ample et généreuse, qui plaira à l'amateur de chaleur méridionale.

875096 31,25$ ☆☆☆ ②

0 657891 716130

ZACA MESA

Viognier 2014, Santa Ynez Valley

Bien que très aromatique, ce viognier témoigne d'une certaine élégance et fait preuve de retenue dans l'intensité. L'ananas confit côtoie les épices et la cire d'abeille, et la bouche reste étonnamment fraîche, structurée et de bonne tenue. Pas étonnant que Zaca Mesa se soit imposé comme un leader californien en matière de cépages rhodaniens.

11882547 26,15$ ☆☆☆ ½ ②

0 089940 122065

DOMINUS ESTATE

Dominus 2012, Napa Valley

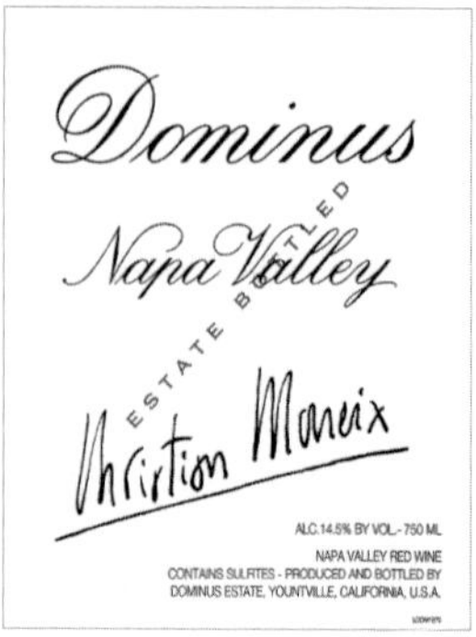

Lorsqu'il a créé ce vignoble au début des années 1980, le Libournais Christian Moueix ne savait pas encore s'il arriverait à y produire de grands vins, mais il s'était fixé deux règles : pas question d'irriguer après le mois de mars ni de pratiquer l'acidification. Une trentaine de millésimes et autant de succès plus tard, Dominus trône au sommet de la hiérarchie californienne et est considéré, à juste titre, comme l'un des plus grands vins de la vallée de Napa.

Amateurs de gros rouges californiens, ajustez votre appareil gustatif. Ce cabernet provenant de l'un des sites viticoles les plus anciens et les plus beaux de la vallée de Napa ne pèche jamais par excès. Un bijou d'esthétisme, de puissance contenue. Le 2012 est dans la lignée des derniers millésimes, bien qu'un peu moins concentré que le somptueux 2011 vendu l'an dernier. La trame tannique est à la fois mûre, généreuse et contenue, offrant beaucoup de relief et de structure en bouche.
Grande envergure, grand potentiel.

12929087 317$ ★★★★ ½ ④

0 636595 112752

ANTICA WINERY

Cabernet sauvignon 2013, Napa Valley

Le domaine californien du Florentin Piero Antinori poursuit sur son erre d'aller et produit un très bon cabernet plein en bouche, très nourri, savamment boisé et appuyé sur une trame tannique très mûre. Belle finale chaleureuse. Arrivée prévue à la fin du mois de novembre 2016.

11632468 52$ ★★★ ③

0 088586 003387

BLUE HALL VINEYARD

Cabernet sauvignon 2011, Camiana, Napa Valley

Tandis que de nombreux cabernets de Californie s'imposent par leur force brute, Camiana brille par son équilibre et sa subtilité. Juste compromis en l'intensité d'un grand millésime à Napa et la fraîcheur du climat de Howell Mountain, le 2011 a un nez très médocain avec une pointe d'acidité volatile. En bouche, le vin coule et se dessine avec une élégance rare à Napa. Tanins soyeux, aucune agressivité et pourtant beaucoup de nerf et de vibrance, une longue finale aux notes minérales qui évoquent la mine d'un crayon de plomb. À boire sans se presser jusqu'en 2024.

11328538 81,25$ ★★★★ ③

0 856992 002009

COPPOLA, FRANCIS FORD

Cabernet sauvignon 2013, Director's Cut, Alexander Valley

Plus austère que d'autres, ce vin présente une belle texture en bouche, des tanins sphériques et un bon équilibre. Son amertume en finale peut déplaire à la première gorgée, mais elle contribue à la persistance des saveurs et le rendra d'autant plus agréable à table. Bon équilibre, il pourrait réserver de belles surprises d'ici 2018.

0 739958 057001

11383545 29,95$ ★★★→? ③

DOMINUS ESTATE

Napanook 2012, Napa Valley

Ce 2012 présente beaucoup de grain, de nuances et de profondeur. Si le 2011 était exceptionnel, plus concentré, celui ci me semble plus sapide, gagne en minéralité, en salinité. Peu de vins de Napa se laissent boire aussi bien, avec tant de soif. En dégustant ce vin, on se met à souhaiter que la vallée de Napa produise plus de cabernets de la sorte!

0 636595 212759

11650439 94,25$ ★★★★ ③

HEITZ CELLARS

Cabernet sauvignon 2011, Napa Valley

Les cabernets de Heitz font toujours preuve d'une personnalité affirmée. Impeccable comme à l'habitude, ce vin déploie au nez des notes de cèdre, de cigare, de cuir et ces parfums inimitables de menthe. La bouche se présente ensuite serrée, compacte, vibrante de fraîcheur et de jeunesse et ponctuée de notes de fumée et d'herbes séchées. Déjà agréable, mais on peut le laisser reposer jusqu'en 2021-2025.

0 098803 011101

11898848 92,50$ ★★★→★ ③

PHELPS, JOSEPH

Cabernet sauvignon 2013, Innisfree, Napa Valley

Dans le domaine qu'il a fondé en 1973, Joseph Phelps a grandement contribué à l'essor des vins modernes de Napa. Je n'ai jamais été trop impressionnée par cette cuvée, troisième vin de Phelps, derrière le Insigna et le cabernet sauvignon «Estate», mais je dois avouer que son 2013 ne manque pas d'aplomb. L'exemple même du rouge californien mûr au point de laisser en bouche une sensation capiteuse; corsé et imposant. Pas très profond et un peu creux en milieu de bouche, mais bien construit. Recommandable, sans être une aubaine. À boire d'ici 2021.

0 010465 008909

11419616 43,25 ★★★ ②

CALERA

Pinot noir 2013, Central Coast

Josh Jensen a été l'un des premiers vignerons de Californie à se consacrer aux cépages bourguignons. Le vignoble qu'il a développé dans les années 1970 est certifié biologique et compte des ceps d'une quarantaine d'années. Référence californienne en matière de pinot noir, Calera possède son propre clone et sa propre appellation, Mount Harlan.

La cuvée d'entrée de gamme du domaine a beaucoup de relief et de grain, assez des saveurs intenses, mûres mais pas surmûries, entre les fruits compotés et les fleurs, avec des notes terreuses et poivrées en finale. Fraîcheur exemplaire, de la matière, mais sans la moindre lourdeur, et belle longueur en bouche. Assez élégant pour être apprécié maintenant, tout en se souvenant que les pinots de Josh Jensen sont bâtis pour durer.

898320 43,50$ ★★★★ ②

0 745067 960644

AU BON CLIMAT

Pinot noir 2015, Santa Barbara County

Quelle fraîcheur, quel grain, quelle intensité contenue dans ce vin encore tout jeune! Le nez annonce un vin plus fin qu'exubérant; la bouche est vibrante, aérienne, mais riche en nuances aromatiques. Délicat, mais loin d'être mince. Minéral, long en bouche et d'une pureté à faire pâlir d'envie bien des producteurs de pinot sur la planète. Excellent rapport qualité-prix!

11604192 36,50$ ★★★★ ③

0 850755 000042

BARRA OF MENDOCINO

Pinot noir 2014, Mendocino

Charlie Barra est établi dans le comté de Mendocino depuis les années 1950. En 1997, il a créé son propre domaine dédié à la culture biologique de vieilles vignes. Un échantillon pris sur fût m'avait déjà laissé une impression favorable en début d'été et une nouvelle bouteille achetée à la SAQ en septembre 2016 me confirme qu'il s'agit d'un excellent pinot. Bien californien et rassasiant par son attaque mûre, charnue et caressante; le fruit noir est souligné par une pointe d'amertume qui ajoute à son relief. À boire idéalement entre 2018 et 2022.

12237363 27,80$ ★★★ ½ ③

0 818808 001132

BUENA VISTA

Pinot noir 2012, Carneros

Voici une version chaleureuse du pinot noir : attaque à la fois pointue et tendre, limite crémeuse, sans verser cependant dans la sucrosité. D'envergure et longueur moyenne, ce vin présente tout de même un bel équilibre d'ensemble. La bonne bouteille pour accompagner un poulet rôti à la portugaise, surtout s'il est relevé de piri-piri.

0 081188 107408

12501849 29,95$ ★★★ ②

CLOUDLINE

Pinot noir 2014, Willamette Valley

Ce 2014 élaboré par Véronique Drouhin est frais, net et déborde de vivacité. Même s'il se signale avant tout par sa finesse, le vin n'est pas moins complet et présente une densité étonnante en milieu de bouche. À prix abordable, voilà un pinot noir qui offre une heureuse fraîcheur aromatique. Servir autour de 15-16 °C. Excellent rapport qualité-prix!

0 012086 965319

11334161 25,65$ ★★★★ ② ♥

LA CREMA

Pinot noir 2014, Sonoma Coast

D'envergure moyenne et conçu dans un style flatteur, ce vin onctueux et velouté plaira à l'amateur de pinot noir joufflu avec sa profusion de saveurs de framboises confites et de vanille. Commercial et un peu prévisible, mais bien fait.

0 049331 002307

860890 34$ ★★★ ②

ROBERT MONDAVI WINERY

Pinot noir 2013, Carneros

Bel exemple de pinot noir californien misant avant tout sur la générosité du fruit, sur la souplesse et la fraîcheur. Charmeur, équilibré et agréable à boire, à défaut de complexité réelle.

0 086003 101852

10560360 29,65$ ★★★ ②

SCHUG

Pinot noir 2014, Sonoma Coast

L'œnologue Michael Cox reste fidèle au style qui a fait le succès de Schug : aucun excès de maturité, une trame fruitée pure, portée par une texture juteuse et gourmande. Servir frais et à boire d'ici 2018.

0 744598 147784

10944232 30$ ★★★ ½

RIDGE VINEYARDS

Zinfandel 2014, East Bench

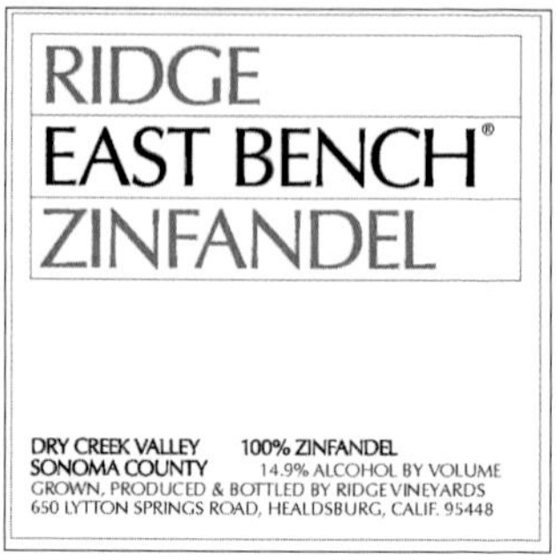

Sous la gouverne de Paul Draper, cette cave, haut perchée et jouissant d'une vue splendide sur Silicon Valley, a fait preuve d'une constance exemplaire depuis sa création dans les années 1960, en plus de préserver un style individuel à l'abri des modes. Draper a pris sa retraite officiellement en 2016, mais les fans de Ridge peuvent dormir en paix : l'avenir est tout aussi prometteur. Eric Baugher et John Olney assurent respectivement la relève des domaines de Montebello et de Lytton Spring depuis une vingtaine d'années.

Plantée au tournant des années 2000, cette parcelle située dans les hauteurs de Dry Creek Valley est la source d'un des rares vins de Ridge Vineyard à être composés d'un seul cépage. Le millésime a donné un *zin* intense et chaleureux, mais curieusement, ce vin riche en alcool (14,9 %) n'accuse aucune lourdeur et conserve même une fraîcheur étonnante, son acidité jouant un rôle de colonne vertébrale aux côtés des tanins. À des lieues des zinfandels puissants et racoleurs qui ont terni l'image du cépage. Encore jeune, il a l'équilibre et l'étoffe pour se bonifier d'ici 2022.

11817690 43,25$ ★★★★ ③ 0 744442 889006

COPPOLA, FRANCIS FORD

Zinfandel 2013, Director's Cut, Dry Creek Valley

Secteur réputé pour le zinfandel. Un *zin* robuste et corpulent, sentant la confiture de petits fruits, le tout assaisonné des accents vanillés du bois de chêne. Plein en bouche et faisant bien sentir son degré d'alcool de 14,5 %. Rustique, mais pas désagréable.

11882272 29,95$ ★★★ ② 0 739958 089347

DE LOACH

Zinfandel 2014, California

Le mérite de ce zinfandel est de miser davantage sur le fruit que sur le bois. Le résultat est un vin charnu et rustique, au bon goût de fruits sauvages. Fort plaisant, il offre plus de fraîcheur en bouche que la moyenne des zinfandels. Une belle occasion de découvrir les charmes de ce cépage original et sous-estimé.

492397 19,60$ ★★★ ½ ② 0 016697 000650

EASTON

Zinfandel 2013, Amador County

Ce zinfandel vendu à un prix très attrayant est tout à fait représentatif du millésime 2013, avec un fruit plus concentré et une chair plantureuse. Cela dit, un grain tannique compact et un peu rugueux soutient la masse fruitée et apporte tout le tonus voulu. Original, plein de vitalité et d'une longueur enviable. À boire d'ici 2020.

897132 26,60$ ★★★★ ② ♥

0 690171 101080

FRANUS, PETER

Zinfandel 2013, Brandlin, Mount Veeder

Peter Franus ne possède aucune vigne, mais il connaît assez bien le secteur de Mount Veeder pour savoir où s'approvisionner de bons raisins. Manifestement nourri par les largesses de 2013, son zinfandel marie l'intensité et la concentration propres au millésime et la fraîcheur caractéristique de Mount Veeder. Le nez embaume les bleuets frais, la bouche est pleine, tissée de tanins serrés et la finale présente une fine minéralité qui évoque l'odeur du crayon de plomb. Le muscle et l'élégance réunis. Bravo!

897652 49$ ★★★→★ ③

0 892953 000202

LAKE SONOMA WINERY

Zinfandel 2013, Dry Creek Valley

Ce vin est assez fidèle à ce que l'on peut espérer d'un zinfandel de Dry Creek. Ample, fruité, gourmand et chaleureux. Plus d'extraits que la moyenne; ce qui aide à soutenir le fruit et procure une agréable sensation de fraîcheur en fin de bouche. On peut le laisser reposer quelques années, le temps que le bois se fonde.

12487864 24,75$ ★★★ ②

0 729188 115565

RAVENSWOOD

Zinfandel 2014, Old Vine, Lodi

Même si elle a perdu de son lustre depuis qu'elle a été rachetée par le géant Constellation, la *winery* fondée par Joel Peterson – le parrain du *zin* californien – est encore la source de bons vins. S'il n'a rien de spécialement remarquable, ce zinfandel offre une attaque en bouche pleine, avec du fruit et des goûts poivrés. Un peu court en finale, mais recommandable dans sa catégorie.

630202 22,75$ ★★★ ②

0 715826 102967

TERRE ROUGE

Syrah 2012, Les Côtes de l'Ouest, California

Spécialiste des cépages rhodaniens, Bill Easton cultive la vigne au pied de la Sierra Nevada. Sur ces terres arides qui servirent jadis de décor à la ruée vers l'or, il produit des vins au tempérament fort, dont cette syrah absolument savoureuse, mais qui n'a rien de racoleur.

Le nez de ce 2012 regorge de parfums mûrs qui mettent en appétit, sur un fond légèrement fumé, caractéristique de la syrah. L'attaque est dodue, gourmande, puis le vin se resserre en une trame tannique serrée, à la fois minérale et enrobée d'une chair mûre qui égrène les saveurs de cerise, de confiture de bleuet, de framboise, d'anis et d'épices orientales. Finale chaleureuse et rassasiante. Beaucoup de vin pour le prix!

897124 29,45$ ★★★★ ② ♥

0 690171 001090

BECKMEN VINEYARDS

Syrah 2013, Purisima Mountain, Santa Ynez Valley

Je m'attendais à un peu plus de finesse et de retenue de la part de ce producteur réputé de Santa Ynez Valley, dans Santa Barbara. Le vin est ample en bouche et s'impose d'emblée par son attaque musclée et capiteuse, à 15,1 % d'alcool; les tanins sont dodus, la texture presque crémeuse, mais soutenue par une trame de fond assez compacte pour harmoniser le tout. Finale vaporeuse et de longueur appréciable. Il sera à son meilleur après une brève aération en carafe ou quelques années de repos.

11746941 37,75$ ★★★ ½ ③

0 713684 995752

BETZ

Syrah 2011, La Côte Patriarche, Yakima Valley

Maintenant ouverte et plus volubile, cette syrah déploie en bouche des saveurs complexes de fruits noirs, d'épices douces et des notes animales qui rappellent la viande fumée. Le cadre tannique est serré, moins austère que lorsque goûté à pareille date l'an dernier, mais toujours empreint d'une certaine intensité contenue qui le rend d'autant plus séduisant. Élégant et de bonne longueur. On peut le laisser reposer encore jusqu'en 2020.

12235907 82,25$ ★★★ ½ ③

0 807807 002059

CHATEAU STE MICHELLE

Syrah 2013, Columbia Valley

Nez pur de violette, caractéristique de syrah de climat mûrie longuement. Moins crémeux que les millésimes précédents il me semble, empreint d'une certaine tension et de vigueur tannique. Effet millésime ou changement de style? Le vin est presque minéral en fin de bouche. Le milieu un peu creux, mais on note une amélioration.

0 885860 007518

10960890 20,95$ ★★★ ②

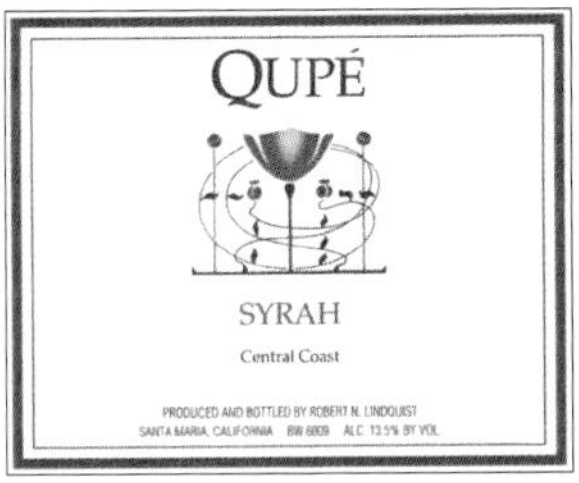

QUPÉ

Syrah 2012, Central Coast

Dans Santa Maria Valley, entre San Francisco et Los Angeles, le producteur Bob Lindquist a été un apôtre de la syrah sur la côte Ouest. Excellente syrah de Californie – avec de petits airs rhodaniens – dont la constance au cours des 10 dernières années mérite d'être signalée. Très joli nez où la fleur rencontre le cuir, les épices et les notes fumées; la bouche pour sa part est compacte, fraîche, élégante et juste assez solide pour encadrer la chair fruitée bien mûre. À boire dès maintenant et jusqu'en 2019.

0 850755 000691

866335 35,50$ ★★★★ ③

TERRE ROUGE

Syrah 2008, Sentinel Oak Vineyard, Pyramid Block, Shenandoah Valley

Bien qu'il soit déjà âgé de 8 ans, ce vin issu d'une parcelle de vieilles vignes de syrah, franches de pied et plantées en 1982, s'avère encore ferme et sur la réserve. La situation géographique du vignoble, situé à une altitude de 425 m dans les contreforts de la Sierra Nevada explique sans doute la fraîcheur ressentie et l'intensité contenue de ce vin. Nez compact, accents fumés; bouche chaleureuse à 14,5% d'alcool, un bon goût de cerise confite à l'eau-de-vie, ponctué d'épices. Solide, il a encore de la matière en réserve. Quelques années supplémentaires de repos lui seront sans doute favorables.

En primeur

13057348 62$ ★★★→? ③

BIRICHINO

Grenache 2014, Besson Vineyard, Vigne Centenaire, Central Coast

Avant de fonder leur domaine dans les hauteurs de Santa Cruz, en 2008, John Locke et Alex Krause avaient déjà fait leurs classes aux côtés du plus célèbre des Rhone Rangers, Randall Grahm, chez Bonny Doon Vineyard. C'est peut-être là qu'ils ont appris à faire des vins aussi vibrants et nuancés.

Cette cuvée issue de vignes centenaires de grenache, non greffées et non irriguées, continue de m'épater par sa pureté et sa trame souple, ficelée de tanins soyeux. Une bouche débordante de fruit, juteuse et irrésistible, intense, sans lourdeur et équilibrée, l'alcool ne faisant pas obstacle aux nuances aromatiques du grenache.

0 899175 002021

12486386 26,10$ ★★★★ ②

BETZ

Bésoleil 2011, Columbia Valley

Bien qu'elle ne représente que 7% de l'assemblage, la syrah se distingue facilement au nez, avec un parfum de poivre noir. Le grenache (51%), allié au cinsault, à la counoise, au mourvèdre et à la syrah, donne au vin un caractère très nourri, pulpeux. Une attaque sucrée, beaucoup de fruit et de tenue, de la poigne et de la vigueur. Pas du tout racoleur, il se distingue par sa forme à la fois stricte et très pure. Pas imposant comme tant d'autres ténors, mais intense et persistant. Il y a un moment que j'avais goûté un vin rouge de Washington aussi harmonieux.

0 857807 002054

12235843 60,25$ ★★★★ ②

RAVENSWOOD

Besieged 2014, Sonoma County

Plutôt connu pour ses zinfandels, Ravenswood élabore aussi cette cuvée, assemblage de petite sirah, de carignan, de zinfandel et d'alicante bouschet. Le résultat se distingue des autres vins de sa catégorie par sa structure et sa vigueur tannique, qui agissent comme contrepoids à la masse fruitée mûre et dodue. Bel équilibre; servir frais autour de 15-16°C. Parfait pour les côtes levées!

12468081 27,30$ ★★★ ½ ②

0 715826 991066

TERRE ROUGE

Mourvèdre 2011, California

Résultat d'une année fraîche en Californie, les raisins ont été récoltés à la mi-novembre, ce qui a permis à ce mourvèdre d'acquérir une grande complexité aromatique, tant au nez qu'en bouche. Mais c'est surtout par sa texture qu'il se distingue: mariage de plénitude et de vigueur, il tapisse la bouche d'une trame mûre, mais comporte juste assez d'aspérités tanniques pour donner à l'ensemble une poigne d'enfer. Et que dire de sa finale à la fois minérale et chargée de goûts de poivre, de cuir et de garrigue? Déjà savoureux et distinctif, il avait encore beaucoup de matière en réserve en septembre 2016.

921601 39,50$ ★★★★ ½ ③

0 690171 001052

TERRE ROUGE

Noir 2010, Sierra Foothills

Maintenant parfaitement à point, ce 2010 s'ouvre sur des arômes de grenache bien mûr, qui lui donne des petits airs d'un vin classique de Châteauneuf. En bouche, les tanins du mourvèdre et de la syrah se sont fondus avec les années et caressent le palais d'une texture suave, juste assez granuleuse pour ne pas sombrer dans la mollesse. Vaporeux, chaleureux et élégant, à sa manière.

866012 37,25$ ★★★★ ②

0 690171 001076

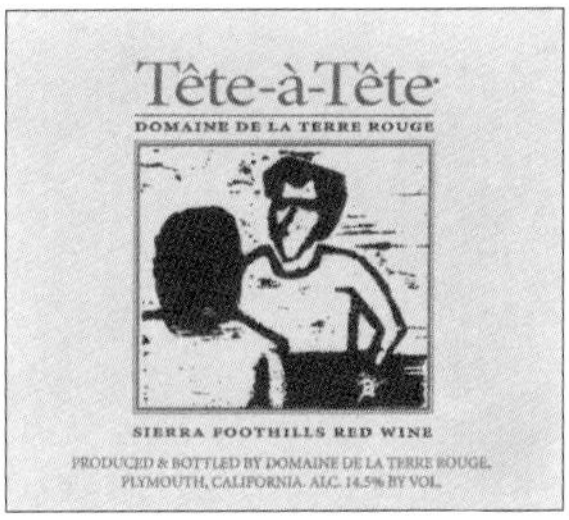

TERRE ROUGE

Tête-à-Tête 2010, Sierra Foothills

Le deuxième vin de la cuvée Noir résulte lui aussi d'un assemblage de syrah, de mourvèdre et de grenache. Maintenant prêt à boire, le 2010 s'ouvre sur des saveurs mûres et une texture veloutée et dodue, encadrée de tanins assez fermes pour laisser une sensation rassasiante et tonique. Joli spectre de saveurs mariant le fruit à des notes de terreau et de champignon, qui lui confèrent une certaine profondeur. À boire jusqu'en 2018.

10745989 31,25 $ ★★★ ½ ②

0 690171 001106

BONNY DOON

A Proper Claret 2014, California

Les fans de Randall tout-sauf-du-cabernet-et-du-chardonnay Grahm seront peut-être étonnés d'apprendre que le coloré personnage signe désormais un claret, un terme très *british* pour désigner un vin du Médoc ou un assemblage qui s'en rapproche.

Son 2014 séduit d'entrée de jeu par un nez très complexe, qui rappelle les étals d'épices dans les marchés orientaux avec des senteurs de cari, de cari, de paprika. La bouche est tout aussi vibrante et expressive, avec des saveurs de poivron rouge, des tanins juste assez serrés et granuleux, un bel enrobage fruité, une finale saline et désaltérante. À moins de 20$, c'est presque trop beau pour être vrai. Comme diraient les Anglais, *brilliant*!

12495961 19,95$ ★★★★ ② ♥

0 769434 148220

BETZ

Clos de Betz 2010, Columbia Valley

Bob Betz est un peu le parrain du vignoble de Washington. À l'emploi de Chateau Ste Michelle pendant près de 30 ans, ce Master of Wine commercialise des vins sous sa propre étiquette depuis 2003. Cette cuvée est composée majoritairement de merlot – auquel s'ajoutent 35% de cabernet sauvignon et une pointe (7%) de petit verdot. Une réussite indiscutable: corpulent et en même temps très distingué. Des tanins à la fois tendres et granuleux lui confèrent beaucoup de présence et de tenue. Un vin de facture très classique, persistant, vaporeux. Déjà ouvert et agréable à boire, il le restera jusqu'en 2020.

12089891 65$ ★★★★ ③

0 857807 002023

L'AVENTURE

Stephen Vineyard 2013, Optimus, Paso Robles

Dans la partie ouest de Paso Robles, le Bordelais Stéphane Asséo élabore ce vin de syrah, de cabernet sauvignon et de petit verdot. Bien qu'il titre 15,7% d'alcool, ce 2013 n'est pas affligé par cette sensation brûlante que l'on peut déplorer de bien d'autres vins moins alcoolisés sur le marché. Cela dit, il faut aimer le style, son attaque en bouche capiteuse, sa puissance et sa charge tannique. L'ensemble est soutenu par une acidité marquée qui, à défaut de se fondre à l'ensemble, donne de l'éclat aux saveurs de thé noir et de confiture de bleuet. Bien tourné dans un style tapageur.

En primeur

725648 60,25$ ★★★ ½ ③

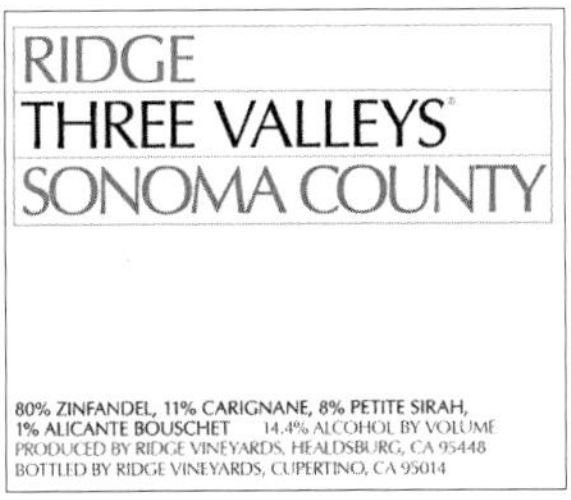

RIDGE VINEYARDS

Three Valleys 2013, Sonoma County

Expression mûre et pourtant très tonique des cépages zinfandel (80 %), carignan, petite sirah et alicante bouschet. Le nez est généreux, boisé certes, mais aussi exotique et très invitant avec ses notes de vanille bourbon. Des saveurs de fruits secs, une texture fondue, beaucoup de relief et quelle vitalité! Finale savoureuse à laquelle une amertume fine et une certaine salinité confèrent une dimension supplémentaire. Élégance. Caractère. Ridge.

0 744442 081004

12328898 38$ ★★★★ ②

TREANA

Treana 2012, Paso Robles

Le *winemaker* Liberty School a créé sa propre entreprise dans Paso Robles et y produit cette cuvée principalement composée de cabernet sauvignon, auquel s'ajoute 30 % de syrah. J'ignore ce qu'on a changé en 2012, mais il s'agit, de loin, du millésime de Treana le plus digeste et le plus agréable que j'aie goûté depuis des années. Grain compact, finale saline, saveurs mûres de fruits noirs et de réglisse, d'herbes séchées, de confiture de framboise et d'une pointe de café, sans excès. Beaucoup de tout, alcool inclus (15 %) – amateur de cabernet franc de la Loire, s'abstenir –, mais les éléments sont mieux intégrés que par le passé. Le vin a gagné en stature et en profondeur. À boire entre 2017 et 2021.

0 657891 709101

875088 40,75$ ★★★ ½ ③

VALLEY OF THE MOON

Cuvée la Luna 2013, Sonoma County

Fondée en 1863, Valley of the Moon est la plus vieille *winery* du secteur de Glen Ellen, au sud de la vallée de Sonoma. L'entreprise a été rachetée en 2012 par la famille Stewart, aussi propriétaire de Quail's Gate. Cet assemblage de zinfandel, de syrah, de cabernet et de sangiovese (1 %) est élevé en fût de chêne français, américain et hongrois pendant 24 mois et s'avère plutôt satisfaisant en 2013. Pour autant qu'on aime ce style de vins gourmands et pansus, flanqués d'une abondance de fruits confits et d'une finale capiteuse. On peut le boire maintenant ou le laisser reposer jusqu'en 2020.

0 040267 100907

11306136 26,05$ ★★★→? ③

HÉMISPHÈRE SUD CHILI ET ARGENTINE

MAULE

Berceau chilien du vin naturel, Maule et Itata offrent un contrepoids rêvé à la modernité. Ces deux régions méridionales misent avant tout sur des vignes centenaires de carignan, cinsault et país qui y donnent des vins aussi savoureux que singuliers.

CASABLANCA ET LIMARI

En blanc, le chardonnay reste roi. Issu de régions fraîches telle la zone côtière de Casablanca, ou plus récemment la région septentrionale de Limari, il peut avoir une finesse et une minéralité remarquables.

Encore trop souvent victime de préjugés et snobé par de nombreux amateurs de vin, le Chili a bien plus à offrir que des rouges puissants et boisés. Et le vent de renouveau qui gagne le pays depuis quelques années ne semble pas près de s'essouffler.

Les vallées fertiles et baignées de soleil situées en périphérie de la capitale, Santiago, demeurent l'épicentre de la production viticole nationale, mais on voit émerger chaque année de nouveaux vignobles dans des zones plus fraîches et toujours plus éloignées. De sorte qu'aujourd'hui, la vigne est cultivée depuis la vallée de l'Elqui, à 500 km au nord de Santiago, jusque dans la région des Lacs, plus de 800 km au sud de la capitale du pays.

Après s'être contenté d'appliquer à la lettre la recette «gagnante» apprise à l'école, les œnologues qui ont pris la relève de la garde au début des années 2000 ont repensé leur façon de faire. D'abord marginal, le mouvement initié par une foule de petits domaines axés sur l'expression du terroir a gagné tous les secteurs de l'industrie viticole, jusqu'au géant Concha y Toro. Développement de vignobles dans des zones fraîches, redécouverte de vignes centenaires, vinification en amphore... L'aventure, déjà bien amorcée, s'annonce palpitante.

L'Argentine jouit d'une longue tradition viticole qui remonte à l'arrivée des colons européens, au 16e siècle. Jadis marqués par une influence européenne, les vins adoptent depuis une dizaine d'années un style beaucoup plus moderne, encensé par la presse américaine. Des vins de couleur pourpre, hyper flatteurs, parfois vanillés, riches en alcool et presque sucrés tant ils sont mûrs. Malheureusement, la popularité du malbec semble avoir occulté le reste de la production nationale. L'Argentine dispose pourtant d'autres variétés fort intéressantes, comme le bonarda (douce noire) et le torrontés, cépage indigène qui donne des vins blancs aromatiques.

SALTA

À Salta, la vigne s'enracine jusqu'à 3100 m d'altitude. Depuis une quinzaine d'années, les nouvelles plantations dans Mendoza s'orientent aussi de plus en plus souvent vers les zones d'altitude et il n'est pas rare que la vigne grimpe jusqu'à 1200, voire 1700 m.

MENDOZA

Sans irrigation, une bonne partie des vignobles argentins ne seraient que des zones désertiques. Le climat sec limite les maladies fongiques et le phylloxéra est rare. Les plus grands facteurs de risque pour la vigne sont un vent violent (le *zonda*) et la grêle.

DE MARTINO

Cabernet sauvignon 2013, Legado, Reserva, Valle del Maipo

À la fin de l'année 2011, Marcelo Retamal et son équipe ont décidé d'en finir avec le bois neuf ; l'année suivante avec la surmaturité. Allant d'innovations en décisions controversées, Retamal a mené sa petite révolution et tracé la voie du futur pour le vignoble chilien. Il est reconnu, à juste titre, comme l'un des œnologues les plus brillants du pays.

Ce cabernet sauvignon provenant des rives de la rivière Maipo a un goût d'une autre époque. Comme un voyage dans le temps vers le début des années 1990, alors que les cabernets chiliens étaient comparés, avec raison, aux bons vins du Médoc. Le 2013 est très marqué par l'empreinte du cépage frais et vibrant de jeunesse, avec une amertume noble qui tire les saveurs en finale. Dans l'ensemble, une allure fraîche et vibrante de jeunesse. Et le plus beau dans tout ça, c'est qu'il risque de gagner encore en complexité d'ici 2020. À moins de 20 $, on croit rêver.

642868 18,15 $ ★★★★→? ③ ♥

7 804395 000286

CONCHA Y TORO

Cabernet sauvignon 2014, Marques de Casa Concha, Maipo

Dans le peloton de tête encore cette année avec un excellent 2014, coloré, avec des parfums invitants de fruits noirs et de paprika fumé. Structure et densité tannique, mais aucune lourdeur ni sucrosité et une impression de fraîcheur qui se dessine en bouche, tant par sa nervosité que par ses goûts de menthe. Excellent pour le prix. N'hésitez pas à l'aérer en carafe ou à le laisser reposer en cave jusqu'en 2021.

10694253 22,05 $ ★★★→★ ③ ♥ ♁

7 804320 333175

ERRAZURIZ

Cabernet sauvignon 2014, Max Reserva, Valle de Aconcagua

Le millésime 2014 marque un pas de plus sur la bonne voie pour ce cabernet qui avait adopté un style plus mûr et puissant depuis une dizaine d'années. On délaisse la surmaturité au profit de la fraîcheur tannique et du détail aromatique, avec des notes de tabac, d'olive noire, de paprika et de cèdre. Droit, très franc et mis en valeur par un bon usage du bois. Bravo!

335174 19,50 $ ★★★ ½ ② ♥

0 089046 777336

Chili

ERRAZURIZ

Don Maximiano 2013, Founder's Reserve, Valle de Aconcagua

Cette cuvée qui rend hommage à Don Maximiano, fondateur de ce domaine historique de la vallée de l'Aconcagua, est encore le plus achevé de la gamme Errazuriz. Le 2013 mise sur un assemblage de cabernet sauvignon, de malbec, de carmenère et de petit verdot. Encore jeune et très fougueux, en raison d'une acidité vive qui paraît dissociée du reste. Cela dit, ce vin imposant a beaucoup de mâche et de longueur. Assis sur une charpente solide, très compact et de la trempe des vins de garde, ce 2013 est encore vif et nerveux et gagnera à reposer en cave pendant au moins cinq ans, le temps que les éléments se fondent.

11396557 83,25$ ★★★→★ ④

MONTGRAS

Cabernet sauvignon 2013, Intriga, Valle del Maipo

Produit à une vingtaine de kilomètres au sud de Santiago, ce vin est un très bel exemple de cabernet chilien de Maipo. Moins dense et compact que d'autres cabernets du Nouveau Monde, ce 2013 était étonnamment ouvert et accessible lorsque goûté en juillet 2016. Le vin est néanmoins assis sur une charpente tannique solide et regorge de saveurs de fruits noirs. On pourra le boire dès maintenant et jusqu'en 2020. Beaucoup de vin dans le verre pour moins de 25$.

11766520 23,85$ ★★★★ ② ♥

PÉREZ CRUZ

Cabernet sauvignon 2013, Reserva, Valle del Maipo

Dans un registre mûr, généreux et large d'épaules, ce vin plaira à l'amateur de cabernet chilien moderne. Tanins fermes, mais sans dureté; bel enrobage fruité. À boire dès maintenant et jusqu'en 2018.

12798865 17,80$ ★★★ ②

VIÑA ARBOLEDA

Cabernet sauvignon 2014, Valle de Aconcagua

Toujours correct, mais jamais vraiment inspiré, un bon vin sphérique et allant droit au but; sans trop de détails, mais joufflu et savoureux. Tanins carrés, enrobage fruité bien mûr, bon équilibre.

10967434 19,95$ ★★★ ②

DE MARTINO
Chardonnay 2014, Legado, Reserve, Valle de Limari

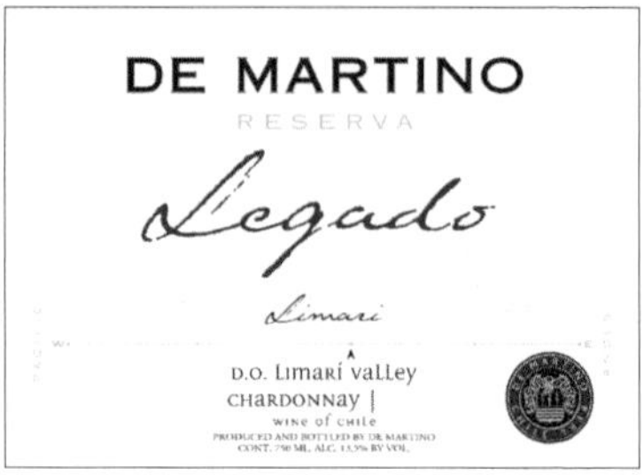

À leur meilleur, les chardonnays provenant du secteur de Limarí portent l'empreinte des sols calcaires de la région et présentent en bouche une certaine salinité, sans doute attribuable à la proximité de la mer. C'est le cas de ce très bon 2014, frais, pur, cristallin même.

Au lieu d'assaisonner son vin d'un goût de chêne – c'est souvent à ça que se résume la mention «Reserve» sur une étiquette – Marcelo Retamal opte pour un élevage en fût neutre, qui permet d'apprécier la singularité et le «goût du lieu» dans cet admirable vin blanc. Rares sont les chardonnays de ce prix qui font preuve d'une telle profondeur.

7 804395 000323

11948649 18,55$ ☆☆☆☆ ② ♥

CARMEN
Chardonnay 2016, Premier, Reserva, Valle de Casablanca

2016, déjà! Tout juste embouteillé, ce chardonnay donne l'impression de croquer à pleines dents dans une poire mûre. Pas de goût boisé, mais un très bon vin blanc sec pour les jours de semaine. Impeccable!

7 804335 002660

522771 13,95$ ☆☆☆ ① ♥

CONCHA Y TORO
Chardonnay 2014, Marques de Casa Concha, Valle de Limari

Limari est l'une des nouvelles régions prisées pour la culture du chardonnay. On comprend pourquoi en goûtant ce vin blanc intense et pourtant très nuancé, rehaussé par une saine acidité et comportant une bonne dose d'extraits secs, qui assurent sa tenue en bouche. À 20$, il vaut bien des vins blancs du Mâconnais.

7 804320 411149

11416141 20$ ☆☆☆☆ ② ♥

EDWARDS, LUIS FELIPE

Chardonnay 2015, Gran Reserva, Casablanca

Autrefois très boisé et sans grand intérêt, ce chardonnay produit dans le secteur côtier de Casablanca mise maintenant à fond sur le fruit et la fraîcheur. Fini les parfums de caramel de la barrique. Le 2015 regorge de bons goûts d'écorce de citron et de pêche, portés par une trame mûre, mais pleine de vitalité. Une bonne note pour souligner les progrès accomplis.

10694093 17,70 $ ☆☆☆ ½ ② ♥

7 804414 001430

EMILIANA

Chardonnay 2015, Novas, Gran Reserva, Valle de Casablanca

Excellent chardonnay produit par la maison Emiliana, chef de file chilien de l'agriculture biologique, et vinifié avec soin par Noelia Orts Agulló, brillante œnologue d'origine espagnole. Le vin est nourri d'une texture grasse, mais a manifestement tiré profit du climat frais de la zone côtière de Casablanca; riche en goûts de poire mûre, désaltérant et ponctué de fines notes salines. Beaucoup de vin dans le verre pour moins de 20 $.

11625701 18 $ ☆☆☆☆ ② ♥

7 804320 120911

ERRAZURIZ

Chardonnay 2014, Aconcagua Costa

Ce chardonnay produit sur la nouvelle zone côtière de la vallée d'Aconcagua continue de gagner en fraîcheur et en définition aromatique depuis sa mise en marché il y a quelques années. L'œnologue Francisco Baettig a eu la bonne idée de bloquer les malolactiques (voir capsule) sur une partie de l'assemblage pour préserver la sensation de fraîcheur et l'expression fruitée du chardonnay. Bons goûts de poire mûre sur un fond de beurre et de crème fraîche; frais et agréable à boire.

12531394 22,35 $ ☆☆☆ ½ ② ♥

0 608057 000006

GARCÉS SILVA

Chardonnay 2013, Amayna, Valle de Leyda

Le chardonnay de la gamme Amayna a été l'un des premiers vins de la vallée de Leyda à conquérir les marchés internationaux, au milieu des années 2000. La dernière bouteille goûtée il y a environ cinq ans était lourde, copieusement boisée. Sans dire que le style a changé de façon radicale depuis, je dois avouer être agréablement surprise par le 2013. Plus harmonieux et moins «barriqué», ce qui permet au chardonnay de s'exprimer avec franchise et fraîcheur. Pas très complexe, mais moins prévisible que par le passé et d'une bonne longueur.

11510196 19,95 $ ☆☆☆ ½ ② ♥

7 804605 830252

MONTSECANO

Pinot noir 2015, Refugio, Casablanca

Situé à une dizaine de kilomètres de la côte, dans la vallée de Casablanca, ce vignoble d'altitude conduit en agriculture biologique est né d'un partenariat franco-chilien. Parmi les associés, le vigneron alsacien André Ostertag, qui a manifestement su adapter son savoir-faire au terroir de Casablanca.

Le 2015 est plus achevé que tous les millésimes goûtés jusqu'à présent. À l'ouverture, on note une légère réduction qui s'estompe après une aération d'une heure en carafe. Le grain tannique est fin, très soyeux, et les couches de saveurs se dessinent avec une précision qui fait encore défaut à la plupart des pinots noirs chiliens sur le marché. On peut le boire dès maintenant à condition de l'aérer en carafe, mais il n'atteindra son apogée que vers 2019.

12184839 26,05$ ★★★★ ② ♥ ♁

7 804635 970003

CLOS DES FOUS

Pinot noir 2014, Subsollum, Valle de Aconcagua

Issu d'un assemblage de raisins de Pucalán (Aconcagua) et d'une petite proportion de raisins du secteur de Traiguén (Malleco), ce vin se situe stylistiquement à mi-chemin entre un bourgogne générique et un pinot de Central Otago. Tout aussi savoureux que le 2013, décoré d'une Grappe d'or l'an dernier. Les saveurs sont encore plus précises et le fruité primaire partage l'avant-scène avec des notes plus organiques qui rappellent la terre humide. Grain tannique assez ferme, beaucoup de mâche et de chair fruitée pour le prix. Très bel équilibre d'ensemble. Servir autour de 16 °C.

12304335 24,95$ ★★★ ½ ② ♥

7 804640 220049

CONO SUR

Pinot noir 2015, Organic, Valle de Colchagua

Particulièrement satisfaisant dans sa version 2015. Les raisins biologiques proviennent du secteur de Chimbarongo, à une centaine de kilomètres de la côte, dans la vallée de Colchagua. Les saveurs témoignent de fruits bien mûrs, marquées par la cerise noire, les fleurs et l'anis, et une saine acidité veille au tonus et lui donne un petit côté nerveux. Un peu simple, mais à ce prix...

11386877 16,45$ ★★★ ② ♥

7 804320 227382

CONO SUR

Pinot noir 2015, Reserva, Valle de Casablanca

Comme toujours, ce vin présenté dans une bouteille à capsule vissée met l'accent sur le fruit et la texture suave qui fait tout le charme de ce cépage. Pas très costaud, mais franc et ouvert; une attaque tendre et juteuse aux accents de fraise des bois. Les parfums de l'élevage sont perceptibles, mais ne gênent en rien l'expression du fruit. Servir frais autour de 15 °C.

874891 16,40$ ★★★ ½ ② ♥

7 804320 753300

ERRAZURIZ

Pinot noir 2015, Aconcagua Costa

Taillé d'un seul bloc et encore marqué par le bois en juillet dernier, mais le fruit est encore très jeune et le vin a assez de structure pour tenir jusqu'en 2018-2019. Une année de repos en cave lui sera certainement favorable.

12611036 25$ ★★★→? ③

0 608057 106371

MONTGRAS

Ninquén 2013, Mountain Vineyard, Valle de Colchagua

Cet assemblage de syrah et de cabernet sauvignon à parts égales provient d'un vignoble d'altitude. Ninquén signifie d'ailleurs « le plateau sur une montagne » en langue mapuche. Un vin sérieux dont la couleur sombre et le nez compact annoncent une concentration appréciable. Pourtant, aussi généreux soit-il, Ninquén n'a rien d'une caricature.

Aussi large que long en bouche; musclé, pansu et chaleureux, sans être brûlant. Un excellent vin étoffé et bien proportionné; plus complexe que bien des cuvées d'Australie, d'Argentine ou de Californie vendues deux fois plus cher. Amateurs d'intensité, vous pouvez le boire dès maintenant, mais il n'atteindra son apogée que vers 2020-2022.

7 804407 000105

928853 29$ ★★★★ ③

ARAUCANO

Syrah 2015, Reserva, Valle Central

À prix d'aubaine, un vin juteux, joufflu et fruité qui sent bon la framboise. Facile, flatteur et taillé pour plaire à un large public, ce qui n'est pas un défaut ici. À boire jeune et légèrement rafraîchi.

0 635335 382011

11975073 11$ ★★★ ②

CLOS DES FOUS

Pour ma gueule 2014, Valle del Itata

Très bon vin rouge vigoureux, assez charnu, mais pas spécialement tannique et gorgé de saveurs de fruits noirs, sur un fond de cendre mouillée – vous savez, cette odeur qui monte au nez lorsqu'on jette un seau d'eau sur un feu de camp? Bien qu'il ne compte que pour 20 % de l'assemblage, le cépage país lui confère une empreinte aromatique bien distinctive, avec des notes animales et épicées. Servir frais autour de 15 °C. Un excellent achat à moins de 20$.

7 804640 220094

12797686 19,95$ ★★★ ½ ② ♥

Chili et Argentine

CONO SUR

Cabernet sauvignon – Carménère – Syrah 2015, Organic, Valle de Colchagua

Maintenant complété de 25 % de syrah, ce vin issu de l'agriculture biologique m'a paru un peu plus dense et corpulent dans sa version 2015. Intense, charnu et savoureux, mais taillé d'une seule pièce et unidimensionnel, pour le moment. N'hésitez pas à le passer en carafe.

7 804320 127538

10694376 16,45$ ★★★ ②

DE MARTINO

Syrah 2014, Valle del Choapa

Cette syrah encore très jeune est bien marquée par les notes animales caractéristiques du cépage, entre la viande fumée et le cuir, mais sur un fond généreusement fruité et anisé, exempt de goût boisé. Le grain tannique est mûr et velouté, mais aussi très compact; sa mâche et sa chair généreuse laissent en bouche une sensation très rassasiante. Longueur remarquable pour le prix et équilibre exemplaire. Il sera intéressant de le revoir dans quatre ou cinq ans.

11998494 18,90$ ★★★★ ② ♥

7 804395 000347

EL ESTECO

Syrah 2014, Reserve, Don David, Valle de Calchaqui

Vin plein et chaleureux, charnu et très droit; le caractère floral et épicé de la syrah est présent, de même que son tissu tannique compact. Le tout enrobé d'un fruit généreux, mûri par le soleil de Calchaqui. Très bon vin courant.

10894431 17$ ★★★ ② ♥

7 790189 040036

ERRAZURIZ

Syrah 2014, Max Reserva, Valle de Aconcagua

Le 2014 a un profil très méditerranéen avec ses parfums de réglisse, de fruits confits et de fines herbes qui rappellent la garrigue. L'étoffe tannique est serrée, mise en valeur par un bon usage du bois – 12 mois en fût de chêne français, dont 20 % neuf. Bonne mâche tannique, mais pas trop de dureté. On n'a pas cherché à trop extraire. Très belle réussite. À ce prix, rien à redire.

0 608057 104919

864678 18,95$ ★★★ ½ ② ♥

MONTGRAS

Syrah 2014, Antu, Valle de Colchagua

À vue de nez, on reconnaît le pays avant le cépage. Parfums de cassis, de poivre, de menthe et de paprika; bouche franche, serrée et tonique, mais d'ampleur moyenne, laissant un léger creux en milieu de bouche et une sensation pointue en finale. Rien de complexe, mais rassasiant à sa manière.

11966370 19,50$ ★★★ ②

7 804407 001102

ERRAZURIZ

Fumé blanc 2015, Valle de Aconcagua

Depuis une dizaine d'année, Errazuriz a multiplié les plantations sur la zone côtière de la vallée de l'Aconcagua, où la proximité de l'océan Pacifique apporte une brise fraîche, très favorable aux cépages blancs et au pinot noir.

Les vignes de sauvignon blanc plantées en 2005 donnent maintenant un bon vin frais, sec et équilibré, de bonne tenue et dépourvu de la sucrosité qui afflige tant de sauvignons modernes. Débordant de fraîcheur, ce 2015 met en relief le caractère fruité exubérant du sauvignon blanc. Généreux et acidulé. L'amateur de sauvignon moderne y trouvera son compte à bon prix.

541250 14,95$ ☆☆☆ ½ ② ♥ 7 804304 104715

CALITERRA

Sauvignon blanc 2015, Tributo, Valle de Leyda

Je ne raffole pas de sauvignon blanc. Enfin, j'aime les vins de Sancerre, mais je ne peux pas dire que je suis fan du caractère variétal du sauvignon blanc. Mais une fois de plus en 2015, je ne peux qu'avoir de bons mots pour celui de Caliterra. Sec, désaltérant, avec une fine salinité, doublée d'accents amers qui lui donnent une personnalité enviable pour le prix.

11905788 16,95$ ☆☆☆ ½ ② ♥ 0 831573 000278

EL ESTECO

Torrontés 2015, Reserve, Don David, Colchaqui

Chaque année, un modèle du genre. Le torrontés est la spécialité argentine, un cépage dont la génétique s'apparente au muscat d'Alexandrie et auquel il emprunte les parfums floraux prononcés. Un vin d'apéritif original, sec et très expressif.

10894423 17$ ☆☆☆ ½ ♥ 7 790189 000023

LAGARDE, HENRY

Viognier 2015, Mendoza

Moins exubérant que tant d'autres viogniers sur le marché, mais assez aromatique pour séduire les amateurs du genre. Ampleur moyenne et acidité digne de mention, compte tenu de la nature du cépage. Recommandable à 20$.

12882688 20$ ☆☆☆ ② 0 728857 201998

MASI TUPUNGATO

Passo blanco 2015, Valle de Uco

Bon vin blanc biologique. Sec, assez aromatique, mais pas trop; léger et facile à boire. La légèreté et le caractère plutôt neutre du pinot grigio servent bien le naturel exubérant du torrontés.

12355431 14,95$ ☆☆☆ ① ♥ 8 002062 001768

MONTGRAS

Sauvignon blanc 2015, Amaral, Valle de Leyda

Plus discret que dans mes souvenirs, ce sauvignon n'a rien d'une caricature. Sec, avec des notes végétales qui rappellent les asperges et le thé vert japonais, qui se mêlent à des notes de fruits tropicaux. Bonne longueur et tenue appréciable pour un vin de ce prix. Très bon achat!

11464345 16,05$ ☆☆☆ ½ ② ♥ 7 804407 001768

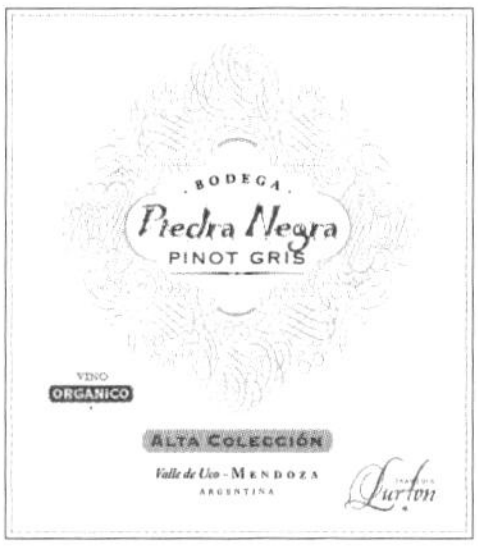

PIEDRA NEGRA

Pinot gris 2015, Alta Colección, Mendoza

Dans un marché saturé en pinots grigios fades et insipides, ce très bon vin blanc biologique mérite une mention spéciale. Animé d'un léger reste de gaz, le 2015 est parfaitement sec, délicatement parfumé et d'une longueur plus qu'appréciable pour le prix. La capsule vissée élimine par ailleurs les risques de mauvaises surprises.

556746 15,95$ ☆☆☆ ½ ② ♥ 0 635335 364017

VIÑA VENTISQUERO

Sauvignon blanc 2015, Yali, Wild Swan, Valle Central

Amateurs de sauvignon blanc de Kim Crawford, ne cherchez plus. Pour presque la moitié du prix, vous trouverez ici votre bonheur! Très aromatique, avec des saveurs de fruits tropicaux, qui rappellent la goyave, mais sec, désaltérant et de bonne tenue. À 11$ et des poussières, difficile de demander mieux.

12700101 11,15$ ☆☆☆ ② ♥ 7 808725 403877

CATENA

Malbec 2014, Mendoza

Pionnier de la révolution viticole argentine, très inspiré par la philosophie californienne, Nicolas Catena a fait sa marque en confectionnant des vins modernes et structurés, qui ont vite capté l'attention internationale. Sa fille Laura assure progressivement la relève.

Fruit d'un assemblage de malbec provenant de quatre différents vignobles, plantés entre 920 m et 1450 m d'altitude, ce 2014 a manifestement tiré avantage de la fraîcheur des Andes. Moins plantureux que la moyenne régionale, mais assez solide pour plaire à l'amateur de malbec argentin. La présence d'un léger reste de gaz accentue la sensation de fraîcheur en bouche. Bon à boire dès maintenant et jusqu'en 2020.

478727 21,95$ ★★★★ ② ♥

7 794450 008053

ALMA NEGRA

M Blend 2014, Mendoza

Produit par le fils de Nicolas Catena, Ernesto, un assemblage très réussi de malbec et de bonarda (15%). Généreux, mais pas débridé, le 2014 a du nerf et un relief aromatique plus nuancé que la moyenne régionale, comme si la bonarda lui apportait une dimension supplémentaire. Riche en fruit et en nuances de poivre noir, avec un tissu tannique serré, garant d'une certaine fraîcheur.

11156895 19,95$ ★★★ ½ ② ♥

0 890464 460034

ALTOS LAS HORMIGAS

Bonarda 2014, Colonia Las Liebres, Clasica, Mendoza

Quel vin délicieux! Stylistiquement à mi-chemin entre un gamay de la Loire et un valpolicella. Une profusion d'épices et de fines herbes, une tonne de fruit et des tanins juste assez rugueux qui lui donnent un petit air rustique, au meilleur sens du terme. Pour l'apprécier à sa juste valeur, servez-le frais autour de 15 °C. Certainement parmi les meilleurs bonardas de la planète. Dans sa catégorie, il vaut bien quatre étoiles.

10893421 16,20$ ★★★★ ① ♥

0 806145 000031

Argentine

DIAMANDES

Syrah – Malbec 2015, Perlita, Valle de Uco – Mendoza

Ce domaine de la vallée de Uco appartient à la famille Bonnie, également propriétaire du Château Malartic-Lagravière et du Château Gazin Rocquencourt, à Pessac-Léognan. Dans le contexte actuel du vignoble argentin, ce nouvel inscrit au répertoire de la SAQ mérite une mention spéciale, ne serait-ce que pour sa droiture et pour sa vigueur tannique, qu'on n'a pas tenté de gommer avec du sucre. Un peu plus de longueur et c'était quatre étoiles.

12941481 18,90$ ★★★ ½ ② ♥

7 798141 180349

NORTON

Malbec 2012, Reserva, Mendoza

Cette maison continue de réserver d'agréables surprises. Nez pur de fruits noirs et de violette. Bouche franche, pas sucrée comme tant d'autres, et pourvue d'une acidité tranchante qui agit comme un contrepoids à la profusion de fruit mûr. Bon équilibre, gourmand, rassasiant.

10689930 18,95$ ★★★ ½ ② ♥

7 792319 678010

NORTON

Malbec 2013, Barrel Select, Mendoza

Le malbec dans sa forme généreuse et gourmande. Assez charnu, ses tanins ronds et sa présence en bouche capiteuse témoignent de raisins très mûrs, sans verser dans la lourdeur. Finale séduisante aux tonalités florales.

860429 14,95$ ★★★ ②

7 792319 968944

SANTA ANA

Cabernet sauvignon 2014, La Mascota, Mendoza

Cette vieille propriété familiale de Mendoza élabore un bon cabernet misant à fond sur le fruit noir et sur la vigueur tannique propre à ce cépage. Beaucoup de corps et de consistance; une longue finale chaude, expressive et très nette. J'aime beaucoup son relief aromatique, qui marie le tabac au poivre, le bleuet à l'olive noire. Rien de bien complexe, mais digeste et agréable à boire. Une bonne note pour saluer un style en perte de vitesse, malheureusement.

10895565 17,95$ ★★★ ½ ② ♥

7 790762 050117

HÉMISPHÈRE SUD
AUSTRALIE

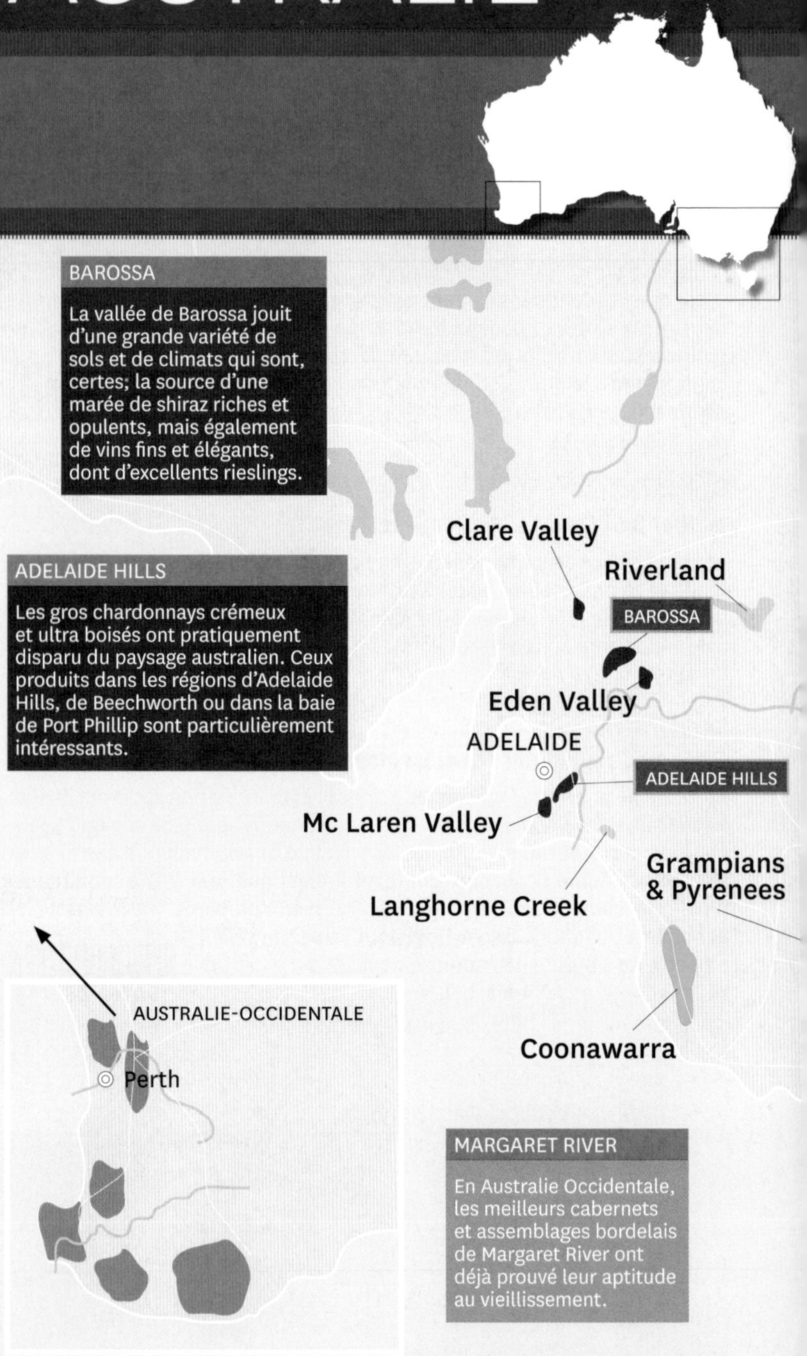

BAROSSA

La vallée de Barossa jouit d'une grande variété de sols et de climats qui sont, certes; la source d'une marée de shiraz riches et opulents, mais également de vins fins et élégants, dont d'excellents rieslings.

ADELAIDE HILLS

Les gros chardonnays crémeux et ultra boisés ont pratiquement disparu du paysage australien. Ceux produits dans les régions d'Adelaide Hills, de Beechworth ou dans la baie de Port Phillip sont particulièrement intéressants.

MARGARET RIVER

En Australie Occidentale, les meilleurs cabernets et assemblages bordelais de Margaret River ont déjà prouvé leur aptitude au vieillissement.

L'Australie est encore maintenant abordée comme un seul bloc, sans distinction régionale. Elle couvre pourtant 3 fuseaux horaires et un peu plus de 30 parallèles ; vous imaginez la diversité de climats et microclimats?

Entre les rieslings vifs et tranchants de Clare et d'Eden Valley, les somptueux sémillons de la Hunter Valley, les shiraz aussi intenses que plantureux de la vallée de Barossa, les pinots noirs frais et délicats de la Tasmanie, les cabernets racés de Coonawarra, les syrahs pures, vibrantes et parfumées de Geelong et de Yarra et les assemblages bordelais de facture classique et élégante de Margaret River, l'Australie a un monde de possibilités à offrir.

Au Québec, les ventes ont connu un léger recul (3 %) au cours de la dernière année. Et si j'en juge par la piètre diversité de l'offre de vins australiens inscrits au répertoire de la SAQ à l'automne 2016, il faudra encore quelques années avant que les Québécois soient à même de saisir l'immense potentiel de ce vaste pays.

HUNTER VALLEY

Le sémillon de la vallée de Hunter reste LE héros méconnu du pays. Un vin unique, qui pèse rarement plus de 11 % d'alcool et qui acquiert avec l'âge des arômes d'une complexité étonnante.

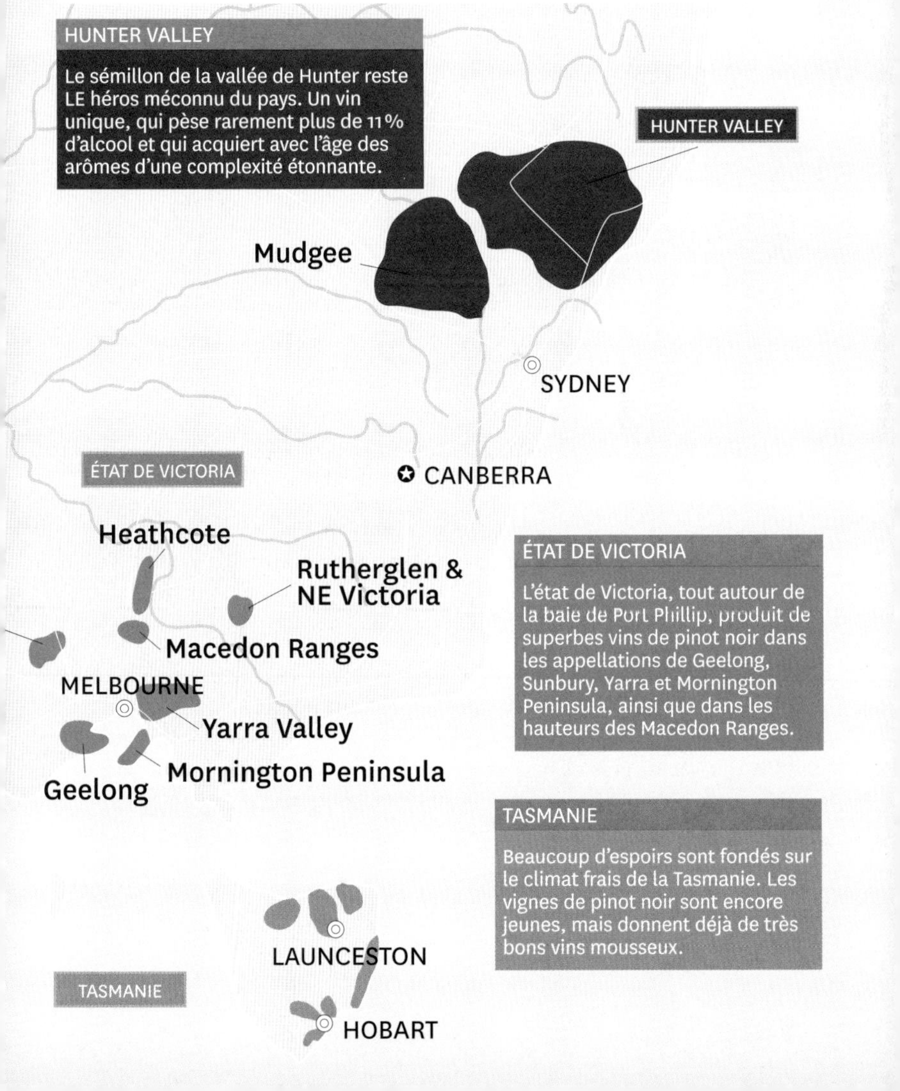

ÉTAT DE VICTORIA

L'état de Victoria, tout autour de la baie de Port Phillip, produit de superbes vins de pinot noir dans les appellations de Geelong, Sunbury, Yarra et Mornington Peninsula, ainsi que dans les hauteurs des Macedon Ranges.

TASMANIE

Beaucoup d'espoirs sont fondés sur le climat frais de la Tasmanie. Les vignes de pinot noir sont encore jeunes, mais donnent déjà de très bons vins mousseux.

ANGOVE

Fiano 2015, Alternatus, Fleurieu

L'essentiel (70 %) des exportations de vin australien a beau reposer sur quatre cépages – shiraz, cabernet sauvignon, chardonnay et merlot –, la production nationale est loin de se limiter à ces « *usual suspects* ». Plusieurs domaines ont axé les nouvelles plantations autour de variétés aptes à préserver une saine acidité naturelle, même dans des conditions torrides, comme le fiano.

Un vin blanc original produit au sud de McLaren Vale et composé de fiano, une variété aromatique du sud de l'Italie qui a la propriété de conserver une saine acidité, malgré les excès de chaleur du climat. Une curiosité très agréable à boire. Sorte de mariage entre la charpente d'un hermitage blanc et la nervosité minérale d'un muscadet. Peu de fruit, mais beaucoup de style et de caractère. N'hésitez pas à l'aérer en carafe une bonne heure avant de le servir.

12807485 25$ ☆☆☆☆ ② ♥ ♁

9 300694 380343

D'ARENBERG

Riesling 2015, The Dry Dam

Plus tendre que la moyenne des rieslings australiens, ce vin issu d'un assemblage de raisins de McLaren Vale et d'Adelaide Hills renferme 19 g/l de sucre, mais fait preuve d'un très bel équilibre en bouche. Léger en alcool, mais de bonne tenue, savoureux, avec des goûts de pomme mûre, de fruits tropicaux et d'agrumes. Bon rapport qualité-prix.

11155788 18,95$ ☆☆☆ ½ ② ♥

9 311832 027006

D'ARENBERG

The Olive Grove 2015, Chardonnay, McLaren Vale

Assez représentatif de la tendance australienne à produire des chardonnays plus vifs, moins gras et beurrés. Très sec, une attaque en bouche vive et nerveuse, agrémentée de nuances citronnées et minérales. À deux, avec des pâtes carbonara, on a vite fait de siffler la bouteille.

11950360 19,95$ ☆☆☆ ½ ② ♥

9 311832 077001

D'ARENBERG

The Stump Jump blanc 2014, McLaren Vale

Fruit d'un assemblage assez réussi de riesling (pour la vigueur), de sauvignon blanc (pour l'exubérance aromatique) et de marsanne (pour le gras et le volume en bouche). Arrondi d'un léger reste de sucre (8,6 g/l), mais sans lourdeur, grâce à une bonne dose d'acidité et un soupçon de gaz carbonique. Toujours recommandable.

10748400 17,50$ ☆☆☆ ½ ② ♥ 9 311832 015003

MOUNT PLEASANT

Semillon 2007, Lovedale, Hunter Valley

Offert en exclusivité dans les SAQ Signature, un très bon sémillon de la vallée de Hunter, maintenant ouvert et à point. Le fait qu'il soit non boisé et léger en alcool (10,5%) ne l'empêche pas d'en mener large en bouche, tant par sa texture grasse que par son registre de saveurs complexes qui marie les noix au safran, à la cire d'abeille et aux fruits secs, avec une finale tourbée qui rappelle certains whisky Islay. Cher, mais unique. Beaucoup de race et de tenue.

12577114 59$ ☆☆☆☆ ② Ⓢ 9 311769 788001

PETER LEHMANN

Layers 2015, Adelaide

Étant donnée sa composition – sémillon, muscat, gewürztraminer et pinot gris –, on pourrait s'attendre à un vin beaucoup plus parfumé. Heureusement, ce 2015 joue davantage dans la subtilité que dans l'exubérance. Du gras, des tonalités florales élégantes, une saine fraîcheur et un bon équilibre d'ensemble. Bon prix.

11905841 16,95$ ☆☆☆ ② ♥ 9 311910 102977

YALUMBA

Viognier 2015, The Y Series, South Australia

Comment ne pas aimer ce viognier? N'étant moi-même pas une fan de ce cépage du nord du Rhône, je dois avouer que je me laisse facilement charmer par l'équilibre et les nuances de celui de Yalumba. Pour une fraction du prix de certaines cuvées californiennes, on a dans son verre un vin élégant, aux saveurs fines et persistantes, rehaussées d'une pointe de gaz carbonique, qui compense la faible acidité naturelle du cépage. Une excellente note pour un vin blanc impeccable, vendu à prix d'aubaine.

11133811 16,95$ ☆☆☆☆ ② ♥ 9 311789 475974

YALUMBA

Grenache 2014, Old Bush Vine, Barossa

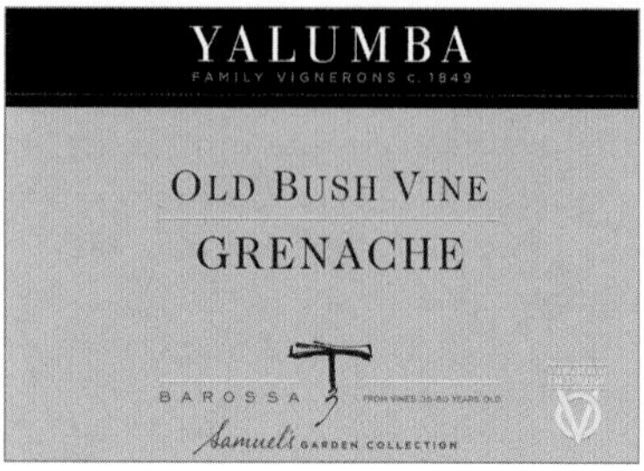

Les très vieilles vignes de grenache sont l'un des trésors du vignoble d'Australie, où le cépage couvrait un peu plus de 2000 hectares au tournant de la dernière décennie. Vinifié dans les règles de l'art, sans excès de concentration ni de bois neuf, il peut donner d'excellents vins généreux et équilibrés.

Nous voici face à un classique australien à la SAQ depuis une quinzaine d'années. Chaque millésime, on retrouve cette même présence en bouche charnue, gourmande, toute en rondeur et gorgée de saveurs de kirsch et de cacao. Le grenache dans sa forme typiquement séduisante. Un vin encore meilleur s'il est servi frais autour de 15 °C. Déjà très bon, il continuera de se « faire » jusqu'en 2020.

9 311789 081847

902353 20,25$ ★★★★ ② ♥

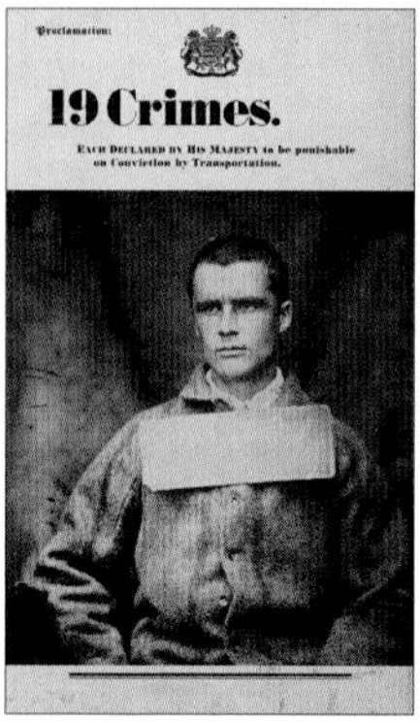

19 CRIMES

Shiraz – Grenache – Mataro

Sans donner dans la dentelle, cet assemblage de grenache, syrah et mourvèdre (mataro) – non millésimé et vendu comme un vin de table – offre un peu plus de nuances et de retenue que ne l'annonce son étiquette. Gorgé de saveurs, mais présentant aussi une structure tannique ferme qui encadre le fruit et donne à l'ensemble un tonus appréciable. Le bon vin pour accompagner une bavette marinée ou des ribs.

0 012354 000995

12073995 20,10$ ★★★ ②

D'ARENBERG

Grenache – Shiraz – Mourvèdre 2010, The Bonsai Vine, McLaren Vale

Une nouvelle inscription au répertoire de la SAQ, dont l'arrivée est prévue en février 2017. Grenache (48 %), shiraz et mourvèdre sont gorgés de soleil et donnent un vin riche en fruits rouges, très généreux en bouche avec des goûts de bonbon à la framboise et d'herbes séchées. Un vin imposant, soutenu par un cadre tannique solide, néanmoins flatteur et plaisant.

En primeur

13097219 28,95 $ ★★★ ②

D'ARENBERG

Grenache – Shiraz – Mourvèdre 2012, The Stump Jump, McLaren Vale

Bon 2012 aux goûts de jujubes à la framboise, d'épices et d'herbes séchées. Juteux, mais appuyé sur des tanins assez fermes pour assurer sa tenue et son équilibre. Cette année encore, un bon achat à ce prix.

12505815 17,35 $ ★★★ ②

9 311832 617009

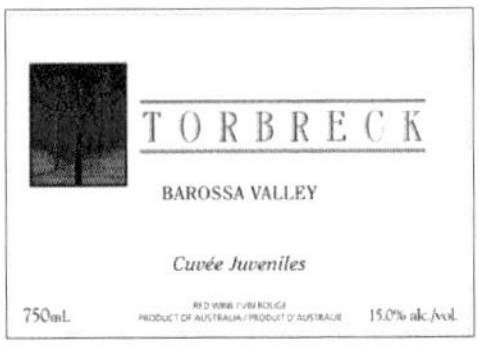

TORBRECK

Cuvée Juveniles 2013, Barossa Valley

Assemblage de shiraz, de mataro (mourvèdre) et d'une importante proportion (59 %) de grenache. Conséquemment, le vin est riche en alcool, offrant beaucoup de volume en bouche, au point de paraître presque sucré. Pas forcément lourd, mais disons qu'on est loin du vin de soif. Finale capiteuse aux parfums de réglisse et de kirsch. On peut le boire dès maintenant avec un plat copieux – des côtes levées, par exemple – ou le laisser reposer en cave jusqu'en 2018.

12818230 29,50 $ ★★★ ②

9 333343 002464

D'ARENBERG

Shiraz 2012, Love Grass, McLaren Vale

Au sud d'Adelaide, D'Arenberg est une *winery* réputée pour ses vins robustes, au caractère traditionnel souvent exubérant. S'il m'est arrivé parfois de trouver les vins élaborés par Chester Osborn d'une rusticité excessive, je dois dire que cette nouvelle inscription au répertoire de la SAQ a du tempérament et de l'originalité.

Vin musclé, plein et vigoureux dont la trame tannique ajoute beaucoup de tenue et de longueur. Fruits confits à l'eau-de-vie, menthe séchée et une pointe amère en finale qui apportent une certaine complexité aromatique. Mâche tannique digne de mention, bonne longueur; ses proportions heureuses le rendent déjà agréable. Beaucoup de vin pour le prix.

12882864 23,95 ★★★★ ② ♥

9 311832 547009

DE BORTOLI

Shiraz 2013, Windy Peak, Heathcote

Bel exemple de shiraz australien. Beaucoup de fruit et de tonus, des tanins dodus et un bon sens des proportions. Expressif, vigoureux et encore très jeune; tout à fait satisfaisant dans son genre.

12512345 23,55$ ★★★ ②

9 300752 211695

PENLEY ESTATE

Shiraz 2012, Hyland, Coonawarra

Bon vin au caractère rôti et animal; tannique et costaud, mais sans excès et plutôt savoureux. Bien moins caricatural que d'autres shiraz de cette gamme de prix. Très recommandable à moins de 20$.

11332641 19,95$ ★★★ ½ ②

0 075152 744140

THE LACKEY

Shiraz 2015, South Australia

Même s'il titre 14,5 % d'alcool, ce vin est tout le contraire du gros shiraz épais et puissant. Un équilibre impeccable, du poivre et du bleuet, de la mâche, du nerf, du caractère et des tanins assez fermes et serrés pour encadrer le fruit. À moins de 20 $, un excellent achat.

9 329666 020995

10959725 19,80 $ ★★★ ½ ② ♥

THE LUCKY COUNTRY

Shiraz 2014, Barossa Valley – McLaren Vale

Nez de confiture et de menthe qui plaira instantanément à l'amateur de shiraz gorgé de soleil. La bouche est gourmande, savoureuse et soutenue par une juste dose d'acidité. Bon vin simple, mais bien fait et assez agréable en son genre.

11629904 19,10 $ ★★★ ②

9 331727 016410

YALUMBA

Shiraz 2015, Organic, Barossa

Léger reste de gaz, saveurs franches de fruits noirs frais et confits. Les tanins sont serrés, la bouche a une agréable fraîcheur. Du relief, de légers accents d'épices. Beaucoup à offrir pour le prix. Confirme la réputation enviable et tout à fait méritée de Yalumba.

9 311789 001692

12990531 19 $ ★★★ ½ ② ♥

YALUMBA

Shiraz – Viognier 2010, The Guardian, Barossa

Un vin très typé, au bon sens du terme qui nous offre la syrah sous un jour plantureux, mais non pas dépourvue de fraîcheur. Des notes de cuir, de fleurs, de fumée ; riche et nourri, mais aussi doté d'une certaine amertume doublée en finale, ainsi que d'une saine acidité qui donne envie d'un second verre. Ce qui n'est pas le cas de tous les shiraz de Barossa. Très bien fait.

524926 22,90 $ ★★★ ½ ② ♥

9 311789 200958

Australie

HÉMISPHÈRE SUD NOUVELLE-ZÉLANDE

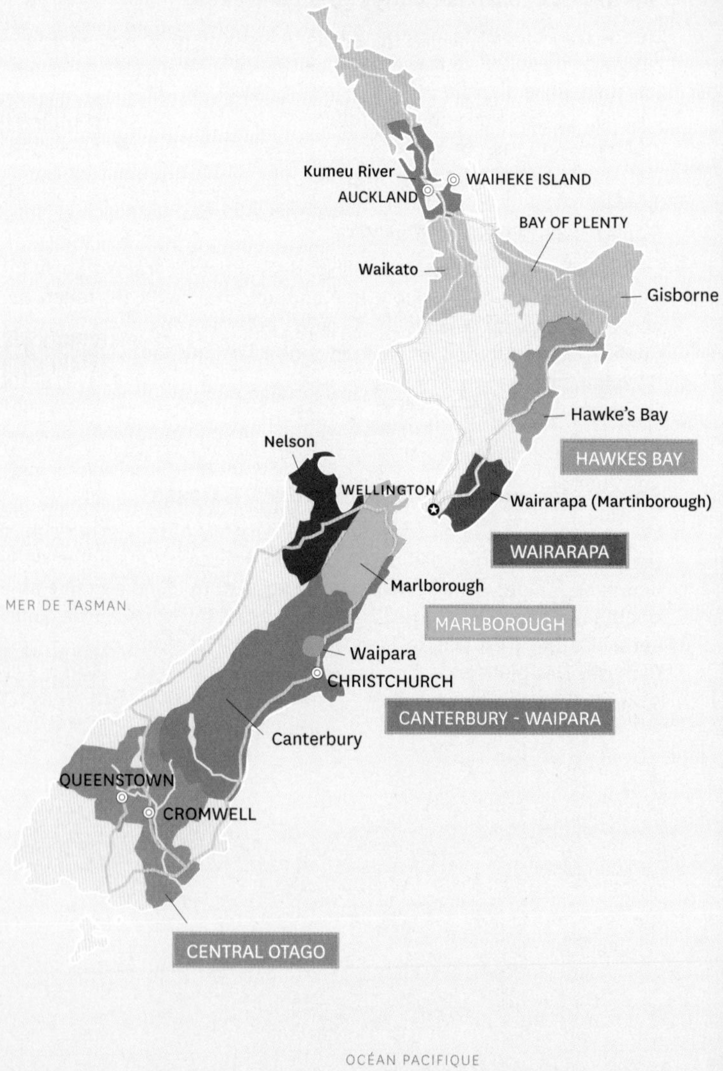

La Nouvelle-Zélande pourrait servir de modèle de développement à plusieurs régions émergentes, tant par son dynamisme que par la qualité générale de ses vins.

Le sauvignon blanc demeure le moteur économique du vignoble néo-zélandais. Ce cépage qui a fait connaître la vocation viticole du pays dans les années 1980 est si populaire qu'il occulte presque le reste de la production nationale. Dommage, car le pays regorge de richesses bien différentes des vins blancs nerveux, parfumés, parfois édulcorés et presque toujours issus du même moule.

La plupart des vignobles de la première vague ont atteint leur maturité et l'industrie s'est considérablement développée depuis une trentaine d'années. Rien n'est parfait, mais les pinots noirs de Central Otago font preuve d'un peu plus de profondeur qu'il y a dix ans et les chardonnays dégustés en cours d'année n'avaient rien à envier à leurs pendants australiens.

HAWKES BAY

Le vignoble d'Hawkes Bay est surtout planté de cépages bordelais, mais la syrah y gagne de plus en plus de terrain et donne de beaux résultats.

LE SAVIEZ-VOUS?

En 2016, la Nouvelle-Zélande s'est finalement dotée d'un système officiel d'appellations. Comme partout ailleurs, ces appellations (GI pour Geographic Indications) ne sont pas un gage de qualité, mais elles garantissent la provenance.

CANTERBURY - WAIPARA

Autour de Christchurch, la région de Canterbury – Waipara peut donner des pinots noirs riches et veloutés, des chardonnays tendus et racés, ainsi que de très bons rieslings.

SERESIN

Pinot gris 2014, Marlborough

Le cinéaste néo-zélandais Michael Seresin a développé un vignoble dans Marlborough dès le début des années 1990. Bien qu'il soit reconnu pour produire l'un des meilleurs sauvignons du pays, le portfolio de Seresin s'articule surtout autour du pinot noir ainsi que de quelques cépages blancs alsaciens comme le pinot gris.

Encore très jeune, ce 2014 ne s'est révélé à son plein potentiel qu'après trois jours d'ouverture. On découvrait alors une brillante expression d'un cépage souvent mésestimé. Finesse aromatique, nervosité désaltérante, bonne tenue, saveurs absolument nettes. Sec et pur; le caractère fruité est très distingué. Ce vin est un vrai régal. L'idéal serait de le laisser reposer en cave jusqu'en 2019-2021 ou de l'aérer longuement en carafe.

11420078 29$ ☆☆☆☆ ② ♥

9 419106 110147

AND CO

Sauvignon blanc 2014, The Supernatural, Hawkes Bay

Plutôt que de verser dans l'exubérance, ce sauvignon produit sur l'île du Nord présente des notes discrètes de fruits blancs et d'écorce de citron. La bouche est franche, nette, parfaitement sèche et d'une grande «buvabilité». De la structure et une bonne longueur.

12594521 26,95$ ☆☆☆☆ ② ♥

9 421902 058004

BABICH

Sauvignon blanc 2015, Marlborough

Je n'avais pas goûté les vins de cette maison depuis quelques années et je suis ravie de constater qu'ils n'ont pas succombé à l'attrait du sucre et de la facilité. Très bon sauvignon, d'abord sec, délicatement parfumé, pas caricatural du tout et agrémenté d'une pointe d'amertume en finale, ce qui ajoute à sa longueur en bouche. L'un des bons sur le marché et pas le plus cher.

560144 20$ ☆☆☆ ½ ②

9 414603 201107

CRAGGY RANGE

Chardonnay 2013, Kidnappers Vineyard, Hawkes Bay

Ce domaine spectaculaire aménagé au coût de 50 millions de dollars au pied du mont Te Mata dans Hawkes Bay produit un bon chardonnay stylé et bien ficelé. La proximité de la mer aide à réguler la température du vignoble et permet un long mûrissement des raisins, qui développent des arômes complexes. Le nez épicé fleure l'ananas confit; la bouche vive et structurée propose des notes citronnées, minérales. Un élevage sur lies donne un supplément de gras sans trop de sucrosité. L'acidité est au rendez-vous, mais gagnerait à se fondre à l'ensemble. Laissons-lui encore 1 à 2 ans de repos.

12818061 25,60$ ☆☆☆ ½ ②

9 421004 550345

KIM CRAWFORD

Sauvignon blanc 2015, Small Parcels Spitfire, Marlborough

Toujours un cran plus sec que le sauvignon blanc courant de la même marque, cette cuvée parcellaire déroute avec ses arômes intenses de fruits tropicaux, d'herbes fraîches et de céleri, auquel elle emprunte aussi une certaine salinité. Très bon, mais à ce prix, on fait mieux.

12510163 25,50$ ☆☆☆ ②

9 419227 005315

SAINT CLAIR

Sauvignon blanc 2015, Marlborough

Plus sec, il me semble du moins, en 2015. Digeste, fine amertume en finale, ce qui rehausse le fruit, ajoute à sa longueur, à son caractère. Tout à fait recommandable.

10382639 21,30$ ☆☆☆ ②

9 418076 000304

VILLA MARIA

Sauvignon blanc 2015, Private Bin, Marlborough

Sauvignon en mode très aromatique, qui combine le poivron vert, l'asperge, les agrumes, les fruits tropicaux. Pour le reste, une tenue de bouche digne de mention qui encadre la sucrosité des bâtonnages sur lies. Bien construit dans un style prévisible.

11974951 17,95$ ☆☆☆ ②

9 414416 305528

SERESIN

Pinot noir 2014, Momo, Marlborough, Nouvelle-Zélande

Deuxième porte-étendard du vignoble néo-zélandais, derrière le sauvignon blanc, le pinot noir s'étendait sur un peu plus de 2000 hectares en 2011, soit presque le double de la superficie occupée en 2003. Michael Seresin en tire un excellent vin, d'emblée affriolant avec son nez hyper fruité, mais qui n'exclut pas la profondeur.

Issu de l'agriculture biologique et fermenté avec les levures indigènes, le 2014 était particulièrement ouvert et expansif au nez, lorsque goûté en juillet 2016. La bouche par contre fait preuve de fermeté et d'une certaine retenue, sans doute en raison d'une fermentation partielle avec les grappes entières. Peu d'extraction tannique, mais un jeu très subtil entre le fruit et l'amertume, et un relief nettement supérieur à la moyenne des pinots dans cette gamme de prix. À boire absolument à table pour en profiter pleinement.

11584638 22,60$ ★★★★ ② ♥

9 419106 110581

FLEUR DU CAP

Pinot noir 2015, Western Cape, Afrique du Sud

Pinot souple et sphérique, pas vraiment corsé, mais tendre et copieusement fruité. La bouche est ronde, mais animée par une acidité soutenue qui pince les joues. Un peu rudimentaire et dessiné à gros traits, mais recommandable à ce prix.

12824891 16,95$ ★★★ ②

6 001108 085153

KOOYONG ESTATE

Pinot noir 2010, Single Vineyard Ferrous, Mornington Peninsula, Australie

La famille Gjergja produit d'excellents pinots et chardonnays dans l'appellation Mornington Peninsula, au sud-est de Melbourne. Une partie du vin (15 %) est vinifiée avec les grappes entières, accentuant ainsi sa vigueur et sa prestance. Non filtré, plein en bouche sans verser dans les excès crémeux. Le bois et le fruit sont unis de manière harmonieuse, laissant une impression de grand raffinement; longue finale parfumée. Belle bouteille.

11632433 79$ ★★★★ ② ▼ Ⓢ

9 330414 000367

MARISCO VINEYARD

Pinot noir 2014, The Ned, Marlborough, Nouvelle-Zélande

Pinot noir simple et coulant, certes un peu fluide, mais sincère et sans artifices inutiles. À apprécier avant tout pour son caractère fruité et à servir autour de 15 °C, au cours des deux prochaines années.

0 853076 003075

12820081 22,35$ ★★★ ②

NEWTON-JOHNSON

Pinot noir 2015, Félicité, Western Cape, Afrique du Sud

Très joli pinot, authentique et suave. Le nez annonce de belles choses avec ses parfums éclatants de fruits rouges qui font saliver. Et la bouche ne déçoit pas. Goûtez sa finesse et appréciez l'équilibre et le judicieux rapport de force entre le fruit pur et la souplesse des tanins. Gourmand, beaucoup de relief fruité, mais pas la moindre sucrosité. Si tous les pinots du Nouveau Monde étaient si bons et si abordables, la Bourgogne aurait de quoi trembler. Arrivée prévue pour le mois de février 2017.

6 006379 000232

12556321 20$ ★★★★ ② ♥

SAINT CLAIR

Pinot noir 2014, Marlborough, Nouvelle-Zélande

Le pinot noir courant de Saint Clair n'est pas le plus complexe des vins rouges de Marlborough, mais il offre d'année en année tout le fruit et la souplesse recherchés dans un vin de ce genre. Frais, léger, avec des saveurs pures de fruits.

9 418076 000564

10826543 24,10$ ★★★ ②

SPY VALLEY

Pinot noir 2013, Marlborough, Nouvelle-Zélande

Ce domaine fondé en 1993, dans le secteur de Wairau Valley, au sud de Marlborough, est la source d'un très bon pinot noir, qui charme d'emblée par son attaque franche et nette, gorgée de fruit et rehaussée d'une saine acidité. Plus de mâche et de tonus que la moyenne régionale; finale rassasiante et bonne longueur pour le prix. Quatre étoiles bien méritées dans sa catégorie.

9 421008 351023

10944152 24,55$ ★★★★ ② ♥

HÉMISPHÈRE SUD AFRIQUE DU SUD

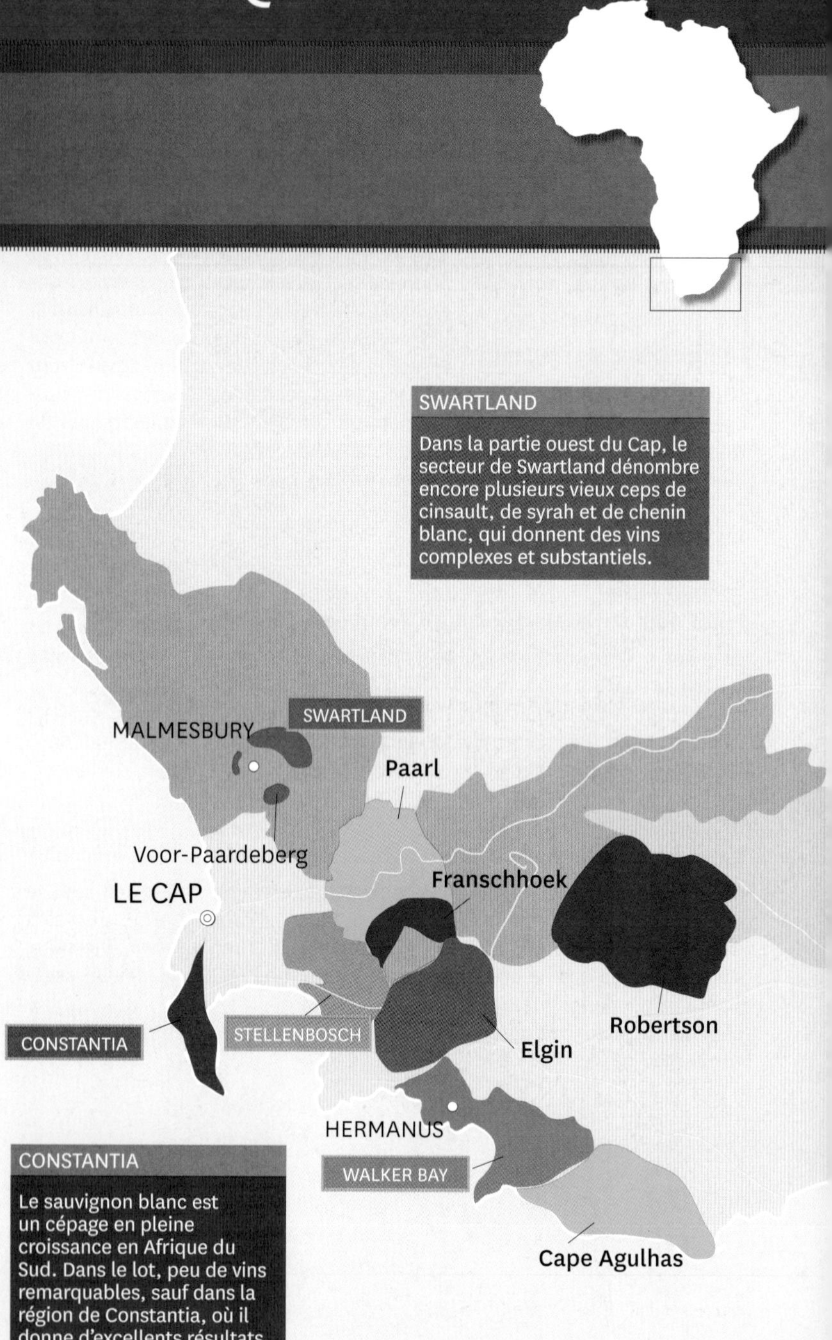

SWARTLAND

Dans la partie ouest du Cap, le secteur de Swartland dénombre encore plusieurs vieux ceps de cinsault, de syrah et de chenin blanc, qui donnent des vins complexes et substantiels.

CONSTANTIA

Le sauvignon blanc est un cépage en pleine croissance en Afrique du Sud. Dans le lot, peu de vins remarquables, sauf dans la région de Constantia, où il donne d'excellents résultats.

Avec ses deux siècles et demi d'histoire et son dynamisme presque juvénile, le vignoble du Cap a un monde de saveurs à offrir. Bien sûr, tenu à l'écart des innovations technologiques pendant une partie du régime de l'apartheid, le vignoble sud-africain a fait du surplace pendant que ceux d'Europe et du reste du monde entraient dans l'ère moderne ; mais depuis 1990, le retard s'est rattrapé à grande vitesse. Dans les chais, on a modernisé les méthodes de vinification et introduit l'élevage en fûts de chêne neufs. Plusieurs vignerons de Paarl et de Stellenbosch ont arraché leurs vieux plants de chenin blanc pour faire place aux cépages à la mode : chardonnay, cabernet sauvignon, syrah, merlot, etc.

Légèrement excentré et considéré trop aride et trop chaud pour planter du cabernet et du chardonnay, Swartland évolue en marge de l'industrie viticole sud-africaine. À leur meilleur, les vins rouges de cette région ressemblent en plusieurs points aux vins rouges du Roussillon : riches, capiteux, exubérants, mais sans la moindre lourdeur. Les pages suivantes font état de quelques très beaux exemples de cette région en plein essor.

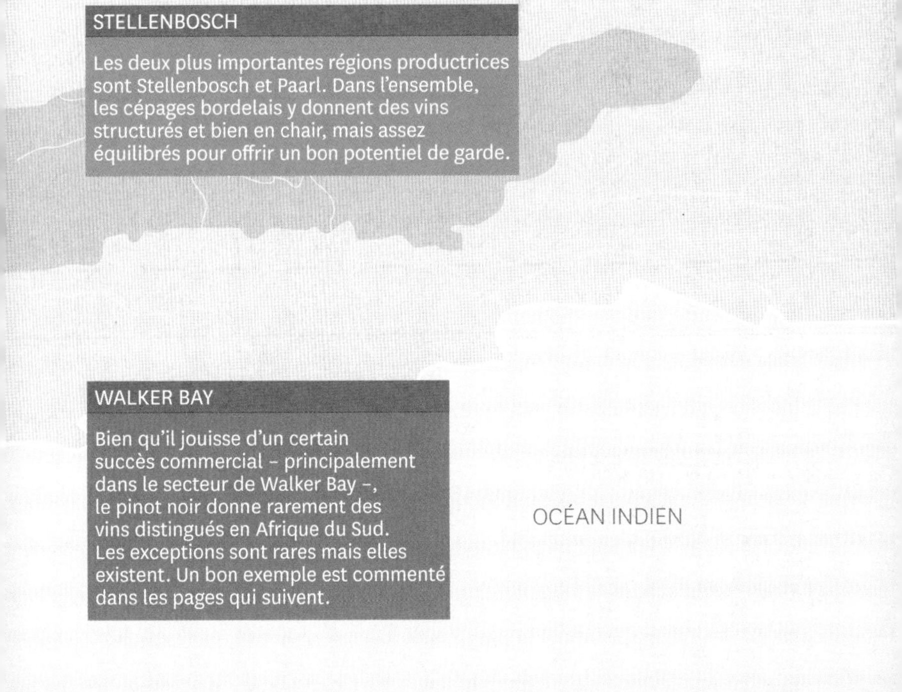

STELLENBOSCH

Les deux plus importantes régions productrices sont Stellenbosch et Paarl. Dans l'ensemble, les cépages bordelais y donnent des vins structurés et bien en chair, mais assez équilibrés pour offrir un bon potentiel de garde.

WALKER BAY

Bien qu'il jouisse d'un certain succès commercial – principalement dans le secteur de Walker Bay –, le pinot noir donne rarement des vins distingués en Afrique du Sud. Les exceptions sont rares mais elles existent. Un bon exemple est commenté dans les pages qui suivent.

MULLINEUX

Chenin blanc 2015, Kloof Street, Swartland

Andrea et Chris Mullineux se sont rencontrés dans la vallée du Rhône, où ils étaient tous deux venus étudier. Avant de fonder leur domaine de Riebeek, au pied de la montagne Kasteelberg, ils ont travaillé auprès de Gérard Gauby, avec qui ils ont manifestement appris à faire de bons vins. Après seulement quatre vendanges, le domaine de Chris et Andrea Mullineux a été couronné « Winery of the Year » par le Guide sud-africain *Platter's 2014*.

Vendu pour la première fois à la SAQ, ce 2015 affiche une couleur dorée et des parfums explosifs de chenin qui rappellent davantage les vins d'Anjou que de Vouvray. La bouche est mûre, riche en saveurs de fruits jaunes, mais soutenue par l'acidité caractéristique du chenin blanc, avec une fine minéralité en trame de fond. Tenue, caractère, élégance. Pas étonnant que Chris et Andrea Mullineux soient des étoiles de Swartland.

12889409 23,95$ ☆☆☆☆ ② ♥ 6 009801 291444

BADENHORST, ADI

Chenin blanc 2015, Secateurs, Swartland

Dans le même esprit de légèreté et de « buvabilité » que le vin rouge de la gamme Secateurs, ce chenin blanc est tout à fait délicieux. Nez mûr qui évoque la poire. La bouche se dessine tout en délicatesse; le tout est guilleret, avec cette élégance classique des bons vins blancs conçus pour être bus, plutôt que pour impressionner. Mariage de gras et de fraîcheur. Finale savoureuse et rassasiante aux goûts de miel et de poire asiatique.

12135092 19,95$ ☆☆☆☆ ② ♥ 6 009800 591095

CATHEDRAL CELLAR (K.M.W.)

Chenin blanc 2014, Paarl

Autrefois coopérative nationale, la KWV a été privatisée en 1997, après presque un siècle d'hégémonie viticole. Elle appartient aujourd'hui en partie à un regroupement d'hommes et de femmes d'affaires noirs de la région de Paarl. Élevé en fût de 500 litres de second et de troisième usage, ce chenin est bien tourné dans un style commercial. Mûr et soutenu par une acidité modérée; des notes de beurre et de fumée s'ajoutent aux nuances de fruits blancs. Bon rapport qualité-prix.

0 748294 424026

12462827 18,50$ ☆☆☆ ②

DE MORGENZON

Chenin blanc 2015, DMZ, Western Cape

Pas aussi exubérant que d'autres chenins blancs du Nouveau Monde, mais doté d'une salinité plutôt rare dans les vins de cette gamme de prix. Une belle expression du cépage chenin, authentique, net et sans artifice; tout en nuances, mais de bonne tenue en bouche et très bien équilibré. Prix très attrayant pour un vin de cette qualité.

6 009820 750236

12591434 16,95$ ☆☆☆ ½ ② ♥

FORRESTER, KEN

Chenin blanc 2016, Petit, Stellenbosch

Année après année, ce vin très largement distribué dans le réseau de la SAQ offre une belle expression du chenin blanc. Toute l'acidité, la vigueur et le caractère citronné de ce cépage; tranchant, modérément aromatique, animé d'un léger reste de gaz. Très fidèle à l'esprit du *steen*. Prix attrayant.

0 683652 000668

10702997 14,85$ ☆☆☆ ½ ② ♥

ROBERTSON WINERY

Chenin blanc 2015, Robertson

Sans surprise, la coopérative a produit de nouveau un très bon chenin blanc, presque sec (5,6 g/l), aux saveurs fruitées mûres et franches, sur un fond délicatement fumé. À 10$ et des poussières, rares sont les vins blancs qui offrent autant de volume et de tenue en bouche. Une aubaine!

0 746925 000977

10754228 10,70$ ☆☆☆ ② ♥

NEWTON-JOHNSON

Chardonnay 2015, Félicité, Western Cape

Les vins de Chablis ont désormais valeur de référence pour nombre de vignerons du Nouveau Monde qui cultivent le chardonnay. La plupart des domaines dynamiques, de l'Australie au Chili en passant par le Cap ont troqué le bois neuf et les excès de maturité pour la quête de pureté, de minéralité et de fraîcheur. Beau défi, direz-vous!

Parmi les beaux exemples du genre goûtés récemment, ce chardonnay produit par une cave familiale, perchée dans les hauteurs de Hermanus, dans la vallée de Hemel-en-Aarde, à une centaine de kilomètres à l'est du Cap. Vinifié en cuves d'acier inoxydable, vif, cristallin, le 2015 repose sur un équilibre idéal entre le gras, la structure, l'acidité et le fruit. Vibrant de jeunesse et salin, il égrène les saveurs de poire, d'écorce de citron, d'eau de mer, de fleurs blanches. Tout ça à moins de 20$...!

12889724 17,80$ ☆☆☆☆ ② ♥ 6 006379 000249

BADENHORST, ADI

The Curator White Blend 2015, Swartland

Chenin blanc, chardonnay et viognier. Rien de compliqué (à moins de 15$, on ne demande pas la Lune) mais beaucoup de plaisir en perspective, tant à l'apéro qu'à table. Des parfums de poire et de citron, la vivacité du chenin blanc, le gras du chardonnay; finale florale délicieuse, soulignée d'une salinité qui donne soif. La contre-étiquette fait mention de sa «grande buvabilité». Je ne saurais mieux dire.

12889126 14,25$ ☆☆☆ ½ ② ♥ 6 009800 591378

BOEKENHOUTSKLOOF

Sauvignon blanc 2015, Porcupine Ridge, Western Cape

Comme tout le reste de la gamme Porcupine Ridge, le sauvignon blanc ne déçoit pas. Modeste, mais sec, délicatement aromatique, avec des goûts d'agrumes sur un fond d'accents fumés; du gras, du nerf et une longueur digne de mention pour le prix.

592881 14,95$ ☆☆☆ ②

0 746925 000939

BOEKENHOUTSKLOOF

The Wolftrap blanc 2014, Western Cape

J'avais en mémoire que cet assemblage de viognier, chenin blanc et grenache blanc était beaucoup plus parfumé. Le 2014 est juteux, riche en bons goûts de pêche et de fleurs, mais sec et pas pommadé du tout; du gras, une saine amertume, une tenue de bouche appréciable et un léger reste de gaz pour la fraîcheur. À ce prix, on achète sans la moindre hésitation.

11605734 16,85$ ☆☆☆ ½ ② ♥

0 746925 001585

BOUCHARD FINLAYSON

Chardonnay 2014, Sans Barrique, Overberg

Dans une dégustation à l'aveugle, on aurait vite fait de prendre ce chardonnay pour un vin de Chablis. Très sec, minéral, tranchant. Aucune verdeur, mais aucun parfum floral ou saveur de fruits exotiques. On dit que le chardonnay est l'un des meilleurs cépages pour traduire le goût de son lieu d'origine. Ce vin sud-africain de moins de 25$ en est la preuve : salin, minéral, désaltérant. Excellent!

12171907 24,80$ ☆☆☆☆ ② ♥

6 004589 000189

FLEUR DU CAP

Chardonnay 2014, Western Cape

À prix juste, un bon chardonnay de facture conventionnelle (boisé, gras, légèrement beurré), sec, désaltérant et pas du tout caricatural. Rien de bien original, mais l'amateur de chardonnay y trouvera son compte à moins de 15$.

340406 14,95$ ☆☆☆ ②

6 001496 301200

GLENELLY

Syrah 2011, The Glass Collection, Stellenbosch

En 2003, à l'âge vénérable de 79 ans, May-Éliane de Lencquesaing, ex-propriétaire du Château Pichon Longueville Comtesse de Lalande, a acquis ce domaine historique dans les hauteurs de Simonsberg, dans l'appellation Stellenbosch. Adi Badenhorst agit comme consultant.

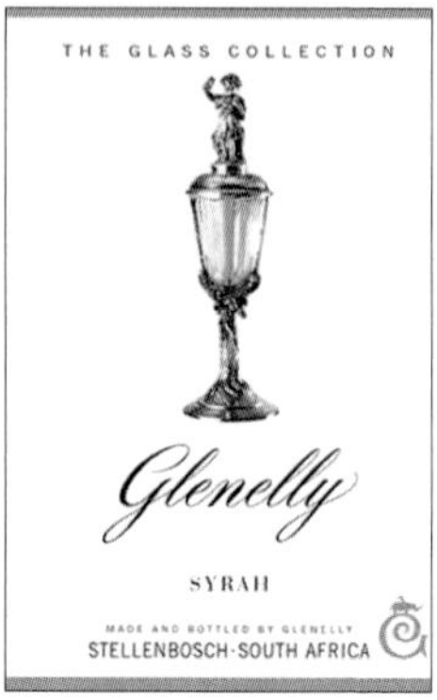

Heureuse surprise que cette syrah de Stellenbosch dont il émane une irrésistible sensation de fraîcheur. La fermentation avec les grappes entières y est sans doute pour beaucoup. Aucun excès de maturité ni de bois; plutôt des saveurs franches de fruits frais et de fleurs, une trame tannique serrée. Toute la mâche voulue, mais une élégance peu commune dans les vins sud-africains de cette gamme de prix. À point et prêt à boire dès maintenant.

6 009673 270929

12820815 18,50$ ★★★★ ② ♥

BADENHORST, ADI

Red blend 2013, Secateurs, Swartland

Présentant un peu moins de relief que le 2012, ce vin n'en demeure pas moins impeccable. Aucun goût boisé. On laisse le naturel fruité des cépages syrah, grenache et cinsault s'exprimer simplement et c'est tant mieux. Ampleur moyenne, mais un cadre tannique juste assez serré pour laisser la bouche nette et désaltérée.

6 009800 591101

12132633 19,95$ ★★★★ ② ♥

BOEKENHOUTSKLOOF

Syrah 2014, Porcupine Ridge, Swartland

Depuis quelques années, je ne cesse d'être impressionnée par la qualité de cette syrah de la gamme Porcupine Ridge. Le 2014 est dans la lignée des derniers millésimes, juteux, ample, gorgé de goûts de fruits noirs, sur un fond de viande fumée, de fleurs séchées et d'aromates. Des tanins mûrs et suaves tapissent la bouche et laissent une sensation très rassasiante. Une aubaine pour l'amateur de syrah.

0 746925 000786

10678510 17,85$ ★★★★ ② ♥

MULLINEUX

Kloof Street Red 2014, Swartland

Cet assemblage de syrah (85 %), carignan, cinsault, mourvèdre et grenache n'est pas très exubérant, mais il compense largement par son élégance. Le vin repose sur des tanins veloutés, presque soyeux, sans la moindre rusticité; bleuet, épices, herbes séchées se déclinent avec pureté et une longueur digne de mention. Un autre coup de maître de Chris et Andrea Mullineux.

12483927 19,35 $ ★★★★ ② ♥

6 009801 298078

ROBERTSON WINERY

Shiraz 2012, Number One Constitution Road

Le vin s'ouvre sur un nez intense et pur de poivre noir. La bouche est franche, aux accents de cuir. 15 % d'alcool, mais soutenu par une saine acidité; saveurs de fruits confits, finale un peu capiteuse, mais pas brutale. Un peu plus de détail et de relief seraient bienvenus. Rassasiant dans un style opulent; mais pour le prix, on fait mieux.

10703332 29,50 $ ★★★ ②

0 746925 000625

SAXENBURG

Shiraz 2012, Private Collection, Stellenbosch

Le poids de la bouteille pourrait faire craindre un profil trop ambitieux, mais il n'en est rien. Bien sûr, le vin ne manque pas de poids ni de volume en bouche; une abondance de fruits mûrs, une juste dose d'extraits tanniques et un bel usage du bois, qui se fond aux parfums de la syrah. Bonne bouteille à boire d'ici 2020.

12787234 26,85 $ ★★★ ½ ②

6 002461 000128

SADIE FAMILY

Columella 2013, Swartland

Adepte de la biodynamie, Eben Sadie est un viticulteur hyper réputé du Cap. L'emblème de la propriété familiale est la cuvée Columella, un vin intense et raffiné qui résume à lui seul tout le potentiel de la région de Swartland. Toujours vinifié avec les grappes entières, le vin doit notamment sa concentration et sa profondeur à des rendements ultra limités, qui se situent autour de 20 hl/ha. Quelle finesse dans cet assemblage de syrah (76 %), de mourvèdre, de grenache, de carignan et de cinsault! Un spectre aromatique multidimensionnel et d'une exquise profondeur, un grain fin, mûr, velouté, mais tissé assez serré pour assurer sa vigueur en bouche. À la fois leste, nerveux et vibrant de jeunesse. Son équilibre, comme sa longue finale florale et épicée, sont garants de longévité.

12768957 122 $ ★★★★→? ③ Ⓢ

4 000127 689573

CHAMPAGNE

Depuis une dizaine d'années, la production de vins effervescents a augmenté de 40 % sur la planète! À elle seule, la région de Champagne représente plus de 15 % du volume mondial de vins effervescents et écoule chaque année l'équivalent de 360 millions de bouteilles.

Bref, la région a beau avoir souffert de la crise économique de 2008, plusieurs amateurs ayant délaissé le champagne pour se tourner vers les prosecco, cava et autres mousseux abordables, aucune grande maison ne semble près de déposer le bilan.

Longtemps seules dans leur bulle, les grandes marques champenoises doivent désormais jouer du coude à l'exportation avec les vignerons indépendants, dont les vins connaissent une popularité croissante, tant dans la restauration qu'auprès d'une clientèle avisée, moins sensible aux arguments du marketing.

Par ailleurs, la consommation de champagne et autres vins effervescents n'est plus réservée exclusivement aux grandes célébrations et se taille désormais une place dans les habitudes régulières des amateurs de vin. Une heureuse nouvelle, puisque aucune boisson ne permet autant d'égayer les papilles et les esprits. Jugez-en par vous-même, faites sauter le bouchon!

LES PLUS RÉCENTS MILLÉSIMES COMMERCIALISÉS

2015
Début de saison frais, mais période de chaleur et de sécheresse intense en juin et en juillet. Les vins de pinot noir devraient être plus complets que ceux de chardonnay. Les maisons qui ont pu vendanger tôt en septembre devraient produire de très bons vins.

2014
Août sous la pluie et un mois de septembre chaud et sec. Les secteurs de la Côte des Blancs, de l'Aube, de même que la partie nord de la montagne de Reims promettent de meilleurs résultats.

2013
Autre année frappée par des épisodes de grêle dévastateurs dans l'Aube. À l'opposé de 2012, on observe un très beau potentiel pour les vins de chardonnay, mais une qualité hétérogène pour les pinots, à l'exception de ceux d'Aÿ.

2012
Un début d'été très pluvieux et des nuages de grêle ont fortement touché les vignobles du département de l'Aube. Résultat : une récolte réduite de moitié. La qualité s'annonce assez bonne pour les vins de pinot noir et de pinot meunier.

2011
Une année de températures extrêmes. Un printemps et un mois de juin plus chauds que la normale ont fait place à un été relativement frais, même froid par moments. Le choix de la date de la récolte a fait toute la différence. Quelques belles réussites dans les grands crus.

2009
Une année de générosité a engendré des vins amples et savoureux qui devraient s'ouvrir avant les 2008. Le pinot noir de l'Aube a donné d'excellents vins. Il y a des aubaines à saisir...

2008
L'un des bons millésimes de la décennie. Un peu austère en jeunesse, mais doté d'un équilibre classique et promis à un bel avenir.

2006
Beau mois de septembre. Des vins fins, mais aussi riches et généreux.

L'ÉLABORATION DU CHAMPAGNE EN QUELQUES MOTS

L'élaboration du champagne suit un vocabulaire très précis, présenté ici dans l'ordre des étapes de fabrication.

Méthode traditionnelle: autrefois nommée méthode champenoise, elle est employée pour élaborer des vins selon le principe de la seconde fermentation en bouteille.

Vin de base: vin tranquille, fruité et sec, doté d'une légère acidité qui servira de base à la seconde fermentation en bouteille.

La prise de mousse (ou tirage): seconde fermentation en bouteille. On ajoute au vin de base une liqueur de tirage – le plus souvent composée de sucre de canne ou de betterave assemblé à un vieux vin – et des levures, qui transformeront le sucre en alcool, dégageant alors une certaine quantité de gaz carbonique qui, dissous dans le vin, donnera la mousse. Quatre grammes de sucre par litre suffisent pour obtenir une pression d'un kilogramme par cm^2.

Sur lattes: la durée minimale de la phase de vieillissement sur lattes est de 15 mois pour les champagnes non millésimés et de trois ans pour les champagnes millésimés. Certaines maisons conservent cependant leurs grandes cuvées sur lattes pendant plus de dix ans.

L'autolyse des levures: les levures meurent après avoir complété la transformation du sucre en alcool. En se décomposant, elles libèrent des substances qui donneront au vin effervescent du gras et de la rondeur, de même qu'un goût caractéristique qui rappelle les pâtisseries (mie de pain, pain grillé, croissants, scones, etc.).

Remuage: cette étape consiste à faire tourner les bouteilles – placées sur des pupitres, le goulot vers le bas – de façon lente et progressive, afin que les lies se concentrent dans le goulot. Maintenant presque toujours mécanisée, cette étape s'effectuait autrefois à la main. Un remueur chevronné tournait en moyenne 40 000 bouteilles par jour!

Dégorgement: une fois les lies accumulées dans le goulot, ce dernier est plongé dans une saumure dont la température atteint -30 °C. Le bouchon de glace qui se forme alors dans le col emprisonne les lies; il sera éjecté de la bouteille sous l'effet de la pression.

Dosage: pour tempérer l'acidité naturelle du vin, le chef de cave peut choisir d'ajouter une liqueur de dosage (ou liqueur d'expédition), composée d'un vin vieux de plus de deux ans et de sucre de canne. La quantité de sucre introduite déterminera le type de champagne.

Brut nature ou zéro dosage: commercialisé sans ajout de liqueur. La seule sucrosité vient de la rondeur naturelle du vin.
Extra brut: jusqu'à 9 g/l de sucre.
Brut: jusqu'à 15 g/l de sucre.

DOQUET, PASCAL

Premier cru Blanc de blancs, Arpège, Brut Nature

En 2004, Pascal Doquet a racheté la totalité des parts de la maison familiale Doquet-Jeanmaire, située à Vertus, au sud de la côte des Blancs. Son vignoble est conduit en agriculture biologique depuis 2007.

Assemblage de vins des millésimes 2010, 2009 et 2008, la cuvée *Arpège* séduira immanquablement les amateurs de champagne sec, fin et délicat. Moins de 2 g/l de sucre, des saveurs citronnées qui se dessinent sur un fond de mie de pain et de beurre. Comme tant de champagnes, il gagne à être servi frais, mais pas frappé, autour de 8 à 10 °C.

12024253 64,25$ ☆☆☆☆

3 760011 500025

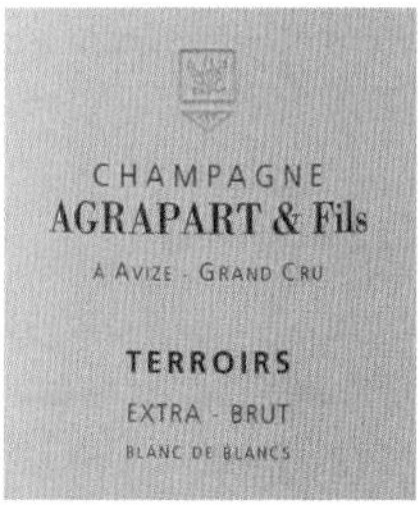

AGRAPART

Terroirs, Blanc de blancs, Extra Brut

Cette cave familiale compte à peine 10 hectares de vignes, qu'elle soigne scrupuleusement (labour des sols à l'ancienne, emploi de levures indigènes, élevage en fût). Excellent champagne d'emblée agréable par son attaque en bouche franche, ses bons goûts de pomme verte, de citron et de brioche. Très sec, élégant et désaltérant.

12437007 82$ ☆☆☆ ½

3 557785 119030

DRAPPIER

Brut Nature, Pinot noir, Zéro dosage

Aucune liqueur d'expédition n'a été ajoutée à ce vin composé à 100 % de pinot noir. L'onctuosité est attribuable seulement à la maturité des raisins. Sec et bien marqué par le caractère du cépage et par une amertume sentie en finale. Très bon rapport qualité-prix; il demeure une valeur sûre dans sa catégorie.

11127234 49,50$ ☆☆☆

3 469380 630011

LAHERTE FRÈRES

Ultra tradition Brut

Créé à la demande des marchands britanniques qui souhaitaient réduire les variations d'une année à l'autre, le champagne non millésimé est le fruit d'un assemblage de vins de plusieurs millésimes et de différents cépages et terroirs. Ces cuvées représentent plus de 80 % des ventes annuelles de la Champagne.

Sur les coteaux sud d'Épernay, entre la Côte des Blancs et la vallée de la Marne, le vignoble de la famille Laherte est conduit en agriculture biologique et biodynamique. L'acidité caractéristique du pinot meunier (60 %) n'est certainement pas étrangère à la grande sensation de fraîcheur qui émane de cette cuvée vendue pour la première fois à la SAQ. Sec, avec une certaine extraction tannique qui encadre le fruit et laisse une sensation rassasiante et pourtant très fine. Saveurs pures, finale saline et aérienne. À ce prix, on croit rêver!

12592605 48,25$ ☆☆☆☆

BARNAUT

Grand cru, Blanc de noirs

Le domaine de Philippe Secondé, à Bouzy, compte parmi les maisons champenoises les plus en vue. Avec raison, si on en juge par la qualité et la constance de ce blanc de noirs vendu depuis quelques années à la SAQ. Composé de pinot noir, le vin présente de belles nuances de fruits rouges et de terre humide, le tout porté par une texture vineuse, mais empreinte de fraîcheur. Beaucoup de vin dans le verre pour le prix.

11152958 52$ ☆☆☆☆ ②

BOLLINGER

Special Cuvée, Brut

Marque-culte, célèbre pour ses vins riches et profonds, vinifiés en fût de chêne, Bollinger est aussi propriétaire du domaine Langlois-Chateau, dans la Loire. Toujours impeccable, cette cuvée est un modèle en matière de brut non millésimé. Plus consistant, vineux et structuré que la moyenne, les goûts de noisette et les tonalités crayeuses sont soutenus par une acidité fine et une amertume noble. Long, de bonne tenue, très stylé. Impeccable!

384529 76,25$ ☆☆☆☆

DE SOUSA & FILS

Brut Tradition

Cette maison familiale gérée par Érick de Sousa jouit, à juste titre, d'une excellente réputation. Les vignobles sont conduits en biodynamie. À prix abordable – dans le contexte champenois, s'entend – un bon vin de facture classique, composé de chardonnay et de pinots noir et meunier. Délicatement brioché, avec une pointe iodée; mousse fine et assez persistante. Bon achat.

12795197 56,50$ ☆☆☆ ½

3 760030 290013

DE SOUSA & FILS

Cuvée 3A, Extra Brut

Assemblage de trois terroirs de grand cru dans les communes d'Avize, d'Aÿ et d'Ambonnay, d'où le nom. Le chardonnay, qui compte pour 50% de l'assemblage, est vinifié en fût de chêne. Les rendements naturellement faibles des vieilles vignes de pinot expliquent peut-être la maturité et l'intensité des saveurs, qui forment par ailleurs un mariage harmonieux avec l'acidité et la structure du vin. Presque sec, étoffé, très vineux et couronné d'une délicate amertume qui met le fruit en relief et accentue les notes crayeuses en finale. Belle bouteille qu'on pourrait laisser reposer en cave encore quelques années.

12794792 74$ ☆☆☆☆ ②

3 760030 290051

POL ROGER

Brut

Entreprise restée familiale, Pol Roger a gagné la confiance d'amateurs des cinq continents qui ne jurent que par son style élégant. Le brut non millésimé, qui représente 70% de toute la production de la maison, en est un très bel exemple. La bulle est à la fois tendre, fine et persistante, les saveurs sont pures et distinguées et le vin a une allure aérienne. Une référence, à juste titre.

51953 61,50$ ☆☆☆☆

3 260923 012000

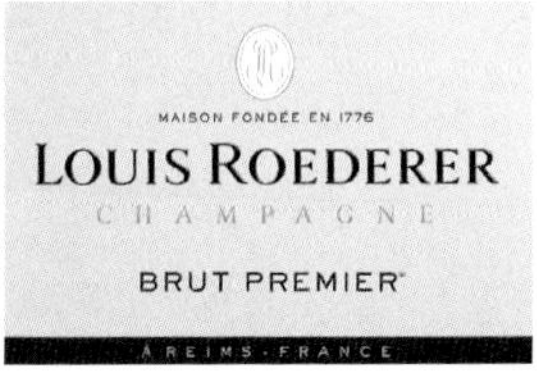

ROEDERER

Brut Premier

Cette maison admirablement tenue par la famille Rouzaud fait partie de l'élite de la Champagne. D'une constance exemplaire, le brut non millésimé mise sur une composition de deux tiers de raisins noirs, d'où sa plénitude et son caractère vineux. Saveurs riches et fraîcheur exemplaire.

268771 70$ ☆☆☆☆

3 114080 116050

GIMONNET, PIERRE

Spécial Club 2009, Premier cru Chardonnay, Brut

Ce champagne provient à moitié de vignes plantées entre 1911 et 1913 qui s'enracinent dans la commune de Cramant. L'âge des vignes tout comme la durée de l'élevage sur lattes (60 mois) expliquent sans doute la profondeur et la complexité de cette cuvée Spécial Club. L'un des blancs de blancs les plus vibrants et rassasiants que j'aie goûté depuis quelques années.

Le 2009 est aussi complexe au nez qu'en bouche et affiche les parfums caractéristiques du chardonnay. Beaucoup de volume et d'envergure, ce qui n'exclut en rien la finesse et la précision. Onctueux, mais aussi salin et minéral, avec des notes de craie. Le vin se déploie en largeur autant qu'en longueur; avec des couches de saveurs mariant la noisette et les croissants fraîchement sortis du four, le citron et les fleurs blanches, le tout couronné d'une amertume noble qui met le fruit en relief. À garder idéalement en cave encore quatre ans, si vous arrivez à y résister. Du pur bonheur!

11854503 90$ ☆☆☆☆ ½ ③ 3 490920 090491

DELAMOTTE

Brut Blanc de blancs

Cette petite maison de Champagne située à Le Mesnil appartient à la firme Laurent-Perrier. Un vieillissement sur lattes prolongé (de 4 à 5 ans) n'est pas étranger au volume et à la prestance de ce vin de chardonnay. À l'ouverture, on est vite séduit par son nez de levures et de pain brioché; la bouche est ample, pas très complexe, mais substantielle et assez fidèle à l'idée d'un bon blanc de blancs.

12034321 65,25$ ☆☆☆ ½ 3 418760 000685

DOQUET, PASCAL

Cuvée Horizon, Brut Blanc de blancs

Fruit d'un assemblage des récoltes 2009 et 2010, cette cuvée est composée exclusivement de chardonnay issu d'une parcelle plantée dans les années 1970 par le père de Pascal Doquet. La bouche est ample et le fruit est bien présent; la pomme côtoie les accents de fraise des bois et le goût de pain grillé attribuable à l'élevage. Dosé, mais pourtant très pur et sans lourdeur, le vin présente un bel équilibre d'ensemble. Même avec une hausse de 7$ depuis l'an dernier, ça reste un excellent rapport-prix.

11528046 55$ ☆☆☆☆ 3 760011 500117

GIMONNET, PIERRE

Cuvée Cuis Premier cru Brut

Un champagne qui met en valeur les plus beaux atouts du chardonnay, et qu'il faut déguster lentement, de préférence à table, afin de l'apprécier pleinement. La bouche est fraîche et élancée, puis une richesse sous-jacente se développe avec des notes d'amande et de pain grillé. Complexe, avec des arômes de poire et de noisette, et une finale crayeuse qui ajoute à sa prestance et à sa profondeur.

11553209 61,75$ ☆☆☆☆

3 490920 000117

GOERG, PAUL

Blanc de blancs Premier cru

Une heureuse surprise cette année pour ce champagne «abordable», produit par la cave coopérative de Vertus, au cœur de la Côte des Blancs. La qualité au cours des dernières années est très constante, mais rarement transcendante. Celui-ci, issu d'une base de 2007, m'a paru plus vineux que d'habitude, avec des saveurs franches de fruits blancs. Tout à fait recommandable à moins de 50$.

11766597 45,75$ ☆☆☆

3 527801 100106

LASSAIGNE, JACQUES

Les Vignes de Montgueux, Blanc de blancs

Le viticulteur Emmanuel Lassaigne prouve que le département de l'Aube – souvent considéré comme le parent pauvre de la Champagne – peut donner des vins aussi inspirés que ceux de la Marne. Interprétation très fine du chardonnay, ce champagne est à retenir parmi les meilleurs vins pour accompagner les huîtres. Délicat, tout en fraîcheur et finement iodé, il donne tout son sens au mot «aérien».

12061311 56$ ☆☆☆☆

3 760058 070093

Blanc de blancs: Champagne élaboré exclusivement à partir de raisins blancs. Le chardonnay est le seul cépage blanc autorisé en Champagne, où son terrain de jeu de prédilection est la Côte des Blancs, une zone réputée pour ses sols calcaires, juste au sud d'Epernay.

Blanc de noirs: Vin blanc issu de raisins noirs. Son style est souvent plus riche et direct.

FLEURY

Rosé De Saignée, Brut

Le terme « saignée » indique que la couleur du vin relève exclusivement du contact du moût avec les peaux des raisins de pinot noir, plutôt que d'un assemblage de chardonnay « coloré » par l'ajout de vin rouge, une pratique largement répandue en Champagne.

Dans la Côte des Bars, le vignoble de la famille Fleury est cultivé en biodynamie depuis 1989. La couleur est donc plus soutenue que la moyenne, et le vin comporte une bonne dose d'extraits secs qui laisse une texture quasi tannique en bouche. Dense, avec de savoureux goûts de fruits rouges et un équilibre exemplaire. Racé et élégant. L'un des bons champagnes rosés offerts à la SAQ.

11010301 67,75$ ★★★★ ½

3 551870 753338

BOLLINGER

Brut rosé

La signature Bollinger, adaptée au rosé. Une grande envergure et une tenue en bouche immense, un vaste spectre d'arômes, entre le pain grillé, les levures, la pomme blette et les petits fruits rouges et noirs. Racé, persistant et très long en bouche. Il y a longtemps qu'un champagne rosé ne m'avait donné un tel plaisir. Magnifique!

10955741 99,25$ ★★★★ ½

3 052853 078443

DE SOUSA & FILS

Brut rosé

Très bon rosé d'assemblage – 90% chardonnay et de 10% pinot noir. Ce dernier, provenant du village d'Aÿ, apporte au vin des saveurs franches de fraises des bois et contribue sans doute à sa tenue en bouche. Très bel équilibre entre la minéralité crayeuse et la vitalité du chardonnay et l'ampleur fruitée du pinot. Savoureux en son genre et vendu à un prix terrestre, contrairement à d'autres rosés.

12795242 70,50$ ★★★ ½

3 760030 290037

DOQUET, PASCAL

Rosé Premier cru

Manifestement issu de raisins mûrs et dosé à 6,3 g/l de sucre. Pureté et élégance; saveurs délicates, mariant des nuances minérales et fruitées au goût caractéristique de levures, rehaussés d'une fine amertume en finale. Équilibre impeccable. Une aubaine!

12024296 66,75$ ★★★★

DUVAL-LEROY

Brut rosé

Cette cave fondée en 1859, à Vertus, est admirablement tenue par Carol Duval-Leroy. Sous sa gouverne, l'entreprise restée familiale s'est hissée dans le top 10 des maisons champenoises les plus importantes. Sans atteindre la profondeur des grandes cuvées du domaine, ce rosé a beaucoup de charme. Nez parfumé d'écorce d'orange, de fraise et de brioche; bouche onctueuse (dosée à 11 g/l), sans être dépourvue de fraîcheur. Plus fin que la moyenne des rosés et vendu à un prix tout à fait honnête.

12666117 55$ ★★★

HENRIOT

Brut rosé

Le rosé de la maison Henriot demeure l'un de mes favoris. Frais, vigoureux et délicatement aromatique; du fruit et de la tenue, dans des proportions harmonieuses. À apprécier à l'apéritif ou encore à table avec des cailles laquées.

10839635 78,75$ ★★★★

PAILLARD, BRUNO

Brut rosé Première cuvée

Créée il y a une trentaine d'années, cette maison s'est vite taillé une réputation enviable dans cette région où règnent des institutions centenaires. Tout aussi agréable par son élégance, ce rosé se distingue par la précision de ses saveurs fruitées et florales. La maison Bruno Paillard a d'ailleurs été la première à inscrire systématiquement la date du dégorgement sur l'étiquette. Une mention utile, reprise par de plus en plus de producteurs.

638494 76,75$ ★★★ ½

AUTRES EFFERVESCENTS

Le mot «champagne» sur une étiquette désigne exclusivement un vin produit dans la région du même nom, au nord-est de Paris. Ailleurs, on ne produit pas du champagne, mais du vin mousseux: cava en Espagne, franciacorta ou spumante en Italie, sekt en Allemagne, crémant en France, «sparkling wine» aux États-Unis, en Australie, en Nouvelle-Zélande et au Canada, etc. Des vins très souvent élaborés selon la méthode champenoise, maintenant nommée méthode traditionnelle.

On s'adonne à la production de vins mousseux dans presque toutes les régions viticoles françaises: Alsace, Bourgogne, Jura, etc. Même dans le Sud, où le chaud climat méditerranéen laisserait planer des doutes, on obtient maintenant des vins étonnamment rafraîchissants. La région de la Loire est particulièrement douée pour l'élaboration de mousseux. Là-bas, pas de chardonnay ni de pinot noir, mais du chenin blanc, un cépage racé et singulier, qui donne des vins nerveux et vigoureux.

Mais la France n'est pas seule. Voulant rivaliser avec les Français sur tous les fronts, les Italiens produisent depuis quelques années des *spumante* d'une finesse étonnante. Si les proseccos sont avant tout fruités et guillerets, les meilleurs franciacorta rivaliseraient – selon les Italiens – avec certains champagnes.

En Espagne, au sud de Barcelone, des entreprises colossales se spécialisent dans la production de cava et autres mousseux, dont la qualité est en nette progression. Certaines cuvées haut de gamme font même preuve de beaucoup de race et de profondeur.

Outre-Atlantique, la Californie s'impose par d'excellents vins mousseux très souvent mis au point par des grandes maisons de Champagne venues s'y installer. Depuis 10 ans, la production d'effervescents a progressé de 25%!

On trouve aussi sur le marché quelques très bons vins effervescents d'Océanie, d'Amérique du Sud et… du Québec! Quelques belles trouvailles sont commentées dans cette section.

BENJAMIN BRIDGE
Méthode classique rosé 2011, Caspereau Valley

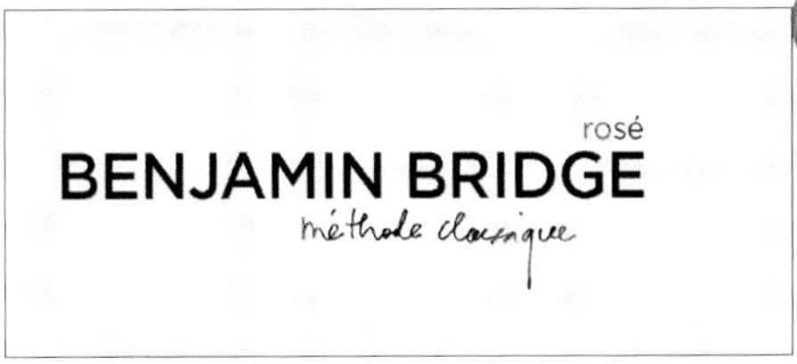

Depuis 2008, l'œnologue québécois Jean-Benoît Deslauriers peaufine son art et signe des vins de plus en plus précis, de plus en plus fins, pour ce domaine développé il y a une quinzaine d'années, sur les rives de la baie de Fundy.

Assemblage de pinot meunier, pinot noir et de chardonnay, ce rosé vendu en exclusivité dans les succursales Signature se déploie en bouche avec une belle vitalité; vibrant de jeunesse, et pourtant si gracieux. Les parfums de pâtisserie, attribuables à un élevage sur lattes de 24 mois, s'harmonisent de façon subtile aux goûts de fruits rouges des pinots. La bulle est très fine et le vin termine sa prestation en bouche sur une note saline qui donne envie d'un autre verre. Chapeau!

0 695555 000232

12937280 45$ ★★★★ ½ ② Ⓢ

BENJAMIN BRIDGE

Méthode classique 2009

Issu d'un encépagement pour le moins inusité dans le monde de l'effervescence (l'acadie, chardonnay et seyval), ce Méthode classique n'en est pas moins savoureux. Le 2009 me semble nettement plus jeune et frais que le 2008 commenté l'an dernier. Des parfums de pomme verte, de citron et de scones, mais aussi de petits fruits rouges – ce qui est peu commun pour un blanc de blancs. Très sec et tranchant, avec tout le volume souhaité en milieu de bouche et une finale vibrante. Compte tenu de la qualité, le prix me paraît justifié.

12647531 45$ ☆☆☆☆ ②

0 695555 000287

ROEDERER ESTATE

Brut, Anderson Valley

À son arrivée en Californie au début des années 1980, Roederer a été parmi les premières maisons à s'établir dans Anderson Valley. Lorsque dégustée à l'aveugle aux côtés de grandes cuvées de Champagne, cette cuvée se taille presque toujours une place dans le peloton de tête. Goûté à plusieurs reprises chaque année, le vin offre un très bon équilibre entre la plénitude de raisins bien mûrs et la signature d'élégance de Roederer. Toutes catégories confondues, il reste l'un des meilleurs mousseux sur le marché. On achète les yeux fermés.

294181 35,25$ ☆☆☆☆ ♥

0 097546 102008

BERNHARD & REIBEL

Crémant d'Alsace

Historiquement, les cépages riesling et gewürztraminer entraient peu ou pas du tout dans la composition des crémants d'Alsace. Le riesling occupe aujourd'hui une part un peu plus importante de l'assemblage, mais ce sont surtout les cépages pinot blanc, auxerrois, chardonnay et pinot noir qui sont mis à contribution.

Celui-ci est composé de chardonnay à 80 % et de pinot noir, issus de l'agriculture en biodynamie. Nettement plus ample et vineux que la moyenne des crémants de Bourgogne ou du Jura, le vin plaît d'emblée par son nez mûr, riche et expressif, mais c'est surtout en bouche qu'il se distingue par son relief de saveurs complexes et son volume, auquel contribue un vieillissement de 18 mois sur lattes. Belle bouteille. Excellent rapport qualité-prix.

En primeur

13133224 24,95$ ☆☆☆☆ ♥

ANTECH, GEORGE ET ROGER

Crémant de Limoux 2013, Expression

Encore meilleur que lorsque goûté l'an dernier, ce vin de Limoux est toujours à retenir parmi les bons crémants à la SAQ. 60 % de chardonnay, complété de mauzac et de chenin. Une attaque vive, fraîche et harmonieuse, malgré un dosage à 9,6 g/l de sucre. Bulle fine et élégante. Une valeur sûre à 20 $.

10666084 20,20$ ☆☆☆☆ ② ♥

3 274893 303587

BAILLY LAPIERRE

Crémant de Bourgogne 2009, Vive-la-Joie

Tout au nord de la Bourgogne, dans l'Auxerrois, cette cave coopérative affiliée à La Chablisienne regroupe une centaine de vignerons. Le millésime 2009 est une autre très belle réussite pour ce vin de chardonnay et de pinot noir, auquel un vieillissement sur lattes de plus de trois ans confère richesse et complexité. La maturité des raisins se fait aisément sentir par son volume en bouche, sa tenue et sa longue finale, nourrie de goûts généreux d'ananas. À boire sans se presser jusqu'en 2021.

11791688 29,75$ ☆☆☆ ½ ②

3 371804 820000

CARÊME, VINCENT

Vouvray Brut 2013

La pureté caractéristique des vins de Vincent Carême se manifeste aussi dans cet excellent chenin effervescent. Pas le plus ample ni le plus vineux des crémants sur le marché, mais quelle précision aromatique! Des arômes francs de pomme golden et de poire, sur un fond minéral. Sa vivacité appelle la soif et met en appétit. Servir frais, mais pas froid, autour de 10 °C.

11633591 25,25$ ☆☆☆☆ ② ♥

3 770003 649724

LOUIS BOUILLOT

Crémant de Bourgogne 2012, Perle Rare

Un cran plus mûr encore en 2012, sans sacrifier la fraîcheur et la vitalité, ce crémant sent bon la mie de pain et la crème pâtissière. Moins sucré que par le passé, il me semble, et pourtant plus complet, plus consistant. Finale élégante ponctuée d'une délicate amertume qui ajoute à sa longueur en bouche.

884379 23$ ☆☆☆ ½ ②

3 174470 080156

TISSOT, ANDRÉ ET MIREILLE

Crémant du Jura

La famille Tissot est l'une des forces de la viticulture jurassienne. Il y a plusieurs années, André et Mireille ont transmis les rênes à leur fils Stéphane qui s'inscrit parmi les vignerons les plus talentueux de sa génération. Très bon crémant, à la fois net, mûr, ample et très expressif, avec des saveurs franches de pâte d'amande et de pain grillé. Savoureux et assez consistant; une belle amertume se dessine en finale et met le fruit en relief. Digeste et harmonieux.

11456492 28,30$ ☆☆☆☆

3 561019 600096

VITTEAUT-ALBERTI

Crémant de Bourgogne, Blanc de blancs

Cette maison fondée en 1951 à Rully se spécialise dans l'élaboration de crémant de Bourgogne. Chardonnay (80%) et aligoté donnent un bon crémant au style délicat et léger, assez caractéristique d'un blanc de blancs par ses notes calcaires et ses parfums citronnés, mais aussi sensiblement dosé – 14 g/l de sucre – sans verser dans la mollesse.

12100308 25,40$ ☆☆☆ ½

3 760078 490079

RECAREDO

Brut Nature 2008, Gran Reserva

L'appellation « cava » est employée en Espagne pour désigner les vins mousseux élaborés selon la méthode traditionnelle, autrefois appelée méthode champenoise. Plus de 85 % des cavas proviennent de la région catalane du Pénedès. Et celui-ci est élaboré par l'une des maisons les plus respectées du pays.

Les vignobles sont conduits en biodynamie, les raisins de macabeo, xarel-lo et parellada récoltés à la main et le vin profite d'un vieillissement sur lattes pendant cinq ans. Le résultat impressionne autant par sa délicatesse et sa subtilité au nez, que par l'impression d'intensité contenue qu'il laisse en bouche. Sec – c'est le propre d'un brut nature – concentré et salin, le vin est un peu timide à l'ouverture, mais gagne en nuances avec l'aération. Évitez de le servir trop froid et de siffler la bouteille trop vite. Votre patience sera récompensée. Impeccable!

12016288 36,50$ ☆☆☆☆ ½ ②

8 437001 003273

CLOS AMADOR

Brut Delicat, Reserva, Pere Ventura

Nouveau à la SAQ, un bon mousseux d'apéro, léger et bien équilibré ; avec des parfums de fruits blancs, mais aussi des notes de terre humide, qui lui donnent une certaine originalité. Très correct à ce prix.

12888182 16,55$ ☆☆☆

8 426998 257547

CODORNÍU

Codorníu, Brut Classico Cava

Le plus connu des cava espagnols est de qualité constante. Moins sucré et rustique que par le passé, du moins il me semble ; sa légèreté et ses saveurs franches le rendent agréable à boire.

503490 15,15$ ☆☆ ½

8 410013 381010

JUVÉ Y CAMPS

Reserva de la Familia 2012, Cava

Cette année encore, un cava de première qualité, harmonieux, ouvert et agréable à boire. Les parfums de levure sont bien perceptibles, mais ne masquent pas l'expression du fruit, tant au nez qu'en bouche. Plus de tenue et d'intensité aromatique que la moyenne des cava et une fine amertume qui rehausse les goûts de poire en sirop. Assez solide et sérieux pour être apprécié à table, avec un plat de fruits de mer.

10654948 22,70$ ☆☆☆☆ ♥

8 424487 600188

PARÉS BALTÀ

Cava Brut

Le domaine historique de Parés Baltà a énormément progressé au cours des 20 dernières années. Issu des cépages parellada, maccabeu et xarel-lo, cultivés de manière biologique, le vin fruité est et bien proportionné, sans les notions de raisins cuits et de caoutchouc brûlé qui affligent plusieurs mousseux espagnols dans cette gamme de prix. Rapport qualité-prix et constance remarquables.

10896365 17,95$ ☆☆☆

8 410439 034354

RAVENTÓS I BLANC

L'Hereu 2014, Brut, Conca del Riu Ánoia

Très sec et très droit en bouche, issu à parts égales de maccabeu et de xarel-lo, complétés de 20% de parellada. Le 2014 me semble plus frais que d'habitude, marqué de saveurs citronnées pures, sur un fond presque salin. Bon équilibre entre la rondeur du dosage et une acidité vive qui donne soif et met en appétit. Bon cava authentique, offert à un prix attrayant.

12097946 20,65$ ☆☆☆ ½

8 421478 740106

VILLA CONCHI

Brut Selección

Nouveauté cette année à la SAQ. Un bon cava plutôt discret au nez, mais assez séduisant en bouche avec ses goûts de pomme verte, de pomme cuite et ses notes de pâtisserie qui rappellent un pain de ménage frais sorti du four. Pas très long, mais soutenu par des bulles fines et doté d'un bon équilibre. À moins de 20$, c'est un bon achat.

12728533 18,95$ ☆☆☆ ½ ②

En primeur

NÉGONDOS
Préambulle

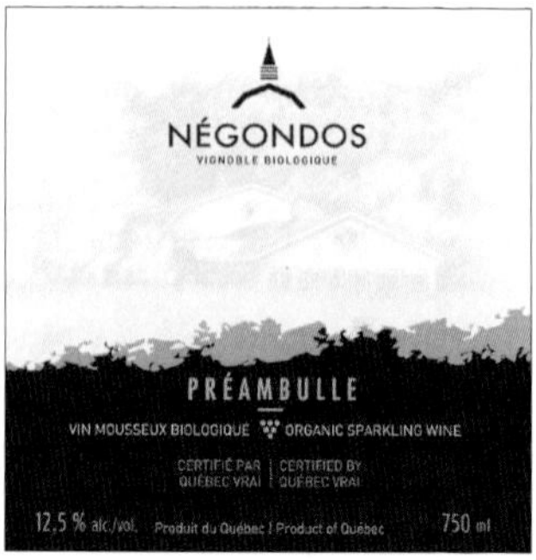

Négondos est le premier vignoble biologique à avoir vu le jour au Québec. Lorsqu'ils ont entrepris de planter de la vigne dans les Basses-Laurentides, Carole Desrochers et Mario Plante ont d'instinct été séduits par ce mode d'agriculture qui comptait très peu d'adeptes à l'époque.

Le vin n'a pas été filtré et présente un léger dépôt qui n'affecte en rien sa qualité. Bien au contraire, ce mousseux composé à 100 % de seyval est une autre preuve que le terroir québécois peut donner d'excellents vins effervescents. Issu de la méthode traditionnelle, le vin profite d'un vieillissement sur lattes qui apporte des parfums appétissants de scones tout frais. Le dosage est perceptible, mais sans lourdeur, soutenu par l'acidité caractéristique du seyval. Bulle fine, bonne longueur. On en boirait à profusion!

26 $ ☆☆☆☆ ② ♥

Disponible à la propriété

CHÂTEAU DE CARTES
Rosé 2015

Le cépage sainte-croix est vinifié selon la méthode traditionnelle par Stéphane Lamarre, à Dunham. Encore jeune et très frais, le 2015 présente au nez des parfums de pomme, de fraise et de cire d'abeille. Un dosage modéré (7 g/l) atténue la nervosité du vin, qui s'avère plutôt harmonieux en bouche. Un peu rustique, mais croquant comme une pomme fraîchement cueillie, bien fait et original.

12357453 30 $ ★★★ ①

0 799705 518209

DOMAINE BERGEVILLE
Blanc 2013, Brut

Ève Rainville et Marc Théberge ont choisi de se consacrer exclusivement à l'élaboration de vins effervescents dans leur domaine de North Hatley, dans les Cantons-de-l'Est. Issu des cépages hybrides frontenac blanc, saint-pépin et l'acadie cultivés selon les principes de la biodynamie et élaboré selon la méthode traditionnelle, le vin est élevé sur lies pendant 21 mois, ce qui lui confère une bonne ampleur, sans trop de sucrosité (à peine 4 g/l). La mousse est fine et porte de délicats parfums de fleurs blanches, de poires et de grillé. Délicieux!

30 $ ☆☆☆☆ ② ♥

Disponible à la propriété

ORPAILLEUR

Brut

Premier domaine viticole d'importance au Québec, l'Orpailleur élabore une vaste gamme de vins secs et liquoreux, ainsi qu'un très bon vin effervescent issu de seyval et élaboré selon la méthode traditionnelle. Juste assez dosé pour tempérer la vigueur du seyval, mais pas trop, le vin est toujours aussi vif et vibrant, avec de bons goûts de pomme verte, de lime, de citron et une finale florale très originale qui apporte une touche de complexité en bouche.

0 827924 004132

12685625 32$ ☆☆☆

VIGNOBLE DE LA RIVIÈRE DU CHÊNE

Monde Les Bulles

Un vin onctueux et gras, dont on appréciera l'originalité des parfums de miel et de pâte d'amande ainsi que la fraîcheur aromatique. Délicatement parfumé, passablement dosé et bien équilibré. Jolie finale aux accents de pain grillé qui lui confère un supplément de caractère.

0 827924 036256

12359871 31,25$ ☆☆☆

VIGNOBLE STE-PÉTRONILLE

Brut Nature

Le cépage vandal-cliche donne à ce vin effervescent des tonalités fort originales de melon et de fleurs blanches. Non dosé – c'est-à-dire qu'aucun sucre n'a été ajouté après le dégorgement, le vin est ample et assez volumineux en bouche, tout en demeurant désaltérant. Finale aromatique aux accents de sucre d'orge et d'écorce de citron.

Disponible à la propriété

30$ ☆☆☆

Vive le Québec… effervescent!

Quasi marginale jusqu'à tout récemment, la production de vins effervescents se pratique maintenant dans la plupart des régions viticoles du Québec. L'idée coule pourtant de source lorsqu'on sait que l'acidité joue un rôle primordial dans l'équilibre de ces fines bulles et qu'avec son climat frais, la Belle Province est plutôt bien servie dans ce domaine!

VIGNALTA

Fior d'Arancio 2013, Spumante, Colli Euganei, Italie

Élaborée par un producteur phare des Colli Euganei, au sud-ouest de Padoue, cette curiosité est issue de muscat fleur d'oranger, une variété très peu connue, née d'un croisement entre le muscat à petits grains et le chasselas.

On a presque l'impression de traverser un verger pendant la saison des récoltes en plongeant le nez dans ce moscato. Des saveurs très expressives d'abricot, de nectarine et de fleur d'oranger, une bulle délicate, enrobée d'un reste notable de sucre et toute l'acidité nécessaire à son équilibre en bouche. Avec sa légèreté alcoolique à 5,5%, on peut difficilement imaginer un meilleur vin pour accompagner le brunch.

726976 20,15$ ☆☆☆☆ ① ♥

8 031802 000860

BENJAMIN BRIDGE

Nova 7 2014, Canada

Cet effervescent produit dans la baie de Fundy est issu d'acadie blanc, de muscat de New York, de vidal et d'ortega. Beaucoup de sucre, mais aucune lourdeur; le vin est tout léger, frais comme un jus de fruits et regorge de délicates saveurs d'agrumes qui évoquent la clémentine, ponctuées de notes de menthe, de thé vert et de poivre. Un excellent vin mousseux à boire à la fin du repas ou à apprécier en soi, simplement, par un bel après-midi d'automne. Frais, délicatement acidulé et si bien équilibré qu'on a vite fait d'oublier sa teneur en sucre.

12133986 26,25$ ☆☆☆☆ ① ♥

0 695555 000256

CHIARLO, MICHELE

Moscato d'Asti 2015, Nivole, Italie

Bonne effervescence, nez typé, bouche très fruitée; le moelleux enrobe les saveurs exubérantes de muscat. Sa légèreté alcoolique à 5% le rend particulièrement agréable. Idéal au dessert ou en fin de repas. Aussi offert en demi-bouteille.

11791848 20,20$ ☆☆☆

8 002365 013000

GOLAN HEIGHTS

Moscato 2014, Mount Hermon, Galilée, Israël

Cette curiosité israélienne, composée de muscat canelli, est cultivée sur les sols volcaniques du plateau du Golan, à une altitude variant entre 400 m et 1200 m. Un vin mousseux qui s'apparente à un moscato d'Asti, tant par sa légèreté (6 % d'alcool), que par sa teneur en sucre et ses parfums exubérants d'orange confite et de fleurs blanches. Original.

12781650 21,95 $ ☆☆☆ ①

0 736040 011880

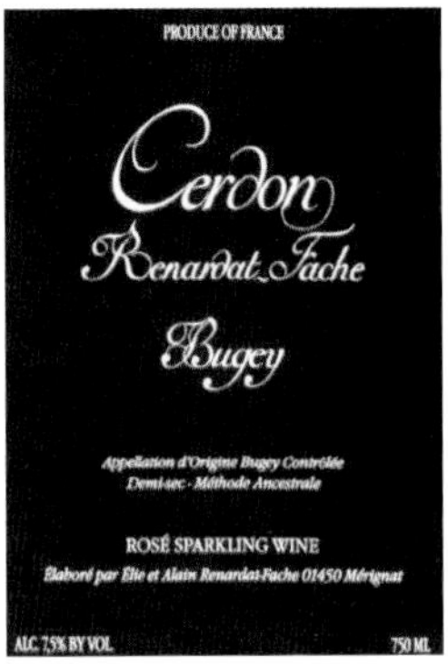

RENARDAT-FÂCHE

Bugey Cerdon

Cette spécialité alpine, produite dans la commune de Bugey – aux limites de la Savoie et du Jura – est vinifiée selon la méthode ancestrale, c'est-à-dire qu'elle est le fruit d'une fermentation unique, contrairement au champagne qui fermente deux fois. Bon rosé effervescent issu de gamay et de poulsard. Passablement acidulé, léger en alcool (7,5 %) et tout en finesse au nez. Le fruit explose davantage en bouche, mêlant la rhubarbe, la groseille et autres petits fruits rouges ; finale moelleuse et parfumée. Un très bon vin à apprécier à l'apéritif, en accompagnement de dessert ou comme un dessert en soi.

12477543 23,70 $ ☆☆☆☆

3 683080 027296

UNION DES PRODUCTEURS DE DIE

Clairette de Die, Cuvée Titus, France

Pour faire changement, une clairette traditionnelle principalement issue de muscat et ne titrant que 7 % d'alcool. Le vin est moelleux, léger, parfumé et savoureux, il rappelle l'Asti spumante. À servir très frais, au dessert ou après le repas.

333575 20 $ ☆☆☆

3 416140 120091

LA MOUSSIÈRE

Sancerre 2014, Alphonse Mellot

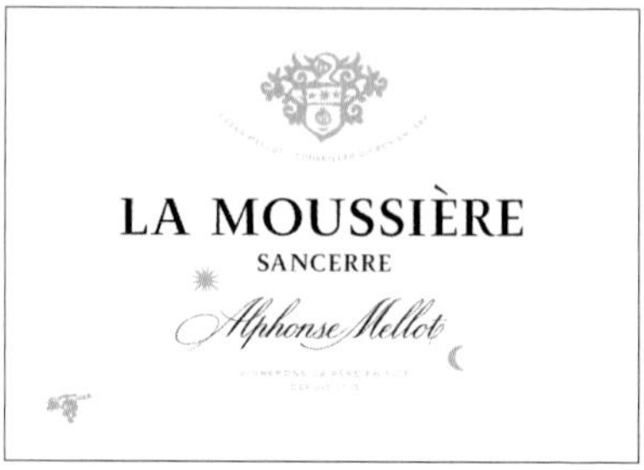

On dit des meilleurs terroirs qu'ils transcendent le cépage. C'est précisément le cas pour ce rosé élaboré par un illustre vigneron de Sancerre. Si on me l'avait servi à l'aveugle – et dans un verre opaque – j'aurais possiblement deviné qu'il s'agissait d'un sancerre... blanc, donc issu de sauvignon blanc. Or, ce vin est plutôt composé à 100 % de pinot noir.

Si vous doutez encore que les rosés peuvent être de grands vins de terroir, il vous faut goûter celui-ci. Tout le contraire d'une boisson facile et édulcorée, La Moussière 2014 - oui, c'est bel et bien un vin de l'an dernier - se dessine tout en nuances, en précision et en profondeur. Le vin a beaucoup de caractère et de tenue, et les saveurs persistent en bouche, laissant en finale des notes d'ananas et de cire d'abeille. Pas donné, mais d'une qualité irréprochable.

3 273390 127115

12690694 25,60$ ★★★★ ② ♥

Mes autres meilleurs rosés de l'été 2016

BONNY DOON

Vin Gris de Cigare 2015, California

Goûté à plusieurs reprises depuis le printemps, le 2015 se distingue par son attaque en bouche vibrante, heureux mariage de délicatesse et de structure. Très désaltérant et d'une longueur appréciable. Le fruit joue en sourdine et le minéral s'exprime haut et fort. Le genre de vin qui vous accroche un sourire aux lèvres.

0 769434 104271

10262979 22,75 $ ★★★★ ② ♥

CASTRO, ÁLVARO
Dão 2015, Quinta da Pellada

Un nez minéral met d'emblée en soif. La bouche est tout aussi minérale, saline, sapide; le fruit est franc et pur, la texture assez grasse et animée d'un léger reste de gaz qui donne du tonus à l'ensemble. À moins de 20$, c'est vraiment l'un des top rosés de l'été.

12924964 18,40$ ★★★★ ① ♥

5 606686 000638

CHÂTEAU DE LANCYRE
Coteaux du Languedoc Pic-Saint-Loup 2015

L'un des bons rosés de l'été dans le réseau. Très sec et de couleur pâle, il offre une bonne tenue en bouche et des saveurs plus près du minéral que du fruit. Frais, élégant et assez nourri pour être apprécié à table.

10263841 17,45 ★★★ ½ ①

3 437500 000051

CHÂTEAU LA LIEUE
Coteaux Varois en Provence 2015

Celui-ci, élaboré par un domaine familial de Brignoles, est un de mes favoris depuis des années. Tout à fait dans l'esprit des bons rosés de Provence: d'une couleur pâle, très sec, mais juste assez gras et issu de l'agriculture biologique.

11687021 16,90$ ★★★★ ① ♥

3 760015 200020

CHÂTEAU LA TOUR DE L'ÉVÊQUE
Pétale de Rose 2015, Côtes de Provence

Quoique moins aromatique que par le passé, le 2015 est une autre belle réussite pour Régine Sumeire. Les inconditionnels du Pétale de Rose y retrouveront la texture vineuse, les saveurs délicates et la fine minéralité (ou salinité) qui le rendent toujours aussi agréable, tant à table qu'à l'apéritif.

425496 21,65$ ★★★ ½ ①

3 458200 004101

JEANJEAN
Le Pive Gris 2015, Sable de Camargue

Produit à l'est de Montpellier par la famille Jeanjean et issu de l'agriculture biologique, ce vin est une valeur sûre à la SAQ en matière de rosé. Très sec, peu coloré, comme se doit de l'être un rosé de pressurage direct – c'est-à-dire vinifié avec une macération brève des baies dans le moût –, désaltérant et assez polyvalent à table.

11372766 16,45$ ★★★ ½ ① ♥

3 186127 750855

VINS FORTIFIÉS

Les pages suivantes regroupent tous les vins auxquels de l'alcool a été ajouté à une étape de leur élaboration. En France, on utilise, selon le cas, les expressions «vin muté», «vin doux naturel», «vin de liqueur» ou encore «mistelle». Nous avons plutôt opté pour le terme «vin fortifié» (*fortified wine* en anglais), qui paraît ici plus approprié.

Capiteux et souvent doux, ces vins sont enrichis d'une certaine quantité d'eau-de-vie avant, pendant ou après la fermentation. Avant et pendant, elle permet de préserver le sucre naturel du raisin; après, elle contribue à hausser le taux d'alcool final du produit.

Les vins moelleux n'ont pas vraiment leur place à l'apéritif – c'est un peu comme manger des gâteaux en guise de hors-d'œuvre –, mais ils couronnent le repas avec une note de chaleur et de réconfort. Peu de vins offrent une si belle répartie aux saveurs puissantes et à la texture grasse de fromages goûteux, comme le bleu, par exemple.

Les ventes de porto au Québec ont sensiblement ralenti depuis 10 ans. La qualité des vins n'a pourtant pas fléchi, et les meilleurs vintages figurent encore parmi les vins les plus racés du monde, mais les habitudes de consommation ont changé dans les marchés traditionnels et le porto n'a plus la cote d'autrefois. Devant ce constat, et alarmées par la hausse du prix des spiritueux qui servent à muter les vins, plusieurs maisons tentent de se réinventer et orientent plus que jamais leurs efforts vers la production de vins de table.

Après des décennies de déclin, la popularité des xérès connaît un regain auprès d'une jeune clientèle curieuse de saveurs nouvelles. Le succès touche surtout les vins secs (fino, manzanilla et oloroso), mais on observe aussi une croissance du côté de l'amontillado. Enfin!

LES DERNIERS MILLÉSIMES À PORTO

2015
Une saison presque parfaite. Été de canicule et de sécheresse, suivi de quelques jours de pluie en septembre qui ont permis de rafraîchir les raisins, juste à temps pour une récolte sous le soleil. Plusieurs déclarations en perspective.

2014
Une année hétérogène. Les vignobles du Douro qui ont échappé aux pluies de septembre porteront de beaux fruits.

2013
Année très ordinaire pour le porto. Peu ou pas de déclaration en vue.

2012
Plusieurs déclarations de ce que les Anglais appellent un single quinta vintage. C'est-à-dire un vin commercialisé sous le nom du cru, dans les millésimes non déclarés officiellement.

2011
Les températures élevées du mois de juin ont brûlé quelques grappes. Très bonne année pour le porto, avec de faibles rendements, une grande concentration, des tanins fermes et une acidité notable. La plupart des maisons ont déclaré.

2010
Autre année de sécheresse dans le Douro. Qualité jugée satisfaisante, mais peu de déclarations. Une année pour les single quinta vintage.

2009
Mois d'août cuisant et sec, et vendanges commencées 15 jours plus tôt qu'en 2008. Qualité variable. Les vignobles en altitude ont donné les meilleurs vins.

2008
Récolte déficitaire, jusqu'à 30 %. Qualité hétérogène, parfois très satisfaisante. Quelques déclarations de single quinta vintage.

2007
Récolte inférieure à la moyenne; un été sec et des raisins de grande qualité. Plusieurs professionnels considèrent que 2007 est l'un des meilleurs millésimes des dernières décennies, à l'instar des 2000, 1994, 1977 et 1970. Déclarations généralisées.

2006
Des conditions difficiles aux vendanges et des vins de qualité moyenne, avec quelques bons succès. Très peu de déclarations.

NEGRONI

Les origines exactes du negroni sont plutôt floues, mais selon l'hypothèse la plus répandue, le célèbre cocktail serait né en 1919, à Florence, en Italie, dans un café de la rue Tornabuoni, où le comte Camillo Negroni avait ses habitudes. L'histoire veut que le comte, trouvant son americano (composé de Campari, de vermouth et d'eau gazeuse) trop léger, ait demandé au barman de le bonifier en remplaçant l'eau gazeuse par du gin. Ce que fit le barman, en prenant soin de remplacer la tranche de citron, qui accompagne traditionnellement l'americano, par une tranche d'orange, afin d'indiquer qu'il s'agissait d'un cocktail différent.

Près de 100 ans après sa création, ce cocktail d'une exquise simplicité est toujours aussi populaire et l'un de ses piliers, le vermouth, a le vent dans les voiles. Partout sur la planète, on voit naître de nouvelles versions de cet alcool à base de vin muté et assaisonné d'herbes et d'épices. Les recettes de vermouth varient selon les régions et les ingrédients disponibles, mais tous ont en commun cet équilibre doux-amer qui le rend si agréable à boire à l'apéritif.

La recette

Dans un verre old-fashioned contenant quelques glaçons, versez une quantité égale de dry gin, de Campari et de vermouth. Remuez et ajoutez une demi-rondelle ou un zeste d'orange en garniture. C'est tout!

BADENHORST, ADI

Caperitif

En 2014, le mixologue danois Lars Lyndgaard a proposé à Adi Badenhorst, vigneron réputé du secteur de Swartland, de l'aider à redonner vie à une boisson apéritive qui était très populaire à la fin du 19e siècle. Quelques essais et erreurs plus tard, Lyndgaard et Badenhorst semblent avoir trouvé la recette gagnante.

Je dois avouer que depuis son arrivée à la SAQ au début de l'été, j'ai eu un coup de foudre pour la version moderne du Caperitif, qui se retrouve stylistiquement à mi-chemin entre un vermouth et le Lillet, la boisson apéritive bordelaise. Le vin blanc est muté à l'alcool et aromatisé de quinine (comme le Lillet) ainsi que d'un assemblage d'herbes et d'épices authentiquement sud-africaines comme le fynbos – ensemble de buissons aromatiques qui s'apparente à la garrigue méditerranéenne – et l'écorce de naartjies, une mandarine locale.

12831872 28,75$ ☆☆☆☆

6 009800 591569

DOMAINE LAFRANCE

Rouge Gorge, Vermouth de cidre

La famille Lafrance élabore ce délicieux vermouth à base de cidre et d'eau-de-vie de pommes distillée au domaine de Saint-Joseph-du-Lac dans les Laurentides. Le tout est assaisonné d'absinthe, de thé du Labrador, de baies de genièvre et d'une centaine d'autres herbes et épices. Les puristes lui reprocheront peut-être de ne pas être élaboré à partir de vin, comme le veut la tradition, mais sa rondeur, ses goûts généreux de pomme cuite, de thé noir et d'épices et sa délicate amertume auront vite fait de les rallier.

12979092 26,75$ ★★★ ½

0 841125 074152

LUSTAU

Vermouth

L'intensité en bouche de ce vermouth et sa sucrosité ne sont pas sans rappeler celles d'un oloroso. La comparaison s'arrête toutefois là, puisque les arômes de ce vin parfumé d'armoise, de coriandre, d'angélique, de gentiane, de sauge et d'écorce d'orange n'ont rien en commun avec le xérès. Plus de structure et de longueur que la plupart des vermouths sur le marché; une bonne extraction tannique, des amers de qualité et une myriade de saveurs complexes, mariant les herbes médicinales à l'écorce d'orange et aux accents d'épices douces. Excellent vermouth que tout amateur de negroni devrait avoir en réserve à la maison.

12979084 29$ ★★★★ ⓢ

8 412325 003383

RAMOS PINTO

Late Bottled Vintage 2011

Je n'ai pas encore eu la chance de goûter plusieurs portos du millésime 2011, mais ce LBV me porte à croire que les vins de table du Douro ne seront pas les seuls à avoir profité de cette saison végétative apparemment excellente. Un autre coup de maître pour Ramos Pinto, maison appartenant au groupe champenois Roederer et surtout connue pour ses délicieux tawny.

Ce LBV de style traditionnel a la complexité, l'intensité et la longueur de bien des portos vintage. Très concentré et puissant, compact et musclé, ferme en bouche grâce à une solide charpente tannique. Le fait qu'il soit non filtré ajoute encore à sa dimension et à son étoffe en bouche; très satisfaisant et l'un des plus avantageux à ce prix. On peut aisément le laisser reposer en cave jusqu'en 2025-2030. Cinq étoiles pour un LBV hors catégorie. Exceptionnel!

5 601332 004541

743187 29,05$ ★★★★→★ ④ ♥

FONSECA

Vintage 2000

Fonseca, une entreprise associée à Taylor Fladgate, produit des portos vintage à faire rêver. À plus forte raison celui-ci, considéré comme l'un des triomphes du millésime. Un vin somptueux et encore jeune, qui témoigne d'une subtilité et d'une race incomparables. Multidimensionnel, profond et pénétrant, coloré, une trame tricotée serrée, une structure impressionnante et un large spectre aromatique. On peut très bien le goûter dès maintenant, mais rien ne sert de se presser puisqu'il restera au sommet jusqu'en 2025, au moins.

0 040007 089905

708990 120,50$ ★★★★→★ ④

GRAHAM'S

Late Bottled Vintage 2009

Bel exemple de LBV commercial et à prix avantageux. Une consistance appréciable et, comme toujours, un bon vin fruité et chaleureux, aux notes de raisins confits et de cacao. Prêt à boire.

5 010867 400092

191239 19,95$ ★★★ ½ ②

MAS AMIEL

Vintage 2012, Maury

Le magnat de l'industrie alimentaire, Olivier Decelle, a acheté cette belle propriété du Roussillon où il produit une gamme exemplaire de vins de Maury. Encore très jeune lorsque goûté de nouveau en juillet 2016, ce 2012 regorge de goûts de confiture de petits fruits, sur un fond de réglisse et de garrigue. Étoffe tannique compacte, belle complexité et équilibre hors pair. À boire sans se presser au courant de la prochaine décennie.

11544151 34$ ★★★★ ② ♥

3 281540 031137

OFFLEY

Late Bottled Vintage 2010

LBV de style traditionnel, c'est-à-dire sans filtration ni stabilisation par le froid, commercialisé dans le même type de bouteille qu'un vintage et coiffé d'un long bouchon permettant au vin de continuer à se développer en bouteille. Sans atteindre le degré de concentration du 2009 commenté l'an dernier, ce 2010 fait preuve d'une solide assise tannique qui soutient le fruit et laisse une impression à la fois fraîche et rassasiante en bouche. Bonne longueur ; un LBV sérieux, à boire au cours des cinq à sept prochaines années.

483024 19,95$ ★★★★ ③ ♥

5 601034 211506

SMITH WOODHOUSE

Late Bottled Vintage 2002

Plus imposant que vraiment profond, ce 2002 se présentait d'un seul bloc lorsque goûté en juillet 2016. Une bonne charge tannique, des goûts de chocolat et de confiture de fruits, mais un léger manque de vigueur. Reste à voir comment il évoluera.

743781 36,75$ ★★★ ②

5 010867 505605

TAYLOR FLADGATE

Late Bottled Vintage 2010

Un vin millésimé robuste et fruité, élevé plus longtemps en barrique, puis filtré, qui n'aurait pas besoin de reposer en cave 20 ans avant d'atteindre son apogée : le late bottled vintage était né. Près d'un demi-siècle plus tard, le LBV de Taylor demeure une référence. Encore très jeune, tannique et vigoureux, comme l'annonce sa couleur sombre et son nez compact de fruits confits et de poivre, le 2010 est fidèle au style de la maison. Un excellent vintage de consommation courante. Le prix est aussi doux que le vin.

12490078 13,15$ ★★★★ ② (375 ml)

5 013626 111154

LUSTAU

Manzanilla, Papirusa

Lustau est un grand nom du Xérès. Du plus sec au plus doux, tous les vins sont admirablement typés et dotés d'une forte personnalité. Cette spécialité andalouse provenant de Sanlúcar de Barrameda, en bordure de l'Atlantique, est tout le contraire d'un vin « grand public ». C'est même l'un des grands vins les plus sous-estimés du monde.

Celui de la maison Lustau est à la fois frais et intense, avec cet inimitable parfum de *flor* (levures), qui donne toute sa distinction à ce grand classique espagnol. Pur et franc, avec des notes de noisette et d'eau de mer. Très sec, désaltérant et d'une «buvabilité» étonnante, malgré ses 15% d'alcool, il gagne à être servi rafraîchi, autour de 10 °C.

0 097985 274021

11767565 12,60$ ☆☆☆☆ ② ♥ (375 ml)

BARBADILLO

Solear en Rama 2014, Manzanilla, Saca de Invierno

Les fino et manzanilla dits «*en rama*» sont prélevés directement depuis le *butt* – le tonneau de 600 litres traditionnel – et mis en bouteille sans filtration ni stabilisation à froid. Bien que maintenant un peu vieux pour un *en rama* (la coutume locale veut que ces vins fragiles soient bus moins de 6 mois après leur mise en bouteille) celui-ci n'était pas fatigué outre mesure lorsque goûté en août 2016. Les saveurs avaient perdu un peu de leur éclat, mais le vin avait encore beaucoup de volume en bouche et cette salinité qui rend la manzanilla irrésistible.

8 410061 229906

12614641 22,95$ ☆☆☆☆ Ⓢ

BARBADILLO

Solear, Manzanilla

La manzanilla est réputée pour sa légèreté. Le plus délicat des xérès, dit-on. Celui-ci, dont l'arrivée est prévue en février 2016, en est un très bel exemple. Ample et merveilleusement rafraîchissant, malgré ses 15% d'alcool, très sec et ponctué des saveurs caractéristiques de pomme verte et d'olives, avec des accents salins qui rappellent le bord de mer. Excellent!

8 410061 017428

12591071 12,40$ ☆☆☆☆ ♥ (375 ml)

GONZALEZ BYASS
Tío Pepe

Le fino le plus connu au monde est toujours aussi bon. Un xérès jeune et frais en bouche, étonnamment facile à boire en dépit de son taux d'alcool de 14,5%. À noter que Gonzalez Byass commercialise aussi un somptueux xérès *en rama*, qui n'est toujours pas dans la mire de la SAQ, malheureusement.

8 410023 000031

242669 19,20$ ☆☆☆

LUSTAU
Amontillado, Los Arcos

L'amontillado est un fino vieilli – de là sa couleur orangée – et ayant perdu sa *flor*, le fameux voile de levures qui donne toute sa personnalité à cette spécialité andalouse. Sec, mais puissant et plantureux, avec des saveurs très intenses de noix, de fruits secs, de levures, de sucre brun, et beaucoup de corps aussi.

En primeur

13035915 22,05$ ☆☆☆ ½

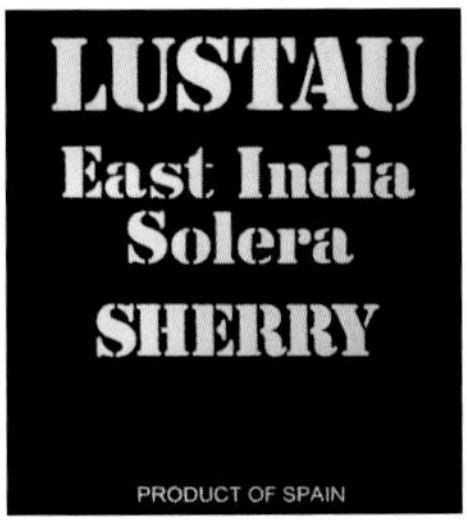

LUSTAU
East India Solera

Une originalité à saveurs historique puisque la dénomination « East India » désigne un style de xérès élaboré à l'ancienne et vieilli dans un chai chaud et humide qui imite les effets d'un transport maritime en climat tropical. Composé d'oloroso et de 20% de pedro ximénez, le vin affiche une couleur fauve et fait preuve d'une richesse et d'une race inimitables, mettant en relief des accents de fumée, de caramel brûlé et de dattes. Une invitation alléchante à découvrir le charme exquis de cette spécialité andalouse.

En primeur

12993011 29,60$ ☆☆☆☆

LUSTAU
Puerto Fino

L'archétype du fino: vivifiant et tonique, à la texture ample et aux arômes caractéristiques d'olive verte. Très sec, désaltérant et d'une complexité aromatique incomparable, que met en relief une acidité tranchante. Il sera à son meilleur à l'apéro, par une chaude journée d'été.

0 097985 843005

11568347 18,80$ ☆☆☆☆

OSBORNE
Fino Quinta

Un vin très sec, à la fois léger et intense comme le sont les meilleurs fino. Les goûts très francs de *flor* et de noisette sont mis en relief par des amers de qualité. Pas très complexe ni très long, mais il a plus de structure que la moyenne. Très belle redécouverte.

8 410337 008044

539007 8,40$ ☆☆☆ ½ (375 ml)

BARBEITO

Boal, Madeira

Le vin de Madère profite d'un second souffle depuis quelques années. Jadis surtout fréquentée par des retraités, cette île située à environ 600 km au large de l'Afrique, à la hauteur de Casablanca, est devenue le nouveau paradis des amateurs de kitesurf. Il semblerait que cette nouvelle clientèle se soit aussi prise d'affection pour ce vin unique, chauffé à 50 °C pendant trois mois avant d'être fortifié, ce qui lui confère un goût de caramel et de fruits séchés.

Disponible depuis peu à la SAQ, ce boal – c'est le nom du cépage – est élaboré par une maison de très bonne réputation. Riche, moelleux et profond, le vin déploie en bouche de bons goûts de fruits secs et de noisettes rôties. Plus complexe que dans mes souvenirs, avec une longue finale vaporeuse, aux accents fumés, de sucre d'orge, d'orange amère et une longueur digne de mention.

5 601519 222409

12389375 17,25$ ☆☆☆☆ ♥ (500 ml)

DOMAINE DE MONTBOURGEAU

Macvin du Jura

Nicole Deriaux élabore cette curiosité jurassienne, dont les origines remontent au moins jusqu'au 14e siècle. Composé surtout de chardonnay et fortifié avant même le début des fermentations alcooliques, à la manière d'un pineau des Charentes ou d'un floc de Gascogne. L'amateur de vin du Jura retrouvera dans ce macvin le même petit « goût de jaune » qui fait toute l'originalité du célèbre vin jaune, avec en prime une finale persistante aux accents d'aneth. Belle occasion pour sortir des sentiers battus. Servir frais, et de grâce, sans glaçons!

3 760210 040018

11785624 40$ ☆☆☆☆ ②

FERREIRA

Porto blanc

Propriété du groupe portugais Sogrape, Ferreira produit aussi un excellent porto blanc. Doré et très doux, à la texture tendre et onctueuse. Ne pas confondre avec le type de porto extra dry. On peut le servir très frais, à l'apéritif ou à la fin du repas, en guise de vin de dessert.

571604 15,70$ ☆☆☆

5 601007 001516

JOSE MARIA DA FONSECA

Alambre 2008, Moscatel de Setúbal

Spécialité de la maison da Fonseca – aucun rapport avec les Porto Fonseca –, cet excellent vin moelleux aromatique est une tradition de la péninsule de Setúbal, au sud de Lisbonne. Muscat, boal et malvoisie donnent un vin passablement parfumé, au bon goût de pêche mûre et de caramel. Fort plaisant, original et vendu à prix d'aubaine.

357996 15,70$ ☆☆☆ ♥

0 600470 301005

MADEIRA WINE COMPANY

Leacock's Rainwater

Fondée au début du 20e siècle, cette compagnie est née d'un regroupement de 26 marques qui ont assuré leur survie en partageant les coûts de production et de promotion. Elle appartient aujourd'hui à la famille Blandy, qui a multiplié les investissements pour rénover les installations. Délicieux vin léger, semi-doux et très frais en bouche. Son acidité naturelle met en relief son goût, si particulier, de noisette et d'écorce d'orange. Très bon vin à servir frais à l'apéritif.

245530 19,25$ ☆☆☆☆

5 010867 800038

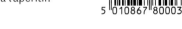

OFFLEY

Porto blanc Cachucha

Issu de vignes blanches portugaises (malvasia, codega, rabigato, etc.) plantées sur la Quinta de Cachucha, et mûri pendant six ans en fût de chêne. Riche et onctueux, et pourtant frais en bouche et facile à boire, doté d'une dimension aromatique remarquablement intense et persistante. Quatre étoiles bien méritées, car il domine dans la catégorie du porto blanc. Idéal en apéritif, servi sur glace et coupé de soda tonique.

582064 19,90$ ☆☆☆☆ ♥

5 601034 022508

LES BONNES ADRESSES DE NADIA

Les bonnes adresses

MONTRÉAL ET RÉGION

AU PIED DE COCHON
536, rue Duluth Est, Montréal, 514-281-1114

Dans ce bistro très médiatisé, le chef Martin Picard prépare une cuisine généreuse et goûteuse. Le porc est présent sous toutes ses formes et accompagné d'une excellente carte des vins qui comprend de nombreuses raretés.

BOUILLON BILK
1595, boulevard Saint-Laurent, Montréal, 514-845-1595

Depuis son ouverture, le restaurant de Mélanie Blanchette et de François Nadon donne un souffle nouveau à ce segment peu fréquenté du boulevard Saint-Laurent, en marge du Quartier des spectacles. La taille de la salle à manger a plus que doublé au cours des dernières années, mais la qualité des plats et du service demeure inchangée. Une adresse très sérieuse, sans être guindée. La carte des vins est meublée avec beaucoup de goût.

BRASSERIE T
1425, rue Jeanne-Mance, Montréal, 514-282-0808

Le célèbre restaurant de Normand Laprise a maintenant son antenne sur la Place des Festivals. On y sert une cuisine bistro sans prétention, qui mise néanmoins sur des produits de première qualité. La carte des vins est, en quelque sorte, un modèle réduit de celle du Toqué!

BUVETTE CHEZ SIMONE
4869, avenue du Parc, Montréal, 514-750-6577

La Buvette est un lieu chaleureux où il fait bon s'attabler entre amis. Simple et sans prétention, le menu propose quelques entrées et des plats copieux de poulet rôti. Belle sélection de vins au verre.

CANDIDE
551, rue Saint-Martin, Montréal, 514-447-2717

Envie de sortir de votre zone de confort? Vous aimerez cette adresse un peu atypique, ne serait-ce que par son emplacement – l'ancien presbytère de l'église Saint-Joseph dans la Petite-Bourgogne. Le chef John Winter-Russell propose un seul menu chaque soir, 100 % locavore, donc issu d'ingrédients locaux et de saison. Le menu peut être accompagné de vins au verre, choisis par la sommelière Émily Campeau. Très belle sélection de vins essentiellement naturels.

CUL-SEC
29, rue Beaubien Est, Montréal, 615-439-8747

Non loin du boulevard Saint-Laurent, la cantine de Martin Juneau fait aussi office de caviste de quartier. Une belle variété de petits plats simples et délicieux comme les *chopped liver* et une carte des vins d'importation privée, à consommer sur place ou à emporter, à l'achat d'un repas.

FERREIRA CAFÉ

1446, rue Peel, Montréal, 514-848-0988

Premier restaurant portugais moderne de Montréal, le restaurant de Carlos Ferreira compte parmi les très bonnes tables. Le grand choix de vins portugais met en valeur la cuisine de Marino Tavares et fait apprécier les progrès accomplis dans ce pays. Service professionnel.

GRAZIELLA

116, rue McGill, Vieux-Montréal, 514-876-0116

Grand restaurant dans tous les sens du terme : salle étendue et beauté des murs. La réputée chef Graziella Battista prépare une cuisine italienne précise et sans ostentation. Grand choix de vins, principalement d'Italie.

GRUMMAN'78

630, rue de Courcelle, Montréal, 514-290-5125

De *food truck* à restaurant, cette adresse du quartier Saint-Henri nous donne l'impression d'un voyage dans le sud des États-Unis, avec son décor industriel, sa cuisine, son ambiance. Tacos, ceviche, quesadillas et autres classiques de la cuisine tex-mex sont revisités avec bon goût et accompagnés d'une belle carte des vins, avec un penchant marqué pour les vins de petits producteurs, souvent biologiques.

H4C

528, Place Saint-Henri, Montréal, 514-316-7234

Dans le décor d'une ancienne banque, ce restaurant apporte un vent de fraîcheur dans ce quartier en pleine revitalisation. La cuisine du chef Dany Bolduc est goûteuse, témoigne d'un grand sens du détail et s'accompagne d'une carte des vins on ne peut plus digne. L'amateur curieux sera comblé !

HAMBAR

355, rue McGill, Montréal, 514-879-1234

Au rez-de-chaussée de l'Hôtel Saint-Paul, le Hambar fait davantage office de bar à vin que de restaurant. L'établissement se spécialise dans les charcuteries et propose, entre autres, du jambon *pata negra* à prix fort. Carte des vins étoffée, avec quelques grandes bouteilles de Bourgogne et de Bordeaux.

HOOGAN & BEAUFORT

4095, rue Molson, Montréal, 514-903-1233

L'une des meilleurs nouveaux restaurants de Montréal a élu domicile au cœur du technopôle Angus, dans les anciennes usines du Canadien Pacifique. Le chef Marc-André Jetté reste fidèle au style très raffiné et hautement digeste qui l'a fait connaître chez 400 Coups et Laloux. Les plats sont essentiellement cuisinés sur un immense four à bois qui occupe une bonne partie de la cuisine ouverte et accompagnés de très bons vins choisis avec soin par William Saulnier.

HOTEL HERMANN

5171, boulevard Saint-Laurent, Montréal, 514-278-7000

Le vin est à l'honneur dans ce restaurant du Mile End, dont l'espace est en partie occupé par un vaste bar en forme de fer à cheval. L'ambiance est feutrée, la cuisine aussi copieuse que savoureuse et la carte des vins regorge de belles trouvailles, dont d'excellents crus allemands. Service professionnel et décontracté.

IL PAGLIACCIO

365, avenue Laurier Ouest, Montréal, 514-276-6999

Manuel Silva a officié pendant une vingtaine d'années au restaurant Le Latini avant d'ouvrir cet établissement à l'angle des avenues Parc et Laurier. Pas étonnant donc que l'on y retrouve la même cuisine italienne classique et sans chichi, mais élaborée avec des produits de première qualité. La carte des vins, quoique concise, propose quelques raretés en importation privée.

JOE BEEF/LIVERPOOL HOUSE

2491 et 2501, rue Notre-Dame Ouest, Montréal, 514-935-6504 et 514-313-6049

Au cœur de la Petite-Bourgogne, ces deux établissements voisins admirablement tenus par les chefs David McMillan et Frédéric Morin ont valeur de référence tant par l'originalité des lieux que par la créativité dans la cuisine. L'une des meilleures adresses montréalaises où manger des huîtres. Les vins sont choisis avec soin et la carte est très diversifiée.

JUNI

156, avenue Laurier Ouest, Montréal, 514-276-5864

Dans un cadre simple et dépouillé, une cuisine asiatique aussi exquise que raffinée. Une belle carte des vins présentée soigneusement et riche de plusieurs vins et de saké d'importation privée.

LA CHRONIQUE

99, avenue Laurier Ouest, Montréal, 514-271-3095

L'une des tables les plus réputées de Montréal. Une cuisine moderne et une carte des vins élaborée, avec un très bon choix de vins au verre.

LALOUX/POP!

250, avenue des Pins Est, Montréal, 514-287-9127

Contre vents et marée, Laloux demeure l'une des institutions de la restauration montréalaise. Cuisine bistro bien présentée et service efficace, sans prétention. La carte des vins est un peu plus ténue que par le passé, mais tout aussi pointue.

LA SALLE À MANGER

1302, avenue du Mont-Royal Est, Montréal, 514-522-0777

Une partie de l'équipe du Réservoir officie à cette sympathique adresse que l'on visite et revisite avec plaisir. Dans une ambiance décontractée, on savoure une cuisine à la fois originale et réconfortante accompagnée d'une vaste sélection d'horizons diversifiés.

LE CLUB CHASSE ET PÊCHE

423, rue Saint-Claude, Montréal, 514-861-1112

Le restaurant du chef Claude Pelletier et de son associé Hubert Marsolais ne connaît aucun fléchissement et compte toujours parmi les meilleures tables de la métropole. Cuisine inventive et exquise, aussi impeccable que la sélection des vins. L'une des bonnes adresses montréalaises pour savourer de grands crus de Bourgogne.

LE COMPTOIR

4807, boulevard Saint-Laurent, Montréal, 514-844-8467

Ce bar à vin déjà très bien fréquenté ne manque pas de vie ni d'ambiance. Segué Lepage se spécialise dans l'élaboration de charcuteries maison et propose aussi une belle sélection de tapas. Plusieurs vins «nature» servis au verre et proposés à bons prix. Une très bonne adresse pour prolonger l'apéro entre amis. Également ouvert les midis du mardi au vendredi.

LE FILET

219, avenue du Mont-Royal Ouest, Montréal, 514-360-6060

Les propriétaires du Club Chasse et Pêche et le sommelier Patrick St-Vincent tiennent le fort à cette adresse bien fréquentée, située en face du parc Jeanne-Mance. Le poisson et les crustacés sont à l'honneur, servis en petites portions – façon tapas – et assortis d'une carte des vins concise, très soignée et renouvelée fréquemment.

LEMÉAC

1045, avenue Laurier Ouest, Montréal, 514-270-0999

Le bistro outremontois à la mode, agrémenté d'une jolie terrasse à l'année. Décor clair et dépouillé, très bonne cuisine moderne, d'une constance exemplaire et service efficace. Très belle carte des vins, avec une sélection considérable de vins au verre.

LE ST-URBAIN

96, rue Fleury Ouest, Montréal, 514-504-7700

Un sympathique bistro nouvelle vague, une grande salle claire et dépouillée. Très bonne cuisine présentée par le chef Marc-André Royal et une liste de vins bien constituée.

LES CONS SERVENT

5064, avenue Papineau, Montréal, 514-523-8999

Ce très bon restaurant de quartier propose une cuisine simple, mais toujours bien exécutée, assortie d'une carte de boissons passablement diversifiée, qui mise essentiellement sur les vins nature. Ouvert sept soirs sur sept.

LE SERPENT

257, rue Prince, Montréal, 514-316-4666

Nouveau-né des propriétaires du Club Chasse & Pêche. Cuisine italienne impeccable et service avenant; le lieu est chic, stylé et on peut y tenir une conversation sans y perdre la voix. La carte des vins, courte et minutieusement choisie, témoigne d'une politique de prix terrestre. On peut y voir une marque de respect pour le client.

LES FILLETTES

1226, avenue Van Horne, Montréal, 514-271-7502

Une jeune équipe de restaurateurs a donné une seconde vie à ce célèbre local de la rue Van Horne qui a hébergé le Paris-Beurre pendant une trentaine d'années. Look revampé et mis au goût du jour – on a enlevé les nappes et éclairci le décor – et cuisine toujours aussi savoureuse. Carte des vins concise, mais variée; service courtois et professionnel. En prime: une terrasse verdoyante.

LE VIN PAPILLON

2519, rue Notre-Dame Ouest, Montréal

Nouveau-né de la famille Joe Beef, un bar à vin lui aussi situé au cœur de la Petite-Bourgogne, juste à côté du célèbre établissement de David McMillan et Fred Morin. La sommelière Vania Filipovic tient le fort et propose une sélection aussi inspirée qu'inspirante des meilleurs crus de la planète, le plus souvent «nature», sinon biologiques. Pour les accompagner, la cuisine savoureuse du chef Marc-André Frappier. Plaisir garanti! Aucune réservation.

L'EXPRESS

3927, rue Saint-Denis, Montréal, 514-845-5333

Avec raison, L'Express demeure l'une des véritables institutions montréalaises. Depuis une trentaine d'années déjà, une bonne adresse toujours animée, où savourer de bons plats typiques de la cuisine bistro française, avec un vaste choix de vins européens, dont quelques raretés vendues à prix tout à fait correct.

LILI CO.

4675, boul. Saint-Laurent, Montréal, 514-507-7278

Après un bref passage rue Mentana, ce restaurant a élu domicile sur la *Main*, juste au sud de la rue Villeneuve, à deux pas du bar à vin Le Comptoir. Du mardi au dimanche, le chef David Pellizzari y décline un éventail de plats aussi créatifs que raffinés, que Catherine Draws honore d'un service ultra professionnel et très élégant. Belle carte des vins, la plupart vendus à un prix attrayant.

MAISON BOULUD

1228, rue Sherbrooke Ouest, 514-842-4224

Tout nouvellement rénové, le restaurant du chic Ritz-Carlton porte l'enseigne prestigieuse du chef étoilé Daniel Boulud. Fine cuisine du marché et carte des vins tout à fait à la hauteur de l'établissement, ponctuée de quelques curiosités. Superbe terrasse en été et verrière pour les saisons fraîches.

MAJESTIQUE

4105, boulevard Saint-Laurent, Montréal, 514-439-1850

Au cœur de la *Main*, un restaurant tout petit, mais chaleureux, au décor d'inspiration rétro. Le menu a été concocté par Charles-Antoine Crête, ex-chef du Toqué! La carte des vins n'est pas très vaste, mais on y trouve toujours son bonheur, le plus souvent à prix doux.

MILOS

5357, avenue du Parc, Montréal, 514-272-3522

La célèbre table hellénique est réputée depuis longtemps pour ses spécialités de poissons. Excellente cuisine et service impeccable. Une carte des vins assez diversifiée et un vaste choix de crus grecs rappelant l'origine des propriétaires.

MIMI LA NUIT

22, rue Saint-Paul Est, Montréal, 514-507-5449

Très bonne adresse du Vieux-Montréal, ce bar à vin au décor soigné a tout pour plaire aux oiseaux de nuit, avec une cuisine ouverte jusqu'à 2 heures, du mercredi au dimanche. Pour accompagner la cuisine d'Éloi Dion (357C, Van Horne), une carte de cocktails conçue par David Schmidt et jolie carte des vins signée Sindie Goineau (Victoire, Barnounya).

MOLESKINE

3412 avenue du Parc, Montréal, 514-903-6939

Véronique Dalle, Frédéric St-Aubin et les propriétaires du Pullman ont ouvert cette nouvelle adresse à quelques numéros civiques du populaire bar à vin de l'avenue du Parc. Au rez-de-chaussée, un espace décontracté s'articule autour d'une cuisine ouverte; on y sert essentiellement de la pizza cuite au four à bois et des vins en fût d'excellente qualité. L'étage supérieur propose une cuisine gastronomique, assortie d'une belle carte des vins, choisie par la sommelière Véronique Dalle.

MONTRÉAL PLAZA

6230, rue Saint-Hubert, Montréal, 514-903-6230

La nouvelle maison de Charles-Antoine Crête – le petit génie qui a tenu la barre des cuisines du Toqué! pendant près de 10 ans – et de Cheryl Johnson. Samuel Chevalier (jadis sommelier chez Toqué! et Le Filet) veille sur la carte des vins et spiritueux. Ouvert sept soirs sur sept.

NORA GRAY

1391, rue Saint-Jacques, 514-419-6672

Deux anciens de chez Joe Beef ont ouvert récemment cette excellente table dans un segment peu fréquenté de la rue Saint-Jacques. On y sert une cuisine italienne aussi savoureuse que réconfortante, assortie d'une sélection pointue de vins de tous horizons. Ambiance animée et service courtois.

PASTAGA
6389, boulevard Saint-Laurent, 438-381-6389

Sur ce segment moins achalandé du boulevard Saint-Laurent, entre le Mile End et la Petite Italie, le chef Martin Juneau poursuit son œuvre avec l'esprit de créativité qui a jadis fait le succès de la Montée de Lait. On y sert des plats de taille moyenne que l'on partage volontiers afin de pouvoir goûter à tout. Penchant affiché pour les vins «nature», sans ajout soufre.

PETIT ALEP
191, rue Jean-Talon Est, Montréal, 514-270-9361

Voisin du restaurant Alep, cette petite table animée et fort sympathique, ouverte les midis et les soirs, propose dans un cadre décontracté une cuisine syrienne savoureuse, mise en valeur par une très vaste sélection de vins «nature».

PULLMAN
3424, avenue du Parc, Montréal, 514-288-7779

Cet établissement moderne du centre-ville est un incontournable pour tout amateur de vin de Montréal. La carte propose de nombreuses petites bouchées inventives et savoureuses. Le service très courtois et professionnel fait honneur à un choix de vins de d'excellente qualité.

ROUGE-GORGE
1234, avenue du Mont-Royal Est, Montréal, 514-303-3822

Le bar à vin d'Alain Rochardet Laurent Farre – anciens propriétaires du restaurant Le Continental – s'est vite imposé comme un incontournable pour les amateurs de vin du Plateau. L'établissement possède un permis de bar, il n'est donc pas nécessaire d'y manger. Cela dit, le Rouge-Gorge propose aussi une belle brochette de petits plats pour apaiser la faim, tout en explorant la carte des vins.

SATAY BROTHERS
3721, Rue Notre-Dame Ouest, Montréal, 514-933-3507

Après avoir longtemps oscillé entre une adresse estivale (au marché Atwater) et une adresse hivernale dans la rue Saint-Jacques, les frères Winnicki ont finalement élu domicile rue Notre-Dame, dans le quartier Saint-Henri. La carte des vins est concise, mais recherchée et se marie à ravir à une cuisine singapourienne, aussi exotique que délicieuse.

TAPÉO ET MESÓN
511, rue Villeray, 514-495-1999 et
345, rue Villeray, Montréal, 514-439-8089

Deux adresses, un même groupe de propriétaires et une même chef: Marie-Fleur Saint-Pierre. Le premier s'est vite imposé comme une référence en matière de restaurant à tapas à Montréal, bien avant la mode des petits plats à partager. Le petit «nouveau» est situé quelques pas à l'ouest, et propose aussi une cuisine espagnole moderne, en formule bistro de quartier. La carte des vins des deux établissements propose une belle sélection de vins ibériques, dont d'excellents cavas et xérez.

TOQUÉ!

900, Place Jean-Paul Riopelle, Montréal, 514-499-2084

La cuisine de Normand Laprise et de sa brigade mérite largement sa place au sein de l'élite gastronomique nord-américaine. Inspirée, savoureuse et mettant toujours en valeur les produits d'artisans locaux. Carte des vins aussi éclectique que recherchée, dont plusieurs raretés. En semaine, menu du midi à prix attrayant.

LAVAL ET LES LAURENTIDES

LE MITOYEN

652, rue de la Place publique, Laval, 450-689-2977

Dans sa belle maison ancestrale du quartier Sainte-Dorothée, Richard Bastien prépare une cuisine classique raffinée, mise en valeur par une carte des vins diversifiée dont plusieurs belles bouteilles. Bon choix de vins au verre.

LE SAINT-CHRISTOPHE

94, boulevard Sainte-Rose, Laval, 450-622-7963

Dans une ancienne demeure agrémentée d'une terrasse, une excellente cuisine inspirée des traditions du sud de la France. Carte de vins exclusivement français, présentée de façon professionnelle.

RIVE SUD DE MONTRÉAL, CANTONS-DE-L'EST ET MONTÉRÉGIE

AUBERGE WEST BROME

128, route 139 Sud, West-Brome, 450-266-7552

À mi-chemin entre Cowansville et Sutton, cette auberge bicentenaire abrite aussi l'une des bonnes tables de la région de Missisquoi. Menu bistro le midi et cuisine plus élaborée en soirée, tous deux essentiellement composés de produits locaux. La carte des vins compte plusieurs belles surprises.

AUGUSTE

82, rue Wellington Nord, Sherbrooke, 819-565-9559

Sympathique bistro situé au centre-ville de Sherbrooke. Le décor est épuré et la cuisine s'accompagne d'une belle carte des vins, dont plusieurs belles options au verre.

BISTRO BEAUX LIEUX

19, rue Principale Nord, Sutton, 450-538-1444

Depuis quelques années, le chef Christian Beaulieu apporte un vent de fraîcheur à ce joli village des Cantons-de-l'Est. Le menu évolue selon les saisons et s'accompagne d'une carte des vins courte, mais bien choisie.

CAFÉ MASSAWIPPI

3050, chemin Capelton, North Hatley, 819-842-4528

La cuisine de Dominic Tremblay est servie entre les murs d'une coquette maison de campagne. Service courtois et attentif; carte des vins bien garnie, mais classique.

MANOIR HOVEY

575, chemin Hovey, North Hatley, 819-842-2421

Au bord du lac Massawippi, cette belle demeure d'influence sudiste est un haut lieu de l'hôtellerie dans les Cantons-de-l'Est. Cuisine sophistiquée, concoctée par le chef Francis Wolf. Peu d'aubaines, mais des crus choisis avec soin.

QUÉBEC ET LA RÉGION

CHEZ BOULAY – BISTRO BORÉAL

1110, rue Saint-Jean, Québec, 418-694-1818

Le chef-propriétaire du restaurant Le Saint-Amour a lancé un nouveau restaurant voué à la mise en valeur des produits du terroir boréal, comme le désormais très médiatisé NOMA, de Copenhague. Omble de l'arctique et caribou parfumé au thé du Labrador sont assortis d'une carte de vins truffée d'importations privées.

INITIALE

54, rue Saint-Pierre, Québec, 418-694-1818

Membre de la chaîne Relais & Châteaux, récemment décoré de la mention cinq Diamants, ce restaurant gastronomique situé au cœur du Vieux-Québec est un incontournable de la vieille Capitale. Une cuisine fine et sophistiquée, servie dans un cadre tout aussi distingué, accompagnée d'une belle sélection de vins, dont plusieurs grands crus bordelais. Le menu du midi est une véritable aubaine.

LAURIE RAPHAËL

117, rue Dalhousie, Vieux-Québec, 418-692-4555

Une table innovatrice et très réputée du Vieux-Québec. Daniel Vézina signe une cuisine inventive et savoureuse, mise en valeur par une carte des vins diversifiée.

L'ÉCHAUDÉ

73, rue Sault-au-Matelot, Vieux-Québec, 418-692-1299

Restaurant niché au cœur de la vieille ville. Cuisine de bistro accompagnée d'un très bon choix de vins français à des prix raisonnables.

LE CLOCHER PENCHÉ

203, rue Saint-Joseph Est, Québec 418-640-0597

Au menu, des classiques de la cuisine bistro française: boudin, tartares, etc. Expérience tout aussi agréable en soirée que pour le brunch. Belle carte des vins, essentiellement européenne. Service sympathique, sans compromis sur le professionnalisme.

LÉGENDE
255, rue Saint-Paul, Québec, 418-614-2555

L'antenne du restaurant La Tanière dans le Vieux-Québec. Une cuisine boréale très bien exécutée, à la hauteur des standards de la maison-mère. Le sommelier Jean-Sébastien Delisle dresse une carte étoffée, résolument axée sur les vins de terroir.

LE MOINE ÉCHANSON
585, rue Saint-Jean, Québec, 418-524-7832

Le concept : restaurant et boîte à vin. Un lieu minuscule, mais chaleureux et convivial. Le menu, comme la carte des vins, évolue au rythme des saisons. Plus léger l'été, plus rassasiant l'hiver.

LE PIED BLEU
179, rue Saint-Vallier Ouest, Québec, 418-914-3554

Dans un décor tout droit sorti d'une autre époque, cet établissement de la vieille capitale se définit comme un «bouchon lyonnais». C'est-à-dire inspiré de la cuisine de la ville de Lyon, en France, célèbre pour ses charcuteries et ses plats copieux à base de viande de porc et d'abats. Service sympathique, professionnel et carte des vins axée sur les régions voisines de Lyon : Rhône, Beaujolais, Bourgogne et Jura.

LE SAINT-AMOUR
48, rue Sainte-Ursule, Vieux-Québec, 418-694-0667

Campé sur une rue en pente près de la porte Saint-Louis. La carte des vins a l'allure d'un annuaire téléphonique. Toutes les régions de France y sont, particulièrement les vins de Bourgogne et de Bordeaux. Une gamme impressionnante de vins liquoreux et un très bon choix de demi-bouteilles.

PANACHE
10, rue Saint-Antoine, Vieux-Québec, 418-692-1022

Dans les murs de l'hôtel Saint-Antoine, ce restaurant séduit par la beauté historique des lieux, l'excellente cuisine sans confusion, le service pondéré et la belle carte des vins. Membre de la chaîne Relais & Châteaux.

BAS-SAINT-LAURENT

AUBERGE DU MANGE GRENOUILLE
148, rue Sainte-Cécile, Rimouski, 418-736-5656

Une adresse réputée sur la route du Bas-du-Fleuve. Dans un décor chaleureux, cette auberge de qualité propose une cuisine soignée et une longue carte des vins diversifiée.

CHEZ SAINT-PIERRE

129, rue du Mont-Saint-Louis, Rimouski, 418-736-5972

Selon l'avis de plusieurs, la meilleure table du Bas-Saint-Laurent. Colombe Saint-Pierre s'applique avec beaucoup de rigueur à la mise en valeur des produits du terroir local et concocte des plats aussi fins que savoureux. Choix de vins tout à fait correct, avec quelques belles trouvailles. Un arrêt obligatoire dans la région.

MAURICIE

AUBERGE DU LAC SAINT-PIERRE

1911, rue Notre-Dame Ouest, Trois-Rivières, 819-377-5971

Sur les rives du Saint-Laurent, une sympathique halte où l'on sert une cuisine réconfortante. Sur la carte, environ 150 vins bien choisis. Pour les grands soirs, quelques grands crus de Bordeaux.

LE CARLITO

361, rue des Forges, Trois-Rivières, 819-378-9111

On ne s'arrête pas dans ce restaurant trifluvien pour sa cuisine. En revanche, la carte des vins vaut vraiment le détour! Une foule de bonnes bouteilles de garde des régions de Bordeaux, de Bourgogne et du Rhône.

OUTAOUAIS ET OTTAWA

L'ORÉE DU BOIS

15, chemin Kingsmere, Chelsea, 819-827-0332

Dans le parc de la Gatineau en Outaouais, un sympathique relais de campagne, sous la gouverne du chef-propriétaire Jean-Claude Chartrand. La carte des vins est très bien garnie et inclut une sélection de vins québécois et canadiens. Un bon choix de vins au verre.

PLAY

1, York Street, Ottawa, 613-667-9207

Fort du succès de leur premier restaurant (Beckta, sur Nepean Street), le tandem formé de Stephen Beckta et du chef Michael Moffat a ouvert un second établissement, plus décontracté et aussi plus abordable. L'ambiance est animée, la formule est originale, le service est avenant et la carte compte quelques bons vins canadiens proposés au verre.

SOIF, BAR À VIN DE VÉRONIQUE RIVEST

88 rue Montcalm, Gatineau, 81- 600-7643

Véronique Rivest a enfin pu concrétiser son projet d'ouvrir son bar à vin dans sa ville natale. Au cœur du Vieux-Hull, la vice-championne du monde en sommellerie a opté pour un décor chaleureux où le liège est à l'honneur sous toutes ses formes. La carte des vins est invitante, très éclectique, mais sans ostentation. Tout à l'image de sa créatrice.

APPORTEZ VOTRE VIN

Les restaurants où l'on peut apporter son vin sont nombreux dans la région de Montréal. Voici quelques bonnes adresses :

Montréal

À L'OS

5207, boulevard Saint-Laurent, 514-270-7055

Dans un décor dépouillé, ce bistro de quartier propose un menu élaboré et bien présenté. Service professionnel, carafes et verres de qualité impeccable.

BOMBAY MAHAL

1001, rue Jean-Talon Ouest, Montréal, 514-273-3331

Adresse très fréquentée de Parc-Extension, où s'entassent les amateurs de cuisine indienne dans une ambiance un peu bruyante et chaotique, mais néanmoins sympathique. Cuisine savoureuse, plus ou moins relevée, à la demande du client.

ÉTAT-MAJOR

4005, rue Ontario Est, Montréal, 514 -905-8288

Une très bonne adresse, située sur la promenade Ontario, tout près du boulevard Pie IX. La cuisine est bien exécutée, les portions sont assez copieuses, le service est professionnel, efficace et très sympathique et des verres de qualité permettent d'apprécier les bonnes bouteilles.

KHYBER PASS

506, avenue Duluth Est, Montréal, 514-844-7131

Envie d'exotisme? Davantage parfumée que piquante, la cuisine afghane se prête assez bien aux accords mets et vins. Dans un décor feutré, on savoure de bons plats d'agneau braisé, des grillades et autres spécialités. Par contre, ne cherchez pas les verres en cristal...

LA COLOMBE

554, avenue Duluth Est, 514-849-8844

Une adresse que l'on visite et revisite avec un plaisir toujours renouvelé. Vos meilleures bouteilles seront admirablement bien servies, par le personnel en salle mais aussi par la cuisine aussi soignée que gourmande et réconfortante du chef-propriétaire Mostafa Rougaïbi. Un classique et un incontournable pour l'amateur de vin. Pas étonnant qu'on y croise tant de gens de la profession...

LE MARGAUX

5058, avenue du Parc, Montréal, 514-448-1598

Ce restaurant de l'avenue du Parc, à deux pas de l'avenue Laurier, s'est reconverti en «Apportez votre vin» depuis le début de l'année 2013. La formule fonctionne assez bien si on en juge par l'achalandage. Cuisine sobre et raffinée.

LES CANAILLES

3854, rue Ontario Est, Montréal, 514-526-8186

Dans le quartier Hochelaga-Maisonneuve, pas très loin de la Place Valois. Bonne cuisine bistro, servie dans une ambiance animée et un cadre décontracté.

LES HÉRITIERS

1915, avenue Mont-Royal Est, Montréal, 514-528-4953

La formule est sensiblement la même que dans tous les autres établissements du groupe. Cuisine française.

O'THYM

1112, boulevard de Maisonneuve Est, Montréal, 514-525-3443

Bistro très fréquenté. Le menu, inscrit à l'ardoise, varie au rythme des arrivages.

QUARTIER GÉNÉRAL

1251, Gilford Est, Montréal, 514-658-1839

Parmi les bons «apportez votre vin» du Plateau Mont-Royal. On y propose une belle sélection d'entrées et de plats servis à la carte ou en menu composé. Le service est à la fois professionnel, avenant et sympathique. Le mieux est de réserver une semaine à l'avance.

CHRISTOPHE

1187, avenue Van Horne, Montréal, 514-270-0850

Toujours au four, Christophe Geffrey pratique la même cuisine recherchée qui a fait sa réputation. Service impeccable, verrerie de qualité et ambiance amicale.

Québec

LA GIROLLE

1384, chemin Sainte-Foy, Québec, 418-527-4141

L'un des rares bistros de Québec où l'on peut apporter son vin. On y sert des plats français classiques à des prix très abordables. Les bonnes bouteilles sont de mise. Ouvert midi et soir.

CHEZ SOI LA CHINE

27, rue Sainte-Angèle, Québec, 418-523-8858

Au cœur du Vieux-Québec, à deux pas de la place d'Youville, ce restaurant situé dans les anciens locaux du Café d'Europe propose une cuisine chinoise authentique. Les dumplings vapeur et le canard laqué aux champignons feront certainement honneur à vos bonnes bouteilles. Chaleureux et abordable.

L'IMPORTATION PRIVÉE

COMMENT ÇA MARCHE?

La plupart des agences mettent à jour le catalogue de leurs vins d'importation privée sur une base régulière. Si un produit vous intéresse:

1- Communiquez avec l'agence par courriel ou par téléphone pour passer votre commande;
2- Choisissez la succursale de la SAQ où vous souhaitez prendre possession de vos bouteilles*;
3- Un employé de la succursale vous avisera par téléphone de la réception de votre commande;
4- Le paiement s'effectue lors de la prise de possession des bouteilles, au comptoir-caisse de la SAQ.

* Les vins sont vendus en caisse de 6 ou 12 bouteilles.

OÙ S'ADRESSER?

Pour obtenir de plus amples renseignements quant aux coordonnées des différentes agences, vous pouvez aussi communiquer avec:

- le service à la clientèle de la SAQ au 514-254-2020;
- la RASPIPAV (Regroupement des agences spécialisées dans la promotion de l'importation privée des alcools et des vins) à l'adresse: info@raspipav.com;
- l'AQAVBS (Association québécoise des agences de vins, bières et spiritueux) au 514-722-4510.

DES ADRESSES OÙ S'APPROVISIONNER

A.O.C. et Cie
Tél.: 514-931-9645
vinsaoc.ca

Anthocyane
Tél.: 514-237-3902
anthocyane.ca

Authentic Vins et Spiritueux
Tél.: 514-356-5222
awsm.ca

Avant Garde Vins et Spiritueux
Tél.: 514-464-0054
agvs.ca

Balthazard
Tél.: 514-288-9009
vinsbalthazard.com

Benedictus
Tél.: 450-671-5572
benlecavalier@sympatico.ca

Cava Spiliadis Canada
Tél.: 514-272-7459
cavaspiliadis.com

Charton-Hobbs
Tél.: 514-355-8955
chartonhobbs.com

Connexion Œnophilia
Tél. : 514-244-2248
oenophilia.ca

Enoteca di Moreno de Marchi
lenoteca.ca

Enotria Internationale
Tél. : 514 955-8466
enotria.ca

Francs-Vins (La Société)
Tél. : 514-522-9339
francs-vins.ca

GLOU
Tél. : 514-978-7216
glou-mtl.com

Les Vins Dame-Jeanne
vindamejeanne.com

Importation Épicurienne R.A. Fortin
Tél. : 450-671-0631
importation-epicurienne.com

Importation Le Pot de Vin
Tél. : 418-997-9264
potdevin.ca

Importations Syl-Vins
Tél. : 418-263-0250 ou 514-461-3526
lesisv.com

Isravin
Tél. : 514-991-9463
isravin.com

Labelle Bouteille
martin@labellebouteille.ca

La Céleste Levure
Tél. : 514-948-5050
lacelestelevure.ca

La QV
Tél. : 514-504-5082
laqv.ca

LBV International
Tél. : 514-907-9680
lbvinternational.com

LCC / Clos des Vignes
514-985-0647
lccvins.com

Le Maître de Chai
Tél. : 514-658-9866
lemaitredechai.qc.ca

Les Sélections Vin-Cœur
Tél. : 450-754-3769
selectionsvincoeur.com

Les Vieux Garçons
Tél. : 418-571-3396
lesvieuxgarcons.ca

Le Marchand De Vin
Tél. : 514-481-2046
mdv.ca

LVAB
Tél. : 450-538-3782
lvab.ca

Mark Anthony Brands
Tél. : 1-800-905-6660
markanthony.com

Mon Caviste
Tél. : 514-867-5327
moncaviste.ca

Mondia Alliance
Tél. : 450-645-9777
mondiaalliance.com

Œnopole
Tél. : 514-276-1818
oenopole.ca

Plan Vin
Tél. : 514-678-8777
planvin.com

Raisonnance
Tél. : 514-295-4981
raisonnance.net

RéZin
Tél. : 514-937-5770
rezin.com

Sélection Caviste
Tél. : 450-963-7401
selectioncaviste.com

Société Commerciale Clément
Tél. : 450-641-6403
jlfreeman.ca

Société de Vins Fins
Tél. : 450-432-2626
sdvf.ca

Société Roucet
Tél. : 450-582-2882
roucet.com

Symbiose
Tél. : 514-212-6336
symbiose-vins.com

Tocade
Tél. : 514-680-1543
tocade.com

Trialto
Tél. : 514-989-9657
trialto.com

Univins
Tél. : 514-522-9339
univins.ca

Vin Conseil
Tél. : 450-628-5639
vinconseil.com

Vinealis
Tél. : 514-895-8835
vinealis.qc.ca

INDEX DES CODES

Numéro de code de chaque vin, suivi de la page où il apparaît dans le livre.

INDEX DES PRODUCTEURS

NOTES DE RÉFÉRENCES

Pour faciliter vos recherches, vous pouvez également télécharger l'index complet du *Guide du vin 2017* sur le site Internet des Éditions de l'Homme à l'adresse suivante :

edhomme.com/fichiers/Le-guide-du-vin-2017.pdf

TABLEAU DES MILLÉSIMES

TABLEAU DES MILLÉSIMES	15	14	13	12	11	10	09	08	07	06	05	04	03	02	01	00	99	98	97	96	95	94	93	92	91	90	89	88	87	86	85	84	83	82
Médoc - Graves	8	7	4	6	7	9	9	8	6	7	9	8	8	7	9	9	7	8	7	9	9	7	6	4	5	10	10	8	5	9	8	5	8	10
Pomerol - Saint-Émilion	9	6	5	7	7	9	9	8	6	7	9	8	8	7	8	9	7	9	7	8	9	7	6	4	4	10	9	8	6	8	9	3	8	10
Sauternes	9	8	9	7	8	9	9	7	9	8	9	7	10	9	10	8	7	8	8	10	8	5	5	5	4	9	9	10	5	10	8	5	8	5
Côte d'Or rouge	9	8	8	9	8	10	9	7	7	8	9	7	9	9	8	7	9	8	7	8	8	6	8	6	7	9	8	8	7	5	9	5	7	6
Côte d'Or blanc	7	8	7	8	7	8	8	8	8	8	9	8	7	10	7	8	7	8	8	9	9	7	5	8	5	8	9	7	6	9	8	6	8	7
Chablis Premiers et Grands crus	7	9	7	8	8	9	8	9	8	8	9	8	6	10	7	10	8	8	8	9	8	6	7	8	7									
Alsace	8	7	9	9	7	9	8	8	8	7	8	7	7	8	9	9	7	8	9	8	8	9	8	6	6	9								
Loire blanc (Anjou, Vouvray)	8	8	7	7	7	7	8	8	8	7	9	8	8	10	8	7	6	6	9	10	9	6	6	6	5	9								
Loire rouge	8	8	5	6	6	8	9	8	6	8	9	8	7	8	8	8	7	7	9	9	8	7	7	5	7	9								
Rhône rouge (nord)	9	7	8	9	8	9	9	7	7	8	9	8	8	6	8	8	9	8	8	7	9	7	4	5	9	9	10	9	7	8	9	5	9	8
Rhône rouge (sud)	8	7	8	9	7	8	8	6	8	9	9	9	8	5	9	9	8	10	7	6	9	7	7	5	5	9	10	8	4	7	8	5	8	5
Piémont : Barolo, Barbaresco	9	8	7	8	7	7	8	8	9	9	8	9	8	6	10	9	9	9	10	9	9	6	7	5	5	10	9	8	8	6	10	5	7	10
Toscane : Chianti, Brunello	8	7	7	7	7	8	8	8	9	10	7	9	7	6	10	7	9	8	10	7	9	8	7	4	6	10	5	9	5	7	10	4	8	9
Allemagne (Rheingau et Moselle)	9	7	7	9	8	7	8	7	9	7	10	8	9	8	10	7	8	7	9	10														
Californie-Chardonnay	8	8	8	9	7	7	9	7	8	7	8	8	8	9	9	8	8	7	10	9	9	8	8	8	7	8								
Californie-Cabernet sauvignon	8	9	9	9	7	7	9	7	7	7	9	8	7	9	9	7	8	8	10	8	8	9	7	8	10	9	7	6	9	8	9	8	6	8
Porto Vintage	9	8	7	9	9	7	7	8	10	6	8	7	9	6	n/a	10	5	5	10	7	8	10	-	9	9	7	-	-	7	7	9	-	8	7

Les millésimes sont cotés de 0 (les moins bons) à 10 (les meilleurs). *Les notes attribuées au millésime 2015 ne sont qu'indicatives et provisoires.*

- À laisser vieillir.
- On peut commencer à les boire, mais les meilleurs continueront de s'améliorer.
- Prêts à boire.
- À boire sans attendre, il n'y a pas d'intérêt à les conserver plus longtemps.
- Peut-être trop vieux.

C

Index

Index

E

Index

INDEX DES NOMS DE VINS

NOTES DE RÉFÉRENCES

Pour faciliter vos recherches, vous pouvez également télécharger l'index complet du *Guide du vin 2017* sur le site Internet des Éditions de l'Homme à l'adresse suivante :

edhomme.com/fichiers/Le-guide-du-vin-2017.pdf

A

B

C

D

N

S

X

Z

TABLEAU DES MILLÉSIMES	15	14	13	12	11	10	09	08	07	06	05	04	03	02	01	00	99	98	97	96	95	94	93	92	91	90	89	88	87	86	85	84	83	82
Médoc - Graves	8	7	4	6	7	9	9	8	6	7	9	8	8	7	9	9	7	8	7	9	9	7	6	4	5	10	10	8	5	9	8	5	8	10
Pomerol - Saint-Émilion	9	6	5	7	7	9	9	8	6	7	9	8	8	7	8	9	7	9	7	8	9	7	6	4	4	10	9	8	6	8	9	3	8	10
Sauternes	9	8	9	7	8	9	9	7	9	8	9	7	10	9	10	8	7	8	8	10	8	5	5	5	4	9	9	10	5	10	8	5	8	5
Côte d'Or rouge	9	8	8	9	8	10	9	7	7	8	9	7	9	9	8	7	9	8	7	8	8	6	8	6	7	9	8	8	7	5	9	5	7	6
Côte d'Or blanc	7	8	7	8	7	8	8	8	8	8	9	8	7	10	7	8	7	8	8	9	9	7	5	8	5	8	9	7	6	9	8	6	8	7
Chablis Premiers et Grands crus	7	9	7	8	8	9	8	9	8	8	9	8	6	10	7	10	8	8	8	9	8	6	7	8	7									
Alsace	8	7	9	9	7	9	8	8	8	7	8	7	7	8	9	9	7	8	9	8	8	9	8	6	6	9								
Loire blanc (Anjou, Vouvray)	8	8	7	7	7	7	8	8	8	7	9	8	8	10	8	7	6	6	9	10	9	6	6	6	5	9								
Loire rouge	8	8	6	6	6	8	9	8	6	8	9	8	7	8	8	8	7	7	9	9	8	7	7	5	7	9								
Rhône rouge (nord)	9	7	8	9	8	9	9	7	7	8	9	8	8	6	8	8	9	8	8	7	9	7	4	5	9	9	10	9	7	8	9	5	9	8
Rhône rouge (sud)	8	7	8	9	7	8	8	6	8	9	9	9	8	5	9	9	8	10	7	6	9	7	7	5	5	9	10	8	4	7	8	5	8	5
Piémont : Barolo, Barbaresco	9	8	7	8	7	7	8	8	9	9	8	9	8	6	10	9	9	9	10	9	9	6	7	5	5	10	9	8	8	6	10	5	7	10
Toscane : Chianti, Brunello	8	7	7	7	7	8	8	8	9	10	7	9	7	6	10	7	9	8	10	7	9	8	7	4	6	10	5	9	5	7	10	4	8	9
Allemagne (Rheingau et Moselle)	9	7	7	9	8	7	8	7	9	7	10	8	9	8	10	7	8	7	9	10														
Californie-Chardonnay	8	8	3	9	7	7	9	7	8	7	8	8	8	9	9	8	8	7	10	9	9	8	8	8	7	8								
Californie-Cabernet sauvignon	8	9	9	9	7	7	9	7	7	7	9	8	7	9	9	7	8	8	10	8	8	9	7	8	10	9	7	6	9	8	9	8	6	8
Porto Vintage	9	8	7	9	9	7	7	8	10	6	8	7	9	6	n/a	10	5	5	10	7	8	10	-	9	9	7	-	-	7	7	9	-	8	7

Les millésimes sont cotés de 0 (les moins bons) à 10 (les meilleurs). *Les notes attribuées au millésime 2015 ne sont qu'indicatives et provisoires.*

- À laisser vieillir.
- On peut commencer à les boire, mais les meilleurs continueront de s'améliorer.
- Prêts à boire.
- À boire sans attendre, il n'y a pas d'intérêt à les conserver plus longtemps.
- Peut-être trop vieux.

Cet ouvrage a été achevé d'imprimer sur les presses de
Imprimerie Transcontinental, Beauceville, Canada